Londres
et ses Quartiers

Expat Guide Ltd

Written by

Part I
Guylaine Amyot, Florence Le Bihan, Anne Ricard

Part II
South Kensington: Cathy Boulvert with Edith Bataille & Jacqueline Viviez
Chelsea: Sylvie Guyot
Fulham: Laurence Moncuit
Wandsworth: Emma Cote-Colisson
Wimbledon: Chantal de Sanglier - Muriel Dunand
Hammersmith: Dian Breza
Chiswick/Kew et Ealing/Acton: Anne Faure
Notting Hill/Holland Park: Nava Fox
Bayswater/Marylebone et Belgravia/Pimlico: Nathalie Gouraud
Hampstead: Sylvie Cassoulat

This edition updated by
Guylaine Amyot
with thanks to Olivier Bertin, Marie Blanche Camps, Magali Chabrelie, Anne Catherine Codsi, Marion Frenkenberg, Fabienne Lenfant, Anne Manduell, Emmanuelle Meyer

Advertising
Annik Glasgow

Sales France
Nadège Amyot

Design and artwork
Eléonore Pironneau

Maps
Lydie Boué and Shirley Trimmer

www.expatguide.co.uk

Published by Expat Guide Ltd London
First edition June 2004
Reprinted and updated February 2007

ISBN 0-9547609-1-3. 2nd revised edition

(ISBN 0-9547609-0-5. 1st edition)

Présentation

Guide pratique, *l'EXPAT GUIDE "Londres et ses quartiers"* offre aux Français et Francophones les clés d'une installation londonienne rapide et adaptée à tous les membres de la famille.

A découvrir, 12 quartiers, autant de "villages" où vivent les Français de Londres.

Véritable ouvrage collectif réalisé par une vingtaine de Françaises, il rassemble leurs meilleures adresses et conseils.

La partie générale étudie les différents aspects de la vie quotidienne à Londres: déménagement, choix d'une école, logement, travail, transports, sorties, activités culturelles et sportives, etc...

Ces thèmes sont ensuite repris dans chaque quartier avec une mise en valeur de leurs atouts et de leurs caractéristiques.

South Kensington est incontestablement le centre d'attractivité de la communauté française en raison du pôle formé par le Consulat, le Lycée et L'Institut Français.

Avec ses musées, la proximité de Hyde Park et son côté international, ce quartier est très prisé mais très cher. Tout proche, **Earl's Court** reste un quartier de contrastes (activité grouillante d'Earl's Court Road et luxueux appartements autour de squares privés).

Au sud, Chelsea attire par son côté chic et stylé, ses très belles maisons et l'activité trépidante de King's Road. **Fulham** et **Putney** conservent un côté "village" très apprécié, qui permet de mener une vie familiale tranquille et confortable non loin du centre.

A **Battersea, Clapham** et au-delà on entre dans la vraie Angleterre, avec ses vastes espaces verts, et une ambiance mi-ville mi-campagne. Une annexe primaire du Lycée Français et des écoles françaises privées y sont installées.

Encore plus au sud, **Wimbledon** est une ville à part entière entourée de verdure et recherchée pour sa réelle qualité de vie non loin du centre.

A l'ouest, Hammersmith est un quartier bien desservi situé non loin de Kensington. **Brook Green** offre un cadre de verdure et de confort et une école primaire française. **Baron's Court** en est le quartier résidentiel et calme où de nombreuses familles françaises se sont installées.

Chiswick, Kew et **Richmond** attirent un nombre croissant de familles françaises. Un peu plus à l'ouest, **Ealing** est une véritable petite ville en bordure de Londres avec tous les avantages d'une banlieue paisible. Les propriétés sont spacieuses et souvent accompagnées de jardins privés. L'atmosphère est conviviale et les golfs sont nombreux. Le Lycée y dispose d'une annexe primaire et l'accès à South Kensington pour le secondaire est direct en métro.

Au nord de South Kensington, plusieurs quartiers rencontrent les faveurs des Français pour leur positionnement central.

Holland Park est un havre de paix situé entre Notting Hill et Shepherd's Bush. Le quartier abrite de nombreuses célébrités. Le superbe parc fait la joie des petits et des grands.

Notting Hill est l'un des quartiers les plus vivants de la capitale, transformé dans les années 80-90. Une touche artistique s'y fait encore sentir, notamment aux alentours du marché de Portobello.

Juste au nord de Hyde Park, **Bayswater-Marylebone** conjugue proximité du centre ville et accès facile à de nombreuses activités et transports. L'est et le sud-est de Hyde Park sont très résidentiels (**Mayfair** et **Knightsbridge**), mais **Belgravia** et surtout **Pimlico** attirent pour leur emplacement très central et leurs prix plus abordables.

Enfin **Hampstead** est très recherché pour son immense Heath, la proximité avec la City et dispose également d'une école primaire française.

Sommaire

PARTIE GÉNÉRALE

Près de 300 000 Français au Royaume uni

La population française immatriculée, donc recensée, était de 85 823 en 2002, mais comme l'immatriculation n'est pas obligatoire, la population française totale est estimée en réalité à 3 à 4 fois celle des immatriculés. Depuis 1991, la population française a plus que doublé, et cette tendance semble se maintenir. Elle compterait donc plus de 71 000 enfants et jeunes dont 11 500 de moins de 6 ans et 60 000 entre 6 et 18 ans (la capacité d'accueil des écoles françaises à Londres entre le CP et la Terminale est inférieure à 4 000).
On dénombre aussi 26 000 Suisses, 16 000 Belges et 1 200 Québécois.

Angleterre? Royaume Uni? Ou Grande Bretagne

Le **Royaume Uni** regroupe
- l'Angleterre - le Pays de Galles
- l'Ecosse - l'Irlande du Nord

La **Grande Bretagne** est l'île comprenant l'Angleterre, le Pays de Galles et l'Ecosse.

Le drapeau, **Union Jack**, synthétise les drapeaux de ces différentes régions: la Croix Rouge sur fond blanc est le drapeau de l'Angleterre (la croix de Saint George), la croix en diagonale blanche sur fond bleu est celle de Saint Andrew patron de l'Ecosse et la croix en diagonale rouge sur fond blanc est celle de Saint Patrick patron d'Irlande (depuis l'acte d'union en 1801).
Le dragon gallois (*welsh dragon*) n'apparaît pas sur l'Union Flag puisque le Pays de Galles était déjà uni à l'Angleterre (depuis 1284) lors de sa création en 1603 avec l'accession au trône des Stuarts (le roi James VI d'Ecosse devient le roi James Ier en succédant à Elisabeth I, dernière reine Tudor).

Comment se repérer dans cette ville immense?

Dès votre arrivée, procurez-vous le ***A to Z***, l'indispensable plan de Londres vendu sous multiples formats. Le plus pratique est le ***BIG A to Z*** avec sa reliure spirale. Si le mini ***A to Z*** est facile à glisser dans son sac, il est écrit très petit.
Le site ***www.multimap.com*** vous permet de trouver rapidement votre chemin.
Ne cherchez pas une logique dans la numérotation des immeubles de rue. Toutes les formules existent: en ordre croissant, en côté pair/impair, en U (en ordre croissant d'une extrémité à l'autre). Parfois la numérotation s'interrompt, le temps d'aller se perdre dans une ruelle un peu plus loin.

Les codes postaux (*post codes*) sont un remarquable moyen d'identification des adresses. Tout logement se retrouve… grâce au code postal.
Ex: SW7 5JA
- SW = la zone géographique *South West*
- 7= le quartier *South Kensington.*
- 5JA = adresse, lieu d'habitation (*Queen's Gate*).

C'est pourquoi l'on vous demandera souvent votre *post code*, puis votre *house number*, ce qui sera suffisant pour retrouver votre adresse.

Les grands axes de circulation

Mild, wet and windy?

S'il est vrai que vous entendrez souvent ces trois mots au cours du très détaillé *weather forecast* télévisé, pas d'inquiétude: le climat anglais est bien plus agréable que sa réputation ne le laisse entendre...
Le fameux *fog* si caractéristique de l'imagerie londonienne a bel et bien disparu...depuis plus d'un siècle! Il était dû au charbon que l'on brûlait dans les cheminées, maintenant avantageusement remplacé par le gaz. Seul vestige de cette époque, les très nombreuses cheminées de brique qui couronnent les immeubles (il en fallait une par pièce).
Si vous aimez la Bretagne, vous vous plairez dans ce pays de vents et d'embruns, vous aimerez cette alternance continuelle d'éclaircies et d'averses, ces cieux toujours incertains, les cris des mouettes, et finirez par vous habituer à ne jamais sortir sans parapluie, même par un radieux soleil matinal.
Ici, point de grisaille (ou presque). Dans cette ville de bord de mer, on respire mieux que dans bien d'autres capitales, et l'omniprésence des parcs permet de vivre au rythme des saisons. Grâce à la douceur du climat (il ne gèle pratiquement pas), la végétation est abondante et variée et les jardins souvent extraordinaires.
Seul point noir : les "courtes" journées d'hiver, qui finissent au milieu de l'après-midi en raison de l'heure d'hiver... Si maintenant les Insulaires changent d'heure à la même date que les continentaux, ils maintiennent 1h de décalage avec ces derniers.

Une géographie marquée par la proximité de l'estuaire de la Tamise

Port maritime, situé à seulement 60 km de la mer, Londres est traversée d'est en ouest par la Tamise (*The Thames*), dont le niveau fluctue en fonction des marées. Le fleuve scinde la ville en deux parties: *North of the river*, résidentiel, et *South of the river*, traditionnellement industriel (mais en mutation accélérée). La ville se définit aussi entre l'*East End*, terre d'asile des divers flux d'immigrants à travers les siècles, et le *West End*, qui désigne les quartiers plus cossus et plus particulièrement le quartier des spectacles autour de Covent Garden.
Le centre de Londres ne s'est pas développé concentriquement comme à Paris. Il s'est déplacé au cours des siècles expliquant l'épanouissement de multiples quartiers à forte identité.

A Londres, les numéros de téléphone commencent tous par **020**.
A l'intérieur de Londres, il n'est pas nécessaire de composer cet indicatif pour joindre votre correspondant.

Les numéros commençant par **0845** indiquent une communication au tarif local et sont souvent utilisés à des fins promotionnelles.

La formule officielle pour l'ordre des chiffres est

020 7000 0000 pour Londres Centre
020 8000 0000 pour Londres Extérieur.

Londres en chiffres

Le Grand Londres, communément appelé Londres, est la plus petite des 9 régions anglaises.

Londres	1 584 km2	(30% espaces verts)	7,2 M habitants
Paris	105 km2		2,1 M habitants
Région Ile de France	12 000 km2		11 M habitants

La capitale du Royaume Uni est administrativement gérée par le Conseil du Grand Londres (*Greater London*). Le *Greater London* comprend *the City of London*, *the City of Westminster* et 31 *London boroughs* dont ceux étudiés dans le guide.

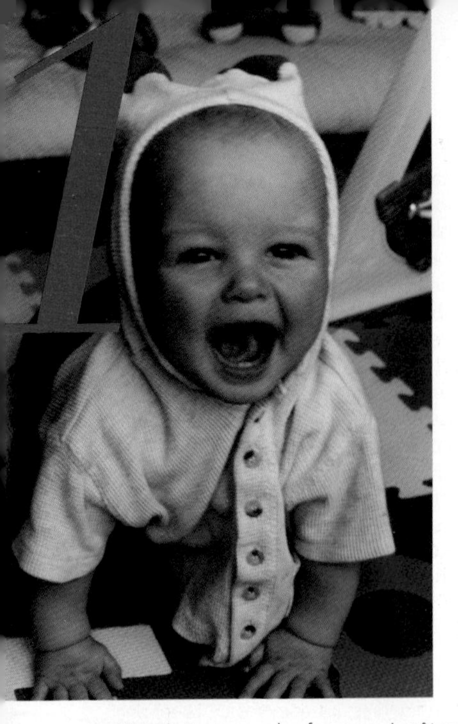

Petite Enfance

Modes de garde

Mother & toddler groups

Allocations et aides

Sources d'informations

En Grande Bretagne, les femmes s'arrêtent plus souvent de travailler pour élever leurs enfants. Etre femme au foyer est plus banal qu'en France. De fait, les structures d'accueil des tout-petits sont moins développées qu'en France, souvent privées et chères. En revanche, les lieux d'accueil mamans-enfants sont très nombreux. Néanmoins, certaines mesures visent à faciliter le travail féminin en soutenant le travail à temps partiel et en instaurant des aides aux modes de garde.

Modes de garde

Pour toutes vos questions concernant le choix du mode de garde, les tarifs, les aides, contacter le:

Children's Information Service (CIS)
0800 096 02 96
www.childcarelink.gov.uk
A ce numéro, vous serez orientés vers l'une de ses antennes locales. N'hésitez pas à les appeler, l'accueil est très chaleureux, y compris si vous ne parlez pas bien anglais.

Le *Children Information Service*, service public, peut vous aider à choisir le mode de garde le mieux adapté à vos besoins, à temps plein ou à temps partiel. L'offre privée est encore la plus importante mais l'offre publique se développe.

DAY-NURSERIES OU NURSERIES

Correspondant aux crèches collectives françaises, elles sont souvent ouvertes la journée de 8h-18h. Leur gestion est publique ou privée. Coût moyen: près de 200£/sem.

Ne pas hésiter à visiter les lieux. Concernant les locaux, les normes imposées aux structures publiques et privées semblent parfois peu contraignantes comparées aux exigences françaises. Ainsi il est possible d'avoir une excellente *nursery* dans des locaux en sous-sol sans fenêtres. Le personnel est souvent jeune et peu qualifié.

Remarque: Il est fréquent que des *day-nurseries* accueillent les enfants jusqu'à 7 ans. Ainsi une *day-nursery* peut également être *nursery school*. Elles assurent alors l'accueil simultané de bébés et d'enfants d'âge scolaire. Pour plus de clarté, nous avons gardé la distinction par âge dans nos **pages Quartiers**.

CHILDMINDERS

Les nourrices agréées accueillent plusieurs enfants à leur domicile. Le *CIS* peut vous communiquer des listes par quartier (leur nombre varie selon les quartiers). Elles sont inspectées une fois par an. Environ £125/sem.

NANNIES

Les nourrices viennent au domicile de l'enfant. Pour trouver une nanny, le mieux est de passer une annonce dans l'hebdomadaire *The Lady*, très utilisé pour cela. Passer par l'intermédiaire d'une agence revient plus cher et n'apporte pas forcément de meilleures garanties, car la profession de *nanny* n'est pas réglementée. Vous pouvez également consulter les panneaux d'affichage dans votre quartier, et bien sûr utiliser le bouche à oreille. Coût moyen: £300 à £400/sem à temps plein.

Les familles employant une *nanny* doivent payer la *National Insurance* et ses impôts. Une agence privée peut également vous aider à remplir ces formalités:
www.nannytax.co.uk.

Pour trouver une nanny:

Maternally Yours
17 Radley Mews, W8 6JP
020 7795 6299
www.imperialnannies.co.uk
Testé avec succès.

JEUNES FILLES AU PAIR BABY-SITTERS

Toutes les modalités concernant l'embauche d'une jeune fille au pair sur
www.easyaupair.com

Quelques organismes:

Austrian Catholic Centre
29 Brook Green, W6 7BL
020 7603 2697
Jeunes filles d'origine autrichienne qui parlent également anglais.

Angels International Au Pair Agency
020 8893 4400
www.aupair1.com
L'agence est basée dans le Middlesex. Elle place des jeunes filles de différentes nationalités européennes, y compris anglaise.

Babysitters Childminders
020 7935 3000
www.babysitters.co.uk

Rockabye Babysitters Limited
020 8200 4945

Pour les *baby-sitters*, hormis les agences listées ci-dessus, consultez les listes publiées régulièrement dans l'**Echo**, journal des parents d'élèves du Lycée Français, et dans le programme de **Londres Accueil**. Des lieux d'affichage d'annonces (écoles, magasins,...) sont également mentionnés dans vos quartiers.
Coût moyen: £5-£7/h.

PLAY-GROUPS

Un mode de garde plus ponctuel.
Cette appellation recouvre des structures d'accueil variées qui favorisent l'éveil éducatif de l'enfant et sa sociabilisation. De manière générale, un *play-group* prend en charge l'enfant qui peut y rester seul. Mais certains d'entre eux exigent une présence parentale, parfois uniquement pour les enfants les plus-petits. Il s'agit souvent de quelques heures hebdomadaires mais certains offrent des mi-temps, voire plus. Un *play-group* peut avoir lieu dans un local utilisé le matin par une *nursery* par exemple, car la multi-utilisation des locaux est fréquente.
Coût moyen: £3 à £5/session (avec éventuellement un engagement sur le trimestre).

Vous entendrez parfois parler de *creches*, qui sont des structures correspondant plutôt aux halte-garderies françaises.

Mother & toddler groups

Ce sont des groupes de rencontre mamans-enfants ou nourrices-enfants qui sont simultanément des lieux de sociabilisation de l'enfant et d'échanges entre les adultes. Ce ne sont donc pas des espaces de "garde", mais des lieux de rencontres. Ils peuvent avoir des appellations diverses (certains s'appellent *play-groups* et portent à confusion sur la présence exigée de l'adulte).

ONE O'CLOCK CLUBS

Ouverts en général de 13h à 15h30/16h, ils permettent aux parents et à leurs enfants de moins de 5 ans de partager une activité. Souvent gratuits, leur listing est disponible sur le site de votre quartier et à la Bibliothèque.

TODDLERS GROUPS

Fréquemment organisés dans les bibliothèques et dans quelques librairies jeunesse, ce sont des *story time*, moments de lecture, hebdomadaires et gratuits, pour des enfants de moins de 5 ans accompagnés. Les jours et heures sont fixes, et on peut y aller sans inscription préalable. C'est un bon moyen de rencontrer des Anglaises ou d'autres étrangères. *Toddler* désigne l'enfant qui, commençant à marcher, "titube".

Allocations et aides aux modes de garde

CHILD BENEFIT

Dès lors que vous êtes résident fiscal en Grande Bretagne, vous pouvez recevoir le *Child Benefit* (allocations familiales). Cette allocation est attribuée pour chaque enfant indépendamment des ressources, jusqu'à ses 18 ans révolus et n'est pas imposable. Le montant est calculé en fonction de l'âge de l'enfant, l'allocation est versée mensuellement. Vous pouvez vous enregistrer en ligne sur ***www.inlandrevenue.gov.uk***. Il vous faudra envoyer un certificat de naissance de chaque enfant (que l'on peut maintenant obtenir en ligne sur *www.acte-naissance.gouv.fr*).

Le child benefit (allocation) représente entre £11 et £17/semaine par enfant.

SCOLARISATION DES 3-4 ANS

Chaque enfant de 3 et 4 ans a le droit à une place gratuite à mi-temps, ou à une réduction sur les frais de scolarité s'il est dans une école ou une nursery à plein temps, membre du Early Years Development and Childcare Plan (EYDCP). Ce système est valable pour tout le monde, sans condition de ressources, dans le public comme dans le privé. Tous renseignements sur ***www.childcarelink.gov.uk***. Non applicable aux maternelles françaises.

CHILD TAX CREDIT

Cette allocation est proportionnelle aux revenus. Le revenu du couple doit être inférieur à £66 000/an pour un enfant âgé de moins d'un an ou à £58 000 pour un enfant de plus d'un an. Elle est versée sous forme d'allocation depuis 2003. Demander le formulaire **TC 600** à l'*Inland Revenue*: ***www.taxcredits.inlandrevenue.gov.uk***

WORKING TAX CREDIT

Cette deuxième allocation attribuée pour les modes de garde est conditionnelle et proportionnelle aux revenus. Réservée aux faibles revenus, il faut qu'au moins l'un des deux parents travaille. Elle peut s'élever à £135/sem pour un enfant et à £200/sem pour 2 enfants. Depuis 2003, elle est versée sous forme d'allocation. Compléter le formulaire **TC600**.

CHILDCARE VOUCHERS

Ces vouchers non imposables sont proposés par de nombreuses sociétés à leurs employés en remplacement de salaire pour payer la garde d'enfants. L'économie d'impôt peut atteindre £1000 par an.
www.childcarevouchers.co.uk

Sources d'informations sur la petite enfance

SITES ET ANNUAIRES

Daycare Trust
www.daycaretrust.org.uk

Bestbear
www.Bestbear.co.uk
Liste et recommande des agences pour trouver tous modes de garde. Quelques annonces de *nannies* sont accessibles en ligne.

The Baby Directory
www.babydirectory.com
Listing très complet sur le monde des 0-5 ans à Londres (*nurseries*, écoles, maternités, clubs d'activité, magasins de jouets,...). Peu de conseils. Disponible en kiosque, £8.99.

PRESSE

Le Petit Canard
Bimestriel français gratuit destiné aux familles. Nombreuses adresses et rubriques pour parents et enfants. Disponible dans les lieux publics, écoles et boutiques fréquentés par les Français. *www.lepetitcanard.co.uk*

Families
www.familiesmagazine.co.uk
Magazine mensuel dédié aux familles avec de jeunes enfants. Donne les adresses par quartier. Disponible gratuitement dans de nombreux lieux publics, écoles,... leur site web propose un carnet d'adresses fourni de tout ce qui concerne la famille et des annonces de particulier à particulier. On peut aussi y insérer des annonces gratuitement.

Angels & Urchins
www.angelandurchins.co.uk
Trimestriel gratuit similaire à *Families*. Mêmes lieux de diffusion que ci-dessus.

Hullaballoo!
Gratuit. Mêmes lieux de diffusion que ci-dessus. Une mine de renseignements!
hullaballoopost@aol.com

The Lady
Disponible en kiosque. Très bien pour les petites annonces.

Sinclair House School
Montessori Nursery and Pre-Preparatory School
For Boys and Girls from 2-8 years
• Small School
• Small Classes
• Academic Excellence
• Catholic Ethos
• French CNED Curriculum
• Extra Curricular Activities
• Breakfast Clubs
& After School Clubs
Sinclair House School
159 Munster Road,
Fulham
London SW6 6DA
Telephone:020 7736 9182
Facsimile: 020 7371 0295
Website:www.sinclairhouseschool.co.uk
Email:info@sinclairhouseschool.co.uk
Principal: Mrs Carlotta TM O'Sullivan

Histoires pour les petits
astrapi
Pomme d'Api
J'aime lire
wapiti
- 10 %
- 20 %

Bayard
JEUNESSE

MILAN
PRESSE

le petit
CANARD
in London
FREE !
Le magazine des parents et des enfants

Education

- Le bilinguisme
- Calendrier scolaire
- Le système français
- Le système anglais
- Les écoles internationales
- Autres écoles nationales
- L'enseignement supérieur
- Retour en France
- Notre classement Ecoles dans les Quartiers du guide

La Grande Bretagne comptait 12,1 millions d'enfants de moins de 16 ans en 2000, dont 6,2 millions de garçons et 5,9 millions de filles, soit environ 20% de la population.

Le bilinguisme

Les linguistes (Claude Hagège, Marc Petit...) ont démontré que l'apprentissage de deux langues dès la petite enfance développe les capacités du cerveau, les aptitudes à apprendre, l'ouverture d'esprit... Mais cela dépend beaucoup aussi de la personnalité de chaque enfant et de son environnement. Un enfant qui a déjà bien acquis sa langue maternelle et continue à la parler chez lui aura plus de facilité d'apprentissage d'une autre langue. Il est parfois déconseillé d'apprendre simultanément à lire et à écrire dans deux langues, mais une fois le mode de lecture acquis, l'apprentissage dans la deuxième langue se fait plus facilement. Aussi est-il important de prendre en compte les spécificités de chaque enfant, son âge, son environnement familial, etc...

Calendrier scolaire

Le calendrier scolaire anglais (*school term and holiday dates*) diffère de celui des écoles françaises. Il est difficile pour une famille de gérer des enfants dans les deux systèmes. Ainsi à Pâques, bien que tous les enfants bénéficient de 15 jours, il est fréquent qu'aucune semaine ne soit commune.

De surcroît, dans le système anglais les dates de vacances ne sont pas déterminées au niveau national, mais par la *Local Education Authority*. Dans un cadre donné, chaque établissement conserve une certaine latitude. Le calendrier est donc variable d'une école à l'autre, notamment entre les *state schools* et les *independent schools*. Les vacances sont souvent plus longues dans les *independent schools*.

Le calendrier scolaire s'organise selon les appellations suivantes:

- *Autumn term*, 1er trim. Il démarre souvent début septembre.
- *Spring term*, 2ème trim.

• *Summer term*, 3ème trim. Noter qu'il se termine souvent tard, vers le 23 juillet.
• *Half-term:* au milieu de chaque trimestre, une semaine de vacances (voire deux dans le privé).
Les vacances de Noël, de Pâques/printemps, et d'été sont dénommées *Christmas*, *Easter* et *Summer holidays*.

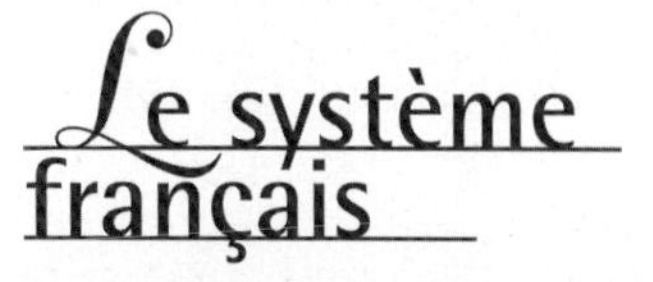

Le système français

LES ÉCOLES FRANÇAISES

L'offre est assez large en ce qui concerne les écoles maternelles et primaires, mais seul le **Lycée Français Charles de Gaulle** dispense une éducation secondaire. Les effectifs de ces écoles sont souvent complets, il est donc recommandé de demander un dossier d'admission le plus tôt possible et de s'inscrire sur les listes d'attente. Si vous n'obtenez pas de place dans l'école maternelle ou primaire de votre choix, des alternatives existent. La situation est très tendue dans le secondaire, avec des classes surpeuplées et de plus en plus d'enfants non admis. Attention, le Lycée ne dispose que d'un cursus général après la 3e, il n'y a pas de filières professionnelles. Les résultats au Bac sont excellents (près de 100% de réussite). La priorité est donnée aux enfants français à l'admission.

La distinction entre les différents établissements est souvent faite sur la base de leur statut et des liens qu'ils entretiennent avec l'Etat.

Seul le **Lycée Charles de Gaulle** et ses deux annexes primaires d'**Ealing** et de **Wix/Clapham** sont **gérés directement par l'Education Nationale** via l'AEFE (Agence pour l'Enseignement du Français à l'Etranger). Néanmoins le Lycée est payant (£1200/trim).

Les **Etablissements conventionnés** sont des écoles autogérées qui reçoivent une aide de l'Etat sous forme de postes d'enseignants. On trouve dans cette catégorie l'école française **Jacques Prévert** à Hammersmith et **l'Ile aux Enfants** à Hampstead .

> *Dorénavant, les enfants inscrits dans les écoles primaires françaises autres que le Lycée devront y terminer leur scolarité. Le Lycée ne les acceptera qu'en secondaire.*

Les **Etablissements homologués** ne reçoivent aucune aide de l'Etat mais s'engagent à respecter les programmes et sont régulièrement inspectés par l'Education Nationale. C'est le cas de l'**Ecole des Petits** à Fulham et Battersea, la **Petite Ecole Française** à Notting Hill, l'**Ecole bilingue** à Kensington et Bayswater, **Le Hérisson** à Hammersmith.

Les **établissements libres** n'ont aucun rapport avec l'Etat (ex. l'**Ecole des Benjamins** et l'**Ecole du Parc** à Clapham).

Bourses scolaires

Consulat de France à Londres
Service des bourses: 020 7073 1231
www.ambafrance.org.uk rubrique vie pratique, enseignement.
Le Consulat octroie des bourses scolaires aux familles françaises qui ne disposent pas de ressources financières suffisantes pour payer les frais de scolarité de leurs enfants dans les établissements reconnus par le ministère de l'Education Nationale. Etant donné que la scolarité française est ici payante, les bourses s'adressent à des familles de catégorie moyenne, même avec un seul enfant. Les critères d'attribution reflètent la situation financière réelle des familles, avec prise en compte des charges comme le loyer, etc... Les revenus de l'année précédente sont pris en compte pour l'année en cours et pour une bourse valable pour l'année suivante.

> *Si vous êtes en difficulté pour payer les frais de scolarité, n'hésitez pas à faire une demande de bourse. Plus de 200 bourses sont attribuées chaque année.*

LE CNED

L'enseignement francais par correspondance: le Centre National d'Education à Distance

Le CNED, organisme public, dispense des cours par correspondance dans toutes les matières scolaires, en suivant les programmes de l'Education Nationale. Il est donc théoriquement possible de suivre une scolarité française complète via le CNED tout en étant inscrit dans une école britannique. Le coût est modique, mais pas l'investissement en temps! Le CNED ne dispense plus d'avis de passage, ce qui signifie que les enfants devront de toute façon passer un examen d'entrée lors de leur retour dans le système scolaire français.
A noter: les cours du CNED sont conçus pour des enfants non scolarisés par ailleurs. Attention donc à la charge de travail que représente un double cursus scolaire pour des enfants fraîchement arrivés en GB et qui ne maîtrisent pas encore bien l'anglais.

Certaines écoles anglaises offrent la possibilité aux enfants français de suivre le CNED après les cours. C'est le cas notamment de **Belleville School** à Clapham, **Eridge House** à Fulham et de **Saint Nicholas Preparatory School** à South Kensington. A noter, dans certains quartiers, des parents se regroupent pour l'enseignement du CNED.

CNED - Institut de Toulouse
3 Allée Antonio Machado
31051 Toulouse Cedex – France
+ 33 5 49 49 94 94
www.cned.fr

Autres cours par correspondance

Le Cours Legendre
3 bd Morland, 75004 Paris
+33 1 42 71 26 06
www.cours-legendre.fr
Enseignement très traditionnel (beaucoup de dictées) avec suivi personnalisé.

L'Ecole par correspondance (EPC)
9 rue Crillon, 75014 Paris
+33 1 42 71 36 35
Polycopié de cours, assez austère.

Le système anglais

En GB, l'école est obligatoire entre 5 et 16 ans. Depuis 1998, l'éducation a connu des réformes de fond. Elles visent à améliorer le niveau, à lutter contre l'exclusion, à favoriser l'accès à l'enseignement complémentaire et aux études supérieures.

Si les **programmes** (*national curriculum*) et les financements sont nationaux, la gestion est fortement décentralisée au niveau de l'administration locale (*Local Education Authority, LEA*), soit les *boroughs* à Londres.

La **carte scolaire** n'est pas appliquée partout, cela dépend des quartiers... Aussi même dans le système "public" on choisit son école, on la visite... La liste exhaustive des écoles et la démarche à effectuer peuvent être obtenues dans les bibliothèques.
Il faut en général contacter directement l'école et renvoyer un dossier d'inscription auquel il est bon d'ajouter une lettre de motivation. Il est également recommandé de prendre rendez-vous avec le directeur. Pour de nombreuses écoles, il est prudent de prendre contact assez tôt car les listes d'attente sont généralement longues. Néanmoins, le critère de proximité est largement pris en compte.

UN SYTÈME COMPLEXE

Le système scolaire anglais est **complexe** du fait de la diversité de l'offre publique et de l'importance (et l'influence) du réseau privé. Si 93% des enfants anglais sont dans l'enseignement public, la réalité londonienne est très différente, car dans les milieux aisés le privé semble être l'unique option. Pour les années de maternelle et primaire, l'offre publique

State Schools et Community Schools:
écoles publiques gratuites.
Voluntary-Aided Schools:
écoles confessionnelles gratuites.
Independent Schools:
écoles privées, confessionnelles ou non. Payantes.

peut être satisfaisante, pour le secondaire cela semble plus difficile.

ECOLE MATERNELLES

(*Nursery schools*)

Avant 5 ans, les propositions sont très diversifiées. Certaines structures accueillent les enfants de l'âge bébé à 7 ans, avec tous les cas de figures intermédiaires. La diversité s'explique aussi par l'importance de l'offre privée qui définit librement ses modes d'accueil.

Néanmoins, après la généralisation de la *Reception class* (4 ans) dans les *Primary schools*, les classes d'accueil des enfants de 3 ans (au 1er septembre) au sein des *Nursery schools* se développent. Mais le nombre de places est limité. L'accueil de l'enfant est possible en cours d'année, en fonction des places disponibles. Le nombre de places disponibles et certains critères d'admission comme l'exercice d'une activité professionnelle par les deux parents déterminent l'attribution d'une place à mi-temps ou à temps plein.

ECOLES GRATUITES

(Ecoles maternelles, primaires et secondaires.)

Un mode de gestion public ou privé

Les écoles gratuites ont des modes de gestion différents. Trois types de statuts:

Les state schools (anciennes *county schools*) sont financées par le gouvernement mais gérées par l'administration locale (*LEA*) qui emploie les enseignants et décide les conditions d'admission. Le *LEA* est également propriétaire du terrain.

Les ***voluntary-controlled schools*** fonctionnent de la même façon, mais une Fondation (*Trust*) est propriétaire du bâtiment. En général, ces Fondations relèvent d'une paroisse ou d'une institution religieuse.

Les ***voluntary-aided schools*** et les *Foundations schools* sont directement gérées par une Fondation qui emploie les enseignants, possède les locaux et décide les conditions d'admission. Les comptes sont contrôlés par la ville.

Quelque soit le statut de l'école publique, elle est gérée par un conseil (*committee* ou *board of governors*) comprenant des parents, des élus locaux, des enseignants. Le directeur définit les priorités de l'école. Il a un pouvoir d'initiative, d'intervention, d'autonomie beaucoup plus grand qu'en France (il recrute notamment les enseignants).

Laïcité

On notera que la notion de laïcité n'existe pas au sens français du terme, car il n'y a pas de séparation du pouvoir entre l'Etat britannique et l'Eglise (*Church of England*). Les enfants reçoivent une éducation religieuse au sein des écoles même non confessionnelles.
Si les cours de religion sont recommandés dans le *national curriculum* jusqu'en *year 9*, ils ne font pas partie des examens, et chaque école définit sa propre démarche.
La participation aux rassemblements à l'Eglise

n'est pas obligatoire, et les écoles profitent des différentes célébrations religieuses pour asseoir leur enseignement. Attention, les écoles confessionnelles vous réclameront un certificat de baptême, et une fréquentation régulière de l'église sera un atout majeur, parfois une exigence, pour l'admission de votre enfant.

L'organisation de la scolarité anglaise "publique"

L'école démarre officiellement à 5 ans avec la *Primary school* (*Year 1*). Les enfants apprennent à lire dès la *Reception class*, soit un an plus tôt qu'en France ou en Suisse romande.

Une organisation par cycles

La ***Primary school*** s'organise en deux cycles:
- le 1er cycle (*Key stage 1*) regroupe les *infants* (5-7ans) et correspond aux classes *year 1* et *year 2*.
- le 2e cycle (*Key stage 2*) regroupe les *juniors* (7-11ans) et correspond aux classes *year 3* à *year 6*.

Hors cycle, la *Reception Class* fait partie de la *Primary school.*

La ***Secondary school*** accueille les enfants de 11 à 16/18 ans. Elle comprend:
- les classes *year 7, 8* et *9*
- les *year 10* et *11* (*GCSE - General Certificate of Secondary Education*)
- les *year 12* et *13* (*A levels*).

Une scolarité ponctuée par des examens de niveaux

Les programmes (*national curriculum*) sont unifiés et les écoles sont jugées par leurs résultats aux tests nationaux appelés *Standard Attainment Tests* (*SAT*). Ces examens définissent le niveau de l'école, et déterminent en partie le niveau des aides financières qu'elle reçoit de l'Etat. Tous les résultats sont recensés dans les *League Tables*, publiés au mois de mars de chaque année sur le site web du *DFEE, Department for Education and Employment*, ***www.dfes.gov.uk***. Vous pouvez aussi consulter le site de l'*Office for Standards in Education (OFSTED)* sur ***www.ofsted.gov.uk***.

Les examens

Le système scolaire anglais se caractérise par une succession d'examens. A la fin du cycle 1, en classe *year 2*, un 1er test national (le *SAT* du *Key stage 1*) avec des épreuves de lecture, d'écriture, d'othographe et de sciences est effectué en classe, en avril-mai. L'évaluation est faite directement par les enseignants, puis vérifiée par un examinateur extérieur.

A la fin du cycle 2, en classe *year 6*, le *SAT* du *Key stage 2* est évalué par des enseignants extérieurs.

En *year 9*, les *Key stage 3 SATs* (7h d'examen). Les résultats vont aider l'enfant à choisir les matières qu'il étudiera en *year 10* et *11* dans l'optique de préparer le *GCSE*.

Le *GCSE* (*Key stage 4 SATs*) se prépare sur 2 années correspondant aux 3e et 2e françaises.

Puis les *A levels* sanctionnent un cursus de 2 ans correspondant aux années de 1e et Terminale. Ils reposent sur une sélection de 4 à 5 matières choisies par les élèves.

Beaucoup s'interrogent sur le maintien de ce type d'examens nécessitant une spécialisation précoce. Le choix portera-t-il sur un bac international (plus proche du baccalauréat américain), un baccalauréat au sens français ou un bac européen?

L'uniforme: image d'épinal des écoliers anglais. Chaque école, y compris les State Schools, décide du port de l'uniforme. Il peut être complet ou partiel. Complet, c'est un vrai investissement: notamment la veste blazer à près de £100. Mais de nombreuses écoles limitent l'uniforme au polo et au sweat, rendant les choses plus accessibles.

Rappel: il reste encore quelques *grammar schools*, acceptant sur examen sélectif des enfants de 11 ans. En 1997, souhaitant favoriser l'accès pour tous aux examens supérieurs, le gouvernement a développé les *comprehensive schools* qui ne pratiquent pas de sélection à l'entrée.

INDEPENDENT SCHOOLS

(Ecoles privées payantes)

Une étonnante diversité

Les écoles privées accueillent une minorité (7%) d'enfants britanniques et les forment en vue des universités prestigieuses d'Oxford et de Cambridge (où ils représentent 20% des effectifs). Elles varient énormément dans leur style, pédagogie et tarifs, mais en règle générale dispensent un enseignement de qualité, bien que souvent académique. Certaines, comme **Eton** ou **Saint Paul's**, sont quasiment inaccessibles aux étrangers, tant leur liste d'attente est longue et leurs critères d'admission sélectifs.

La **pension** est encore très développée, certaines accueillant même des enfants dès l'âge de 8 ans. Les *boarding schools* sont toujours situées dans de belles propriétés au cœur de parcs et proposent de nombreuses activités sportives et culturelles. Certaines permettent de rentrer le soir (*day boarding*) ou le week-end *(weekly boarding)*.

Les **locaux** des *independent schools* de Londres sont parfois assez exigüs, car aménagés dans d'anciennes maisons victoriennes. L'absence d'espace extérieur est généralement compensée par des sorties au parc.

La majorité des *independent schools* ne sont pas mixtes et imposent le port de l'**uniforme**. L'enseignement intègre de nombreuses activités: sport, musique, arts, etc... Coût élevé (entre £12 000 et £15 000 par an, voire plus). Petites classes, de l'ordre de 15 élèves.

Différents types d'écoles et procédures d'admission

Il existe trois catégories principales d'écoles (mais certaines regroupent plusieurs niveaux):

Les *nursery schools* accueillent les enfants jusqu'à 4/5 ans. L'admission se fait généralement sur entretien avec les parents et l'enfant.

> *Attention: les* public schools *sont des écoles privées huppées et très chères.*

Les *pre-prep* préparent les garçons de 6-8 ans à l'examen d'entrée en *preparatory school*.

Les ***preparatory*** ou ***junior schools*** accueillent les garçons de 8-13 ans et les filles jusqu'à 11 ans. Ce qui explique que certaines écoles n'acceptent que les filles entre 11 et 13 ans. Admission sur examen et entretien.

Les ***senior schools*** sont des écoles secondaires pour les garçons de 13 à 18 ans et les filles de 11 à 18 ans. On y entre sur examen, le *Common Entrance Exam*.

CHOISIR UNE BONNE ÉCOLE

Il est essentiel de bien faire son *homework* avant de choisir une école privée ou publique (puisqu'il n'y a pas de carte scolaire). Il n'est pas rare que des enfants d'une même famille aillent dans des écoles différentes, en fonction de la perception qu'ont les parents du type d'enseignement qui conviendra le mieux à chacun de leurs enfants (et des places disponibles). Pour vous aider, le site du Département de l'Education, *www.dfes.gov.uk/parents,* vous permet d'entrer votre code postal et d'accéder à des renseignements sur les écoles de votre quartier. Vous pouvez également consulter le site de l'OFSTED, *www.ofsted.gov.uk*.

The Good Schools Guide
3 Craven Mews, SW11 5PW.
020 7801 0191
www.gsgdirectory.co.uk
Cet ouvrage de référence répertorie toute l'information publique sur les écoles, y compris leurs résultats aux tests nationaux. Disponible en ligne au prix de £29. Service payant d'aide personnalisée.

Independent Schools Council Information Service (ISCIS)
ISCIS London & South East
35-37 Grosvenor Gdns Hse, SW1W 0BS
020 7798 1576
www.iscis.uk.net

Cet organisme créé par les *independent schools* édite un guide gratuit. Consultations personnalisées payantes.

Les écoles internationales

De nombreuses écoles internationales accueillent des élèves de nationalité et provenance scolaire diverses. La plupart préparent au baccalauréat international (BI) et proposent une assistance en anglais (ESL-English as a Second Language), et parfois aussi des cours de français langue maternelle ou le suivi du CNED. Ce cursus peut représenter une alternative intéressante à la pension en France si votre enfant n'a pas été admis au Lycée, notamment en secondaire. Le Bac International est un diplôme complet et flexible qui a le vent en poupe en GB, où de nombreuses écoles privées l'ont adopté, avec, ou en remplacement, des *A Levels* perçus comme trop spécialisés. De plus en plus d'universités le reconnaissent, dont Oxbridge. En France aussi, il est accepté dans des écoles et universités prestigieuses, dont HEC, ESC Lille, INSA Lyon, Fermat, Sainte Geneviève...

Seule ombre au tableau: il est préparé dans des écoles privées généralement assez chères.

Voici une sélection d'écoles préparant au BI. La liste exhaustive se trouve sur le site de *l'International Baccalaureate Organization*: *www.ibo.org*

American School in London
www.acs-england.co.uk
Ecole américaine et internationale. 3 campus situés à l'ouest de Londres (service de bus). Anglais ESL et possibilité de cours de français langue maternelle. +£7000/trim. Possibilité de pension.

Hampton Court House
Hampton Court Road, Surrey KT8 9BS
020 8943 0889
www.hamptoncourthouse.co.uk
Enseignement primaire et secondaire bilingue français-anglais dès 3 ans. Programme personnalisé possible (CNED, examen d'entrée au Lycée...). Dans un manoir géorgien au

centre d'un magnifique parc. Bus scolaire depuis Londres Centre. £3500/trim.

International Community School
4 York Terrace East
Regent's Park, NW1 4PT
020 7935 1206/fax 020 7935 7915
www.ics.uk.net
Enseignement primaire et secondaire basé sur le curriculum anglais. £14 000/an.

International School of London
à Acton ➤ Quartiers

King's College
à Wimbledon ➤ Quartiers

Marymount International School
à Kingston ➤ Quartiers

Southbank International School
36-38 Kensington Park Rd, W11 3BU
0207 243 3803
www.southbank.org
Trois campus au centre de Londres: Notting Hill, Hampstead (primaire 3-11 ans) et Westminster (secondaire 11-18 ans). £5000/trim.

Woodside Park International School
Friern Barnet Rd, N11 3DR
020 8368 3777
www.wpis.org
Garçons et filles de 3-18 ans. £4400/trim.

L'enseignement supérieur

Les 170 universités et instituts d'enseignement supérieur sont autonomes. L'enseignement dure généralement 3 ans et permet d'obtenir un ***BA***, *Bachelor of Arts*, ou ***BSc***, *Bachelor of Science*, équivalent d'une licence. Au-delà, ***Master's Degree*** et ***PhD***.

L'enseignement supérieur est largement financé par l'Etat, mais les étudiants vont devoir participer de plus en plus au financement de leurs études (£3000/an), sous forme de prêt à taux bonifié ou de bourses scolaires pour les plus modestes.

De plus en plus de Français commencent leurs études en université britannique (60% des bacheliers du Lycée de Londres). A l'issue de leur BA ou BSC, ils entrent en admission parallèle dans les Grandes Ecoles, obtenant ainsi un double diplôme en 5 ans, sans passer par les classes prépas.

Accueil des étudiants francophones

Les étudiants français sont soumis au même régime que les Britanniques en tant que citoyens de la CEE. Par contre les Suisses, tout comme les Québécois sont soumis à des frais de scolarité 3 voire 4 fois plus chers. De plus, ils doivent s'attendre à pouvoir être recalés en raison des contingents étrangers normalement admis. Les Suisses qui désirent étudier en GB doivent apporter la preuve qu'ils disposent de moyens financiers suffisants pour la durée de leurs études et présenter l'attestation de l'école où ils sont inscrits, mais ils n'ont plus besoin de visa. Les Québécois obtiennent facilement un visa d'étudiant pour la durée de leurs études.

Retour en France

Le site ***www.education.gouv.fr*** comporte une rubrique enseignement international en France qui recense les établissements scolaires avec des sections internationales permettant de poursuivre une scolarité bilingue. On en dénombre 16 en France (à Saint Germain en Laye, Fontainebleau, Sèvres, Chaville, Paris avec le collège et lycée Balzac et l'école active bilingue-Janine Manuel, Grenoble, Lyon...).

Notre classement *Ecoles* dans les quartiers du guide

Nous avons répertorié les meilleures écoles publiques et privées dans chaque quartier. Compte tenu de la diversité des écoles britanniques, il nous a semblé plus simple de les classer par groupe d'âge, et de mentionner pour chacune son statut (*state, voluntary-aided, independent*), l'existence de frais de scolarité, et s'il s'agit d'une école religieuse.

Nos catégories

Nurseries

Pour les enfants de moins de 5 ans, âge légal de début du primaire en GB.

Nursery-Primary schools

De nombreuses écoles publiques et privées intègrent une *nursery* et prennent les enfants dès 2-3 ans.

Primary schools

Normalement de 5-11 ans (*state*), souvent de 3 à 11/13 ans (*independent*).

Primary-Secondary schools

Souvent des *independent* qui prennent des élèves de 8-18 ans

Secondary schools: à partir de 11 ans.

Logement

Type d'habitat

La recherche

Louer ou acheter?

Depuis le dernier crash immobilier de 1989, on a assisté à une envolée des prix des logements, due en majeure partie à un déséquilibre entre l'offre et la demande. Toute l'Angleterre semble vouloir s'installer dans le Sud-Est, plus chaud, plus riche, mieux desservi. Malgré une baisse importante en 2002-2003, la tendance est repartie à la hausse (+25% en 2006 au centre de Londres…)

Les prix de Londres sont les plus élevés du monde. La capitale anglaise compte un nombre inégalé de milliardaires de tous pays, attirés par la qualité de vie (il est encore possible d'avoir une maison avec jardin en plein centre-ville), le mode d'éducation britannique, et un régime fiscal assez flexible. Malheureusement pour les familles françaises, le Lycée se trouve au beau milieu de Kensington, l'un des quartiers les plus résidentiels. S'y loger décemment devient de plus en plus difficile, avec des prix de l'ordre de £1200-1800/sem pour un 4 pièces (3 chambres), et de £1500-2500/sem pour 4 chambres.

Malgré la qualité inégale des transports, nombreux sont donc ceux qui "émigrent" vers des quartiers plus périphériques (Battersea/Clapham, Chiswick, Hammersmith,…) où il est encore possible d'avoir une maison pour "seulement" £1000 (4 ch) -£2000 (5 ch) par semaine.

Type d'habitat

Georgian houses: construites entre 1700 et 1840, elles sont très élégantes, blanches, reconnaissables à leurs terrasses, balcons et colonnes, et toutes très différentes les unes des autres.

Victorian houses: bâties entre 1830 et 1900, elles représentent le type d'habitat que l'on rencontre le plus couramment à Londres. Elles peuvent être de toutes tailles et sont généralement construites en briques rouges ou jaunes.

Edwardian houses: construites entre 1901 et 1910, elles sont très aérées et lumineuses.

Mews: anciennes écuries ou logements de personnel construits au XIXe siècle et convertis en maisons sur plusieurs niveaux dans des ruelles privées. Champêtres et familiales, elles sont souvent un peu sombres, mais la plupart d'entre elles ont été aménagées à l'aide de trouées.

Dans le centre, nombreux appartements hauts de plafond dans des hotels particuliers reconvertis. Bon rapport qualité-prix dans les *Mansion Blocks,* ces immeubles souvent anciens avec concierge.

La recherche

Pour la location d'appartements et de maisons, on peut consulter utilement de nombreux sites Internet, comme par exemple *www.primelocation.com, www.propertyfinder.com* (ces sites regroupent les agences) et tous les sites des agences immobilières (voir ci-dessous).

Nombreuses annonces également dans les journaux (hebdomadaires et quotidiens, voir notamment **Loot** et son site *www.loot.com*). Pour les étudiants et les jeunes diplômés, voir avec le centre Charles Péguy (➛ **Chapitre Emploi**) qui propose aussi des offres de logement.

LES AGENCES

Les ventes ou locations de biens immobiliers se font ici avec l'aide des ***Estate Agents,* agences immobilières**, plus souvent qu'en France où les transactions entre particuliers sont plus développées. S'assurer que celles-ci répondent à des critères de sérieux et de professionnalisme (membres d'organismes professionnels tels que *NAEA, RICS, ISVA, Guild of Lettings and Management, ARLA,...*). Les frais d'agence représentent environ 10% du loyer annuel et 1,5 à 3% du prix de vente.

Plusieurs grands réseaux couvrent tout Londres: **Douglas&Gordon, John D Wood, Knight Frank, Lane Fox etc...** Vous trouverez leur offre actuelle et l'adresse de leurs succursales sur leur site Internet.

Les **services dits de *relocation***, organismes ou départements spécialisés d'agences, prospectent pour le compte de leurs clients (particulier ou personnel de société). Leurs services sont variés: journée d'orientation,

Lexique

Detached ou semi-detached: maisons individuelles ou mitoyennes.
Terraced: maisons attenantes aux maisons voisines.
Maisonnettes: appartements sur plusieurs niveaux.
Penthouses: appartements de grand standing au dernier étage des immeubles.
Mansion Blocks: appartements dans des immeubles de 4, 5 ou 6 étages construits à la fin du XIXe et XXe, généralement en briques et souvent de grand standing.
Conversion: grandes maisons divisées en appartements.
Furnished: meublé.
Unfurnished: non meublé. En GB, on trouvera toujours dans une propriété non meublée une cuisine équipée, des luminaires et parfois des rideaux ou des *blinds*.
Pw (per week): par semaine
Pcm (per calendar month): par mois
Flatshare: co-location
Mortgage: prêt hypothécaire
Estate Agent: agence immobilière
Tenancy Agreement: bail
Guarantee: caution
Inventory: état des lieux
Forfeiture: résiliation
Notice: acte de notification, par ex le congé

sélection et visite groupée de biens immobiliers, négociation du contrat, aide au choix des écoles et dans les diverses démarches administratives.

Boulle International
2A Norland Place, Holland Park, W11 4QG
020 7221 5429
Agence de consultants français, basée à Holland Park, qui propose ses services dans tous les quartiers fréquentés par les Français.

Jac Strattons
8 Notting Hill Gate, W11 3JE
020 79199250
www.jacsstrattons.com
Agence francophone et internationale spécialisée dans l'accompagnement des familles expatriées et des professionnels à la recherche d'un logement.

FL Consult
078 3449 4795
Fabienne Lenfant est spécialiste de «*property search*», à l'achat comme à la location.

Laanen Caulier Relocation Services
120 St Stephens Avenue, W12 8JD
07702966960 (F. Caulier)
07702784290 (V. Laanen)
www.lcrelocations.com

Lurot Brand
37-41 Sussex Place, W2
020 7479 7999
Tous logements avec une spécialité *Mews*.

Pricoa Relocation
Plaza, 535 King's Road, SW10
020 7838 5100

Les baux sont d'une durée d'un an renouvelable.

Louer ou acheter?

Compte tenu du montant très élevé des loyers, de plus en plus de Français (souvent déjà résidents sur le sol anglais), envisagent l'acquisition. Une bonne source d'information: le ***London Property Guide***, publié chaque année, donne des éléments de prix à l'achat et à la location, quartier par quartier, et même rue par rue.

LOUER

Les loyers sont négociés à la semaine et les biens se renouvellent en permanence. Si vous vous y prenez trop tôt, on ne vous montrera que les biens qui ne trouvent pas preneur... En général il suffit d'un mois à l'avance pour trouver une location.

La surface des logements n'est pas donnée en m2 comme en France mais en nombre de pièces de réception, de chambres doubles ou simples et de salles de bains. Dans le centre de Londres, les loyers sont le plus souvent donnés par semaine (*pw*) et plus rarement par mois (*pcm*).

Si votre appartement donne sur un square privé, vous recevrez un jeu de clés vous en autorisant l'accès (une participation aux frais d'entretien vous sera demandée). Un bon moyen de rencontrer d'autres familles.

Il n'y a pratiquement pas de différence de prix entre une location vide et une location meublée. En location vide, noter que la cuisine est entièrement équipée (four, plaque de cuisson, machines à laver...). La fourniture de rideaux, ou autre moyen d'obscurcissement est également à la charge du propriétaire.

Des emplacements de parking (*off street parking*) sont parfois proposés avec la location, mais rarement dans le centre de Londres. Il faut alors se procurer un *resident permit* pour stationner dans son quartier

Le *flatshare* est très courant et permet aux célibataires et jeunes couples de se loger pour un coût moindre en partageant leur logement

avec d'autres locataires (compter £170-250/sem en zone 1). Le magazine **Loot**, publié plusieurs fois par semaine et disponible dans tous les kiosques, contient des dizaines d'annonces de *flatshare*. Acheter de préférence l'édition du vendredi ou celle du lundi.
Parmi les différentes sortes de contrat de location, le plus fréquent est le bail à court terme, *assured shorthold tenancy*, qui assure au locataire la jouissance des lieux jusqu'au dernier jour du bail.

Lors de la signature d'un contrat de location, *tenancy agreemen*t, on demandera 6 semaines à deux mois de loyer de caution et un mois de loyer en avance. Il faut également penser à vous munir avant votre départ de références bancaires et professionnelles. Le propriétaire assure la prise en charge de l'assurance immobilière et de son mobilier. L'eau, le gaz et l'électricité sont à la charge du locataire, tout comme l'assurance de son mobilier personnel.

En GB, toute personne est soumise à la *council tax*. Cet impôt local calculé par tranches correspond à la taxe d'habitation française. Il n'est presque jamais inclus dans le loyer et peut être élevé: pensez à vous renseigner avant de signer.
La *council tax* peut varier énormément en fonction des *boroughs*. Elle est plutôt basse à Westminster et Wandsworth.

Délai de préavis
2 mois après les 4 premiers mois, car le bail est d'une durée minimum de 6 mois.

Augmentation du loyer
Elle est négociée annuellement entre le propriétaire et le locataire et suit généralement l'indice des prix, avec un taux minimum de 3 à 4 %. En cas de notification unilatérale d'une forte augmentation par le propriétaire, le locataire en désaccord peut saisir le *rent assessment comittee* de son quartier.

Etat des lieux
L'état des lieux a lieu à la fois à l'entrée et à la sortie. Le premier sera pris en charge par le propriétaire, le second par le locataire.

Récupération de la caution
L'appartement doit être impeccable lors de l'état des lieux. Il est fortement conseillé de faire appel à un service de nettoyage professionnel.

ACHETER

Le processus d'acquisition est très rapide. Six semaines suffisent pour devenir propriétaire. Les solutions de financement sont très variées et flexible, et l'achat peut être une option intéressante par rapport au niveau élevé des loyers.

Deux procédures sont à considérer:

Le *freehold*: l'acquéreur achète la pleine propriété des lieux.

Le leasehold: l'acquéreur achète son logement auprès d'un détenteur d'un bail principal octroyé par le propriétaire.
La propriété en *leasehold* est pour une période déterminée, a l'issue de laquelle le bien revient au propriétaire. Toutefois, il est possible d'acheter des années supplémentaires.

Le leasehold with share of freehold: cas d'un immeuble appartenant à une société dont les seuls associés sont les propriétaires en leasehold des appartements. Ceci s'apparente à la copropriété française.

Avant toute recherche, il est essentiel de préparer son dossier de financement.
La diversité des types de prêts est telle qu'il

est préférable de s'adresser à un conseiller indépendant de bonne renommée *(mortgage broker)*. Les prêts (*mortgages*) sont souvent sur 25 ans, à taux variable, et peuvent couvrir jusqu'à 90% du prix d'achat.

Ensuite, mandatez une firme de *solicitors* possédant un département spécialisé dans les ventes (*conveyancing*). Contactez rapidement un *surveyor* chargé d'expertiser le bien.

Une fois la propriété trouvée, analysez méticuleusement les informations relatives (titres, plans, autorisations de travaux...). Listez les anomalies, les biens inclus dans la vente et joignez cette liste à l'offre et au contrat. A noter: à partir de 2007, les propriétaires sont dans l'obligation de fournir un *Home Information Pack* contenant une bonne partie de ces informations.

L'offre acceptée, s'assurer que le vendeur s'engage par écrit à retirer la propriété du marché et ce pour une période suffisante au bon déroulement de l'ensemble des procédures d'échange. Contrairement à la France où la promesse de vente engage acheteur et vendeur, les parties ne sont pas juridiquement liées jusqu'à la signature du contrat *(exchange)*. Le vendeur peut donc vendre à un plus offrant et vous perdrez tous les frais engagés. Il est donc essentiel d'aller très vite dans l'accomplissement de toutes les formalités.

Les Anglais renégocient fréquemment leur mortgage.

Un conseil: vous augmenterez nettement vos chances de succès à l'achat en faisant appel à un *Property search agent*, qui, moyennant une commission de 1 à 2% (en sus de l'agence), effectuera pour vous la recherche de bien, le dépôt de l'offre et toutes ces démarches.

Lors de la signature du contrat au moment de l'échange, l'acheteur doit remettre 10% du prix de vente (*deposit*). La vente est alors considérée comme fixe. Un compromis de vente détermine la date de la signature définitive *(completion)*, généralement une dizaine de jours plus tard. La transaction sera conclue par pacte authentique (*deed of conveyance* ou *deed of transfer*), avec règlement du solde.

Déménagement

Vous avez décidé de partir, de vous expatrier en GB, voici quelques éléments pour vous aider à bien préparer ce changement.

2 mois avant le départ

CHOIX DU DÉMÉNAGEUR

• Contactez 2 ou 3 déménageurs pour comparer les prix et les services. Choisissez des déménageurs ayant des références: Afnor, Iso 9002, Fnaim, NF. Ils sont régulièrement contrôlés par des organismes extérieurs.
Si vous avez besoin d'un garde-meuble, les sociétés de déménagement assurent souvent aussi ce service. N'hésitez pas à leur demander leurs tarifs.

• Déterminez dans vos affaires celles à déménager, à laisser et à mettre en garde meuble. Attention, les maisons londoniennes sont souvent étroites et ne peuvent accueillir de grands meubles (le déménagement de ces derniers peut d'ailleurs conditionner le choix d'un appartement).

• Faites l'inventaire de vos biens et de leurs valeurs, nécessaire pour l'assurance et pour le déménageur.

• Organisez la visite du (ou des) déménageur(s) à votre domicile pour déterminer le volume de vos effets à transporter et établir les devis. Vérifiez aussi avec eux le planning du déménagement et l'assurance de vos biens.
Le service de déménagement est à géométrie variable. Le plus complet et confortable est le service "porte à porte" (emballage, transport et déballage), souvent pris en charge par les entreprises en cas d'expatriation professionnelle.

L'inventaire détaillé et chiffré est un lourd "pensum". Pensez à estimer tous vos biens à leur valeur de remplacement à Londres (parfois bien plus élevée que leur coût d'achat en France, notamment pour les meubles anciens).

• Une fois l'entreprise de déménagement choisie, vous communiquez pour l'assurance l'inventaire détaillé et valorisé de vos biens à transporter. Pour vos objets précieux ou vos collections, conservez les factures et faites des photos. Il est conseillé de garder ses bijoux avec soi, sauf si l'on ne dispose pas d'un endroit sécurisé pour les entreposer à l'arrivée (logement temporaire par ex.)

Un dernier conseil: même après votre installation à Londres, conservez une photocopie de votre inventaire, elle vous resservira pour un nouveau déménagement (et en cas de cambriolage)...

Voici quelques adresses de déménageurs:

AGS Déménageurs Internationaux
43-49 Minerva Rd
Park Royal, NW10 6HJ
020 8961 7595
www.ags-worldwide-movers.com

Burke and Willis
The Yard, Wimbledon Stadium
Business Centre
Rosemary Rd, Wandsworth, SW17 0BA
020 7622 0979
Une équipe d'Australiens et Néo-Zélandais sympas et compétents. Pour des déménagements sur la GB uniquement.

Continental Removal and Storage
à Paris: +33 (0)1 4858 3447
à Londres: +44 (0)20 8650 9666

Delahaye Moving
à Londres: +44 (0)20 8687 0400
à Paris: +33 (0)1 39 13 46 82
www.delahayemoving.com
Déménagements internationaux et garde-meuble.

International Moving Brokers
+33 (0)1 4430 0810
www.imb-ltd.com

Moving Home Company
020 7924 4700 / 08000 741 741
www.movinghomecompany.com

Scott Removals
Head Office
Thirnton House Nobel Rd
Edmonton, N18 3Bh
020 8807 8007
Une bonne adresse aussi pour des déménagements Londres/Londres. Un bon rapport service/prix, sérieux.

The Personal Moving Service
www.personalmoving.com

RÉSILIER SES CONTRATS

Deux mois avant votre départ, commencez les démarches suivantes:

- Avisez votre Centre d'imposition pour établir une déclaration provisoire et anticipée des revenus (quitus fiscal)
- Vérifiez la date de préavis pour votre logement avec le propriétaire, l'agence ou le Syndic.
- Renseignez-vous sur la procédure pour couper votre consommation Eau-Gaz-Electricité-Téléphone, faites les relevés nécessaires pour la dernière facture.
- Informez vos assurances pour résilier vos contrats (maison, voiture, vie...).
- La Poste: demandez de faire suivre votre courrier à votre nouvelle adresse pendant une période déterminée, service payant mais qui fonctionne bien.

Contactez aussi:

- Sécurité sociale
- Assedic
- ANPE
- Banque
- Redevance TV (câble et satellite)
- Docteur
- Internet
- Mairie
- Centre de sport ou autre clubs ...
- Abonnements à des magazines.

Vous organiserez sûrement une petite fête entre amis pour votre départ alors si vous avez des enfants et que vous ne manquez pas d'énergie, proposez leur aussi de fêter le départ avec leurs amis, cela les aidera à tourner la page...

AUTRES PRÉPARATIFS

Si vous êtes membre de l'Union Européenne, vous n'aurez aucune déclaration particulière de douane à remplir pour vous installer à Londres. Les denrées alimentaires sont importées librement en GB (sauf le lait non pasteurisé, mais les produits fabriqués à partir de lait non pasteurisé sont en revanche autorisés, comme le fromage par exemple). Pas de problème non plus pour amener du vin si c'est pour votre consommation personnelle.

Nous vous conseillons donc d'en expédier autant que possible car le vin est lourdement taxé en GB.

• Photocopiez tous vos papiers importants (passeport, CI, diplômes...).

• Avant de partir, emmenez avec vous votre pharmacie. Si vous avez de jeunes enfants ou êtes habitués à certains médecins et médicaments particuliers, effectuez une dernière visite: dentaire, ophtalmo... (vous ne trouverez pas de suppositoires dans les pharmacies anglaises).

• Si vous avez des enfants, pensez à les faire garder hors de chez vous, le jour du déménagement, vous serez plus tranquille et disponible.

LOGEMENT PROVISOIRE

En attendant le déménagement, ces formules peuvent rendre service.

Citadines Apart'hotel
020 7543 7878
L'appart'hotel, une solution provisoire le temps de vous installer. Exemple de prix pour un 2 pièces/4 personnes à South Kensington, de 1 à 6 jours: £200/nuit.

London Bed & Breakfast Agency
020 7586 2768/fax 020 7586 6567
londonbb@dircon.co.uk

Pour trouver un hôtel
www.hotels-london.co.uk
www.SmoothHound.co.uk
www.gonative.co.uk

24h avant le départ

Mettez de côté vos effets qui ne partiront pas dans le déménagement, et qui vous seront nécessaires pendant la durée du déménagement (vêtements, médicaments, papiers, billets de train, adaptateurs électriques...)

Le jour J

Généralement, il faut prévoir un délai minimum de 2 à 3 jours pour l'**emballage** et la cargaison. Organisez-vous pour dormir

hors de chez vous (les lits seront peut-être déjà emballés). Pendant l'emballage, les déménageurs rempliront la **liste de colisage**. Sur cette liste est indiquée le numéro de chaque carton et son contenu. Assurez-vous que vous êtes capable de la lire et de la comprendre. Vous garderez ensuite une copie de cette liste qui vous sera indispensable pour vérifier vos effets le jour du déchargement. Soyez donc présent et vigilant pour la rédaction de cette liste, elle vous permettra aussi à l'arrivée d'indiquer rapidement aux déménageurs dans quelle pièce déposer les cartons. Lorsque tout est emballé et mis dans le camion, vous signez la liste de colisage avec le transporteur qui vous en remet une copie. Contrôlez avec votre société de déménagement que le planning et la date d'arrivée de vos effets à Londres sont bien conformes aux prévisions.

Arrivée à Londres

le déchargement

Il est indispensable de réserver une **place de parking** devant chez vous les jours du déchargement. L'entreprise de déménagement devra avoir fait la demande auprès de la mairie de votre *borough* (2 à 3 semaines avant l'arrivée du camion).

Soyez présent pendant le déchargement, pointez l'arrivée des cartons avec la liste de colisage et indiquez aux déménageurs dans quelle pièce entreposer les cartons. Vérifiez que rien n'a été détérioré.

Que faire en cas de "casse"?

Vous avez normalement réglé une prime d'assurance couvrant le remplacement de vos biens en GB. Mais en cas de détérioration partielle, il faut parfois faire venir un expert avant de pouvoir procéder aux réparations, et se débrouiller seul en pays inconnu pour les faire effectuer ensuite. Sans oublier le côté irremplaçable de certains de vos trésors. Conclusion : mieux vaut choisir une entreprise réputée pour éviter les déboires...

Demandez aux déménageurs de vous débarrasser des cartons vides (pas facile de s'en séparer à Londres ➤ **Quartiers.**

Et pour finir...
Lorsque vous emménagez et ouvrez vos cartons, vous vous trouvez encombré par vos décorations de Noël, votre garde robe été/hiver, les jouets des enfants... Une solution: le ***self storage*** (garde meubles). Très pratique, et très répandu en GB. C'est un peu comme une cave. Vous pouvez déposer et reprendre très facilement vos affaires. Il en existe dans de nombreux quartiers de Londres. Vous pouvez aussi y laisser une voiture...

Ci-dessous quelques adresses, mais visitez leurs sites Internet, pour demander des devis. Possibilité d'acheter des cartons pour emballer vos affaires.

Big Yellow
080 0783 4949
www.thebigyellow.co.uk

Spaces Personal Storage
0800 62 22 44
www.spaces.uk.com

Safestore
0800 44 48 00
www.safestore.co.uk

Bonne installation !

5 Formalités administratives

En tant que ressortissant de l'Union Européenne, les Français qui désirent s'installer au Royaume Uni bénéficient des mêmes droits que les Britanniques. La possession d'un passeport en cours de validité est recommandée (notamment pour l'ouverture d'un compte en banque) même si la Carte Nationale d'Identité est suffisante.

Priorités administratives

• Obtenir un *National Insurance Number*, l'équivalent du numéro de Sécurité sociale, après avoir trouvé un emploi.
• Vous inscrire sur les listes électorales britanniques, *electoral register*. Cette inscription est prioritaire car elle facilite d'autres démarches administratives, notamment l'obtention du *resident permit*.
• Vous inscrire chez le médecin généraliste, votre *GP*.
• Vous enregistrer au consulat (particulièrement important si vous avez des enfants et souhaitez solliciter des bourses scolaires).
• Immatriculer votre véhicule en GB (dans les 6 mois après votre arrivée) et souscrire à une assurance britannique.

Le consulat

Consulat Général
21 Cromwell Rd, SW7 2EN
020 7073 1200/fax 020 7073 1201 ou 1218
www.consulfrance-londres.org
⊖South Kensington

Le consulat propose désormais un service de prise de RV par l'intermédiaire de son site Internet. Indispensable car impossible sinon d'accéder à ses services, sauf en cas d'extrême urgence (perte de papiers, etc...)

Vous prouvez éviter les longues files d'attente à l'extérieur en prenant RV par Internet pour les services suivants:
• Délivrance du passeport ou d'une carte nationale d'identité.
• Inscription au registre des Français établis hors de France.
• Affaires d'**état civil**.
• Dépôt des dossiers de bourse scolaire

Horaires d'ouverture
Ils peuvent varier et sont signalés sur la messagerie vocale ou sur le site Internet.

MISSIONS DU CONSULAT

• Le **service social** s'occupe des Français de passage en difficulté et assure le transfert en France des personnes prises en charge par les services sociaux britanniques. Il assiste les Français incarcérés. Il effectue les recherches dans l'intérêt des familles et est compétent en matière de procédure d'adoption. Il présente les dossiers de bourses scolaires de l'Agence pour l'Enseignement du Français à l'Etranger. Il assure le transfert en France des personnes prises en charge par les services sociaux britanniques.

Il n'est pas nécessaire de faire changer votre adresse sur le passeport ou la carte nationale d'identité. Vous pouvez utiliser votre permis de conduire français.

• Le service des **affaires militaires** recense les jeunes Français de 16 à 25 ans et établit les dossiers de secours aux anciens combattants.
• Le bureau **emploi et formation** propose aux Français de plus de 25 ans résidant à Londres un service d'aide à la recherche d'un emploi.
• Le service de la **nationalité** instruit les dossiers de déclaration de nationalité française et les demandes de certificat de nationalité française.
• Le service des **visas** pour les personnes soumises à l'obligation de visa pour entrer dans l'espace *Schengen*.

PASSEPORT-CARTE D'IDENTITÉ

Le passeport est valable 10 ans pour les adultes, 5 ans pour les enfants. La carte d'identité est gratuite et valable 10 ans Pour obtenir un passeport et une carte d'identité, il est obligatoire de prendre rendez-vous via le site Internet du consulat. La liste des documents à fournir figure sur le site ou sur la messagerie vocale du consulat. La comparution personnelle du demandeur est exigée. La délivrance immédiate est impossible car les passeports sont fabriqués en France. Il faut compter une ou deux semaines pour le passeport et deux mois pour la carte d'identité.

Enfants

Le passeport est désormais un titre individuel. En conséquence, les mineurs ne peuvent plus figurer sur le passeport de leurs parents, ils doivent être détenteurs d'un passeport personnel. Les mineurs titulaires d'une carte d'identité qui doivent quitter le territoire britannique sans être accompagmés par une personne titulaire de l'autorité parentale doivent être munis d'une autorisation de sortie du territoire.

REGISTRE DES FRANÇAIS ÉTABLIS HORS DE FRANCE

L'inscription au Registre des Français établis hors de France est une formalité administrative simple qui présente de multiples avantages. Elle permet par exemple d'accéder à la délivrance d'une carte nationale d'identité, d'une bourse scolaire pour les enfants, de s'inscrire sur la liste électorale française de Londres. Elle n'est pas obligatoire, mais vivement recommandée. Vous pouvez vous inscrire au moyen du service d'inscription à distance mis à votre disposition sur le site du consulat.

Exercer son droit de vote

Hormis pour les élections françaises, vous pourrez voter pour les élections locales britanniques et pour les élections européennes sous réserve de vous inscrire sur les listes électorales britanniques. S'inscrire est très simple et fortement conseillé, cela peut se faire par téléphone auprès de votre *borough*.

ELECTIONS LOCALES DE LONDRES

Dans le cadre de l'Union Européenne, les Français résidant en GB peuvent, en tant que citoyens européens, participer aux élections locales britanniques.

Habitant à Londres, ou dans le grand Londres, vous participerez aux élections des conseillers locaux (*London Borough Councillors*) de votre *borough*, équivalent d'un arrondissement parisien. L'accent est mis sur la collégialité: les conseillers exercent la fonction de Maire à tour de rôle pendant un an. En raison d'un système complexe du renouvellement partiel de l'assemblée, des élections locales sont organisées tous les ans le premier jeudi du mois de mai.

Vous pourrez également voter pour le Maire de Londres. Elu pour un mandat de 5 ans, les dernières élections datent de juin 2004.

ELECTIONS EUROPÉENNES

Les Français de l'étranger peuvent voter pour les élections européennes dans leur commune de France (s'ils sont inscrits) ou par procuration, mais pas au Consulat.
Par contre, en tant que citoyens européens, ils peuvent voter dans leur commune britannique sous réserve d'être inscrits. Bien évidemment, nul ne peut voter deux fois.

ELECTIONS FRANÇAISES

Elections municipales, cantonales, régionales et législatives

Les Français de l'étranger peuvent voter pour les élections locales françaises soit dans leur commune de France (s'ils sont inscrits) ou par procuration, mais pas au consulat.

Elections présidentielles et référendums

Les Français peuvent voter à l'étranger pour les élections présidentielles et les référendums dans leur commune de France, par procuration ou au Consulat.

REPRÉSENTATION POLITIQUE

L'Assemblée des Français de l'Etranger, AFE, *www.assemblee-afe.fr*, est l'assemblée représentative des Français établis hors de France. Elle est composée de 153 conseillers élus au suffrage universel et de 12 sénateurs représentant les Français établis hors de France. Ces derniers, en tant que parlementaires peuvent déposer des propositions de lois ou des amendements.
Le conseiller à l'AFE a compétence pour donner au gouvernement son avis sur toutes les questions concernant les Français de l'étranger (enseignement, droit, affaires sociales, commerce extérieur, fiscalité, etc...).
Elu pour six ans, (prochaines élections : 2012) il exerce son mandat à titre bénévole. Il est membre de droit des divers comités consulaires (emploi et formation, bourses scolaires, etc...).
Les 6 conseillers à l'AFE de la circonscription de Londres: Olivier Bertin, Olivier Cadic, Daniel Coccoli, Anne-Colette Lequet, Marie-Claire Sparrow (leurs coordonnées sur *www.assemblee-afe.fr*)

Deux associations reconnues d'utilité publique présentent des candidats aux élections au CSFE et organisent des conférences, dîner-débats et activités culturelles.

Association Démocratique des Français à l'Etranger (ADFE)
www.adfe-uk.org

Union des Français de l'Etranger (UFE)
www.ufegb.com

Suisse, Belgique Québec

Swiss Embassy
16-18 Montagu Place, W1H 2BQ
020 7616 6000
www.swissembassy.org.uk
Chaque Suisse immatriculé auprès de l'Ambassade reçoit la revue *Swiss Review*, l'informant sur les changements législatifs en Suisse, les relations helvético-britanniques, ainsi que des votations à venir auxquelles il peut participer en tant que "Suisse de l'étranger".

Ambassade de Belgique
103-105 Eaton Square, SW1W 9AB
020 7470 3700
www.diplobel.org/uk
Citoyens européens, les Belges peuvent comme les Français voter aux élections britanniques locales, cf ci-dessus.

Délégation générale du Québec
59 Pall Mall, SWIY 5JH
020 7766 5900
www.mri.gouv.qc.ca/london/fr
Publie *Québec Matters*, informations économiques. A commander par téléphone.

Installation et entretien

Ouvrir un compte en banque
Services postaux
Assurance habitation
Eau, gaz, électricité
Téléphone et Internet
Services domestiques

Ouvrir un compte en banque

Il est assez difficile d'ouvrir un compte en banque en GB. La plupart des banques veulent en effet pouvoir effectuer un contrôle de solvabilité (*credit history*) sur une période d'au moins deux ans.
Pour améliorer vos chances, il est utile de vous inscrire dès votre arrivée sur le registre électoral (*electoral register)* auprès de votre mairie. Cette démarche sera utile pour d'autres formalités comme l'obtention du *resident parking permit*.
Londres est la capitale européenne de la finance et de la banque et vous aurez l'embarras du choix pour votre agence. La plupart sont situées près des stations de métro et sur la *High Street*.
Le mieux est donc de faire votre *shopping* en visitant ces agences les unes après les autres, pour vous renseigner sur les documents qu'elles exigent préalablement à l'ouverture d'un compte pour un étranger. En général, on vous demandera:
- une attestation de domicile type facture de gaz, eau ou électricité (*utility bill*)
- des copies de vos relevés bancaires des 6 derniers mois
- une preuve de vos revenus (une lettre de l'employeur par exemple)
- des références (témoignages sur l'honneur de citoyens anglais concernant votre moralité)

Les grands réseaux bancaires:

- Abbey National
www.abbeynational.co.uk
- Alliance and Leicester
www.alliance-leicester.co.uk
- Barclays
www.barclays.co.uk
- Citibank
www.citibank.co.uk
Peu d'agences
- Halifax
www.halifax.co.uk
- HSBC
www.banking.hsbc.co.uk
- Lloyds TSB
www.lloydstsb.co.uk
- Nationwide
www.nationwide.co.uk
- NatWest
www.natwest.com
- The Royal Bank of Scotland
www.rbs.co.uk
- The Woolwich
www.woolwich.co.uk

Plusieurs de ces réseaux appartiennent en fait à la même banque mais développent des politiques commerciales et une identité différentes.
Il existe aussi des banques sans guichet, accessibles uniquement par Internet ou par téléphone, par exemple:

- **Egg (Citigroup)**
  www.egg.co.uk
- **First direct (groupe HSBC)**
  www.firstdirect.com
- **Intelligent Finance**
  www.if.com

Comme en France, la plupart des comptes en banque viennent avec un chéquier (gratuit) et une carte de paiement à débit immédiat (*Switch Card*). La plupart des banques proposent l'ouverture simultanée d'un compte courant (*checking account*) et d'un compte d'épargne (*savings account*), avec des transferts automatiques ou manuels entre les deux comptes (*sweep accounts*).
Les véritables cartes de crédit avec paiement mensuel sont très développées, mais il est difficile d'en obtenir une car la plupart des organismes effectuent une vérification de votre historique bancaire sur une période d'au moins deux ans (*credit record*).

> *La façon de remplir un chèque est inversée en GB. Indiquez d'abord le nom du bénéficiaire après* Pay, *puis la somme en lettres (* X pounds and Y pence*). Pour des sommes sans pence, terminer en écrivant* only *(ex.* X pounds only*).*

La plupart des banques vous proposeront l'ouverture d'un compte en euros, mais vous ne pourrez pas obtenir de chéquier sur ce compte. Mieux vaut donc conserver un compte en France si vous y allez souvent.
En attendant l'ouverture de votre compte en banque, vous avez la possibilité d'utiliser les services de la poste pour des opérations courantes comme le paiement de factures et l'envoi de mandats (*postal orders*).

> *Si vous devez faire des virements vers la France, espacez-les au maximum: le coût est fixe et très élevé (environ £25).*

Attention: il faut prévenir du risque fiscal qui existe à rapatrier des fonds de France vers la GB en fonction du statut fiscal de chacun ➤**Chapitre 7.** Le fisc anglais peut considérer que ces *remittances* sont en fait des revenus et les taxer comme tels.

Services postaux

Le *Post Office* est un organisme public géré par des mandataires privés. Il regroupe les *Post Office Counters*, un réseau de 19.000 agences postales, le *Royal Mail* chargé d'acheminer le courrier, et *Parcelforce Worldwide* pour les colis.
A côté des bureaux de poste proprement dits, on trouve des services postaux dans quantité de petites boutiques, *newsagents*, voire même dans des *pubs*!
En dehors du traitement du courrier, le *Post Office* offre des services variés:

- paiement de factures d'eau, gaz, électricité (*utility bills*)
- vente de la *Motor Vehicle License* ou *Road Tax*
- vente de la *TV License*
- distribution de formulaires divers et variés, notamment pour l'immatriculation d'un véhicule en GB.

Les horaires d'ouverture varient énormément entre les bureaux.

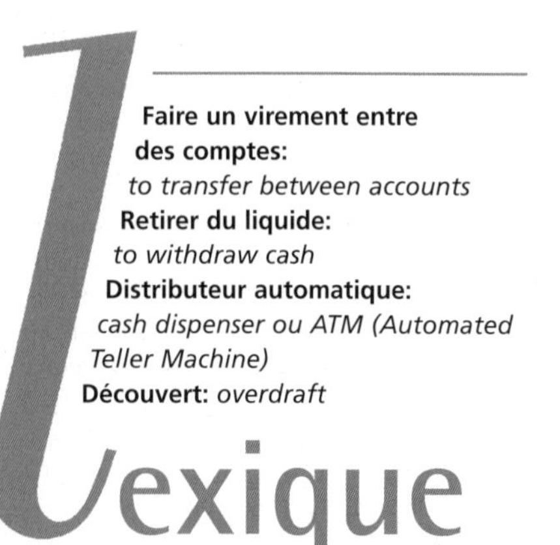

Lexique

Faire un virement entre des comptes: *to transfer between accounts*
Retirer du liquide: *to withdraw cash*
Distributeur automatique: *cash dispenser ou ATM (Automated Teller Machine)*
Découvert: *overdraft*

Services privés

Vous trouverez également des prestataires privés pour l'envoi de colis ou la réception de courrier en boîte postale. Ils proposent généralement des services plus élaborés que ceux du *post office* (collecte à domicile, emballage…) et leurs tarifs sont compétitifs dans la mesure où ils donnent le choix entre plusieurs prestataires (dont *Parcelforce*).

Comme en France il est nécessaire de souscrire une assurance habitation (*home contents insurance*) dès votre installation comme locataire. Vous pourrez obtenir différents devis sur Internet auprès des compagnies d'assurance. Attention: l'assurance responsabilité civile (*personal liability cover*) n'est pas toujours incluse. Vérifiez également le montant des franchises, très élevées en GB.

Pour obtenir rapidement des devis en ligne, vous pouvez essayer:

www.moneysupermarket.co.uk

www.insurance.co.uk

Quelques assureurs recommandés:

- **Abbey National**
  www.abbeynational.com
- **Axa Direct**
  www.axa.co.uk
- **Direct Line Insurance**
  0845 246 3761
  www.directline.com
- **Liverpool Victoria**
  www.liverpoolvictoria.co.uk
- **Marks and Spencer**
  www.marksandspencer.com
  Très bons contrats, la somme assurée est sans limite à condition que l'appartement ou la maison soient protégés par de bonnes serrures.

- **Natwest Insurance**
  www.natwest.com

▸ **Norwich Union**
www.norwichunion.com

▸ **Tesco**
www.tesco.com
Tarifs très compétitifs.

▸ **Marsh Private Clients**
01462 428000
Courtier pour assurances haut de gamme. Spécialistes des objets d'art, bijoux précieux, etc...

Eau, gaz électricité

EAU

C'est *Thames Water* qui assure la distribution de l'eau sur Londres.
Les compteurs d'eau ne sont pas installés systématiquement, car les factures d'eau sont calculées sur une base de consommation forfaitaire.

Pourquoi la pression d'eau est-elle si faible en GB? L'eau n'est pas stockée dans des châteaux d'eau, mais dans des réservoirs individuels souvent installés sur le toit des maisons. Résultat: l'eau doit souvent emprunter un double circuit (vers le bas pour être chauffée, puis vers les étages pour être distribuée!)

Avant de réclamer un compteur, réfléchissez: si vous avez une famille nombreuse et un jardin, vous paierez beaucoup moins cher si vous restez sans compteur.

L'eau du robinet de l'évier est potable car elle vient du réseau, mais celle des salles de bains provient généralement d'un réservoir. L'eau est également très calcaire.

▸ **Thames Water**
0845 9200 800
www.thameswater.co.uk

GAZ ET ELECTRICITÉ

Suite à la déréglementation des années Thatcher, la concurrence fait rage dans le domaine de l'énergie. Il est donc très facile de faire son shopping pour trouver le meilleur rapport qualité-prix.
Certains sites Internet vous proposent d'optimiser vos factures.

▸ *www.tesco.co.uk*

▸ *www.buy.co.uk*

Un incontournable:

▸ **British Gas**
0845 600 6229 (24/24h – 7/7j)
www.house.co.uk

Le site Internet de British Gas est conçu comme comme le *one stop shop* de l'installation. Quasiment tous les services y sont proposés: installation de chauffage central et contrat d'entretien chaudière, abonnement électricité, assurance habitation, dépannage plomberie et appareils ménagers, abonnement téléphone, Internet et portable!

Suite à l'interdiction du charbon qui a permis d'éliminer le fameux *smog* londonien, la plupart des cheminées ont été reconverties au gaz. Si vous avez une cheminée mais sans installation de gaz, vous pouvez faire brûler dedans du *processed smokeless coal* ou du *processed smokeless wood* que vous trouverez dans les stations service.

Un truc utile: il est possible de brancher une prise française sans terre directement en «forçant» la terre anglaise avec un crayon/baguette.

Le courant est le même qu'en France (220 V), mais les prises électriques sont différentes et il vous faudra des adaptateurs (disponibles partout) pour tous vos appareils.

Téléphone et Internet

Il existe une multitude d'opérateurs en GB qui font une concurrence féroce à BT (*British Telecommunications*).
Si vous téléphonez beaucoup à l'étranger, vous avez intérêt rechercher un «package» offrant ADSL, communications nationales et internationales, voire mobiles. L'actualité

Renseignements téléphoniques: 118 500 ou 118 118

bougeant beaucoup dans ce domaine avec la concentration des opérateurs, nous vous conseillons de consulter des sites comme *www.zdnet.co.uk*

www.adslguide.org.uk ou

www.ispreview.co.uk

pour les dernières informations.

Pour s'abonner à BT ou reconnecter une ligne existante:

BT 0800 800 150
Le coût de l'abonnement standard est de £11 par mois.

Les opérateurs téléphonie-Internet les plus importants:

BT Internet
www.bt.com

Orange
www.orange.com

TalkTalk
www.talktalk.co.uk

Pour les portables uniquement:

T-Mobile
www.t-mobile.co.uk

O2
www.o2.co.uk

3
www.three.co.uk

Virgin
www.virginmobile.com

Vodafone
www.vodafone.co.uk

Ils proposent deux types de plans:
- *Pay monthly:* abonnement mensuel sur 12 mois minimum. Tarifs de communication intéressants et possibilité d'obtenir des réductions sur les portables.
- *Pay as you go:* vous achetez l'appareil puis des cartes de recharge d'unités. Cela revient plus cher mais convient en cas d'utilisation légère ou temporaire.

Il existe aussi de plus en plus de cartes prépayées, parfois à rechargement automatique, pratiques pour les petites consommations ou les enfants.

Voir:

www.mobileworld.co.uk

Les opérateurs de services groupés téléphone + Internet ou TV (*bundle*):

NTL-Telewest
www.ntl.co.uk ou
www.telewest.co.uk
TV câble, téléphonie, Internet (sur zones câblées uniquement)

Internet Sky
www.sky.com
TV satellite, téléphonie, Internet.

Le magasin Carphone Warehouse – maison mère de TalkTalk et AOL UK – revend des abonnements aux différents réseaux ainsi que des appareils déverrouillés à des prix intéressants.

Carphone Warehouse
www.carphonewarehouse.com

Vous avez également la possibilité d'utiliser un portable ramené de France. S'il est verrouillé sur un réseau, vous pourrez le faire déverrouiller (*unlock*) dans un des nombreux magasins d'électronique de Tottenham Court Road (⊖ **Tottenham Court Road**).

Lexique

Téléphone portable: *mobile phone*
Appareil: *handset*
Abonnement: *price plan*
Ajouter des unités (sur une carte téléphone): *to top up*
Fournisseur d'accès Internet: *Internet Service Provider (ISP)*
ADSL: *broadband*

Particuliers, Entreprises ...
Pour une informatique de rêve,
saine, communicante, multimedia, efficace
24/7 à votre service : 07 956 957 123
www.noproblem.net
L'informatique dans votre langue
Dépannage
Entreprise & Particulier
ADSL £24.99 unlimited
PC & Mac
Easy 2easy
David 07 957 913 277
02 071 930 127
www.easy2easy.net

Services domestiques

CHAUFFAGISTES

Council for Registered Gas Installers
0870 401 2300
www.corgi-gas-safety.com
Pour trouver un réparateur agréé.

British Gas
0845 608 4433
www.house.co.uk
British Gas offre des contrats de réparation et d'entretien de chaudières.

DÉPANNAGE INFORMATIQUE

Easy2Easy
079 579 13277
www.easy2easy.net
Compétent, travail sérieux.

Didier Roux
079 464 97 869

24/7 No Problem!
07956 957123 Thomas Beauchamp
www.noproblem.net
Depuis plus de 25 ans à Londres: dépannage et entretien PC, Mac, Linux, ADSL, réseau câble et sans fil, site Internet, particuliers ou entreprises, sur place ou à distance. Disponible 24/24h, 7/7j.

ELECTRICIENS

Electrical Contractors Association
www.eca.co.uk
Pour trouver un électricien dans votre quartier.

Michael Rolle
020 8778 9395 - 07821 161716
info@anybell.co.uk
Ancien ingénieur BT. Pour toute installation électrique et téléphonique, y compris ADSL, réseau Wifi, etc...

HANDYMEN

The Handy Squad
www.handysquad.com
08000 121212
Se déplacent en scooter dans le centre de Londres. RV fixes, £40 première 1/2h, puis £25/h.

Nerre Deco
020 8778 8792
nerre-deco@gmx.net
Jean-François Nerre effectue tous travaux de peinture, pose de carrelage, plomberie etc...

0800 handyman
0800 426396
www.0800handyman.co.uk
Tous travaux d'électricité, plomberie, décoration, etc... £23.50 de déplacement puis £23.50 par demi-heure.

PLOMBIERS

Pimlico Plumbers
020 7928 8888 24/24h
Des incontournables à Londres. Chers. Plus de 90 employés. Intervention sur devis. Tarifs standards, 6h-18h lun-ven. Possibilité intervention urgences. Travaux de chauffage, électricité, réparation toiture également.

My Plumber Man
www.myplumberman.co.uk
020 7381 3898
Plombier indépendant, sérieux et professionnel. Intervention sur devis.

Embassy Plumbing Supplies
101-105 Frampton St, NW8
020 7723 5200
⊖Edgware Rd
Si vous cherchez du sel pour votre adoucisseur d'eau ou que vous vous sentez l'âme d'un plombier, ce magasin, ouvert au public, est la référence pour le centre ville.

NETTOYAGE MAISON ET VITRES

A Londres, du fait de l'ouverture des fenêtres vers le haut ou vers l'extérieur, il est difficile et dangereux de nettoyer ses vitres soi-même. Il faut avoir recours à des sociétés ou des laveurs de carreaux indépendants. Demandez à vos voisins les coordonnées du laveur de carreaux de votre rue. Vous pouvez faire confiance au bouche à oreille pour trouver une femme de ménage, ou encore passer une annonce gratuite sur le site *www.gumtree.co.uk*.

La communauté philippine est très présente, de même que de nombreuses Polonaises et Brésiliennes. Il n'y a pas de système de chèques emploi-service, chaque employeur est tenu de payer les cotisations sociales (modiques, dans le cas d'une femme de

Lexique

Fuite: *leak*
Inondation: *flood*
Chaudière: *boiler*
Chauffage: *heating*
Radiateur: *radiator*
Robinet qui fuit: *leaking tap*
Court circuit: *short circuit*
Fusible: *fuse*
WC, évier bouché: *blocked drain*
Compteur: *meter (gas, water, electricity)*
Humidité: *damp*
Manque de pression: *low pressure*
Rayure: *scratch*

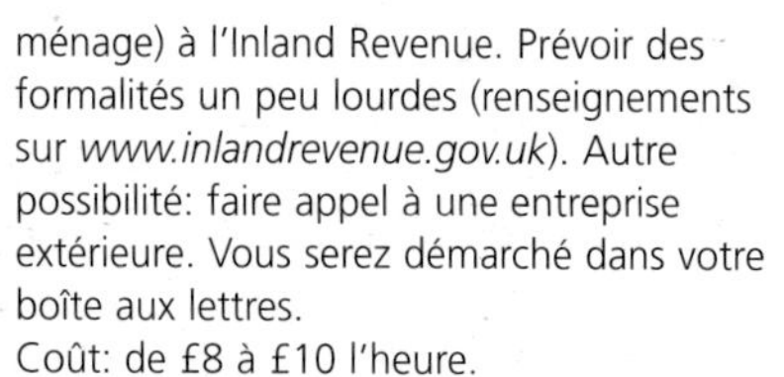

ménage) à l'Inland Revenue. Prévoir des formalités un peu lourdes (renseignements sur *www.inlandrevenue.gov.uk*). Autre possibilité: faire appel à une entreprise extérieure. Vous serez démarché dans votre boîte aux lettres.
Coût: de £8 à £10 l'heure.

SERRURIERS

The Master Locksmiths Association
0800 783 1498
www.locksmiths.co.uk
Pour trouver un serrurier agréé dans votre quartier.

Banham
233 Kensington High St, W8
020 7622 5151
Spécialiste des alarmes, verrous sécurité et coffre-forts

Barry Bros
020 7262 9009
Tous types de serrures

TV

Pour toute installation d'antenne hertzienne et satellite sur Londres central et sud-ouest, extensions de ligne:

ASHTV Satellite
020 8908 3398
0783 6230861
Testé avec succès

Satellite and connectors ❶
079 8182 2412
020 8715 6115
Jean Philippe Guichard vend et installe CanalSat/TPS.

Socomosat
020 8748 7236
www.socomosat.co.uk

Emploi Fiscalité

	Chômage	PIB/hab (2005)	Impôt (% PIB)
Grande Bretagne	5.6 %	£16 100	37.2%
France	8.8 %	£15 400	47.3%

La Grande Bretagne a l'un des taux de chômage les plus bas d'Europe.
Le marché du travail est d'une grande flexibilité tant à l'embauche qu'au licenciement.

Quitter la France

Obligation fiscale

Une convention franco-britannique tend à éviter les doubles impositions en matière d'impôt sur les revenus. 30 jours avant votre départ à l'étranger, vous devez souscrire une déclaration de revenus anticipée et provisoire auprès du Centre d'Impôt dont vous dépendez en France. Elle porte sur les revenus perçus depuis le 1er janvier jusqu'à la date de votre départ. Vous obtiendrez votre Bordereau de Situation Fiscale (le quitus fiscal), indispensable pour quitter la France. L'année suivant votre départ, vous adresserez, au même centre d'impôt, une déclaration définitive. Cette déclaration comprendra les revenus perçus pendant l'année entière en France (votre déclaration anticipée et provisoire et éventuellement les revenus de source française perçus après votre départ de France).

Vous continuez à percevoir des revenus en France

Devenu résident fiscal en GB, si vous possédez un bien immobilier en France ou si vous continuez à percevoir des revenus en France, vous restez à ce titre imposable en France et devrez établir chaque année une déclaration de revenus avant le 30 avril.

Centre des impôts des Non-Résidents
9 rue d'Uzès, 75094 Paris cedex 02
+33 1 44 76 18 00 ou 19 00
Fax: +33 1 42 21 45 04
cinr.paris@dgi.finances.gouv.fr

Vous quittez votre poste pour suivre votre conjoint

Si vous occupez un emploi salarié, l'assurance chômage considère que votre démission est légitime et vous pourrez alors percevoir les prestations chômage à l'étranger (cf ci-dessous). Attention de mentionner ce motif dans votre lettre de démission.

Déclarations d'impôt: Les formulaires sont disponibles uniquement sur le portail fiscal du Ministère de l'économie, des finances et de l'industrie www.impots.gouv.fr

Allocations chômage

Si vous perceviez des allocations chômage en France, ou si vous démissionnez pour suivre votre conjoint à l'étranger, vous pouvez faire transférer vos droits en GB. Avant votre départ, procurez-vous l'imprimé E303 auprès de la direction départementale et de l'emploi du lieu où siège votre entreprise. Arrivé en GB, inscrivez-vous au *Job Centre* le plus proche de votre résidence et présentez votre E303 dans un délai de 7 jours. Mais pour percevoir votre allocation chômage (*jobseeker's allowance*) en GB, il vous faut impérativement exercer une activité professionnelle au moins une journée en GB. Pas facile mais indispensable. De plus, le montant des allocations qui vous sera alors attribué dépendra de la législation britannique en cours (vous ne recevrez pas le même montant d'allocation chômage qu'en France).
Si vous ne percevez pas vos droits au chômage pendant votre expatriation, vous pourrez les exercer à nouveau, de retour en France, seulement si votre expatriation ne dépasse pas le délai de 4 ans.

Travailler en Grande Bretagne

EMPLOI SALARIÉ

Droits

Pour des informations sur le temps de travail, le contrat de travail, le salaire minimum, droits des salariés, consulter le site Internet: *www.dti.gov.uk/er/individual.htm.*
Les congés payés annuels sont de 20 jours. La durée hebdomadaire de travail varie entre 35 et 42h. La durée légale maximale est de 48h. Depuis octobre 2006, le salaire minimum horaire est de £4.45 pour les jeunes de 18 à 21 ans, de £5.05 pour les plus de 22 ans, et de £3.30 pour les 16-17 ans.
Pas besoin de justificatif pour un congé maladie inférieur à 7 jours.

Même si la loi est plus souple qu'en France, on ne peut pas licencier sans motif.
Vos droits sur:
www.adviceguide.org.uk
www.howtocomplain.com

La protection sociale

• Lorsque vous travaillez ou cherchez un emploi en GB, vous relevez du régime de protection sociale britannique (maladie, chômage, retraite) et pour cela, vous devez vous inscrire:
- au *National Health Service*.
- au *Department of Social Security* pour obtenir un *National Insurance Number*.
Pour obtenir le *National Insurance Number*, vous rendre au *Department of Social Security* le plus proche de chez vous muni d'une attestation d'emploi ou d'un contrat de

Lexique

Job seeker's allowance: allocation chômage
Income Support: RMI
Housing Benefit: allocation logement
Job Centre: ANPE
National Insurance Number: numéro de Sécurité Sociale
Revenue&Customs: centre des Impôts et de Sécurité Sociale
Self-employed: travailler en indépendant
VAT: TVA
Solicitor: avocat
National Insurance Contribution (NIC): cotisation sociale

L'administration de l'Inland Revenue centralise les questions fiscales et les questions liées à la sécurité sociale. *www.inlandrevenue.gov.uk*

travail, d'une preuve de domicile, et d'une pièce d'identité. Vous recevrez un numéro provisoire, puis environ 8 semaines après la demande, votre numéro définitif.

- **Cotisations sociales sur le salaire, année fiscale 2006/7**

- Aucune cotisation salariale sur les salaires inférieurs à £5044/an.
- 11% sur les salaires compris entre £5044 et £33 540.
Au-delà de ce montant, une cotisation de 1% est prélevée.
- Aucune cotisation patronale sur les salaires inférieurs à £5044. 12,8% sur les salaires supérieurs à £5044 non plafonnés.

Sur le plan fiscal

La retenue est à la source, c'est le système *PAYE* (Pay As You Earn).

SELF-EMPLOYED

Il est très facile de **travailler à son compte** en GB, une simple déclaration préalable au *Revenue & Customs* suffit. Contactez les au **0845 915 4515** ou téléchargez les documents sur ***www.hmrc.gov.uk***

Protection sociale

Il vous faut aussi un *National Insurance Number*, mêmes démarches que ci-dessus. Pas de cotisations sociales (*National Insurance Contribution–NIC*) à payer si les bénéfices sont inférieurs à £5035/an. Elles sont forfaitaires, £109.20/an, lorsque les bénéfices sont supérieurs à £5035, sans plafond (*class 2 NIC*).

L'impôt sur le revenu

Mêmes barèmes que celui des salariés. En tant que *self-employed*, vous êtes tenu d'avoir l'initiative de faire une déclaration de vos revenus à l'*Inland Revenue*. Une fois votre première déclaration faite, le formulaire vous est ensuite envoyé automatiquement.

CRÉER SON ENTREPRISE

Créer une *Limited Company*

Monter une société à responsabilité limitée, est facile et ne nécessite pas d'apport de capital. Capital minimum exigé £1. Toutes les infos sont sur le site de la ***Companies House*** qui enregistre les nouvelles entreprises, ***www.companies-house.gov.uk.***
Les frais d'enregistrement sont de £25, et en 15 jours l'entreprise est créée.
Les documents à fournir sont l'acte constitutif (*Memorandum of Association*), les statuts (*Articles of Association*) et une déclaration contresignée par un avocat (*solicitor*).
Des documents types sont disponibles sur ***www.quickformations.com.***
Des conseillers du ***Revenue & Customs*** peuvent répondre à vos questions d'ordre général (taxes, impôts, TVA...), sur RV. Adresse des bureaux de votre quartier sur ***www.hmrc.gov.uk***

Conseils pour créer son business:

Business Link
0845 600 9006
www.businesslink.gov.uk
Antenne *west* à Portobello:

Portobello Business Centre
2 Acklam Rd, W10 5QZ
020 7460 5050
www.pbc.co.uk
Ce centre aide à la création d'entreprise. Sur RV, un comptable, un juriste vous conseilleront dans vos démarches.

Le French Desk - Payne Hicks Beach Solicitor & Avocat
020 7465 4300
www.phb.co.uk
Le French Desk est dédié aux entreprises françaises et aux particuliers.

Cotisations sociales

L'entreprise paie des cotisations sociales en tant qu'employeur.

L'impôt sur les sociétés (*Corporation tax*)

Les profits (bénéfices + plus-values sur le capital) sont soumis à l'impôt sur les sociétés.

Taux d'imposition (2006-07)
- 19% entre £0 et £300 000
- 32,75% £300 000 et £1.5M
- 30% plus de £1.5M.

LE VOLONTARIAT

Le volontariat peut constituer une alternative à l'emploi salarié. Très développé, il peut vous permettre d'enrichir votre CV, de continuer à chercher un emploi et d'étendre votre réseau de contacts. Quelques organisations peuvent vous y aider:

The National Centre for Volunteering
www.volunteering.org.uk

The National Association of Volunteer Bureaux
www.do-it.org.uk

Reach
www.volwork.org.uk

AVOIR UN EMPLOYÉ À DOMICILE

Les démarches de déclaration d'un employé à domicile sont relativement simples. Téléphonez à la *New Employer's Helpline* du *Revenue & Customs* au **0845 6070 143** et demandez un *New Employer's Pack*. Vous recevrez des informations très détaillées vous permettant d'effectuer le calcul des cotisations sociales sur le salaire hebdomadaire de votre employé. Prévoir environ £30 par semaine pour un salaire de £150. Vous ne payez que le salaire net à votre employé, et chaque trimestre *Revenue & Customs* vous enverra le montant des charges sociales et des impôts à régler par chèque. Infos disponibles également sur le site *www.hmrc.gov.uk*, rubrique *employers*.

Chercher un emploi

ORGANISMES FRANÇAIS

Centre Charles Péguy – CEI
164-168 Westminster Bridge Rd, SE1 7RW
0207 437 8339
www.cei-frenchcentre.com
Le CEI (Centre d'Echanges Internationaux) en collaboration avec le Centre Charles Péguy, propose, à partir de la France, des stages et des emplois garantis, des cours d'anglais ainsi que des hébergements à court ou moyen terme tels que des auberges de jeunesse, des familles d'accueil, des résidences.

Consulat de France
Bureau Emploi Formation
6 Basement Cromwell Place, SW7 2EN
020 7073 1226
www.emploi-formation.org.uk
Si vous avez plus de 25 ans, que vous résidez en GB, vous pouvez vous inscrire auprès de ce service gratuit. Conseiller Emploi sur RV, accès aux offres, service de documentation, aide pour rédiger votre CV...

ORGANISMES ANGLAIS ET INTERNATIONAUX

Job Centre

En tant que membre de l'UE, vous pouvez travailler sur le sol britannique sans permis de travail.

En GB, CV et lettre de motivation doivent être dactylographiés. Contrairement aux Français, les Britanniques ne croient guère à la graphologie. L'expérience professionnelle se présente par ordre chronologique inversé, en commençant par le poste le plus récent.

Le *Job Centre* est l'équivalent britannique de l'ANPE, vous y avez accès au même titre que les Anglais. Cet organisme national pour l'emploi a un réseau d'agences locales dans les quartiers. Plus de 200.000 offres d'emploi en ligne sur *www.jobcentreplus.gov.uk*

Il est donc conseillé de s'y inscrire pour avoir accès au centre de documentation, et de prendre un RV avec un conseiller qui vous guidera dans vos recherches et vous renseignera sur les éventuelles aides financières (*Income Support*, l'équivalent du RMI ou le *Housing Benefit* de l'Allocation Logement).

Attention! Certaines agences proposent à partir de la France ou de GB, des formules du type: "Emploi-Logement en GB"... Soyez prudent! Examinez attentivement les prestations et vérifiez les garanties.

Agences

Adecco, Manpower, Connexions...Le mieux est d'aller sur le site *www.upmystreet.com*, mettre le code postal dans *FindMyNearest* et sélectionner la rubrique *employment* pour trouver toutes les adresses locales de ces différents organismes.

Cabinets de recrutement et chasseurs de tête

Trouvez les adresses de ces agences sur les *Yellow pages* sous la rubrique *Employment agencies* ou *Personnel Consultants*.
www.yell.com

Federation of Recruitment Services
020 7009 2183
www.REC.uk.com
Cette fédération vous fera parvenir la liste d'agences de recrutement par secteur d'activité.

Focus

FOCUS Information Services
13 Prince of Wales Terrace, W8
020 7937 7799/fax: 020 7937 9482
www.focus-info.org
Organisation internationale, sans but lucratif. Propose des programmes d'information pour vous aider dans vos démarches de recherche d'emploi. Edite *The Focus Job Guide* (gratuit pour les adhérents).
Cotisation: £80, couple £90 et étudiant £40.

PETITES ANNONCES

Presse

Chaque quotidien publie des annonces pour des secteurs déterminés (marketing, secrétariat, éducation, finance...)
Les quotidiens se consultent gratuitement dans toutes les bibliothèques de quartier ou sur leur site (accès gratuit).

Financial Times
www.ft.com/jobs

Evening Standard
www.thisislondon.co.uk

Daily Telegraph
http://jobs.telegraph.co.uk

Times, Sunday Times
www.jobsites.co.uk

Guardian
www.jobs.guardian.co.uk

Sites Internet

www.jobsite.co.uk

www.timesonline.co.uk

www.jobserve.com

Vous pouvez aussi déposer votre CV sur les sites

www.inretail.com

www.workthing.com

www.searchkong.com

La comparaison entre les systèmes fiscaux est difficile, les données de base étant différentes.

DIFFÉRENCES FRANCE/GB

En GB, il n'y a pas de notion de foyer fiscal et donc de "part fiscale". Cette notion, favorable aux familles, est spécifiquement française. L'impôt est calculé et payé individuellement.

> *La TVA en GB est de 17,5%. Taux réduit à 5% pour les livres, électricité, presse, vêtements pour enfants...*

Le prélèvement à la source de l'impôt, pour les revenus salariaux, est une institution fondamentale de la fiscalité britannique. C'est le système *PAYE, Pay As You Earn* (payez au fur et à mesure que vous gagnez). L'employeur paie directement aux *Revenue & Customs* l'impôt dû sur votre salaire.

Depuis 1996/97, le système du *Self-Assessment* est en vigueur et le calcul pour l'ensemble des impôts dûs est calculé de façon globale, comme en France. L'année fiscale court du 6 avril de l'année en cours au 5 avril de l'année suivante.

Le régime fiscal favorable des résidents étrangers

L'un des grands facteurs d'attraction fiscale de la GB réside dans la subtile distinction entre les notions de *resident*, d'*ordinary resident*, et de *domiciled*.

Vous êtes ***resident*** (non ordinaire) lorsque vous venez vivre en GB avec l'intention d'y rester moins de 3 ans, délai au-delà duquel vous deviendrez ***ordinary resident***. Avantage: si vous êtes salarié et que vous travaillez certains jours à l'étranger, vous pouvez obtenir un remboursement d'impôt correspondant au temps de travail passé à l'étranger. Mais attention, ce remboursement ne peut s'effectuer que si votre salaire est versé sur un compte bancaire *offshore*. Cette mesure n'est plus applicable lorsqu'une personne devient *ordinary resident*.

Un Francais devient **domicilié** en GB s'il y a, par exemple, vécu pendant de longues années, souhaite y prendre sa retraite, y être enterré, s'il n'a plus de lien avec son pays d'origine. On considère alors qu'il a renoncé à son foyer fiscal de naissance et est devenu domicilié en GB.

Si vous êtes **non domicilié**, cas général d'un français qui ne passe que quelques années en GB, et si vous percevez des revenus à l'étranger que vous ne rapatriez pas en GB, ces revenus ne sont pas imposables en GB. Attention: il s'agit d'une matière complexe et il est recommadé de consulter un spécialiste.

IMPÔT SUR LE REVENU SALARIAL

Lorsque vous êtes salarié, votre employeur effectue pour vous le paiement de l'impôt sur le revenu (retenue à la source) et les cotisations de l'assurance nationale.
Après l'abattement forfaitaire de £5035 par an, le taux d'imposition sur le revenu est de

- 10% pour les revenus inférieurs à £2150/an
- 22% pour les revenus de £2150 à £33 300
- 40% pour les revenus supérieurs à £33 300.

TAUX POUR LES REVENUS NON SALARIAUX

Les plus-values sur le capital (*Capital Gain*) bénéficient d'une exonération jusqu'à £8800/an.
Au-delà elles sont taxées à:

- 10% pour les revenus inférieurs à £2150,
- 22% pour les revenus compris entre £2150 et £33 300,

- 40% lorsque ces revenus dépassent £33 300. Il n'y a pas d'impôt de solidarité sur la fortune (ISF) en GB.

En conclusion

Lorsque vous êtes salarié, vous n'avez aucune déclaration sur votre revenu salarial à faire auprès des Impots. Votre employeur effectue directement le paiement pour vous.
Par contre, si vous recevez des revenus britanniques bruts, c'est-à-dire sans déduction d'impôt à la source ou si vous rapatriez des revenus ou plus values étrangères en GB, vous devez contactez le *Revenue & Customs* pour qu'il vous envoie une déclaration de revenus à compléter.

La GB a mis en place à la fin de la seconde guerre mondiale un service public de santé gratuit accessible à tous sans conditions de ressources, le **NHS** (***National Health Service***). En manque de financement pendant les années Thatcher, le NHS bénéficie depuis quelques années d'investissements importants par le gouvernement *New Labour* de Tony Blair pour améliorer la qualité des soins, et les résultats commencent à se faire sentir. Le NHS est aujourd'hui l'un des plus gros employeurs mondiaux avec plus de 1 million de salariés…

> *Contrairement à l'image négative qu'on a souvent du NHS en France, la GB est en pointe de la recherche médicale avec trois prix Nobel de Médecine en deux ans, des hôpitaux remarquablement équipés et des spécialistes internationalement réputés. Le gros point noir reste les délais d'attente pour les hospitalisations non urgentes.*

Le NHS

Le NHS est l'équivalent de la Sécurité Sociale française. Les soins y sont dispensés gratuitement dans le cadre d'un système relativement rigide dans lequel il faut s'inscrire auprès d'un cabinet médical en particulier, et être référé pour consulter un spécialiste. Les hospitalisations sont gratuites mais il faut parfois patienter de nombreux mois en liste d'attente.

INSCRIPTION CHEZ UN GP

Même si vous bénéficiez d'une assurance médicale privée complète, vous avez intérêt à vous enregistrer dès votre installation auprès du NHS. Il suffit de se munir d'une pièce d'identité et d'une attestation de domicile et de se rendre chez un *GP* (*General Practitioner*) proche de votre domicile. Les adresses des différents *GP* de votre quartier se trouvent à la bibliothèque (*library*), à la poste, dans les pages jaunes ou sur quelques sites internet (***www.nhs.uk*** ou ***www.upmystreet.com***) et ➤ **Quartiers**.

Les *GP* exercent généralement au sein de cabinets médicaux nommés *surgeries*. Le *GP* de votre choix, s'il n'a pas atteint son quota de patients, vous délivrera une carte avec un numéro de sécurité sociale NHS. Les consultations sont sur rendez-vous et durent généralement une dizaine de minutes. Les médicaments sont gratuits pour les personnes agées, les femmes enceintes et les enfants de moins de 16 ans. Les adultes doivent acquitter une somme forfaitaire de £6 par médicament. Les médecins anglais donnent assez peu de médicaments, et vous recevrez la quantité exacte correspondant à votre ordonnance (*prescription*). Il est possible mais rare que votre *GP* se déplace à domicile en cas d'urgence. Il existe en général un service d'urgence de nuit commun à plusieurs *GP*. Vous êtes tenu de consulter uniquement le *GP* chez lequel vous êtes enregistré, mais vous avez la possibilité de demander un transfert vers un autre cabinet médical si vous n'êtes pas satisfait. A savoir: selon les quartiers, certains *GP* ont à leur disposition des médicaments que d'autres n'ont pas... Certains *GP* vous proposeront des consultations en "privé" si leur liste d'attente est pleine.

CONSULTATION DE SPÉCIALISTES

Il faut une recommandation écrite de *GP* pour consulter un spécialiste dans le cadre du NHS, généralement à l'hôpital le plus proche. Les délais d'attente pour une consultation sont variables, mais peuvent être très longs, notamment pour des problèmes secondaires. Il est intéressant dans ce cas de recourir à la médecine privée. En revanche, pour les cas «lourds», il est plutôt recommandé de s'adresser au NHS qui dispose de consultants de qualité, très au courant des dernières recherches.

Dentistes

Le choix d'un dentiste est libre dans le NHS, mais les listes d'attente pour s'inscrire dans un cabinet dentaire sont très longues car la pénurie de dentistes NHS est réelle. Ne pas

s'attendre à des soins dentaires sophistiqués et ultra-modernes dans le cadre du NHS…

Les soins dentaires sont gratuits pour les enfants jusqu'à 16 ans, les étudiants à plein temps de moins de 19 ans et les femmes enceintes ou jeunes mamans (d'enfants de moins d'un an au démarrage du traitement). Ils sont forfaitaires (mais modiques) pour les adultes. Assurez-vous avant toute consultation que le dentiste vous traitera dans le cadre du NHS, car sinon vous aurez à payer l'intégralité de la facture.
Les soins d'orthodontie s'obtiennent sur recommandation d'un dentiste.

Gynécologues

Il existe un peu partout des centres de planning familial (***Family Planning***) qui délivrent gratuitement moyens de contraception et conseils. Pour trouver le plus proche consulter le ***www.fpa.org.uk***.

Notez que les *GP* reçoivent une formation en gynécologie et peuvent normalement s'occuper des problèmes courants (contraception, etc..). Ils ne procèdent à un frottis que tous les 3 ans environ, et à des mammographies qu'à partir de 50 ans.

Opticiens & Optométristes

La plupart des opticiens de ville proposent un service d'examen des yeux (*eye test*). L'examen est gratuit pour les enfants de moins de 16 ans et les étudiants de moins de 19 ans. L'opticien que vous consultez est dans l'obligation de vous donner une ordonnance qui reste valable deux ans.

HOSPITALISATIONS ET ACCOUCHEMENT

Urgences

Les hospitalisations sont gratuites. Toute personne, même non enregistrée au NHS, peut se faire soigner gratuitement aux urgences. Attention, comme peu de médecins se déplacent à domicile, les files d'attente aux urgences sont parfois impressionnantes.

*En cas d'urgence composez le 999 et demandez une ambulance (*ambulance*) ou rendez vous aux urgences (*casualties*) de l'hôpital le plus proche,* *➤ pages Quartiers.*

Les enfants sont prioritaires, mais les adultes sont pris dans l'ordre d'arrivée (sauf cas extrême).

Urgences mineures

Pour désengorger les services d'urgence des hôpitaux, des *walk-in centres* ont été mis en place ces dernières années en GB. Il est possible de s'y rendre pour recevoir gratuitement des soins dispensés par des infirmières.

Vous pouvez aussi appeler 7/7j et 24/24h le **NHS Direct** au **0845 46 47** pour toute question relative à la santé, y compris l'adresse des services d'urgence et pharmacies de nuit les plus proches. Ils disposent même d'un service d'interprètes dans plusieurs langues.

Accouchements

Le suivi de grossesse et l'accouchement dans le cadre du NHS sont gratuits et s'effectuent à l'hôpital ou à la maternité dont vous dépendez. Votre *GP* vous indiquera où vous adresser. L'accouchement est fait par des sage-femmes sous le contrôle d'un gynécologue obstétricien.
Le séjour à la maternité est très court: entre 24 et 48h, et les chambres ne sont jamais privées (de 4 à 8 lits). En cas de césarienne, l'hospitalisation est un peu plus longue (3/5j), et vous bénéficierez peut-être d'une chambre seule si vous avez de la chance… ou des jumeaux.

Médecin généraliste: *General Practitioner ou GP*
Médecines douces: *complementary medicine*
Spécialiste: *consultant*
Cabinet médical: *surgery*
Urgence: *emergency*
Médicament: *medicine*
Ordonnance: *prescription*

Lexique

Une sage-femme effectue un suivi à domicile après l'accouchement.

Si vous ne disposez pas d'une assurance médicale privée, pas de panique: les accouchements dans le NHS peuvent être d'excellente qualité. Leo Blair est né au Chelsea& Westminster Hospital...

Plusieurs organisations apportent aide et support aux jeunes mamans:

◗ **National Childbirth Trust (NCT)**
Alexandra House
Oldham Terrace, W3 6 NH
0870 444 8707 (9h00-17h00)
0870 444 8708 (allaitement)
www.nctpregnancyandbabycare.com

Problèmes liés à l'allaitement (aide téléphonique 24/24h, groupes de soutien locaux):

◗ **Association of Breastfeeding Mothers**
020 7813 1481
www.home.clara.net.abm

◗ **La Leche League**
020 7242 1278
www.laleche.org.uk

Pédiatrie

Les *baby clinics* offrent des consultations spécialisées en pédiatrie et vaccinent gratuitement. Se renseigner auprès de son *GP*.

La médecine privée

De nombreuses personnes combinent les deux systèmes: *GP* pour les maladies courantes non urgentes, et privé pour les soins urgents (enfants malades) et les spécialistes.

La médecine privée est très développée partout, et ne présente bien évidemment aucune des rigidités du NHS:
- possibilité de voir un médecin dans la journée
- consultations plus longues
- possibilité de consulter directement un spécialiste

Harley Street, située derrière Oxford Circus, est une rue spécialisée dans la médecine. Les cabinets de spécialistes privés se succèdent les uns après les autres dans cette artère chic.

Les tarifs de la médecine privée sont prohibitifs pour qui ne dispose pas d'une assurance médicale complémentaire: comptez £60 à £80 pour un généraliste, et à partir de £80 pour un spécialiste.

LA MÉDECINE FRANÇAISE

De nombreux généralistes et spécialistes français sont installés et exercent à Londres. Certains médecins anglais parlent aussi très bien le français.
Il serait impossible de lister ici tous les médecins français. La plupart se concentrent dans le quartier de South Kensington, près

du Lycée, mais plusieurs exercent aussi sur Harley Street. Quasiment toutes les spécialités médicales sont représentées. Une liste de tous ces praticiens par spécialité est disponible sur *Canalexpat.com* ou *franceinlondon.co.uk*.

Les structures les plus importantes sont:

Cromwell Hospital
Cromwell Rd, SW5
020 7460 2000
⊖Gloucester Rd
Toutes spécialités médicales. Nombreux médecins spécialistes et généralistes français.

Doctorcall 24/7
020 7291 6666
www.doctorcall.co.uk
Consultations à domicile dans l'heure.

Medicare Français
3 Harrington Gardens, SW7
020 7370 4999
⊖Gloucester Rd
Toute la médecine en français. Médicaments français également.

Médecine Française Londres
020 7602 6021
www.medecinefrancaiselondres.org.uk
Association de praticiens indépendants (médecins généralistes, spécialistes, psychologues, dentistes et paramédicaux) exerçant, soit au Cromwell Hospital, soit dans des cabinets privés. Certains médecins assurent d es visites à domicile.

A noter également:

Le Dispensaire Français
184 Hammersmith Rd, W6
www.dispensairefrancais.org.uk
020 8222 8822
Association caritative de médecins français et britanniques qui assurent des consultations à £10 pour les Français en difficulté.

Portland Hospital
209 Great Portland St, W1
020 7580 4400
Pour accoucher avec tout le confort,
la maternité la plus prestigieuse de Londres –sur le plan de l'hôtellerie.
La maternité des stars!

LES MÉDECINES DOUCES

Elles sont très développées au Royaume-Uni, en partie du fait des problèmes rencontrés ces dernières années par le système de santé public. On trouve absolument toutes les spécialités, depuis la médecine tibétaine jusqu'à l'ayurveda en passant par l'acuponcture et le massage de tête indien.

L'homéopathie appartient à cet univers de la *complementary medicine*, médecine alternative. Elle est donc exercée principalement par des praticiens privés qui ne sont pas forcément médecins mais qui ont quand même reçu 6 années de formation. Les médicaments homéopathiques sont délivrés directement par le praticien, et coutent assez cher. Pour plus d'informations consultez le site *www.trusthomeopathy.org* ou contactez:

Royal Homeopathic Hopital
12-50 Kingsgate Rd
Kingston Upon Thames, Surrey KT22
020 8547 4167
www.rlhh.co.uk
Hopital privé dépendant du NHS spécialisé dans les médecines douces.

Possibilité de commander des médicaments sur le site web.

Les sites *www.internethealthlibrary.com* et *www.bcma.co.uk* (*British Complementary Medicine Association*) sont d'autres bonnes sources d'information pour commencer. Ils permettent de trouver un spécialiste proche de son domicile et listent toutes les associations professionnelles.

A savoir: on trouve également des médicaments homéopathiques et tout un assortiment de spécialités para-médicales dans les health shops.

EUROPEAN HEALTH INSURANCE CARD

ou Carte Européenne d'Assurance Maladie (CEAM). Elle remplace le formulaire E111 pour pouvoir se faire rembourser des frais médicaux dans les pays de l'Union Européenne, si vous n'êtes pas couvert par une assurance privée. Elle ne couvre pas les dépenses de santé non urgentes et prévisibles, comme la maternité et les frais dentaires.
Disponible sur *www.dh.gov.uk/travellers* ou par téléphone au 0845 606 2030.
Ne pas oublier de conserver toutes les factures et les justificatifs de paiement.

LE CFE ET SA COMPLÉMENTAIRE

La Caisse des Français à l'Etranger (CFE)

C'est une assurance volontaire qui permet à tout ressortissant français de bénéficier de la Sécurité Sociale Française à l'étranger. L'inconvénient majeur de cette couverture est que les remboursements sont calculés sur les plafonds français très bas comparativement aux coûts anglais: par exemple, le remboursement d'une consultation de £50 ne sera que de l'ordre £10. Il est donc nécessaire de prendre une complémentaire. L'ASFE (Assurances Santé des Français de l'Etranger appartenant au Groupe LCF Rothschild) propose d'excellentes formules. Le coût global (CFE+complémentaire) dépendra de vos revenus, de votre situation familiale et du choix de la complémentaire. La CFE peut parfois s'avérer intéressante pour ceux à revenus modestes, les familles et les personnes avec des antécédents médicaux qui ne pourraient être pris en compte par les assurances médicales privées.
Consulter le site de la CFE: *www.cfe.fr*

ASSURANCES MÉDICALES PRIVÉES

A ne pas confondre avec des mutuelles (comme en France) dont la prise en charge est complémentaire de la Sécurité Sociale. Les assurances médicales privées en Angleterre remboursent l'intégralité des sommes dépensées, beaucoup plus élevées qu'en France.

Le coût de la prime dépend généralement
- du niveau de la couverture
- de l'âge
- du lieu de résidence.

Les assurances médicales privées ne couvrent pas les maladies récurrentes, en cours de traitement ou qui viennent d'être diagnostiquées au moment de la souscription.

Assurances anglaises

De manière générale, l'assurance médicale anglaise ne couvre que l'hospitalisation et les frais de spécialistes. Afin d'obtenir une consultation auprès d'un spécialiste, il est toujours impératif d'être recommandé par votre généraliste (*GP*). Pour les Français et autres expatriés, le gros inconvénient des assurances anglaises est, que sauf en cas d'urgence pendant des vacances ou voyages d'affaires, on ne peut se faire soigner qu'en GB.

Le leader des compagnies anglaises en matière d'assurances médicales est incontestablement BUPA. Autres compagnies renommées: AXA, PPP, WPA, Standard Life.

Une assurance de ce type, pour une personne de 35 ans, pourrait varier entre £40 et £80 par mois.

Assurances spécifiques aux expatriés vivant en GB

Il en existe une gamme très étendue: elles vont de la couverture basique comme les assurances de type anglais à l'assurance complète couvrant non seulement l'hospitalisation et les spécialistes mais aussi les généralistes, les frais dentaires, l'optique, la maternité... L'avantage de ces assurances est que l'assuré peut choisir d'être soigné dans son pays d'origine. Certaines assurances permettent même à l'assuré d'être couvert mondialement.

Pour les Français et les Belges, l'une des meilleures couvertures serait l'assurance 4 Etoiles de GMC qui est le leader français dans le domaine de la protection sociale des expatriés. Pour une personne de 35 ans, la cotisation annuelle serait d'environ €3000.

Le Groupe APRI Insurance a créé des produits conçus tout spécialement pour les Français et les Belges résidant en GB. L'utilisation d'un réseau de docteurs et de spécialistes à Londres leur permet de contrôler les coûts et d'offrir des tarifs attrayants. Ils proposent deux formules, Urgence et Complète, dans le cadre de leur offre «Planet Resident». Vous pouvez obtenir un devis en ligne sur leur site: *www.apriinsurance.com*.

Autres assurances pour expatriés: BUPA International (compagnie distincte de BUPA UK), GOODHEALTH, AXA, PPP International.

Contrats de Groupes

Un contrat de groupe permet en général de faire diminuer les cotisations d'une façon significative. Si vous pouvez inciter votre entreprise à mettre en place un contrat groupe, les autres employés pourraient aussi en bénéficier.

Site Web utile: ***www.lepretre.co.uk***

Conduire

Avoir ou non une voiture?

La voiture est loin de s'imposer à Londres. Même si les moyens de transport n'ont pas toujours la fiabilité souhaitée, Londres dispose d'un réseau métro et autobus largement développé, sans compter les nombreux taxis. Mais, comme partout ailleurs, elle est bien utile pour les familles et facilite les escapades hors de Londres.

IMPORTER SA VOITURE

Avec le Channel, venir avec sa voiture est tellement simple qu'on aurait tendance à ne pas se poser de questions et à importer sa voiture, mais le problème du parking peut influencer votre choix.

Si votre logement londonien dispose d'un garage privé, extérieur ou non, vous pouvez facilement amener votre véhicule de France. Même si l'immatriculation est théoriquement obligatoire à partir du moment où vous êtes résident (dans les 6 mois suivant l'entrée de la voiture en GB), en pratique elle ne s'impose pas. Mais attention: tout stationnement illégal (même léger) d'un véhicule immatriculé à l'étranger est généralement sanctionné par la pose d'un sabot et un départ à la fourrière quasi simultané - sans doute par crainte de n'avoir aucun recours pour les amendes impayées.

L'essence (petrol) *s'exprime encore parfois en* gallons. *10* gallons *correspondent à 45,46 litres. Son prix est comparable au prix français.*

Si vous ne disposez pas d'un garage privé vous aurez besoin pour vous garer d'un *resident permit* (➤**Quartiers**). Mais si votre voiture n'est pas immatriculée en GB, vous n'obtiendrezqu'un *resident permit* temporaire renouvelable une seule fois…

Vous serez donc obligés de faire immatriculer votre voiture en GB. Or immatriculer sa voiture française, l'assurer et la garer relèvent souvent du parcours du combattant, d'autant que chaque démarche nécessite souvent la réalisation simultanée des deux autres, ce qui n'est pas toujours possible.

Conseil: acheter une voiture immatriculée en GB présente de nombreux avantages et évite beaucoup de soucis!

AC

ure neuve

concessionnaires sont dans les pages (*www.yell.com*) et ont souvent site web. Les marques étrangères et otamment françaises sont distribuées en GB, mais à des prix souvent supérieurs à ceux pratiqués en France.

Une voiture d'occasion

Il existe des supermarchés de voitures d'occasion dans la grande banlieue de Londres:

Cargiant
08708 115533
www.cargiant.co.uk
A White City. Bus gratuit le week-end depuis White City.

Trade Sales
08701 220 220
www.trade-sales.co.uk
Accès facile par le train (depuis la gare de Paddington, Burnham Station).

La cote à l'argus s'obtient gratuitement sur le site du magazine *What Car* (*www.whatcar.co.uk*)

Petites annonces

Ici Londres
Mensuel gratuit français.

Auto Exchange, magazine gratuit disponible chez Sainsburys et Tesco.

What Car (mensuel), **Exchange & Mart**: journaux spécialisés disponibles en kiosque.

Le journal **Loot** (*www.loot.com).*

Immatriculer sa voiture française

DVLA

Le DVLA situé à Wimbledon est l'organisme chargé des immatriculations de véhicules neufs et d'occasion.

Driver and Vehicle Licensing Agency
DVLA Local Office
Ground Floor, Connect House,
133-137 Alexandra Rd, SW19 7JY
087 0600 6767.
www.dvla.gov.uk (site très bien fait).

Il est possible d'envoyer par courrier les documents demandés, mais préférable de se rendre sur place car le DVLA exige les originaux.

Apporter les documents

- Le formulaire V55/4* pour les véhicules neufs ou V55/5 pour les véhicules d'occasion. On peut se procurer les formulaires en ligne sur le site *www.dvla.gov.uk* ou dans un bureau de poste.
- Une attestation d'assurance (*cover note*) anglaise.
- Un certificat de conformité technique en anglais (procédure dite de *reception*). Ce certificat est délivré par le constructeur.

Lexique

Fourrière: *car pound*
Sabot: *clamp*
Contravention: *fine, penalty charge*
Marque de voiture: *make, brand*
Attestation provisoire d'assurance: *cover note*
Stationnement handicapés: *disabled badge holders only*
Crevaison: *puncture*
Roue de secours: *spare wheel*
Cric: *car jack*
Brûler un feu rouge: *to go through a red-light*
Donner la priorité: *to give way*
Faire la révision: *to put the car in for service*
Mettre le contact: *to switch on the engine*
Etre en panne: *to break down*
Passage piéton: *crossing zebra*
Sans plomb: *unleaded*
Diesel: *gazole*
Plaque d'immatriculation: *number plate*
N° d'immatriculation: *registration mark*

• Votre carte grise.
• Un certificat de contrôle technique (*MOT test certificate*) si le véhicule a plus de 3 ans.
• Un chèque de £38 pour frais d'enregistrement.
• Dans le cas d'un véhicule de moins de 10 ans, le DVLA exigera aussi un certificat du VCA (*Vehicle Certification Agency*) - £65
Il vous faudra changer :
- le compteur de vitesse pour qu'il affiche les *Mph* (*miles per hour*).
- la direction des feux de croisement/route et le feu de brouillard arrière de côté.
Ces différents réglages peuvent être faits dans tout garage, mais le coût du changement de compteur de vitesse est élevé et l'ensemble peut s'élever à £1000. Il vous sera également demandé un certificat de conformité du constructeur. Tout cela peut prendre jusqu'à 6 mois.

Vous pouvez personnaliser votre plaque d'immatriculation en l'achetant pour un montant minimum de £250 mais les prix peuvent s'envoler y compris aux enchères! Infos sur le site du DVLA.

• Si le véhicule provient de l'extérieur de l'Union Européenne, le DVLA exigera également un certificat *Single Vehicle Approval* comprenant une batterie de tests supplémentaires.

Assurer une voiture

Votre véhicule doit être assuré en GB.

UNE VOITURE IMMATRICULÉE EN GB

Les compagnies d'assurance donnent un devis immédiat, y compris par téléphone. Il est utile de prévoir une traduction de votre attestation de "bon conducteur" pour une prise en compte rapide de votre bonus français (*no claim discount*). De nombreuses assurances demandent cette attestation en anglais.
En GB existent aussi l'assurance tous risques (*comprehensive insurance*) et l'assurance au tiers (*third-party insurance*).

Direct Line Insurance
0845 246 3761
www.directline.com
Offre l'un des meilleurs rapports qualité/prix et présente l'avantage de tout régler par Internet. Ils envoient leur attestation (*Certificate of Motor Insurance*) dans les 24h.

TESCO Motor Insurance
0845 300 4400
www.tescofinance.com
Compétitif et bien organisé. Offre une assurance «value» à bas prix moyennant une franchise plus élevée.

Automobile Association AA
0800 316 2456
www.theAA.com
Bon réseau de bureaux dans de nombreux quartiers de Londres. L'assurance dépannage AA vous aidera en cas de panne en GB comme en Europe.

Royal Automobile Club
Ils ne sont joignables que par leur site Internet *www.rac.co.uk.*

UNE VOITURE FRANÇAISE

C'est possible, mais souvent compliqué et cher! En effet, si vous avez un volant français (à gauche), l'assurance va vous appliquer un tarif souvent triple de celui que vous étiez habitué à payer. Néanmoins certaines assurances sont plus conciliantes pour les voitures immatriculées françaises:

A l'exception de la Road Tax qui doît être affichée sur le pare-brise, vous n'êtes pas tenu de rouler avec les papiers du véhicule.

CIS (Cooperative Insurance)
0845 746 4646

Norwich Union
Filiale de Groupama,
0800 888112
www.norwichunion.co.uk

Green Card

Votre voiture étant assurée en GB, pensez, lorsque vous sortirez du territoire britannique, à demander à votre assureur la *green card* qui est l'extension d'assurance pour la France. Selon les compagnies, il faut parfois payer un supplément en fonction de la durée du voyage...

Les documents à posséder

LE PERMIS DE CONDUIRE

Le permis de conduire (*driving licence*) d'un pays de la CEE vous autorise à conduire en GB, et les ressortissants français venant s'établir en GB ne sont plus tenus d'échanger leur permis de conduire français contre un permis britannique.

LE CERTIFICAT D'ASSURANCE

Voir ci-dessus (**Assurer une voiture**).

LA CARTE GRISE (LOG BOOK)

Désigné plus fréquemment par le nom du document *Vehicle Registration Document V5* qui donne des détails relatifs au véhicule (marque, modèle, numéro d'immatriculation) et à son propriétaire. Toute modification doit être signalée au DVLA.

LA VIGNETTE (Road Tax)

La *licence* (*Vehicle Excise Duty Disc* ou *Tax Disc*), équivalent de la vignette française, est également appelée *Road Tax*. Elle se paie annuellement en ligne ou au bureau de poste. Vous recevrez chaque année un avis de renouvellement du DVLA. Elle doit être impérativement affichée sur votre pare-brise. Si elle n'est pas visible ou si elle est périmée, votre voiture sera soumise à une contravention.
Pour acheter cette vignette au bureau de poste, il faut fournir

- un formulaire (disponible au bureau de poste) mentionnant l'assurance, les références de la voiture...
- L'attestation d'assurance
- Le certificat d'immatriculation (V5)
- Le *MOT Certificate*. Correspond au contrôle technique et s'impose à tous les véhicules de plus de 3 ans. Il est annuel et s'obtient dans les garages agréés. Le prix du contrôle est fixe (£45).

Le stationnement

Le stationnement est très réglementé. Il y a quelques parkings collectifs (coût élevé: £8/h). En GB, le règlement du stationnement ne supporte aucune infraction et aucune exception.

AVANT DE SE GARER, REGARDER

Les marquages au sol

- La **ligne rouge** ou la **double ligne jaune** signifie l'impossibilité de se garer à tout moment.
- La **simple ligne jaune** signifie l'impossibilité de se garer pendant les heures de contrôle. On peut donc se garer sur la ligne jaune en dehors des heures de contrôle mentionnées sur le petit panneau, cf ci-dessous.
- Les **marquages blancs simples** délimitent l'emplacement d'une voiture. Ces marquages doivent être respectés: si une roue dépasse, vous pouvez avoir une contravention. Les véhicules dotés d'un *resident permit* local font l'objet d'une tolérance un peu plus grande.
- Les **marquages blancs double-trait** indiquent un changement de règle expliqué par un petit panneau, cf ci-dessous.

Les petits panneaux

Affichés en hauteur ils comportent différentes indications.

- Le *borough* et son blason (attention une même rue peut avoir deux trottoirs appartenant respectivement à deux *boroughs* différents).
- Qui a le droit de se garer: les *resident permit holder only*, les *pay at meter.*
- Les heures pendant lesquelles il y a un contrôle. En dehors de ces horaires, vous n'avez aucune crainte. Mais attention le contrôle est à 1mn près!

Le carton Warning

La pose d'un carton temporaire jaune *Warning* sur ces panneaux suspend leurs indications de parking. Le *Warning* indique les dates, la durée et la cause de la suspension (travaux, déménagements, événement,...). Comme vous n'êtes pas préalablement prévenu de ces modifications, attention lorsque vous partez en vacances en laissant votre voiture garée à Londres, vous prenez le risque de la retrouver à la fourrière. Vous pouvez vous renseigner auprès de la *Parking Shop* sur les projets envisagés durant votre absence, mais vous n'obtiendrez aucune garantie. Une place de parking payant municipal temporaire peut vous être éventuellement proposée: £5 par jour avec un minimum de £35 pour 7j.

Dans une même rue, des places resident permit holder *et* pay at meter *peuvent s'alterner ou se succéder y compris pour un ou deux emplacements.*

LE RESIDENT PERMIT

Le resident parking permit

Ce document correspond à un abonnement. Valable uniquement dans le périmètre de votre *borough*, il vous permet de vous garer sur les emplacements *resident permit holder*. Mais il ne vous permet pas de stationner sur les emplacements *pay at meter* à moins de payer à l'horodateur. Attention: si l'horodateur ne marche pas, ne prenez pas le risque de vous garer. Vous pouvez essayer d'appeler le numéro inscrit sur l'horodateur, mais a priori vous serez considéré en infraction et dans les minutes qui suivent, vous aurez une contravention.
Le *resident permit* s'achète au bureau du parking municipal (*parking shop*, ➤**Quartiers**) pour 2 mois, 6 mois ou un an. Il doit être obligatoirement apposé sur votre pare-brise.

Si vous ne l'avez pas encore, ne garez surtout pas votre voiture sur un emplacement *resident permit holder*, même si vous allez l'acquérir sous peu. C'est la fourrière assurée. L'acquérir peut relever du parcours du combattant. Celui-ci sera allégé si vous êtes préalablement enregistré sur les listes électorales de votre *borough* (première démarche à effectuer en arrivant).
➤**Chapitre 6**

En effet, si vous n'êtes pas enregistré, vous aurez besoin de deux attestations de domicile (au lieu d'une si vous l'êtes). Les relevés bancaires, le bail, l'attestation d'assurance servent de justificatifs mais pas les factures de téléphone ou d'électricité. De plus, le signataire de la demande doit être le propriétaire du permis de conduire et de la voiture (si l'un des documents est au nom de votre époux/se, cela ne marche pas).

Les tickets de parking "visiteur"

Dans certains quartiers existe un système de tickets de parking (*visitors parking vouchers*). Les quartiers rivalisent d'inventivité sur la manière de remplir ces bons. Il y a bien une explication, mais elle n'est pas toujours limpide. Si c'est mal rempli, vous avez une contravention.

Obtenez auprès de votre parking shop *un plan des places de parking autorisées.*

Renseignements sur le site de votre quartier ➤**Quartiers**.

LA CONGESTION CHARGE

Mise en place en 2003, et étendue en 2007, cette taxe (£8) s'applique quotidiennement à tout véhicule qui entre dans le centre de Londres entre 7h et 18h30 du lundi au vendredi inclus, hors jours fériés. La zone de la congestion charge est clairement indiquée par de grands «C» rouges peints sur la chaussée. Si vous utilisez votre voiture dans cette zone, même exceptionnellement, vous avez intérêt à vous enregistrer auprès du département:

Transport for London
084 5900 1234
www.cclondon.com

Cela facilitera le paiement qui doit être effectué le jour même avant minuit, ou le lendemain moyennant £2 supplémentaires. Au-delà, vous serez passible d'une amende de £100. Le paiement peut être fait par téléphone en donnant votre numéro d'enregistrement ou plus simplement le numéro de votre plaque d'immatriculation. Les résidents de la zone bénéficient d'une réduction de 90%. Les deux roues, véhicules munis d'un badge «handicapé», voitures électriques en sont totalement exemptés.

Arrêt obligatoire pour les voitures et priorité absolue aux piétons sur les Crossing Zebra *signalés par des boules jaune-orangé clignotantes en hauteur ressemblant à des sucettes géantes.*

CONTRAVENTIONS, SABOTS, FOURRIÈRE

Les contraventions

Le prix des contraventions est élevé, quelque soit la gravité du délit (£80). Leur coût est réduit de 50% si vous payez dans les 14 jours qui suivent. Mais le non paiement entraîne une sur-taxation. Leur règlement peut-être effectué par courrier, par téléphone (mentionné sur l'amende) ou au service du parking. Attention aux caméras installées un peu partout, elles flashent sans répit le moindre excès de vitesse. Heureusement elles sont signalées par des bandes blanches sur la chaussée.

Le sabot (clamp)

Il est très facilement posé même pour des infractions mineures. Si vous retrouvez votre voiture immobilisée par un sabot, il faut d'abord payer l'amende (£115). Le paiement peut se faire par téléphone (par carte de crédit) ou au *parking shop* de votre quartier ➤**Quartiers**. Une fois votre amende payée, le sabot devrait être retiré dans l'heure.

La fourrière

Si votre voiture a disparu, appelez le numéro général **020 7747 4747**. Si elle est à la fourrière, on vous réorientera sur votre quartier. Coût: £200! Pensez à vous munir de votre équivalent carte grise (*log book* ou *document V5*) et de votre passeport. Ils sont ouverts 24/24h. Mais si vous y laissez votre voiture, vous risquez d'avoir à payer en sus des frais de parking.

Réclamations

Si la contravention ou le sabot vous paraissent injustifiés, vous avez 14 jours pour faire votre réclamation écrite, cf adresse sur la contravention.

Que faire en cas d'accident?

Le constat n'existe pas en GB. En cas d'accident, immobilisez la voiture et trouvez des témoins car les indemnisations seront basées sur leurs témoignages.
Echangez vos coordonnées et les informations suivantes

- Nom
- Adresse
- Téléphone
- N° plaque d'immatriculation
- Nom des compagnies d'assurance

Vous devez rapporter l'accident aux services de police (cf numéro ➤**Quartiers**) si vous désirez démontrer le manque de prudence de la partie adverse ou tout délit commis par elle, ou si vous pensez que les détails qui vous ont été fournis sont faux. Des poursuites ne sont pas systématiquement engagées. Les conducteurs en sont informés sur le lieu de l'accident, dans le cas où l'on a appelé la police. Puis informez votre compagnie d'assurance de l'accident et transmettez-lui les coordonnées des témoins.

Quelques règles de conduite

La conduite est à gauche. D'où vient cette spécificité insulaire? Peut-être de l'antériorité des trains qui roulent universellement à gauche et qui ont été inventés dans ce pays.

Sur les rond-points, on tourne dans le sens des aiguilles d'une montre (comme en France), et celui qui est engagé sur le rond-point a **priorité**. Si deux voitures arrivent en même temps, priorité à droite.

La **vitesse** est limitée à 30 mph (50 Km/h) en ville, à 60 mph (95 Km/h) sur route à deux voies, à 70 mph (110 Km/h) sur autoroute.

Les autoroutes sont toutes gratuites en GB. Elles sont financées par la Road Tax.

Les autoroutes sont sans **péage**. Elles sont souvent moins larges et plus denses qu'en France. Leur accès, du centre de Londres, prend du temps. Attention, les stations essence sont moins nombreuses qu'en France et sont parfois situées à plusieurs kilomètres de la sortie les indiquant.

Le **port de la ceinture** est obligatoire pour le chauffeur comme pour les passagers.

L'usage des **téléphones portables** au volant est illégal et condamnable (amende de £1000).

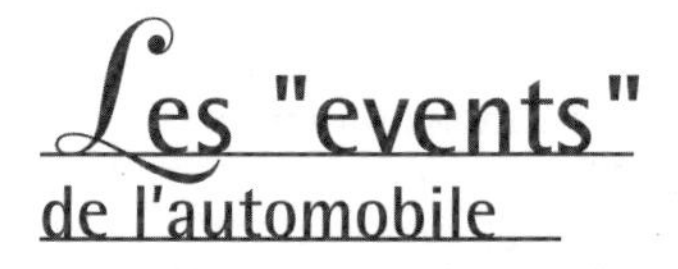

Les "events" de l'automobile

Goodwood Festival of Speed
www.goodwood.co.uk
Le plus grand événement mondial de course automobile près de Chichester dans un cadre renommé pour son circuit depuis 1948.

British Grand Prix (juillet)
www.bgp-f1.com
A Silverstone. Le Prix de Formule1 britannique.

National Motor Museum
www.beaulieu.co.uk/motormuseum/sendregister.cfm
A Beaulieu, au coeur de la New Forest, l'une des plus belles collections de voitures. Noter en septembre l'*autojumble*, grande foire autour des voitures de collection.

Amateurs de voitures de collection ou d'évènements british, ne manquez pas le Goodwood festival *ou le* British Grand Prix *et le* National Motor Museum.

Arriver à Londres

AÉROPORTS

Londres est desservie par 5 aéroports: Heathrow à l'ouest (24 km), Gatwick au sud (50 km), Stansted au nord-est (56 km), Luton au nord-ouest (50 km) et London City Airport à l'est (14 km).

Heathrow

C'est l'aéroport le plus important en terme de trafic. Desservi par

• **Le métro**, la Piccadilly *line* y fait deux arrêts, à l'aérogare 1 (British Airways vols domestiques) et aux aérogares 2, 3 et 4. Cette ligne traverse tout Londres. Compter 45 mn entre Heathrow et South Kensington. Prix du trajet: £4

• **Le Heathrow Express** (toutes les 15 mn, durée du trajet 15 mn, £15) vers la gare de Paddington, au nord est de Londres.

• **Le bus A2 Airbus** va de Heathrow à King's Cross en passant par Kensington et Knightsbridge.

• **Un taxi** vous coûtera £30 à £40, mais une voie spéciale d'autoroute accélère le trajet.

BA (British Airways) est basée à Heathrow. C'est également là que la majorité des vols Air France atterrissent.

Informations Heathrow Airport: 0870 000 0123

Heathrow Express: 0845 600 1515

Informations British Airways (horaires): 0870 551 1155.

Gatwick

Gatwick Airport est desservi en 30 mn de **Victoria Station** et **London Bridge** par un train spécial, le **Gatwick Express**. Un tramway aérien du type VAL relie les aérogares.

Informations Gatwick Airport 0870 000 2468

Gatwick Express: 0845 850 1530

Stansted

De Stansted Airport, le **Stansted Express** met 45 mn jusqu'à la gare de **Liverpool Street** (City). Possibilité également de prendre un bus desservant différents endroits du centre ville (compter 1h30 et £8-£12). La compagnie *low-cost* **Ryanair** (*www.ryanair.com*) est basée à Stansted. Elle dessert toute l'Europe.

Informations Stansted Airport:
0870 000 0303

Luton

Luton Airport est relié à la gare de King's Cross au nord par le train (**Thameslink**) ou le bus. La compagnie *lowcost* **Easyjet** (*www.easyjet.com)* est basée à Luton.

Informations Luton Airport
01582 405 100

London City

London City Airport est le plus proche du centre (liaison en bus depuis **Liverpool Street** ou **Canary Wharf**), mais il sert essentiellement aux voyages d'affaires.

Informations City Airport
020 7646 0088

EUROSTAR

www.eurostar.com

Depuis la France: 0892 35 35 39

Depuis la GB: 0870 518 61 86

Relie la gare de Waterloo à la gare du Nord en 2h35 (fin 2007, St Pancras-Gare du Nord en 2h15). Il faut commander sur Internet et passer la nuit de samedi à dimanche sur place pour bénéficier des meilleurs tarifs. Eurostar ne dispose pas d'un service pour les mineurs non accompagnés. Côté français, pas de problème à priori pour envoyer vos enfants, munis de leur passeport et d'une attestation de sortie du territoire. Côté anglais en revanche, la situation est plus confuse car la loi interdit aux enfants de moins de 12 ans voyager seuls. Il est possible d'obtenir l'autorisation en envoyant un email depuis le site d'Eurostar (rubrique *Special Travel Needs)*.

EUROTUNNEL

www.eurotunnel.com

Depuis la France
0810 63 03 04 ou 03 21 00 61 00

Depuis la GB: 0870 535 35 35

La traversée du tunnel sous la Manche entre Calais et Douvres dure 35mn.
Si l'enregistrement est un jeu d'enfant (les navettes se succèdent toutes les 10 mn), la tarification est d'une rare complexité. Tout d'abord il est indispensable de réserver son passage à l'avance, car les tarifs sur place sont prohibitifs. Les tarifs de la traversée varient de façon énorme selon que l'on part pour un jour, trois, cinq, etc…

LES FERRIES

Plusieurs types de ferries relient la France et l'Angleterre. L'enregistrement est généralement rapide et bien organisé.

Brittany Ferries
0870 536 0360
www.brittany-ferries.com
Lignes entre la Bretagne (St Malo, Roscoff) et la Normandie (Cherbourg, Caen) et la côte sud de l'Angleterre (Portsmouth, Poole, Plymouth).

Hoverspeed
0870 240 8070
www.hoverspeed.co.uk
Calais-Douvres en 1h.

Speedferries
www.speedferries.com

Le dernier-né, un ferry *low cost* avec des passages Douvres-Boulogne (40 mn) et une tarification imbattable, sans pénalités pour un aller-simple…

P&O Ferries
0870 5202020
ww2.poferries.com
Calais-Douvres en 1h1/4. Lignes avec la Normandie (Portsmouth–Roscoff, Le Havre, Cherbourg).

Seafrance
Depuis la France: 0825 0825 05
Depuis la GB: 0870 443 1685
www.seafrance.com
Calais-Douvres en 1h10.

Réservez avant fin mars pour bénéficier de réductions pour l'été. Comparez les prix sur www.ferrysavers.co.uk

Les transports
dans Londres

Londres est une ville très étendue et son réseau de transports publics, bien que dense, est ancien et peu fiable. De gros efforts de rénovation ont été entrepris depuis quelques années par le maire Ken Livingstone (dit "Ken Le Rouge"), qui a repris en direct la gestion du métro et est également l'instigateur de la *Congestion Charge* ➤**Chapitre 9**. Mais beaucoup reste encore à faire pour atteindre un niveau en rapport avec l'importance économique de Londres.

Pour tout renseignement sur les transports, vous pouvez consulter le site Internet très complet de **Transport For London (TFL)**, le consortium municipal en charge des transports: ***www.tfl.gov.uk***.

Les tickets de métro et de bus ne sont pas interchangeables et ne s'achètent pas nécessairement au même endroit.

Pour être informé 24/24h des perturbations dans les transports, composez le 020 7222 1234.

⊖ LE METRO

Appelé *Tube* ou ***Underground***, le réseau compte 6 zones et 13 lignes, chacune dotée d'un nom et d'une couleur. Certaines (*Central Line, Circle Line*) sont plus anciennes et plus sujettes à problèmes que d'autres plus récentes (*Jubilee Line*).

Une ligne de **métro aérien** appelée *Docklands Light Railway* relie le centre (*Bank*) à l'est de Londres en traversant la *City*. Très pratique pour les déplacements d'affaires au cœur de Londres. Même tarification que l'*Underground*.

Le *Tube* fonctionne de 5h30 à environ minuit. Il n'y a aucun service (métro, train, bus) le jour de Noël.

Le **coût** du métro est très élevé. Un ticket aller-simple en zone 1 coûte £4 pour un adulte. Au-delà d'un A/R il est préférable d'acheter un *day travelcard* à £5.70 (zone 1-4) pour voyager de manière illimitée entre 9h30 et 19h (*off peak*).

La meilleure option est de se doter rapidement d'une ***Oyster Card***, carte magnétique prépayée rechargeable disponible dans toutes les stations de métro. Moyennant £3, vous pourrez économiser près de la moitié du coût du transport. Ainsi, un aller-simple en zone 1 vous reviendra à £2. En outre, la Oyster Card peut être utilisée dans tous les transports publics.

Les objets trouvés dans le métro:

London Transport Lost Property
200 Baker St, NW1 5RZ
020 7586 2496
⊖ Baker Street

⊖ LE BUS

Grâce aux efforts et aux investissements de ces dernières années (aménagement de couloirs spéciaux, augmentation de la fréquence), les **bus** sont devenus l'un des moyens de transport les plus appréciés des Londoniens. Les anciens et si typiques *double-deckers* sont en voie de disparition au profit de bus modernes, moins polluants et mieux adaptés aux poussettes et aux handicapés. Revers de la médaille: il n'est plus possible de monter ou descendre du bus "en cours de route", et de régler directement au contrôleur. Dans les bus modernes, vous devez être muni de votre titre de transport avant de monter. Certains arrêts de bus sont équipés de distributeurs automatiques de tickets, mais ils ne fonctionnent pas toujours. Vérifiez les itinéraires des bus de nuit. Ils sont très pratiques pour revenir du West End après le dernier métro.

Si vous ne voyagez qu'en bus et occasionnellement, vous pouvez utiliser des *Bus Savers* (carnets de tickets à tarif réduit disponibles dans tous les *Newsagents*,

Vous pouvez planifier votre déplacement (métro, DLR et bus) grâce au très utile Journey Planner de Transport For London *(www.tfl.gov.uk). Vous entrez votre destination et heure d'arrivée souhaitée, et le logiciel calcule automatiquement le trajet optimal et sa durée!*

ou acheter une carte de bus, qui contrairement à la *Day Travel Card*, est valable avant 9h30 le matin.

La tarification des transports londoniens est d'une rare complexité, et vu les prix, il est recommandé de bien s'informer sur les différentes options avant de voyager.

Les bus sont gratuits pour les **enfants** et les **jeunes scolarisés** de moins de 18 ans. Le métro est gratuit pour les moins de 11 ans voyageant accompagnés d'un adulte, et à tarif réduit pour les jeunes. Une carte avec photo (*photocard*) est cependant nécessaire Cette carte s'obtient dans les stations de métro avec le passeport de l'enfant, une photo d'identité et un formulaire. Il existe plusieurs types de cartes: 5-10, 14-15 et 16-17. Les transports sont gratuits pour les enfants de moins de 5 ans.

LE TRAIN

La GB dispose d'un réseau ferroviaire très dense, au fonctionnement encore aléatoire suite aux années de sous-investissement. Les retards sont très fréquents. Pourtant les tarifs sont élevés, car la plupart des sociétés d'exploitation du réseau, privatisées sous Mme Thatchter, doivent maintenant faire face à des investissements colossaux en maintenance.

Vous pouvez vérifier tous les horaires des trains et les perturbations éventuelles sur *www.rail.co.uk.*

Du fait que le réseau est privé et ne dépend pas de **Tfl**, l'intégration des réseaux est inexistante et il vous faudra changer de ticket entre train et métro.

Plusieurs gares desservent la GB à partir de Londres:

- **Pour le nord:** Euston, **King's Cross** et **St Pancras** (emplacement du futur terminal Eurostar en 2007).
- **Pour le sud:** Charing Cross, London Bridge, Victoria et Waterloo.
- **Pour l'ouest:** Paddington et Waterloo.
- **Pour l'est:** Liverpool Street, Victoria et Fenchurch Street.

L'**Eurostar** part de **Waterloo (King's Cross-St Pancras en 2007)**, le **Stansted Express** de **Liverpool Street**, le **Gatwick Express** de **London Bridge** et **Victoria**, et le **Heathrow Express** de **Paddington**.

LE BATEAU

Un peu comme à Paris, il est possible, mais peu pratique, de naviguer sur la Tamise (*The River Thames*) pour se déplacer dans Londres. A côté des croisières touristiques existent quelques lignes desservant les points névralgiques des bords de Tamise, **Westminster**, **Waterloo**, la **City** (**London Bridge**) etc…La fréquence des rotations est variable: toutes les 30-40 mn en hiver sur les routes circulaires centrales, service réduit aux heures de pointe en périphérie. Fréquences accrues en été.

Un moyen original pour découvrir le centre touristique de Londres: prendre un *Freedom Pass* à **Waterloo Bridge** (**Big Ben, Westminster**) et voguer jusqu'à **London Bridge** (**Tour de Londres, St Katharine's Dock**) en s'arrêtant à l'aller ou au retour à **Bankside** (**Tate Modern**).

LES TAXIS

Les objets trouvés pour les taxis:

Taxi Lost Property office
15 Penton St - 020 7833 0996
⊖ Angel

Les black cabs

Omniprésents dans la ville, les *black cabs* (de plus en plus colorés) sont certainement l'un des moyens de transport favoris des londoniens comme des visiteurs. Non seulement ils acceptent 5 personnes avec leurs bagages (deux enfants comptent pour un adulte), mais ils connaissent parfaitement leur ville (ils doivent passer un examen très difficile sur la cartographie de Londres, le *Knowledge Test*, pour obtenir leur licence).

Vous pouvez les héler dans la rue si le signe *For Hire* est allumé sur le toit. Il existe également des files d'attente à différents endroits (artères commerçantes, gares...). Ils acceptent sans problème les petits trajets, et sont très nombreux à accepter les paiements CB.

La forme un peu haute du black cab a été spécialement conçue au siècle dernier pour accommoder les chapeaux melons des gentlemen.

Les *cabbies* sont dans l'ensemble sympathiques, et si leur anglais est parfois difficile à saisir tant il est mâtiné de *cockney*, ils sont généralement prêts à aider leurs clients (sauf pour charger les bagages qu'il faut mettre à l'avant, près du conducteur, car ils n'ont pas de coffre).

Les tarifs sont relativement élevés, mais néanmoins intéressants au regard du coût des transports en commun dès lors que l'on est plusieurs à voyager ensemble. Une course Waterloo-South Kensington revient à environ £20. Il est d'usage d'arrondir le prix de la course au £ supérieur (donner £7 quand le compteur affiche £6.50 par exemple).

Quelques sociétés de *black cabs*

Comcab
020 7432 1432
Accueil téléphonique et courses assurées le matin tôt et le dimanche.

Radio Taxi
020 7272 0272
Trajet et réservation:
South Kensington-Paddington environ £18.

Mais évitez de prendre les *black cabs* pour une grande distance, ils sont très onéreux. Choisissez plutôt les *mini-cabs*.

LES MINI-CABS

Il s'agit d'un système de taxis privés sans licence. Ils roulent dans des voitures banalisées et vous devez les réserver à l'avance. Les *mini-cabs* n'ont pas de compteur et il est nécessaire de se mettre d'accord avant sur le montant de la course, mais ils reviennent dans l'ensemble moins cher que les *black cabs*.

Un service très pratique: en textant 'home' au 60835, vous obtiendrez les coordonnées d'un taxi et de deux minicabs locaux.

Vous avez besoin d'un taxi à 9h le matin, en semaine: pensez à réserver un *mini cab* la veille, car vous pouvez avoir des difficultés à trouver un taxi libre le matin, ils vont tous sur la *City*... Même chose si vous sortez le soir: réservez votre mini-cab pour rentrer chez vous, car il est parfois très difficile de trouver un *black cab*.

Autre grand avantage des mini cabs: le prix est fixe sur le trajet, et ne tient pas compte des éventuels embouteillages...

Vous recevrez dans votre boîte aux lettres des cartes de visite avec leurs offres. Gardez-les et faites-vous un petit carnet d'adresses de *mini-cabs*. N'hésitez pas à en contacter plusieurs pour vérifier les meilleurs prix sur le trajet que vous souhaitez faire. Demandez également à votre voisinage. En voici quelques exemples:

Anderson Young Car Services
286, Munster Rd, SW6 6BQ
020 7385 5555

Broadway Cabs
Riverbank house,
1 Putney Bridge Approach, SW6 3JD
020 7348 7888

Churchill Car
020 7373 2001
Avec cette compagnie, vous pouvez aussi réserver un taxi pour une grande famille (7 personnes). Voici les prix (indicatifs) pour un taxi avec 7 places:
South Kensington-Heathrow £38
South Kensington-Gatwick £68
South Kensington-Stansted £75
South Kensington-Waterloo £24.

Fulham Mini Cabs
183a Dawes Rd, SW6 7PQ
020 7381 8181

Just Airports
020 8900 1666
Très agréables, de grandes voitures et des tarifs intéressants.

Pronto Radio Cars
020 7286 2227

Volksapart Eurolink
020 85187941
Service très professionnel avec chauffeurs en costume et voitures impeccables. £2 à £3 plus cher que le *mini-cab* standard, mais moins cher que les services spécialisés dans les transferts aéroport. Accueil très sympathique.

Il est courant, dès lors que l'on a confiance en son *mini-cab*, de lui demander de vous livrer ou de déposer divers objets.

EN DEUX-ROUES

Le vélo

Le climat et la géographie londonienne permettent d'envisager de se déplacer en vélo quasiment toute l'année. La petite reine a ses *aficionados*, généralement bien équipés avec casque, masque anti-pollution, gilets et garde-boues réfléchissants... Mais celle-ci a encore du mal à trouver sa place dans les rues encombrées de Londres et demeure relativement dangereuse.

De nombreuses "pistes cyclables" existent, certaines véritables avec circulation réservée, d'autres de simples couloirs au milieu de la circulation automobile. Il est possible de faire du vélo dans les parcs, mais seulement sur certaines voies réservées.

La carte des pistes cyclables *London Cycle Network* est disponible dans les librairieset les *Parking Shops*. Elle renseigne aussi sur les panneaux et sigles existants à Londres. Vous pouvez également consulter: ***www.londoncyclenetwork.org.uk***, doté d'un *Journey Planner* qui indique en détail le parcours optimal pour rallier deux points à vélo.

La moto/le scooter

Les deux roues connaissent un engouement certain depuis la mise en place de la *Congestion Charge* (ils n'y sont pas soumis). Du coup, la ville de Londres organise, en collaboration avec la *Metropolitan Police*, des mini stages de conduite moto pour les personnes roulant en ville et voulant rafraîchir leurs connaissances et leurs réflexes. Le coût est minime (£25 pour une journée). Il faut venir avec son deux roues (moto, scooter ou même mobylette), son permis moto ou voiture (suivant la cylindrée), son MOT et une preuve d'assurance.

> ***Malheureusement, les emplacements de parking pour les deux roues sont totalement insuffisants, et il n'est pas rare de «tourner» autant qu'en voiture pour se garer. Le deux roues est valable si vous disposez de parking ou sortez beaucoup le soir...***

Pour plus d'informations, consulter leur site ***www.bikesafe-london.co.uk***

Comme en France, le port du casque est obligatoire. Attention, vous ne pouvez vous garer que sur des emplacements spécialement aménagés. Les places réservées aux deux roues sont indiquées par des signes "*M/C only*" sur la chaussée. Les deux roues peuvent obtenir un *resident parking permit* à coût modique leur permettant de se garer dans les *resident bay areas* de leur quartier.

Les Anglais sont connus pour aimer les animaux. On estime le nombre de chiens à environ 6 millions, de chats à plus de 9 millions. Et malgré cela, pas une crotte sur les trottoirs ou dans les parcs. Vous pourrez laisser vos enfants gambader tranquillement. La GB étant exempte de rage, les conditions d'entrée des animaux en provenance de l'extérieur sont draconiennes. Si vous voulez amener votre animal de compagnie, vous devrez vous armer de patience...

> *Pour emmener avec vous votre chien ou votre chat en GB depuis la France, prenez rendez-vous avec votre vétérinaire au minimum 7 mois avant votre départ!*

Le Pet Travel Scheme (PETS)

Le Pet Travel Scheme (PETS) est le système qui permet aux chiens, chats et furets de certains pays d'entrer en GB sans quarantaine sous réserve de respecter des règles très trictes. Il s'adresse également aux personnes, résidentes en GB, qui souhaitent voyager vers des pays de l'Union Européenne ou certains autres pays et retourner en GB. Ces règles visent à protéger la GB contre l'importation de la rage et autres maladies. Le *PETS* décrit les règles de mise en conformité de l'animal, la documentation nécessaire, mais également les routes et les compagnies de transport approuvées pour faire entrer l'animal.

La **mise en conformité** de l'animal passe par 3 étapes, votre vétérinaire saura vous renseigner précisemment:
- mise en place d'une micropuce (le tatouage est insuffisant)
- vaccination contre la rage (obligatoirement APRES la mise en place de la puce), et vérification par prise de sang (envoyée vers un laboratoire approuvé) de l'immunité de l'animal. Le premier passage en GB ne pourra se faire que 6 mois après prise de sang

> *Attention! 6 mois doivent s'écouler entre la date de la prise de sang et la date d'entrée au Royaume Uni*

- traitement contre les tiques et parasites effectué par un vétérinaire entre 24 et 48h avant chaque entrée en GB (à refaire donc à chaque retour, petit week-end compris!)

Documents
Votre vétérinaire vous remettra un passeport pour l'animal dans lequel il reportera le numéro de la puce, les preuves de vaccination et d'immunité sanguine, les certificats de traitement contre les tiques. Ce passeport remplace l'ensemble des documents aui existaient jusque récemment.

Routes
La liste est bien maigre, et il convient de vérifier sur le site du PETS la dernière mise à jour avant chaque voyage. En provenance de la France, seuls les passages en *ferry* (sur certaines compagnies) ou en *shuttle* Eurotunnel sont permises. Quelques très rares lignes aériennes sur de petites compagnies font également partie de la liste.
Le détail de ces information est disponible sur le site ***www.defra.gov.uk/animalh/quarantine/index.htm*** ou (0)870 241 1710.

Les pays du Pet Travel Scheme

Andorre, Allemagne, Australie, Autriche, Belgique, Canada, Danemark, Espagne, Finlande, France (sauf Guyane française et St Pierre et Miquelon), Grèce, Hong Kong, Islande, Italie, Japon, Luxembourg, Malte, Monaco, Norvège, Pays-Bas, Portugal, Russie, Saint-Martin, Singapour, Suède, Suisse, USA...
Et pour les Dom/Tom: Guadeloupe, Martinique, Mayotte, Nouvelle Calédonie, Polynésie française, Réunion, Wallis et Futuna.

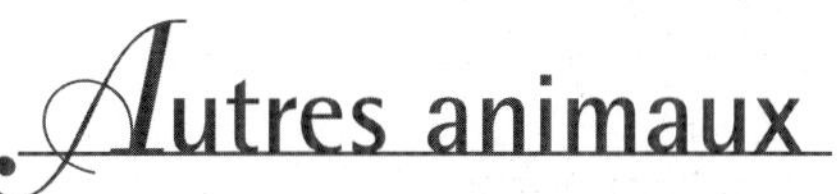

Autres animaux

Si votre meilleur ami fait partie de la famille des serpents, des lézards, des tortues,...
ou autre espèce, renseignez-vous auprès de votre vétérinaire sur les démarches à suivre.

Races interdites

Les chiens de race type pitbull ne sont pas autorisés à entrer en GB, bien que la Princesse Anne en possédait... Ce qui a occasionné le premier passage au tribunal de la famille royale depuis plusieurs siècles, car son pitbull avait mordu un passant!

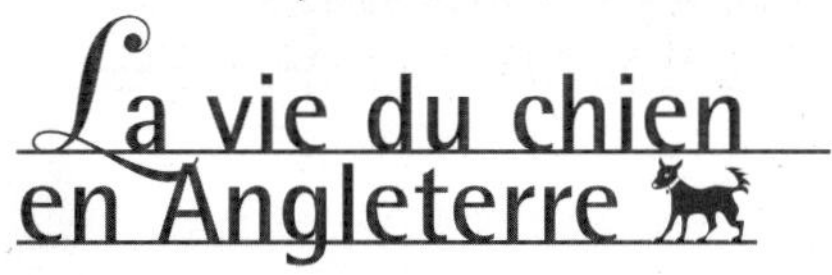

La vie du chien en Angleterre

Les chiens sont trés nombreux en GB, souvent très beaux, mais vous ne les verrez pas si vous n'êtes pas un habitué des parcs. Il est en effet difficile d'amener votre chien en ville puisqu'ils ne sont pas acceptés dans la majorité des magasins et des restaurants. Toutefois quelques *pubs* les acceptent et vous trouverez leurs coordonnés sur de nombreux sites '*dog friendly*'. Sachez également qu'il est obligatoire de ramasser les déjections de son chien, dans la rue comme dans les parcs, sous peine d'amende pouvant aller jusqu'à £1000. Enfin, si vous travaillez, vous pourrez faire appel à un service qui promènera votre compagnon dans la journée. Couteux mais bonne qualité de service par des professionnels. Vous trouverez leurs coordonnées sur les sites de *dog walking*. Vous pouvez aussi essayer:

Pet Nanny
020 8875 0341
www.petnanny.co.uk

Pal4Pets
020 7274 9911
www.pals4petsuk.com

On peut aussi faire appel à un étudiant ou autre *dog sitter* pour une dépense moindre.

Chenils

Haxted Kennels
Dans le Kent
www.haxtedkennels.co.uk
017 3286 3166
Possibilité de venir chercher votre chien à votre domicile et de le ramener (£28 A/R). Vous pouvez aussi amener votre chien chez un vétérinaire à Hammersmith ou Barnes, la prise en charge est alors gratuite. Ils peuvent faire les vaccins sur place et des soins vétérinaires. C'est à la campagne avec un grand espace où les animaux peuvent courir. Tarifs très intéressants et les chiens y sont très heureux.

Centres d'accueil pour les chats:

Apple Tree
Sunbury on Thames
01932 780 508

Loggerheads
33 Winchester Rd, London E4
020 8531 2134

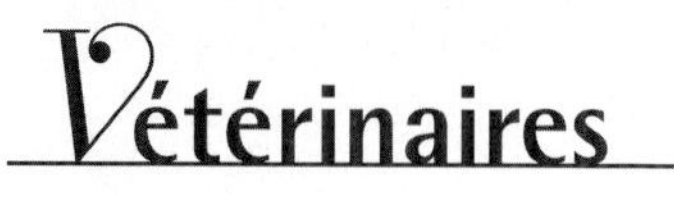

Vétérinaires

Pascal Sulzer
55 Elisabeth St, SW1
www.veterinairefrancais.com
0795 029 46 30

Visites à domicile dans tous les quartiers de Fulham à Belgravia sans frais de déplacement.

Shopping

Ce chapitre n'est qu'une brève introduction aux immenses ressources de Londres en matière de *shopping*. Comme vous le constaterez rapidement dans votre quartier, le commerce britannique s'est développé sur un concept de *High Street*, rue principale où se concentrent les magasins, restaurants et pubs. Après la disparition progressive des boutiques traditionnelles, ce sont des chaînes qui se sont maintenant installées sur toutes les *High Streets* de GB. Ces magasins viennent en complément des supermarchés, souvent un peu excentrés par rapport à la *High Street* (parking oblige). Spécialisés dans l'alimentaire et l'entretien de la maison, leur taille reste bien inférieure à celle de nos hypermarchés de périphérie.

Le site www.streetsensation.co.uk vous donne la possibilité de visualiser toutes les enseignes des rues commerçantes de Londres. Une prouesse!

Bien sûr, à Londres vous n'aurez que l'embarras du choix en matière de *shopping*. Nous vous donnons un bref aperçu de ses ressources dans les pages suivantes, quelques bonnes adresses chinées par des Françaises vivant ici depuis longtemps, et surtout quelques clés pour savoir comment et où faire vos achats en arrivant (description des différentes chaînes par spécialité).

Les zones commerçantes

Oxford Street ➤Carte Quartier Bayswater
Un concentré de grands magasins, souvent les *flaghip stores* (boutiques étendards) des grandes chaînes du pays. On y trouve John Lewis, Debenhams, House of Frasers (ces 3 grands magasins sont très pratiques pour s'installer), Marks&Spencer, Selfridge's, Virgin, Waterstone's (la plus grande librairie d'Europe), etc... en *méga size*. Egalement Lilly White's (sur la place de Picadilly) et Nike Town, des magasins de sport appréciés des jeunes. Derrière Picadilly, Jermyn St, une rue délicieusement traditionnelle de *tailors* et de *shirt makers*.

Tottenham Court Road
Le paradis de l'électronique et de la *high tech*. Des commerçants en majorité asiatiques louent des stands à l'intérieur de grands halls donnant sur la rue et proposent les téléphones portables dernier cri, ordinateurs, *Personal Assistants*, etc... Ne pas hésiter à faire le tour des échoppes et négocier les prix. C'est également l'endroit où faire

"déverrouiller" (*unlock*) un portable pour £15. Matériel d'occasion. Nombreux magasins de meubles également: Dreams (literie), Cargo, Habitat, Elephant Furniture (meubles ethniques), The Pier...

Regent Street
Succession de boutiques et grands magasins bien intégrés à l'architecture d'un magnifique *Crescent* de style géorgien. Liberty, Fortnum&Mason, Hamleys (immense magasin de jouets), Disney Store, Church's... Juste derrière, Carnaby Street, rue piétonne mythique de la mode *beatnik* des années 60. Aujourd'hui, mode ado.

Bond Street et **New Bond Street**
Tout le luxe s'y retrouve. Gucci, Versace, magasins d'antiquités, et la plus grande concentration de *Royal Warrant holders* (fournisseurs de la famille royale) de tout le pays.

Covent Garden
Le Market Hall, avec ses stands d'artisanat, et la Piazza sont agréables bien que très touristiques. Nombreux restaurants et cafés. Sur Neal St toute proche, concentration de jeunes *designers*, *shoe shops*, ainsi que la *Tea House* (spécialiste du thé). Célèbres boutiques bio (alimentation et remèdes naturels) sur Neal's Yard.

King's Rd➤carte Quartier Chelsea
Le temple du shopping chic de Chelsea. Designers, nombreux magasins de chaussures (L.K. Benett, Patrick Cox, Natural Shoe Store, Manolo Blahnik...).

Notting Hill➤carte Quartier Notting Hill
Sur Portobello Rd, Ledbury Rd, Westbourne Grove etc.. se concentrent des magasins branchés et cosmopolites. Prix élevés mais créativité maximum.

L'alimentation

SUPERMARCHÉS

Les grandes chaînes (vous trouverez les adresses dans les pages Quartiers):

Sainsbury's: Taille et prix moyens. Ceux de Londres sont bien achalandés en fruits et légumes frais.

Tesco: Bon rapport qualité-prix. Bien pour les gros ravitaillements car le choix y est généralement très vaste. On en trouve de très grands en périphérie, mais de très nombreux *Tesco Express*, plus petits, se sont installés partout en ville.

Waitrose: surfaces en général plus petites que Sainsbury's et Tesco. Qualité et prix légèrement supérieurs. Livraison à domicile depuis le supermarché.

Les sites Internet de Sainsbury's (***www.sainsburystoyou.com***) et Tesco (***www.tesco.com***) permettent de commander non seulement l'alimentation, mais aussi appareils électroménagers, vin, CD et DVD, téléphonie mobile, assurances, etc... Pour l'alimentaire seul, voir aussi ***www.ocado.com***, service Internet de Waitrose.

Les magasins anglais sont ouverts le dimanche (généralement 12h-17h)

ASDA/Morrison: peu développé à Londres. Prix bas.

Safeway: plutôt en ville et petites surfaces.

PRODUITS FRANÇAIS

Bagatelle, Paul, Maison Blanc, le Pain Quotidien: boulangeries- pâtisseries-traiteurs avec du personnel souvent français. Les magasins sont gérés individuellement, donc la qualité peut varier, mais c'est en général excellent. Ils sont souvent dotés d'un petit café où l'on peut prendre des repas légers.

Le vin fait l'objet d'une taxe de £1,20 par bouteille en GB. Faites vos provisions en France (ou au passage à Calais, où de nombreux magasins de vin ont ouvert dernièrement).

Vin: Nicolas, Oddbin's, Majestic. Livraison gratuite chez ce dernier.

Par correspondance

Chanteroy
www.chanteroy-online.co.uk
233 a Wimbledon Park Rd
Southfield, SW18
020 8772 0660
Epicerie sur place et livraison à domicile

sur tout Londres. Crèmerie, charcuterie, poissons, viande...

Natoora
www.natoora.co.uk
Produits frais en direct des fermes françaises. Viande, charcuterie, produits laitiers, fruits et légumes.

France to your door
www.francetoyourdoor.com
Epicerie fine, parfumerie artisanale, livres, vins, chocolat. Produits de qualité.

Plaisir de France
www.plaisirdefrance.co.uk
Vins et Champagne en direct de France. Livraison gratuite sur Londres. Vaste sélection.

AUTRES

Abel&Cole
www.abel-cole.co.uk
Livraison toutes les semaines de fruits et légumes bio de saison en direct de la ferme. Croquants et boueux à souhait!

Le *Milkman* existe toujours! Vous repérerez rapidement dans la rue son petit camion électrique qui livre sans bruit chaque matin lait, jus d'orange, eau et pain. Les prix sont élevés, mais le service réel, et certains disent que le lait est bien meilleur. Demandez lui de faire un essai pendant une semaine.

Grands magasins

Tous les lister ici serait impossible, nous vous présentons donc nos préférés:

Fortnum&Mason
181 Picadilly, W1
020 7734 8040
Epicerie fine et thés du monde entier *by appointment of her Majesty*. Un charme délicieusement anglais. Excellents *high teas* au St James Restaurant au 4e étage.

Harvey Nichols
109-125 Knightsbridge, SW1
020 7235 5000
Le grand magasin le plus *fashionista* de la capitale. Un *must*!

Le milkman... Milk delivery: 0800 615 715

Harrods
87 Brompton Rd, SW1
020 7730 1234
Faut-il encore mentionner Harrods?
Ce grand magasin emblématique de Londres est également, quand on commence peu à peu à le connaître, une source de surprises renouvelées.
Les soldes, cela se sait, sont parmi les plus intéressantes de Londres (notamment celles de janvier). Tout part à -50% dès le premier jour, et finit rapidement à -70% pour faire de la place à la collection suivante. C'est valable sur les vêtements (intéressants, les costumes de ville pour hommes), mais également sur presque tout le magasin, dont les meubles, les tapis, l'électroménager, articles normalement pas ou peu soldés ailleurs.
Le rayon enfant/jouets est bien sûr très vaste, mais aussi très animé tous les jours de l'année par des clowns, *story tellers* etc...
Le rayon alimentation est un vrai paradis pour les yeux et le palais. On y trouve absolument tout. Les prix sont élevés, certes, mais restent abordables, ce qui garantit débit et fraîcheur.

Peter Jones
Sloane Square, SW1
020 7730 3434
Un grand classique anglais de l'ameublement et de la maison. Bien pour les tissus d'ameublement au mètre, le linge de maison... Egalement électroménager, meubles, vêtements, chapeaux, parfumerie,

Now for adults.

London: 106-108 King's Road, Tel. 0207 838 0818 - 62 South Molton Street, Tel. 0207 491 4498
19 Hampstead High Street, Tel. 0207 794 3254 - 73 Ledbury Road Notting Hill, Tel. 0207 243 6331
133 Northcote Road, Tel. 0207 228 7233 - 171 Regent's Street, Tel. 0207 734 0878
Richmond: 56-58 Hill Street, Tel. 0208 332 6956
Bluewater: Bluewater Shopping Center, 102 Upper Guildhall, Tel. 01322 624 321
www.petit-bateau.com

cadeaux, jouets, fil DMC. Rayon important d'uniformes scolaires. En plein renouveau, mais toujours aussi bien achalandé. Réputé pour la qualité de son SAV et sa politique de prix serrés. Fait partie de la chaîne anglaise John Lewis (magasin au 278-306 Oxford St).

Selfridge's
400 Oxford St, W1
020 7629 1234
Le top de la *fashion*, dans un cadre jeune et énergique. 7 étages, 11 restaurants, énorme rayon cosmétique, salon de beauté, *personal shopping service*...

Décathlon
Surrey Quays, SE16
020 7394 2000
⊖Canada Water
www.decathlon.co.uk
Un seul magasin à Londres!

Ikea
www.ikea.co.uk
Trois magasins dans le Grand Londres, Croydon (sud), Wembley (nord-ouest) et Thurrock (est). Vous recevrez peut-être un catalogue dans votre boîte à lettres, sinon consulter leur site Internet. Possibilité de livraison sur Londres.

Chaînes de la High Street

DES "INSTITUTIONS ANGLAISES"

Marks & Spencer
Le magasin anglais par excellence. Conserve une image traditionnelle malgré des essais de modernisation. Bon rapport qualité/prix pour les sous-vêtements. Food Hall de bonne qualité, prix assez élevés.

Argos
A mi-chemin entre la VPC et la vente traditionnelle. Tous articles, vêtements, bijoux, meubles, télécom, informatique, déco, brico...Edite un gros catalogue disponible gratuitement dans les boutiques de la *High Street*. Vous pouvez aussi le consulter sur place. Vous commandez, soit de chez vous, soit dans la boutique (sur un petit clavier électronique qui vous renseigne sur l'état des stocks), et vous repartez avec l'article (s'il est disponible), ou vous le faites livrer.

BRICOLAGE

B&Q: Chaîne de *DIY* (*Do It Yourself*), généralement située hors des villes.

Homebase: Plutôt en périphérie, autour d'un parking. Ameublement, décoration, bricolage. Jardinerie extérieure (équivalent Leroy Merlin).

Robert Dyas: sur la *High Street.*
Une ressource précieuse quand on s'installe. On y trouve quincaillerie, vaisselle, petit électroménager, produits d'entretien, matériel électrique et de jardin... à des prix très bas. Nombreuses promotions.

Ryness Electrical: spécialiste de l'électricité. Sur la *High Street*

JARDINERIES

Capital Gardens: 6 jardineries autour de Londres (coordonnées sur *www.capitalgardens.co.uk*). Vous pouvez commander en direct ou vous rendre dans leur centre le plus proche du centre ville.

Neal's nurseries (Heathfield Rd, Wandsworth, SW18, 020 8874 2037)
Outils, meubles de jardins, barbecues, plantes en pots, bulbes, etc...

SPORTS

JJB: vêtements et chaussures enfant-adulte à des prix très compétitifs. Parfait pour équiper les enfants pour le foot, rugby, etc...

Sweaty Betty: sport féminin tendance (Stella Mc Cartney, Adidas...)

MODE ANGLAISE

Les créateurs

Oswald Boateng: la nouvelle star mondiale de la mode masculine, à la tête de Givenchy Homme, est britannique d'origine ghanéenne.

Joseph: Chic et sobre. Prix élevés mais justifiés car coupe impeccable. Prêt à porter haut de gamme, très intéressant pendant les soldes (jusqu'à -70%).

Stella Mc Cartney: La fille de Paul est une talentueuse créatrice de mode féminine, douce, sensuelle et...écolo. Boutique à Mayfair.

Paul Smith: élégant, cultivé et bouillonnant, Paul Smith a estampillé de son style unique la mode, la déco et tous les objets imaginables.

Les chaînes

Laura Ashley: un grand classique du look anglais. Egalement meubles, linge de maison, accessoires de déco dans la plupart des magasins.

Jigsaw: vêtements pour femmes et enfants, prix assez élevés, esprit campagne anglaise.

Les soldes en GB sont très intéressantes. Moins réglementées qu'en France, elles débutent généralement dès le 26 décembre et peuvent s'étaler sur une assez longue période.

Karen Miller: vêtements bien coupés et assez originaux, tailleurs assez chic très féminins.

Monsoon, East: Mode facile. Prix abordables. Nombreux magasins, donc risque d'effet "déjà vu"...

Top Shop: Le Must! La seule marque pointue pas chère anglaise, introuvable aux US et en France.

Whistles: très mode, prix assez élevés.

VETEMENTS ENFANTS

Petit Bateau: l'une des rares marques françaises ayant ouvert un réseau de boutiques à Londres. Qualité et confort à des prix abordables.

Trotters: un concept original, à la fois vente de vêtements et chaussures pour enfants, livres et jeux éducatifs, avec même un coiffeur pour les enfants dans le magasin.

Et aussi Bon Point, Gap, H&M, Monsoon, Zara...

ACCESSOIRES

Accessorize: chapeaux, écharpes et foulards, bijoux fantaisie.

Claire's: tous accessoires de coiffure femme et fillette, petits bijoux

BEAUTÉ

En français

Paris Beauty Institute
32 Thurloe Rd, SW7
020 7581 0085
Tous les soins de beauté (soins du visage au collagène). Très proche du métro South Ken.

Christiane
020 8205 7132
Esthéticienne à domicile. Toutes prestations (traitement du visage, épilation, manucure...) moins cher qu'en Institut. Horaires flexibles.

Chaînes

Aveda: excellents produits naturels.

Benefit: inspiration 50's.

Jo Malone: cosmétologie luxueuse et originale pour des cadeaux parfaits.

MAC: le maquillage quasi professionnel.

Space NK Apothecary: soins très ciblés.

Toni&Guy: coiffeur rock n'roll.

LIBRAIRIES

WHSmith: papeterie, livres, magazines, location et vente DVD et vidéos.

Waterstone's, Books Etc: grandes librairies avec rayons spécialisés bien achalandés. Pas de livres en langue étrangère.

Librairies indépendantes

Au Fil des Mots ➤Quartiers

Foyle's
113-1198 Charing Cross Rd
Immense librairie. Vaste choix de méthodes d'apprentissage de l'anglais.

Regent's Street

European Bookshop
5 Warwick St, W1
Picadilly Circus
Littérature étrangère, méthodes de langue. Très vaste rayon français. Lun-sam 9h30-18h.

French Bookshop
à South Kensington ➤Quartiers

Grant&Cutler
55-57 Great Marlborough St
Oxford Circus
Vaste librairie étrangère.

Librairie La Page
à South Kensington ➤Quartiers

DISQUES

Virgin, HMV, Tower Records: CD, DVD, vidéos à vendre ou à louer. Pas de livres.

PAPETERIE

Ryman's: offre assez complète (cartouches imprimante, papier et fournitures de bureau). Offres promotionnelles fréquentes pour des achats en quantité. Pas de fournitures d'art.

ELECTRONIQUE-INFORMATIQUE

Dixon's: électronique grand public (TV, lecteurs DVD, appareils photo...). Quelques accessoires (câble, adaptateurs, etc..). Personnel débordé, peu qualifié et rayons incomplets. Préférer Tottenham Court Road ou des distributeurs en direct (cf ci-dessous).

Maplin: chaîne spécialisée dans l'électronique, mieux achalandée que Dixon's. Achat en direct sur le site web.

PC World, Currys (+électroménager). Plutôt en périphérie.

Vente par correspondance

ELECTRONIQUE

www.empire.co.uk: TV, lecteurs DVD, chaînes hi-fi, électroménager, etc...
Très bon rapport qualité-prix.

www.cableuniverse.co.uk: tous câbles, adaptateurs, etc.. Bon service et prix attractifs par rapport à la *High Street*.

Vêtements

- **Cyrillus:** *www.cyrillus.com*
- **Du Pareil Au Même:** *www.dpam.com*
- **La Redoute:** *www.redoute.co.uk*
- **Promod:** *www.promod.fr*

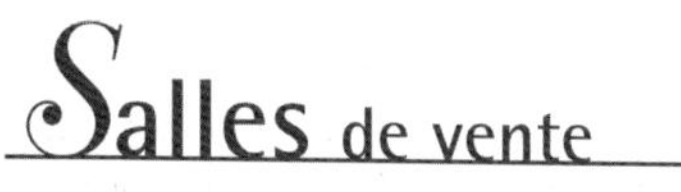

Salles de vente

Très développées en GB, les *Auctions* permettent vraiment de faire des affaires. A utiliser en priorité si vous arrivez dans une grande maison vide, ou si votre canapé 3 places ne rentre pas dans votre nouvelle *reception room*...

Le principe est simple.
Pour acheter, se rendre au *viewing* qui a lieu avant la vente et inspecter longuement l'objet de vos désirs car tout est vendu "en l'état". Le jour de la vente, vous arrivez 1/2h à l'avance, enregistrez vos coordonnées pour le paiement et enchérissez à l'aide d'un petit panneau cartonné que l'on vous aura remis (*paddle*).
Il est conseillé d'assister à la vente mais vous pouvez laisser une offre sur les articles qui vous intéressent et attendre tranquillement que la vente se déroule sans être présent. Si votre offre est retenue, on vous recontactera pour arranger le paiement et la livraison. La commission de vente (environ 20%) est à la charge de l'acheteur et vient s'ajouter au prix final.

Pour vendre, apportez une photo de vos biens à la salle des ventes (*auction house*) de votre choix. On vous donnera une estimation, et les coordonnées d'un transporteur pour que vous arrangiez la livraison (à votre charge, compter £30-50 pour des meubles assez volumineux). Si vous avez trouvé preneur, vous serez contacté par la salle des ventes qui vous remettra le chèque diminué

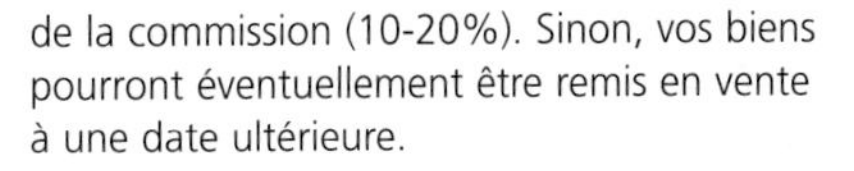

de la commission (10-20%). Sinon, vos biens pourront éventuellement être remis en vente à une date ultérieure.

Ce système est très pratique et largement utilisé en GB (il correspondrait un peu à nos dépôts-vente). Bien sûr, il existe toutes sortes de salles de vente, depuis les plus modestes (bric à brac, vêtements d'occasion, etc....) aux plus chic (antiquités, bijoux, objets d'art).

Notre sélection:

Lots Road Auctions
71 Lots Rd, SW10
www.lotsroad.com
Visites jeudi 14h-19h, vendredi, samedi, dimanche 10h-16h. Ventes tous les dimanches à 14h, 500 à 600 lots. Bien pour se meubler (meubles, tableaux, tapis...). Antiquités également. Estimations exactes dans 60% des cas (20% au-dessus, 20% en dessous). 50% des lots sont attribués à des acheteurs absents (*commission bids*).

Christie's
85 Old Brompton Rd, SW7
www.christies.com
Visites tous les jours en semaine, le dimanche quand il y a des ventes.
Ventes presque tous les jours.
Située au cœur du quartier français, à deux pas du Lycée, c'est l'une des salles de ventes les plus actives du monde. Evaluation gratuite. Pour des objets d'art et des antiquités, vous ne paierez pas forcément plus cher qu'en magasin. Quant aux ventes exceptionnelles, cela vaut le coup d'aller admirer les pièces présentées juste pour le plaisir des yeux.

Sotheby's
34-35 New Bond St, W1A et
Hammersmith Rd, W14
www.sothebys.com
Visites tous les jours y compris le dimanche.
Ventes presque tous les jours.
Célèbre maison anglaise fondée en 1744, Sotheby's est la plus importante salle de ventes au monde avec plus de 100 succursales. Comme Christie's, Sotheby's organise essentiellement des ventes d'antiquités et d'objets d'art où chacun peut trouver son bonheur. Service d'évaluation gratuite.

Brocantes et antiquités

Si vous aimez chiner et déambuler au milieu d'objets hétéroclites, vous allez vous régaler à Londres où les brocantes sont nombreuses.

Bermondsey
Bermondsey Square, SE1
⊖London Bridge
Sortir à droite et tourner à droite dans Bermondsey St, 10mn à pied.
Tous les vendredis 6h-12h.
En plein air, quelques stands couverts à coté. Marché spécialisé dans les objets en argent, massif ou non: ronds de serviettes, petites cuillères, lorgnettes d'opéra, boules de bowling, bijoux anciens, vaisselle.
On peut se faire plaisir pour un coût modéré.

*Le poinçon anglais pour l'argent représente un lion. Vérifier sa présence si le marchand vous affirme que c'est de l'argent massif (*solid silver*) et non du plaqué (*plated silver*).*

Tout près, vous pourrez faire un saut au Old Cinema Antique House, 157 Tower Bridge Rd. Bonne adresse pour des meubles et antiquités victoriennes.

Camden Passage
A l'angle d'Upper Street et d'Essex Road.
⊖Angel
Mercredi 7h30-14h et samedi 7h30-17h.
Très nombreux stands: mobilier (large choix), vaisselle, bijoux et livres d'occasion.

Portobello Road
⊖Notting Hill Gate
Marché le plus célèbre et le plus touristique et peut-être le moins authentique.
Antiquités (mobilier, vaisselle, bibelots), objets en argent, curiosités (comme un stand dédié aux animaux naturalisés). Hélas, beaucoup d'artisanat sans intérêt de fabrication asiatique en série.

Marché aux fleurs de Columbia Road
⊖Shoreditch
Tous les dimanches matin 8h-14h.
Très large choix de plantes et arbustes en pots. Prix très compétitifs. Fleurs fraîches. Boutiques aux alentours hétéroclites, artisanat varié. Voiture conseillée car vous serez tenté par toutes les plantes en vente. Attention stationnement payant!

A l'extérieur de Londres

Sunbury Antiques Market
Kempton Park Race Course
Sunbury-on-Thames, TW16
Voiture indispensable. Prendre la M4 vers l'ouest puis la A316. Suivre la A316 20-25 mn et sortir sur la A308. Aller à gauche et à environ 500m, le champ de courses sera indiqué. Compter environ 30 mn en voiture de South Kensington. Tous les 2e et 4e mardis du mois 6h-12h. Cette foire d'antiquités-brocante attire de nombreux marchands. Stands extérieurs et intérieurs, possible par tout temps.
Marchandises extrêmement diverses: petits meubles, gravures, vaisselle, argenterie, sacs en croco, bibelots... Vaste choix, prix plus compétitifs qu'à Londres. N'hésitez jamais à marchander.

Les car boot sales sont l'équivalent de nos vide-greniers. Elles sont organisées un peu partout en GB. Car boot signifie "coffre de voiture".

New Covent Garden Market, SW8
www.cgma.gov.uk
Lun-ven, 3h-11h et sam 4h-10h.
C'est l'équivalent des Halles de Rungis. Ouvert au public, vous pouvez vous garer facilement au parking général pour £3. Les matinaux (et les gourmands ou propriétaires d'un grand congélateur) y trouveront leur bonheur: fruits et légumes, poisson et viande en gros.
Marché aux fleurs très intéressant, surtout au moment de Noël: les sapins et décorations y sont vendus une fraction du coût de la *High Street* (on peut y aller vers 8h30/9h et encore avoir suffisamment de choix).

Cotsco Wholesale Watford Warehouse
Hartspring Lane, Watford, Herts
www.cotsco.co.uk
Grande centrale d'achats de type Metro. Prix très intéressants pour des achats en grande quantité pour famille nombreuse. Consulter leur site Internet pour connaître les conditions d'accès. Nécessité de pouvoir stocker.

MAGASINS D'USINE

Ces magasins sont généralement ouverts 7/7j

Bicester Village Outlet Shopping Centre
Pingle Drive, Oxon
01869 323200
www.bicesterVillage.com
Un village de boutiques de marque dans l'Oxfordshire. Tout est dégriffé.
Lun-ven et dimanche 10h-18h, samedi et *bank holidays* 10h-19h.

Burberry Factory Shop
29-53 Chatham Place, Hackney, E9
020 8985 3344
⊖Bethnal Green
Entrepôt qui vend des vêtements et accessoires dégriffés de la fameuse marque à carreaux.

East
55 Kimber Rd, SW18 - 020 8877 5900
Ce n'est pas un magasin de la chaîne du même nom, mais une fabrique de vêtements. Vente promotionnelle 2 ou 3 fois par an dans un hangar proche. Téléphoner pour connaître les dates. Prix vraiment très intéressants.

Villeroy & Bosch
267 Merton Rd, SW18
020 8875 6006
Magasin d'usine. Du second choix mais les défauts sont rarement visibles à l'oeil nu. Prix très attractifs (de 20 à 50 % de réduction, parfois plus).

Wedgwood
Barlaston, Stoke on-Trent, Staffordshire
01782 204 141
www.thewedgwoodstory.com
Centre de fabrication de cette célèbre marque anglaise de porcelaine. On peut visiter les ateliers et voir comment sont fabriqués les objets depuis le tournage jusqu'à la cuisson. Boutique sur place. En semaine 9h-17h, samedi 10h-17h et dimanche 10h-16h.

Boutiques coup de coeur

Antiquarius
131-141 King's Rd, SW3
Lundi-samedi 10h-18h.
Centre regroupant une centaine d'antiquaires. Gravures, bijoux, montres, pièces d'argenterie, malles de voyages, faïences et porcelaines. Belle qualité.

Hepsibah
112 Brackenbury Rd, Hammersmith W6
020 8741 0025
Vente et location de magnifiques chapeaux. Magasin très fréquenté pendant les courses d'Ascot.

James Lock & Co.
6 St James's St, SW1
020 7930 5849
Spécialisée dans les chapeaux et couvre-chefs. Des bibis les plus chics (pour aller au Royal Ascot) au *Stetson Texan*...

Le Pascalou
359 Fulham Rd, SW10
020 7352 1717
Un vrai commerce français. Excellents produits d'origine: fromages, viande blonde d'Aquitaine, poulet fermier (avec les abats!) et un très beau rayon poissonnerie. Livraison à domicile. Le plaisir de faire des courses.

Octopus
130 King's Rd, SW3
020 7589 1111
Petite boutique qui vend toute une gamme d'objets en plastique: sacs à main, bavoirs, couverts ou très colorés: toasters, lampes de bureau, etc… Pour offrir des petits cadeaux rigolos.

The Cross
141 Portland Rd, W11
020 7727 6760 et

Coco Ribbon
21 Kensington Park Rd, W11
et 133 Sloane St, SW1
020 7729 4904
Des boutiques de fringues et de grigris bobos, girlie et sensuels...

Traid
61 Westbourne Grove, W2
0202 7221 2421
Les *charity shops* à Londres attirent les Anglaises fortunées qui aiment mélanger les vêtements de grandes marques avec ceux d'occasion. Cette chaîne de magasins, en particulier, est connue comme étant l'une des plus branchées.

Steinberg and Tolkien
193 King's Rd, SW3
020 7376 3660
Vêtements et accessoires d'occasion souvent originaux ou excentriques, costumes de cinéma.

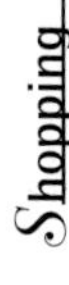

Médias

La presse britannique

Les Britanniques sont les plus gros consommateurs de presse du monde. La presse britannique est omniprésente avec près de 12 millions de lecteurs quotidiens et plus de 9 titres au choix dans tous les kiosques chaque jour.

PRESSE QUOTIDIENNE

La distinction entre les journaux populaires et les journaux "sérieux" s'effectuait traditionnellement sur la base de leur format: réduit de moitié (*tabloïd*) pour la presse populaire et large (*broadsheet*) pour les autres quotidiens. Mais cette distinction s'atténue alors que les quotidiens adoptent de plus en plus la version *tabloïd*, un format plus commode notamment dans les transports. Malgré cette diversité apparente, 80% de la presse britannique est concentrée entre les mains de seulement trois propriétaires (dont Murdoch) connus pour leur conservatisme.

La presse populaire les "tabloïds"

Le phénomène anglais des *tabloïds* est unique au monde. Avec son tirage hebdomadaire à près de 3,8 millions d'exemplaires, **News of the World** a été le premier à concevoir cette forme de journalisme qui expose la vie privée. Il a introduit un fonctionnement, devenu un véritable système, lié à l'intervention des hommes de loi. Il s'agit de "monter des coups", des dossiers compromettants, de négocier avec l'avocat de la personne compromise l'information à distiller, contre des montants financiers importants, (garantissant que le journal ne soit pas attaqué en justice...).
The Sun (plus de 3,2 millions de numéros/jour) et **The Mirror** font les plus gros tirages. Traditionnellement, le Sun était "conservateur" et le Mirror "travailliste". Mais aujourd'hui les deux semblent soutenir le *Labour Party*. Le Sun est aussi connu pour sa 3ème page exhibant une femme dénudée, la célèbre *Page Three girl*. Il y a aussi **The Star** et **The Daily Express**. **The Daily Mail** et **The Express** ont surtout un lectorat féminin.

Les gratuits

Londres a vu naître trois nouveaux quotidiens gratuits ces dernières années, **London Metro, London Lite** et **thelondonpaper**. On les trouve un peu partout et notamment dans les rames de métro. Ils sont destinés à une audience plutôt jeune, et sont très orientés *People*.
Le supplément **MetroLife** donne gratuitement les programmes culturels, bien moins cher que le *Time Out*!

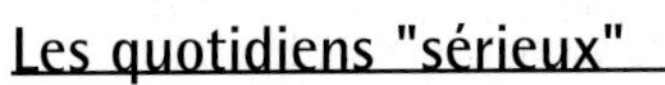

Les quotidiens "sérieux"

- **The Times** est le quotidien national britannique le plus ancien. Il est plutôt "*Tory*" et peu européen. Son édition dominicale **The Sunday Times** comprend divers suppléments (voir notamment le supplément "culture"). En se vendant moins cher que ses concurrents, il a réussi à maintenir sa croissance avec un tirage de près de 600 000 exemplaires.

• **The Daily Telegraph** (près de 890 000 ex) est conservateur. Il soutient sans réserve les *Tories*.

> *Attention au contresens:* Liberal *en anglais signifie progressiste.* Liberal politics *évoque une politique que l'on qualifierait de gauche en français et non une politique libérale.*

• **The Guardian** (près de 400 000 ex), né à Manchester, est national depuis la fin des années 60. Il est "*Labour*" et soutient clairement le gouvernement. Le plus ancien journal dominical **The Observer** appartient au Guardian mais a une ligne éditoriale indépendante connue pour ses idées progressistes (*liberal*). Sa rubrique livres est assez dense.

• **The Independent,** qualifié de centre gauche par *Le Monde* est beaucoup plus européen et a affirmé clairement son opposition à la guerre d'Irak. Son supplément du jeudi donne un bon panorama de la vie culturelle à Londres. Il est disponible en format *tabloïd*.

• **The Financial Times** (plus de 425 000 ex) donne, comme son nom l'indique, une information économique mais pas exclusivement. Ses orientations politiques sont plus mesurées que celles de son concurrent américain *The Wall Street Journal*.

• Sans oublier l'**Evening Standard** qui a plusieurs éditions quotidiennes et notamment une édition du soir que lisent nombreux commuters de la *City*. Initialement *tabloïd,* il est récemment devenu plus sérieux pour faire face à la concurrence des gratuits.

> *L'édition du dimanche des quotidiens est une institution. Pour £1.50 environ, tous les quotidiens sortent une édition enrichie de divers suppléments hebdomadaires. Le plus important est le* Sunday Times *(près de 1,4 millions d'ex).*

Les journaux britanniques contiennent des pages éditoriales très fournies dans lesquelles les journalistes donnent ouvertement leurs opinions. Les lecteurs achètent d'ailleurs souvent tel journal, telle édition pour avoir les articles de tel journaliste.
Plusieurs journaux ont des suppléments "emploi" spécialisés.

MAGAZINES

Les magazines hebdomadaires sont par contre quasi-inexistants (**Times** et **Newsweek** sont américains, **The Economist** est plus spécialisé), les suppléments des quotidiens couvrant en partie ce créneau.
La presse jeunesse est beaucoup moins développée qu'en France.

Preuve du dynamisme de l'Est londonien, la plupart des journaux y ont aujourd'hui déplacé leurs sièges: *Wapping* (*East End*) pour *The Times* et *The Sun* et le «*1 Canada Square*» au *Canary Wharf* pour *The Daily Telegraph*, *The Independent* et *The Mirror*.

ASPECTS TECHNIQUES

La plupart des téléviseurs vendus en France sont en PAL/SECAM, vous ne devriez donc pas avoir de problème pour apporter votre TV. Par contre, si vous achetez un téléviseur en GB avec l'intention de le rapporter en France, attention : seules quelques marques proposent le double standard PAL/SECAM.

Votre logement est probablement équipé d'un "rateau" (*aerial antenna*) qui vous permettra de recevoir gratuitement
- les 5 chaînes de TV hertziennes terrestres analogiques (captées par tous les téléviseurs)
- un bouquet de 30 chaînes (a *30-channel package*) diffusées en numérique terrestre dénommé *Freeview* sous réserve que vous ayez un téléviseur numérique (équipé d'un boîtier intégré), ou que vous achetiez un décodeur (*decoder* ou *set top-box*).

Dès que vous serez installé et enregistré sur le registre de votre *borough,* vous recevrez un avis de paiement de la redevance (*license fee*). Comptez environ £120/an. Ne pensez pas échapper au paiement de la redevance!

CHAÎNES ANGLAISES GRATUITES

Les chaînes hertziennes terrestres

Ce sont celles que vous captez avec votre "râteau". Elles sont au nombre de 5:

• Les deux chaînes publiques de la "*beeb*" comme la surnomment affectueusement les Anglais, **BBC1** et **BBC2**. Documentaires, *dramas* et informations généralement d'excellente qualité.
• Trois chaînes commerciales: **ITV**, composée de 15 chaînes régionales, **Channel 4** à vocation plus culturelle et **Channel 5** qui propose beaucoup de films et feuilletons américains.
Les *News at Night* présentées par Jeremy Paxman à 22h30 sur BBC2 sont considérées comme le journal de référence des "décideurs".

A ne pas manquer:
The Ten o'clock News *sur BBC1, l'un des meilleurs J.T. du monde avec des correspondants en direct de tous les points du globe.*

Vous trouvez les programmes hebdomadaires dans les suppléments du week-end des quotidiens, dans le magazine **Time Out** ou **What's on**, ou dans l'hebdomadaire **Radio Times** consacré aux programmes de télévision et de radio (contrairement à l'indication restreinte de son nom). Se retrouver dans les programmes télévisés n'est pas forcément facile. Les émissions sont souvent programmées en séries, ce qui présente l'avantage de pouvoir être lié à l'actualité. Ainsi au moment du *Chelsea Flower Show*, les séries sur les jardins se multiplient aux heures de grande écoute (entre 19h et 21h).

Quelques programmes très *british:*
• Les *soaps*, séries télévisées, sont un bon moyen d'apprendre la langue et de découvrir la culture populaire. Les plus célèbres sont East Enders, Coronation Street...
• Les émissions pratiques: comment acheter, aménager une maison?
Comment réaliser tels ou tels travaux?
• La télé-réalité: on suit une famille britannique partie vivre à l'étranger et on découvre ses mésaventures.
On soulignera également la qualité des émissions historiques rendues très vivantes par des évocations "en situation".
Citons quelques noms de célèbres interviewers: Jeremy Paxman, Michael Parkinson dit Parki, Melvyn Bragg,...

La TNT

Freeview (*www.freeview.co.uk*) est un bouquet gratuit d'une soixantaine de chaînes diffusées en numérique terrestre: les 5 chaînes hertziennes, des chaînes de divertissement dont des déclinaisons des chaînes hertziennes (**BBC 3 & 4, ITV2, 3 & 4, Channel 4, E4, E4+1, Channel five, Five US & Five Life**), des chaînes d'information (**BBC News 24, Sky News**) et de sport (**Sky Sports News**), deux chaînes BBC et une ITV pour les enfants, deux chaînes musicales et plusieurs autres de «lifestyle». Egalement une trentaine de radios et des services interactifs.

ACCÉDER À D'AUTRES CHAÎNES

Par le satellite

Sky Digital
08705 800 874
www.sky.com
Bouquet de centaines de chaînes thématiques, diffusées par satellite. Equivalent de TPS et Canalsatellite en France, il vous faudra pour le capter vous équiper d'une antenne satellite et d'un décodeur. Il est possible d'obtenir gratuitement cette installation (vérifier les promotions en cours sur le site web). Plusieurs formules d'abonnement possibles, £14 à £40 par mois.

Chaînes internationales gratuites
Comme en France, si vous avez une parabole équipée d'un décodeur numérique, vous pourrez également capter gratuitement un grand nombre de chaînes de TV et radios internationales (dont les françaises) diffusées sur certains satellites comme **Hotbird 1**, **Hotbird 6**, **Astra**, etc.... Le mieux est

de demander conseil à votre installateur de quartier➤ **pages Quartiers**.

Par le câble

A Londres, de nombreux foyers sont câblés et peuvent avoir accès à une offre combinée pour la télévision, Internet et le téléphone. La première étape est de vérifier si vous vivez dans une zone câblée. Le site *www.uswitch.com* vous demandera votre code postal et vous dirigera automatiquement sur le site de votre câblo-opérateur si c'est le cas. Les deux principaux câblo-opérateurs sont NTL et Telewest.

L'abonnement de base coûte environ £18/mois et comprend une trentaine de chaînes et de radios. D'autres options plus complètes (chaînes de cinéma) sont proposées à £28 et £48/mois.

POUR RECEVOIR LES PROGRAMMES FRANÇAIS

• Pour les chaînes nationales (**TF1**, **France 2**, **France 3**, **Canal +**, **Arte**, **France 5** et **M6**), vous devez faire installer une antenne satellite (*satellite dish*) et la faire régler sur le satellite **Atlantic Bird 3** sur lequel elles sont diffusées (en SECAM en clair) au moment où nous écrivons ces lignes. Vous capterez également par ce biais les chaînes françaises de la TNT

et **TV5** (chaîne qui diffuse une sélection d'émissions de divertissement et d'informations des chaînes françaises et francophones).

• Attention, ces données changent rapidement et il est préférable de vérifier sur *www.telesatellite.com* avant de s'équiper.

Il s'agit ici d'un *grey market* car ces chaînes ne sont théoriquement pas destinées au territoire britannique (elles n'ont pas payé les droits de diffusion). Mais comme les satellites couvrent largement la Grande Bretagne, il est possible de s'équiper assez facilement pour les capter.

• Pour les bouquets numériques (**CanalSatellite** et **TPS**), vous devez disposer d'un abonnement + décodeur ad hoc. Attention, il vous faut une adresse française car ces opérateurs ne commercialisent pas leurs programmes en dehors du territoire national. Il est cependant possible d'acheter légalement un décodeur et une carte d'abonnement à l'année - renseignez-vous auprès des installateurs spécialisés sur la communauté française.

Les radios

Vous pouvez capter certaines **radios françaises** en bande AM.
France inter: 162 kHz
Europe 1: 183 kHz
RMC INFO: 216 kHz
RTL: 234 kHz

Les **radios publiques** de la BBC représentent environ 50% de l'audience. Elles ne diffusent pas de publicité.

Radio 1: 97.6-99.8 kHz, nouveautés
Radio 2: 88-90.2 kHz, musique variée et talk shows, la plus écoutée
Radio 3: 90.2-92.4 kHz, classique, jazz, world
Radio 4: 92.4-94.6 kHz, débats et talk shows
BBC London: 94.9 kHz.

Vous pouvez également écouter les radios de la BBC sur Internet (*www.bbc.co.uk/radio*). Le *radio player* de la BBC est très perfectionné et vous permet d'écouter tous les programmes en direct ou en différé, par genre de programmes, ou de retrouver les *playlists* des morceaux diffusés. Un outil précieux pour se familiariser rapidement avec l'univers musical et la société britanniques.

Les **radios commerciales privées** sont nombreuses sur la bande FM comme sur la bande AM. Les plus populaires sont:

Classic FM: 99.9-101.9 kHz
Jazz FM: 102.2 kHz
Virgin Radio: 105.8 kHz
Magic FM: 105.4 kHz, serait la radio des Français à Londres qui y retrouvent une pop anglaise appréciée et connue sur le continent.
XFM:104.9 kHz, se définit elle-même comme "*indie*" (*independent*) avec des animateurs branchés comme Ricky Gervais de la série culte *The Office*, ou des groupes pop londoniens toujours nouveaux.

14 Jours fériés et british events

Bank Holidays (jours fériés)

Quelques British events

Bank Holidays (jours fériés)

L'Angleterre a 8 jours fériés (11 en France)

Janvier	1er	*New Year*
Avril	Vendredi Saint lundi de Pâques	*Good Friday* *Easter Monday*
Mai	1er lundi dernier lundi	*Labour Day* *May or Spring Bank Holiday*
Août	dernier lundi	*Summer Bank Holiday*
Décembre	25 26	*Christmas Day* *Boxing Day*

Attention: le *Boxing day*, le vendredi saint, le lundi de Pâques et le dernier lundi d'août sont fériés, tandis que le lundi de Pentecôte et le 15 Août ne le sont pas. En mai: le premier et le dernier lundi sont fériés, donnant deux week-ends de 3 jours.

En 1871, la loi a instauré les jours fériés en obligeant les banques à fermer et en interdisant toute transaction commerciale. Depuis, on appelle ces jours fériés les bank holidays.

British events

PARADES

1er Janvier

Le goût britannique pour les costumes et les défilés s'exprime dans les nombreuses parades dont celle du 1er janvier.
Renseignements: 020 8566 8566

SAINT PATRICK'S DAY

17 Mars

Saint Patrick est le patron de l'Irlande. Tous les *pubs* irlandais de Londres célèbrent cette fête où les Irlandais se rassemblent habillés ou coiffés de vert, la couleur nationale.

COURSE D'AVIRON

La course d'aviron Cambridge/Oxford
Fin mars/début Avril

Un évènement sportif regardé à la télévision par près de 8 millions de Britanniques.
En 1851, deux copains de classes à Harrow entrent respectivement à Cambridge et à Oxford. Ils décident de confronter leurs équipes et organisent cette course. Commencée à Henley-on-Thames, elle parcourt aujourd'hui près de 5 miles entre

Putney et Mortlake. Le départ a lieu au Putney bridge, l'arrivée à Chiswick bridge. Une première course entre *Isis* (le bateau de l'équipe de réserve d'Oxford) et *Goldie* (le bateau de réserve de Cambridge) précède la course des *Blue Boats*, ceux des sportifs sélectionnés. Cette course (*the championship*) est l'occasion pour des dizaines de milliers de spectateurs de partager les plaisirs des abords de la Tamise, une bière à la main. Samedi ou dimanche de la fin mars ou début avril.
Infos: www.theboatrace.org

Le 23 avril, fête de la saint Georges, patron de l'Angleterre. Saint Georges réussit à tuer le dragon d'Egypte qui exigeait chaque jour l'une des plus belles filles du royaume. Ce chevalier courageux défia le dragon et le terrassa. Richard Cœur de Lion reprit l'emblème de Saint Georges, la croix rouge sur fond blanc, et l'importa en Angleterre à la fin du XIIe siècle.

LES WEEK-ENDS DE MAI

Les premier et dernier lundis de mai

Les jours fériés nationaux sont chômés traditionnellement le lundi suivant le jour de la fête.
Ainsi même le 1er mai est chômé le lundi suivant, ce qui n'empêche pas quelques manifestations/rassemblements syndicaux symboliques le jour même du 1er mai.
Le dernier lundi de mai correspondrait à une ancienne tradition selon laquelle les employeurs de l'industrie attribuaient un jour exceptionnel de repos après une période de surchauffe.

THE CHELSEA FLOWER SHOW

Fin Mai

Ce salon se déroule durant 4 jours en extérieur dans les jardins du Royal Hospital à Chelsea. Il attire chaque année plus de 150 000 visiteurs et près de 600 exposants.
Il permet de comprendre comment la société anglaise dans sa diversité aime les jardins. Jeunes et moins jeunes, personnes seules ou en couple, tous les milieux se côtoient pour admirer les créations des paysagistes : une cinquantaine de véritables jardins miniatures sont reconstitués suivant des thèmes et des ambiances différents. Les pépiniéristes les plus réputés occupent des stands où vous pouvez vous procurer la "fine fleur" des collections britanniques. Mobilier de jardin également.
Vous pouvez aussi demander conseil aux professionnels et amateurs présents.
Le prix d'entrée est assez élevé (environ £30). Attention, vous devez impérativement acheter votre billet à l'avance.

Chelsea Flower Show
Royal Hospital, Chelsea, SW3
087 0906 3781
www.rhs.org.uk
⊖ Sloane Square.

LES COURSES D'ASCOT

Mi-Juin

Vous pouvez, coiffées d'un chapeau pour les dames, vous rendre aux courses d'Ascot et partager le rituel si bien décrit dans la mise en scène de la comédie musicale *My Fair Lady*.
Vous admirerez la prestance de l'aristocratie britannique dans la tribune. Après la parade des carrosses royaux, les courses se succèdent. Elles durent quelques minutes et font l'objet de paris enthousiastes. Puis toute la tribune se déplace pour aller admirer le cheval gagnant et féliciter le jockey et le propriétaire. Tout cela dans une ambiance bon enfant (pique-nique sur l'herbe).

Ascot Racecourse
Ascot, Berkshire
01344 622211/réservations 01344 876876
www.ascot.co.uk
A partir de £30.

TENNIS: WIMBLEDON

Fin Juin/début Juillet

All England Lawn Tennis & Croquet Club
Church Road, SW19
www.wimbledon.org

Ce tournoi international de tennis transforme Wimbledon pendant 2 semaines et lui donne une atmosphère de fête. Difficile mais possible d'avoir des places par tirage au sort ou par ténacité.

Un grand nombre de tickets du Court Central et Court n°1 sont vendus à l'avance, par tirage au sort des courriers envoyés entre le 1er août et le 31 décembre de chaque année avec une enveloppe timbrée indiquant votre adresse à **The All England Lawn Tennis & Croquet Club, PO Box 98, SW19 5AE.** Réponse donnée en février.
6000 tickets sont vendus chaque jour au guichet pendant le tournoi. Les files d'attente sont très longues, compter plusieurs heures d'attente. De nombreux inconditionnels plantent leurs tentes la veille et passent la nuit sur les trottoirs de Wimbledon. Ambiance garantie!

GLYNDEBOURNE FESTIVAL

Festival d'opéra en été

Depuis 60 ans ce festival fait rêver les amateurs. Beaux jardins, qualité du nouvel auditorium, public en *black-tie* sont au rendez-vous. Le train qui amène à Glyndebourne semble d'un autre monde. Il est souvent difficile d'avoir des places, mais on peut tenter sa chance en s'y prenant longtemps à l'avance (début des réservations en mars). Il y a également des concerts entre mai et septembre.

Glyndebourne Box Office
PO Box 2624, Lewes,
East Sussex, BN8 5UW
012 7381 3813
www.glyndebourne.com
Prix majoritairement élevé (£150), mais il y a aussi des places à £50 et même à £14 pour les *standing*. Vous pouvez réserver par Internet.

On évoquera aussi le festival d'**Holland Park open air opera** (***www.rbkc.gov.uk/Holland Park***) ou celui de **Regent's Park** (***www.londontheatre.co.uk***) ou encore les programmes d'animations culturelles dans les châteaux du National Trust et English Heritage.

LES PROMS (ÉTÉ)

Ce nom évoque les "promenades" musicales créées en 1895 par Sir Henry Wood pour développer le goût musical du grand public. Depuis la fin des années 20, la BBC a repris l'organisation de cet événement en programmant plus de 70 concerts entre mi-juillet et mi-septembre. Ils ont lieu majoritairement au Royal Albert Hall, à Hyde Park et au Royal College of Music, ➤**Quartiers**. Une belle occasion de partager la passion musicale des Britanniques dans une approche festive et éclectique. Le programme, £5, est en vente chez les marchands de journaux.
Infos: ***www.bbc.co.uk/proms***

A ces concerts s'ajoutent ceux de **Kenwood House**➤**Quartiers** ou de **Kew Gardens** (***www.rbgkew.org.uk***).

THE GUNPOWDER PLOT

The bonefire night, 5 novembre

La nuit du 4 au 5 novembre, des pétards résonnent à tous les coins de rue, en souvenir du Parlement qui a failli exploser en 1605. En effet, le roi James 1er (Stuart) restaura une loi élisabéthaine exigeant que les catholiques fréquentent les églises protestantes. Un groupe de conspirateurs dont Guy Fawkes entreposa de la poudre à canon dans les celliers du Parlement, espérant ainsi tuer le roi qui devait s'y rendre, mais ils furent dénoncés et décapités.
Dès l'année suivante, des feux de joies furent allumés pour fêter le maintien du roi sur le trône. On y brûlait l'effigie de Guy Fawkes.

Cette tradition perdure avec les feux d'artifice organisés partout dans Londres à cette occasion.

THE LORD MAYOR SHOW

2ème samedi de novembre

Un très bon moyen de voir la *City* en fête. Depuis le Moyen Age, le *Lord Mayor of the City of London* (à ne pas confondre avec *the Mayor of London*) fête sa nouvelle élection et voue allégeance (*oath of allegiance*) au Roi ou à la Reine en se rendant à la *Royal Court of Justice* sur le *Strand*. Tous les "officiels" en costume et carrosses sont suivis par de nombreuses associations et corporations. Le *Lord Mayor of London* est le maire de la *City*, il joue surtout un rôle d'ambassadeur dans le monde entier pour promouvoir cette place financière de premier plan et défendre le *business* britannique.

REMEMBRANCE DAYS

Remembrance day, le 11 novembre, célèbre l'Armistice de 1918. Au lendemain de la bataille d'Ypres, en 1915, un lieutenant canadien poète, ému par la couleur rouge des coquelicots, première fleur à resurgir de ces terrains dévastés écrivit "*we shall not sleep, though poppies grow in Flander fields*". Ainsi le coquelicot de soie rouge (fabriqué dans les orphelinats français) devint dès les années 20 le symbole de tous ceux morts à la guerre. Aujourd'hui en papier, ils sont vendus par et au profit de différentes œuvres de bienfaisance. Ce jour là les Britanniques sont nombreux à les porter à leur boutonnière.

Le **11 novembre (non férié)** est célébré le dimanche. Tout au long de novembre des cérémonies de commémoration ont lieu notamment le dimanche (d'où le pluriel de *Remembrance Days*) sur Whitehall qui est alors fermé aux voitures. Des couronnes de coquelicots rouges sont déposées au pied des monuments aux morts.

NOËL

C'est la fête la plus importante. Le pays s'arrête complètement les 25 et 26 décembre (il n'y a pas d'Eurostar le 25 décembre et peu d'avions).

De nombreux rituels ponctuent le mois de décembre:

• Les ***Christmas parties*** dont le film *Love Actually* rend bien compte.

• Les ***Christmas cards***, lancées en 1843 par Henri Cole et son graveur John Horsley, s'envoient avant les fêtes de fin d'année (et non en janvier comme nos cartes de vœux). Elles décorent la maison pour Noël, disposées sur les cheminées, épinglées le long de rubans suspendus. Elles occasionnent une période de surchauffe pour le *Royal Mail*.

• Les ***Christmas Carols* (chants de Noël)** sont connus de tous et repris par la salle lors des concerts. De nombreux concerts de *Christmas Carols* ont lieu tout au long du mois de décembre, n'hésitez pas à consulter les affiches dans les églises, et ne manquez pas ceux du Royal Festival Hall ou du Royal Albert Hall.Certaines séances du dimanche après-midi peuvent être l'occasion pour vos enfants de rejoindre la scène et d'"accompagner le chœur".

En 1845, préoccupé par les inégalités sociales et la misère, Charles Dickens a écrit "A Christmas Carol", un conte de Noël dans lequel il décrit Noël comme une fête familiale pendant laquelle on renoue des liens.

Royal Festival Hall (Southbank)
Belvedere Rd, SE 1 8XX
020 7960 4242
www.rfh.org.uk

Royal Albert Hall (Hyde Park)
Kensington Gore, SW7 2AP
020 7589 8212
www.royalalberthall.co.uk

Le Royal Albert Hall

• Les **spectacles de Noël** familiaux, sont proposés dans les salles de spectacle. Ils sont souvent repris sur plusieurs années. Si la magie existe, ils sont souvent conventionnels. Il y a également les *pantomimes* où traditionnellement les personnages féminins sont joués par des hommes et vice-versa. Le public est sollicité et crie ses encouragements. Toutes les écoles organisent aussi leurs spectacles de Noël et chantent les *Christmas Carols*.

La préparation du Christmas cake *démarre en octobre pour que les ingrédients aient bien eu le temps de macérer.*

• Le ***Christmas cake*** se sert flambé. Pour le plaisir des yeux, vous pouvez admirer ces magnifiques gâteaux de fête chez Harrods ou chez Jane Asher Party Cakes, le magasin où vous trouverez tous les ustensiles indispensables à cette décoration.

Jane Asher Party Cakes
24 Cale St, SW3 3QU
020 7584 6177

• Le ***Christmas tree* (le sapin)**: cette tradition allemande fut lancée par la reine Victoria et le prince consort Albert qui furent représentés avec leurs enfants autour de l'arbre dans l'*Illustrated London News* vers 1840. Un grand sapin, offert par la Norvège depuis la dernière guerre, trône sur la place de Trafalgar.

• Les **illuminations** restent dans l'esprit des Français l'une des motivations pour venir à Londres à Noël, elles se sont amenuisées au fil des ans pour des raisons d'économie. Seul *Harrods* garde les siennes tout au long de l'année. Peu de belles vitrines à l'exception de celles de Fortnum & Mason (Piccadilly Av).

• Certaines propriétés comme Hampton Court, Somerset House ou Kew Gardens, ouvrent une **patinoire** (*ice rink*) en plein air du 5 décembre au 20 janvier. C'est magique de patiner en famille dans ce cadre somptueux. (Location de patins). Mais attention, il est indispensable de réserver.

Somerset House Ice Rink
Somerset House, Strand, WC2
020 7413 3399
www.somerset-house.org.uk

• Ne pas manquer les nombreuses ***Christmas Fairs*** souvent organisées par des *Charities*. Des artisans vendent leurs réalisations. Idéal pour les cadeaux de Noël!

26 DÉCEMBRE: BOXING DAY

Cette tradition pourrait remonter au Moyen Age. Les serviteurs de la maison, ayant dû travailler le jour de Noël, récupéraient le jour suivant. Leurs employeurs leur donnaient dans des *christmas boxes* de la nourriture, des vêtements ou de l'argent, pour se rendre dans leurs familles.
Une autre version tend à évoquer le fait qu'au lendemain de Noël, les églises distribuaient l'argent collecté pour les pauvres dans des boîtes en bois.
Aujourd'hui, c'est aussi une journée de retrouvailles familiales.

De nombreux autres *events* seront évoqués dans les diverses pages du livre.

Patinoire à Kew Gardens

Activités artistiques culturelles et sportives

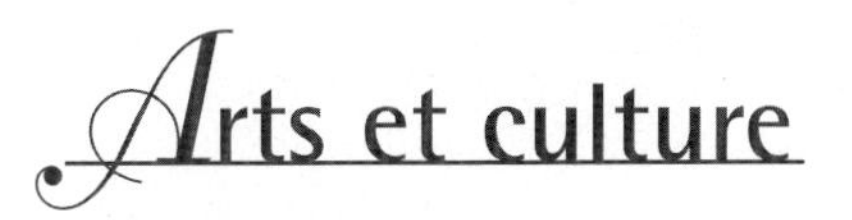

Arts et culture

COURS ADULTES

Les *Colleges for Further Education* gérés par les *boroughs* et toutes les institutions culturelles et universitaires proposent des cours et des ateliers pour adultes. La liste de tous les cours, leurs prix, la durée des sessions et les horaires sont publiés deux fois par an (septembre et janvier) dans les catalogues *Hotcourses* et *Floodlight* disponibles en kiosque. Si vous souhaitez perfectionner votre anglais, nous vous recommandons de vérifier d'abord l'offre du *College* de votre *borough* car les prix sont généralement très abordables pour les citoyens de la CEE, et les cours de bonne qualité. Le catalogue des cours est disponible à la mairie et à la bibliothèque.

Universités spécialisées en cours pour adultes: The Open University (www.open.ac.uk) et Citylit (www.citylit.ac.uk)

Une formation à acquérir en GB: cours d'horticulture/garden design

Les Britanniques sont certainement, avec les Japonais, les plus grands jardiniers du monde. C'est ici une passion nationale comme en témoigne l'importance d'organisation comme la *Royal Horticultural Society*.

Royal Horticultural Society (RHS)
www.rhs.org.uk
La bicentenaire RHS est une référence internationale en matière d'horticulture. Elle est à la pointe de la recherche et décerne chaque année ses *awards* aux plantes les plus méritantes. Adhérer à cette société délicieusement britannique qui compte près de 300 000 membres permet de
- se tenir informé de l'actualité des jardins par leur magazine ***The Garden***,
- visiter ses magnifiques jardins botaniques (**Wisley** dans le Surrey, **Rosemoor** dans le Devon, **Hyde Hall** dans l'Essex et **Harlow Carr** dans le North Yorkshire),
- obtenir des tickets à tarif réduit pour le ***Chelsea Flower Show*** qui présente chaque année des jardins réalisés par la fine fleur du *garden Design* anglais et international.

Il est également possible de préparer dans de nombreux *Colleges for Further Education*, le *RHS Certificate*, qui est à l'horticulture ce que le TOEFL est à la langue anglaise...

Chelsea Physic Garden
66 Royal Hospital Rd, SW3
020 7352 5646
www.chelseaphysicgarden.co.uk
Propose des cours en botanique, paysagisme, représentation graphique des fleurs (aquarelle...) spécialité anglaise. Coûteux mais unique.

ACTIVITÉS LINGUISTIQUES POUR ENFANTS

Anglais

Si vous décidez de scolariser votre enfant dans une école française, ses progrès en anglais risquent d'être lents, du fait de son immersion permanente en milieu francophone. Quelques solutions:
- lui faire regarder la télévision anglaise. pour les chaînes adaptées aux enfants.
- lui donner des cours d'anglais.
- emprunter des DVD et des livres. N'hésitez pas à vous inscrire dans votre bibilothèque de quartier. Leur section enfants est souvent remarquablement développée avec un choix important. Il y a également des animations comme les *story times* et *toddlers groups*.
- vous pouvez aussi l'inscrire à des activités en anglais, mais ce n'est pas toujours facile car les petits Anglais font souvent du sport, de la musique, etc... dans leur école. Les quelques activités proposées en "ville" après l'école ou le week-end sont souvent... colonisées par les Français! Même problème pendant les vacances: on peut trouver une multitude de stages de sport et activités, mais tout se déroule pendant les vacances scolaires anglaises, donc en décalage avec celles des écoles françaises.
- Dernière solution: l'envoyer en vacances dans un centre anglais, en prenant soin d'éviter le mois de juillet (les Anglais ne sont pas encore en vacances, les centres sont remplis d'étrangers). Voici notre sélection.

Camp Beaumont
The Old Rectory Beeston Regis
Norfolk NR27 9NG
015 382 3000
www.campbeaumont.com
Camps d'été pour les enfants de 3 à 15 ans avec ou sans hébergement (nombreux points de collection des enfants matin et soir). Huit endroits différents vous sont proposés à Londres et proches de Londres. C'est un organisme très connu (24 ans d'expérience).

Marlborough College Summer School
016 7289 2388
www.mcsummerschool.org.uk
Ecole privée basée dans le Wiltshire qui organise chaque été sur son magnifique campus un nombre impressionnant de cours pour toute la famille. Accueil des jeunes non accompagnés dès 10 ans. Réserver longtemps à l'avance pour les séjours jeunes.

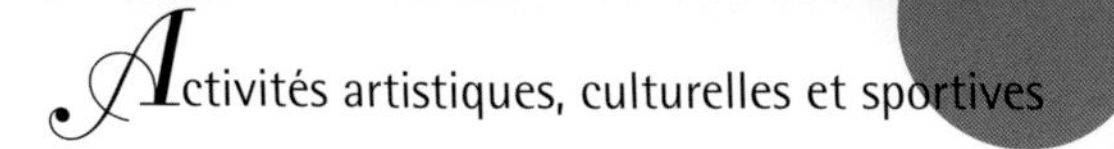

PGL Holidays
08700 507 507
www.pgl.co.uk
Un genre d'UCPA anglais. Nombreux centres et activités sportives. Accueil des jeunes seuls ou des familles. A savoir: PGL a des centres en France, on a des chances d'y retrouver des Anglais!

Our World English Schools
3 High View Court
65 Horniman Drive, SE23 3BZ
020 8291 5978
www.ourworldenglish.com
Les enfants de 9 à 18 ans y approfondissent leur anglais en pratiquant une activité de leur choix. Les cours ont lieu à *Dulwich College* (Londres) ou *Catherham School* (Surrey). Très réputé mais assez onéreux. Hébergement possible.

Exsportise Limited
PO BOX 402, Redhill RH9 8YQ
018 8374 4011
www.exsportise.co.uk
Programme d'approfondissement de langues étrangères pour les 9/16 ans combiné avec des excursions et des activités sportives poussées. Collèges à Epson, Cranleigh et Seaford. Très bonne qualité d'enseignement et d'encadrement. Hébergement possible.

Adventure & Computer Holidays
PO BOX 183, Dorking, Surrey RH5 6FA
013 0688 1299
www.holiday-adventure.com
Les enfants de 4 à 14 ans choisissent deux activités différentes par semaine (bricolage, informatique, jeux, équitation, gymnastique, théâtre, piscine, judo...). Hébergement possible mais les enfants peuvent être collectés à différents endroits de Londres et ramenés le soir.

MUSIQUE

L'enseignement musical et instrumental est généralement dispensé dans le cadre scolaire, et la notion française de conservatoire municipal n'existe pas. L'évaluation se fait à l'aide d'examens nationaux (*grade 1* au *grade 8*) auxquels les professeurs privés inscrivent leurs élèves. Ces examens ont lieu deux fois par an.

Pour trouver un professeur de musique:

Les écoles professionnelles prestigieuses comme le **Royal College of Music** (à South Ken), la **Royal Academy,** ou la **Guildhall School of Music & Drama,** accueillent de nombreux musiciens français qui viennent y finir leurs études et donnent également des cours particuliers. Coût: £25-£35/h

On peut trouver des petites annonces dans les bibliothèques et les magasins de musique ou auprès de la Société des musiciens, **Incorporated Society of Musicians** **0207 729 4413**, *www.ism.org*.

Voir aussi nos **pages Quartiers**.

Eveil musical

Les organisations suivantes interviennent dans de nombreux quartiers (coordonnées en **pages Quartiers**)

Blueberry playsongs
www.blueberry.clara.co.uk
020 8677 6871
Classes de musique accompagnées par un guitariste. 9 mois à 4 ans. 30mn/sem.

Crechendo
www.crechendo.co.uk
Eveil corporel et musical adapté à chaque âge (autour d'histoires racontées,...). 4 mois-4 ans. Cours de 45 mn.

Monkey Music
www.monkeymusic.co.uk
Musique (comptines, chansons, jeux) pour enfants de 6 mois à 4 ans, regroupés en 3 groupes (3-12 mois, 12-24 mois, 2-3 ans). Très ludique. Dans multiples quartiers.

DANSE

La Sylvaine
0208 964 0561 Blandine Lamaison
Cette école de danse est dirigée par Blandine Lamaison et entretient des liens depuis 25 ans avec la communauté française et le Lycée. Les productions chorégraphiques y tiennent une place importante, et, à partir du Grade 6, les enfants sont préparés aux examens d'entrée de la *Royal Academy of Dance*. Lieux divers.

Chantraine School of Dance
020 7435 4247
Fondée à Neuilly sur Seine, cette méthode d'enseignement de la danse est enseignée à Londres depuis 1978 dans différents quartiers. Basée sur l'expression de la personne toute entière. Tous niveaux (y compris adulte), en anglais.

Royal Academy of Dance
www.rad.org.uk
Centre international pour la formation de professeurs. Cours ouverts pour enfants certains soirs de la semaine et le samedi matin.

Royal Ballet School
www.royal-ballet-school.org.uk
Equivalent de l'école de danse de l'Opéra de Paris. Offre plusieurs programmes. Sélection rigoureuse sur audition.

The West London School of Dance
www.thewestlondonschoolofdance.co.uk
Ecole de danse originale orientée vers la préparation de spectacles de qualité professionnelle. Pas de préparation aux examens. Plusieurs centres dans Londres

THEATRE

De grande tradition en GB, la pratique théâtrale intègre souvent un travail vocal et corporel et plus largement d'expression.

Perform
0845 400 4000
www.perform.org.uk
Cours de danse et expression corporelle pour les enfants 4-8 ans. £125 pour 10 sessions de 1h en semaine, £180 pour 10 sessions de 1h30 le week-end. Lieux divers.

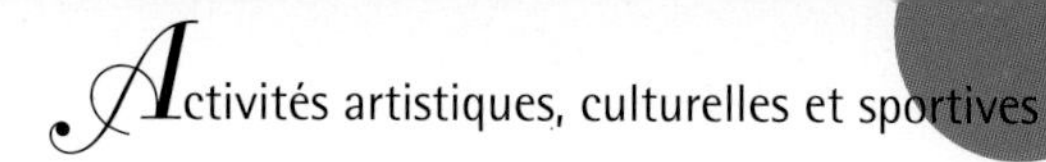

StageCoach
www.stagecoach.co.uk
4-16 ans. Sessions de 3h (danse moderne/jazz, chant, théâtre), le samedi matin dans de nombreux quartiers.

ACTIVITÉS MANUELLES

Ces boutiques proposent des activités manuelles à faire en famille, seule, ou avec des amies. Dans vos quartiers, vous trouverez par exemple, **Ceramics Café, Bridgewater Pottery Café, Art4Fun**...

Sports

Nous avons sélectionné ici quelques sports dans lesquels les Britanniques sont *leaders*...

AVIRON

Le *rowing*, un des sports phare en GB, le seul à avoir rapporté une médaille d'or à chaque Jeux Olympiques depuis 1984. De nombreux *Boat Clubs* sont installés sur les berges de la Tamise et permettent à tous de s'initier à ce qui est ici considéré comme "*The Ultimate Team Sport*".

Sons of the Thames Rowing Club
à Hammersmith ➤ **Quartiers**

Thames Rowing Club
à Putney ➤ **Quartiers**
Un très grand club avec des sections hommes, femmes, enfants. Accueil des débutants.

Kingston Rowing Club
020 8546 8592
www.kingstonrc.co.uk

EQUITATION

Amateurs de chasse à courre et proches de la nature, les Anglais sont fous d'équitation (*horseback riding*). Les courses hippiques d'Ascot et de Cheltenham font ici l'objet d'une couverture média nationale et tout le monde ou presque connaît le nom du vainqueur. Malheureusement il s'agit d'un sport d'élite, et la beauté des clubs hippiques va de pair avec des prix souvent exhorbitants. Il faut évidemment s'éloigner du centre-ville pour trouver une véritable ambiance de club. Toutefois, les amateurs pourront monter au sein de Hyde Park (pour le plaisir et pour £40/h).

Vous trouverez dans nos pages Quartiers des adresses de clubs locaux. Les clubs les plus proches du centre ville (hors celui de Hyde Park) se trouvent à Wimbledon, Kingston et Richmond. Pour les cavaliers sérieux qui souhaiteraient chevaucher les collines du Kent ou du Surrey, liste des clubs sur ***www.horseweb-uk.com***. Pour les enfants, le *Pony Club* (***www.pcuk.org)*** est une organisation nationale destinée à développer la pratique de l'équitation. Elle organise des stages, passages de tests, etc...

FOOTBALL

Il est bien loin le temps des images de combat de rue liées à la présence de *hooligans* dans les stades britanniques. Grâce à des efforts bien menés il y a quelques années, on peut maintenant aller assister en toute quiétude aux matchs de football opposant les équipes phares du *premiership* avec seulement de belles images sportives en tête. Et l'on n'a que l'embarras du choix, surtout en tant que Français désireux de soutenir des compatriotes expatriés dans l'un des clubs de Londres ou d'ailleurs. Arsenal, Chelsea, Fulham, Tottenham pour les clubs londoniens, Manchester United, Manchester City, Liverpool, Newcastle pour le reste du pays sont certainement parmi les plus connus aux non-initiés du championnat anglais. Même s'il est difficile d'obtenir des places pour les grandes affiches, il faut essayer car le spectacle en vaut toujours la peine.

Si vous souhaitez permettre à vos enfants de s'adonner aux joies de ce sport, de multiples associations proposent, généralement le samedi matin, des entraînements pour enfants de tous âges.

Duet Football Academy 🅕
07932 920198 - Mr Cyrille Allain
Pour les 7-15 ans. Séances à Hyde Park le mercredi après-midi et le samedi matin à Wandsworth Park. Encadrement français.

GOLF

Paradis du golf, l'Angleterre compte plus de 1500 parcours publics et privés, dont certains, comme Saint Andrews en Ecosse, comptent parmi les plus beaux du monde. Il est possible de prendre des cours et de pratiquer sans s'éloigner trop du centre de Londres, par exemple:

Knightsbridge Golf School
47 Lowndes Square, SW1 - 020 7235 2468
Un practice couvert dans un ancien squash. Bonne réputation pour les cours.

Chiswick Bridge Golf Range ➤ Quartiers
Le lieu de prédilection pour les Français. Londres Accueil y pratique régulièrement.

Ealing Golf Range ➤ Quartiers

Les parcours les plus proches:

Central London Golf centre
Burntwood Lane, Wandsworth SW17
020 8871 2468 - *www.clgc.co.uk*
Un club jeune et informel au centre de Londres. Practice et 9 trous.

Perivale Park Golf Course
➤ Quartier Ealing

Richmond Golf Course
Roehampton gate, Richmond Park, SW15
020 8876 1795
Deux parcours de 18 trous.

Roehampton Club
(18 trous) ➤ Quartiers Chiswick

RUGBY

Les récents succès de leur équipe nationale ont assurément contribué à renforcer encore davantage l'intérêt que les Anglais portent au rugby. Si la couverture dont il bénéficie sur l'ensemble du pays ne peut encore véritablement se comparer à celle du football, beaucoup plus implanté dans les couches populaires, Londres reste probalement un cas à part. Il existe notamment un véritable carré magique, autour du stade de Twickenham reconnu dans le monde entier comme le temple du rugby. Là et tout autour, les poteaux de rugby ont toujours fait partie

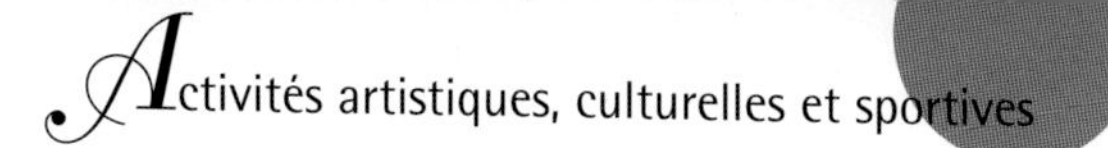

de ce paysage unique dans la plus grande tradition des collèges et des parcs anglais. Il faut sans hésiter, si l'on a la chance de pouvoir obtenir des tickets, aller assister à ces grands messes du samedi après-midi lors du Tournoi des 6 Nations, dans une ambiance de connaisseurs qui se retrouvent pour des pique-niques d'avant-match sur le parking du stade, au milieu d'élégants *gentlemen* ouvrant pour l'occasion les coffres de leur Rolls, Jaguars ou autres Bentley. Les après-matchs, ou sacro-saintes troisième mi-temps, se déroulent généralement dans l'ambiance bondée des *pubs* des alentours. Pour ceux qui souhaitent pratiquer, nous recommandons les adresses suivantes:

- **French Rugby School**
www.frenchrugbyschool.co.uk
Ecole de rugby pour enfants de 6-13 ans. Entrainements à Hyde Park le samedi matin de 9h30 à 12h00.

- **London French RFC**
www.londonfrenchrfc.co.uk
Club mêlant Français, Britanniques ou autres cousins de *downunder*. Entrainements dans la City le mercredi soir et à Barnes le week-end. Pour adultes.

- **Richmond F.C.**
www.richmondfc.co.uk
23 équipes de 6 à 60 ans.

- **Richmond Rugby Club** ➤ Quartiers

- **London Scottish FC**
Richmond ➤ Quartiers

TENNIS

Courts municipaux

Les courts de tennis municipaux sont omniprésents sur tous les parcs, *commons*, *greens*. L'accès en est généralement libre, ou à coût modique, mais évidemment la qualité des surfaces laisse parfois à désirer. Un système de compétition (*ladder*) avec des tournois (*league*), et même des cours gratuits, est organisé à l' échelle de Londres sur les courts municipaux. Pour toute information, consulter le site *www.londontennis.co.uk*. Vous pourrez aussi y trouver la liste des courts et des partenaires de votre niveau. Prix modiques.

Courts privés

Paradoxalement dans ce pays de vent et d'averses, il existe assez peu de courts couverts municipaux. Pour avoir la garantie de jouer, il faudra vous inscrire dans un club privé payant. Les tarifs varient énormément en fonction des clubs.

La plupart des clubs de sport type David Lloyd, Esporta, Holmes Place... ont des courts *indoors* et *outdoors* et proposent des cours, stages et compétitions adultes ou enfants. Clubs de tennis ou clubs spécialisés avec une dominante tennis (*voir coordonnées en* Pages Quartiers):

- **Harbour Club**, Fulham
- **Hyde Park Tennis Club**, Sth Ken
- **Queen's Club**, West Kensington
- **Riverside Club**, Chiswick
- **Will for Win**, Chiswick

YOGA ET DISCIPLINES "DOUCES"

Londres est très en avance sur le reste de l'Europe en ce qui concerne les médecines alternatives et les différentes disciplines combinant une approche physique et mentale de l'équilibre individuel. Le Yoga sous toutes ses formes est pratiqué un peu partout, de même que le Pilates (une gymnastique douce développée par un médecin allemand) et le Tai-chi (gymnastique chinoise très lente basée sur la conservation de l'énergie).

Une première approche peut être faite dans les clubs de sport généralistes, qui consacrent de plus en plus souvent un de leurs studios à ces disciplines.

Des centres plus spécialisés offrent une combinaison de cours en studio et de thérapies alternatives. Par exemple:

- **The Ladbroke Rooms**
Notting Hill ➤ Quartiers
Yoga, (Bikram, Hatah, Sivananda, Ashtanga) et Acupuncture, médecine chinoise, massage indien de la tête, Reiki...

- **The Life Centre**
Kensington ➤ Quartiers
Tous types de yoga, y compris pour femmes enceintes et enfants, pilates, tai-chi et un éventail impressionnant de thérapies

alternatives: acuponcture, différents types de massages, ayurveda, aromathérapie, shiatsu, osthéopathie, etc...Ateliers et séminaires.

Triyoga
Covent Garden et Primrose Hill
www.triyoga.co.uk.
Centre dédié au yoga sous toutes ses formes, Pilates et thérapies douces. Ateliers et conférences. Stages. £10/session avec cartes d'abonnement.

Centres spécialisés sur un type de yoga:

Iyengar Institute
223A Randolph Av, W9
020 7624 3080 *www.iyi.org.uk*

Innergy Yoga Centre (Hatha)
Acorn Hall, East Row, Kensal Rd, W10,
www.innergy-yoga.com

Sivananda Yoga Centre
51 Felsham Rd, Putney SW15
www.sivananda.org/london

CLUBS DE SPORTS

Tous ces clubs font partie de chaînes avec plusieurs emplacements en ville. Ils proposent généralement piscine, cours en *studio*, *personal training* et salon de beauté. Pour les utiliser, il faut être membre et payer un droit d'entrée (souvent négociable en fonction des différentes périodes de promotion, mais qui peut être très élevé). La durée minimum d'adhésion est généralement de 12 mois. Si vous partez tout l'été, essayez de négocier une suspension temporaire de votre abonnement, certains clubs l'acceptent. Les droits d'entrée et tarifs mensuels d'abonnement varient énormément en fonction des clubs, de leur emplacement et de leurs facilités. De façon générale, plus on se rapproche du centre ville et des quartiers "chic", plus c'est cher (pour des prestations pas forcément meilleures). Les clubs proposent généralement un abonnement *off peak* valable tous les jours de la semaine de 9h à 17h environ, moins cher que le plein tarif. N'hésitez donc pas à faire votre shopping et à bien vous renseigner. Compter entre £40 et £80/mois.

Aucun club ne vous donnera ses tarifs par téléphone. Ils vous inviteront sur place pour une journée "découverte" et tout se négociera par la suite (attendez vous à un marketing très "pushy" car la concurrence est rude!)

Les prestations diffèrent selon les clubs. Garderie et activités pour enfants dans les plus grands. Si vous voulez faire l'expérience du club anglais, prenez un abonnement complet (*full membership*) et rendez vous dans les *social events* organisés le week-end.

Cannons
www.cannons.co.uk
Bon rapport qualité-prix. Clubs dans la City.

David Lloyd
www.davidlloydleisure.co.uk
Plutôt luxueux et assez cher.

Esporta
www.esporta.com
Généralement spacieux avec un côté *country club* comprenant courts de tennis et piscine extérieurs, et de nombreuses activités pour enfants. Celui de Riverside à Chiswick est très orienté tennis. Autres emplacements: Chiswick Park, Wimbledon, Wandsworth.

Holmes Place
www.holmesplace.co.uk
Plutôt haut de gamme avec une trentaine de clubs sur Londres (celui de Fulham est très bien). Autres clubs dans des villes européennes utilisables sous certaines conditions.

Le calendrier sportif anglais

Course à pied
Flora London Marathon (avril)
020 7902 0189, *london-marathon.co.uk*

Courses hippiques
Cheltenham Gold Cup, mi-mars, la plus importante de l'année
The Derby, 1ère semaine de juin
Royal Ascot, 3e semaine de juin, en présence de la reine.

Football
FA Cup Final au stade de Wembley (mai)

Golf: The Open (mi-juillet)

Tennis: Wimbledon en juin ➤ Quartiers

Prenez vos tickets le plus tôt possible!

Sortir à Londres avec ses enfants

Relèves de la garde
Les parcs aux mille ressources
Destinations animées
Musées
Parcs d'attraction

Londres est une ville qui fascine souvent les enfants. Il est facile de les inciter à regarder autour d'eux: écouter le carillon de ***Big Ben*** que les horloges françaises ont longtemps repris, repérer les célèbres cabines téléphoniques et boîtes aux lettres, les *double deckers*, les *cabs*, les voitures, les casques des *bobbies*, les multiples uniformes…

> *Connaissez-vous la différence entre* les Foot Guards *et les* Life Guards? *Les* Foot Guards *sont les gardes à pied. Gardes de la reine, ils portent une casaque rouge et un bonnet noir en poils d'ours. Les* Life Guards *sont les gardes à cheval. Ils portent des casaques rouges et des casques à panache blanc.*

En arrivant, n'hésitez pas à parcourir la ville du haut d'un bus: avec le *double-decker* n°11, pour le prix d'un ticket vous traverserez Londres et verrez tous les principaux monuments au repos et au chaud.
Une fois quelques monuments identifiés, le ***London Eye*** qui veille sur Londres recueille souvent tous les suffrages. Prendre la grande roue la nuit est magique, car les éclairages polissent le coté bric-à-brac des constructions.

Relèves de la garde

L'incontournable relève de la garde peut s'admirer en deux lieux:

• A **Buckingham**, 11h30 tous les jours sauf mauvais temps et dates spécifiques. Relève réduite quand la Reine n'est pas là. Cherchez le drapeau sur les toits de Buckingham, il indique la présence de la Reine. S'il est levé, la Reine est là.

Buckingham Palace
St James Park ou Green Park
09068 663344
www.army.mod.uk

La garde est composée de 3 officiers et 40 soldats. La relève quitte la caserne de Wellington à 11h27. Au son de la fanfare, elle fait le tour de la statue de la Reine Victoria pour remplacer la garde en place au Palais.

• Derrière **Whitehall,** 11h lundi-samedi, 10h dimanche, **la relève des *Horse Guards.***

la *Household Cavalry* deux escadrons: les *Life Guards* que rouge) et les *Blue* and *Royals* ternent. Les mouvements sont très ités, ce sont d'ailleurs deux gardes de cet escadron dont on admire l'immobilisme sur Whitehall.

A Londres, les Ministères sont regroupés sur Whitehall.

Les parcs
aux mille ressources

Découvrez l'aire de jeux de **Kensington Gardens** à l'extrémité nord ouest de **Hyde Park**, très bien conçue avec son grand bateau de pirates, son parcours sonore, ses balançoires et son toboggan. Non loin de là, vous pourrez peut-être assister au bruyant atterrissage de l'hélicoptère royal dans les jardins de **Kensington Palace**.

Le bateau de pirates à Hyde Park

Epiez les écureuils gris (venus d'Amérique, ils ont chassé les écureuils roux mieux connus sur le continent) cela ravit tous les âges.
Observez les oies, que l'on découvre parfois en vol en déambulant dans le quartier, vous aurez l'impression d'être à la campagne.
Faites un tour en pédalo sur la Serpentine, de l'autre côté du parc.
Les amateurs de régate en miniature peuvent rejoindre le club qui se réunit le dimanche matin. Mais être membre suppose d'acheter un bateau et payer une cotisation de £500, cela explique peut-être la moyenne

Syon Park

d'âge un peu élevée des participants.

Allez à la recherche du pélican dans **Saint James Park**, tout en donnant à manger aux nombreux canards.

Suspendez-vous aux araignées de l'aire de jeux de **Holland Park**, après avoir nourri les paons.

Allez repérer et approcher les troupeaux de daims et les biches qui parcourent la lande un peu plus loin à **Richmond Park**, en pleine nature. Les plus petits comme les plus grands apprécieront.

WWT Wetland Centre
Queen Elizabeth Walk
Barnes SW13
020 8409 4400
www.wetlandcentre.org.uk

Hammersmith, puis bus spécial "Duck Bus". Parking sur place.
Adulte £7.25, enfant £4.50, famille £18.50.
Restauration sur place.
Situés dans une boucle de la Tamise à Barnes, ces anciens réservoirs ont été réaménagés de fond en comble pour accueillir une réserve naturelle d'oiseaux. Reconversion parfaitement réussie, car non seulement

les oiseaux du pays ont apprécié et peuplent maintenant les moindres recoins de la réserve, mais les créateurs du parc ont aussi reconstitué des zones différentes d'habitat naturel en fonction des climats. La visite du parc est donc un régal car vous avez l'impression de faire le tour du monde des oiseaux, passant d'une zone arctique à la forêt tropicale. Des observatoires sont aménagés pour ne pas déranger les oiseaux. A seulement 20 mn du centre de Londres, un dépaysement garanti!

Syon park
Brentford
020 8560 0883
www.syonpark.co.uk
Gunnersbury, puis bus 237 ou 267
Dans ce lieu splendide, divers espaces plaisent aux enfants: la Maison des Papillons, celle des serpents, les démonstrations d'oiseaux de proie. Enchanteur, un seul regret toutefois: devoir repayer à chaque espace.
Fermé de novembre à mi-mars.

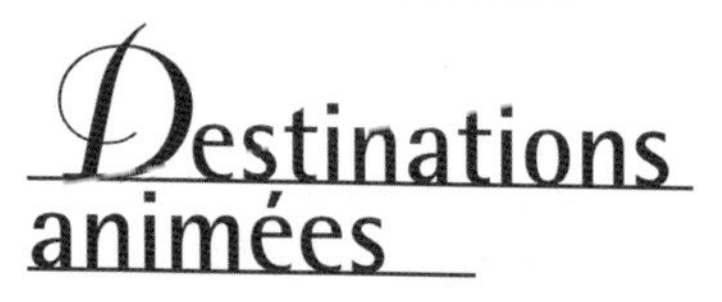

Destinations animées

Covent Garden
Avec ses anciennes halles aux fleurs c'est un lieu où déambuler plaît aux petits et grands: funambules, clowns, musiciens sont souvent là le WE tandis que de multiples boutiques ravissent les yeux. N'hésitez pas à monter dans la boutique de jouets qui possède de multiples théâtres miniatures ou à découvrir celle des savons multicolores. Vous verrez peut-être les Pearly Kings and Queens (ou les fameux hommes et femmes aux boutons cousus). A proximité, le **Musée des Transports** réjouit les plus jeunes.

Les docks Sainte Catherine

Tower Gateway
Allez par un jour ensoleillé manger une bonne pizza dans l'une des plus vieilles auberges de Londres, au cœur d'un port où sera peut-être amarré un bateau de pirates pour ensuite apercevoir le Tower Bridge des bords de la Tamise.

Camden Town Market
Camden Town
Attraction touristique importante de Londres, cet immense marché aux puces plaît beaucoup aux adolescents. On trouve de tout à Camden Town, CD, DVD, vêtements neufs et d'occasion à des prix intéressants, bijoux fantaisie, accessoires de toutes sortes, objets rétro et même des meubles. Musique et stands de nourriture bon marché complètent le tableau. Parfait pour animer un dimanche.

Playstation Skate Park
Bay 65-6 Acklam Rd
Portobello W10
020 8969 4669
www.pssp.co.uk
Ladbroke Grove
Tandis que certains prendront plaisir à chiner, les amateurs de skate board profiteront d'un espace fabuleux (sauf du point de vue esthétique puisque sous l'autoroute) avec des rampes terrifiantes que les adolescents adorent. 11h-21h.

Musées

Les innombrables musées londoniens prévoient souvent des parcours enfants. Certains sont particulièrement intéressants.

Tower of London
020 7709 0765
Tower Hill ou Tower Gateway
www.thetoweroflondon.com
La Tour de Londres avec ses corbeaux, ses salles militaires et ses bijoux royaux reste un incontournable, malgré son prix élevé.

Les trois musées suivants, desservis par la station de métro South Kensington, font partie de ce qu'on appelle souvent l'île aux Musées.

Natural History Museum
Cromwell Rd, SW7
020 7942 5000
www.nhm.ac.uk
Le Musée d'Histoire Naturelle reste un *must* avec ses dinosaures, ses magnifiques collections d'animaux empaillés et ses galeries

sur l'écologie. Ne pas manquer la *Earth Gallery* qui vous permet de vous enfoncer dans les entrailles de la Terre et vivre en direct un tremblement de terre. Pour les plus grands, le nouveau Darwin *Centre* propose des rencontres thématiques avec des chercheurs scientifiques.

Science Museum
Exhibition Rd, SW7
020 7942 4000
www.sciencemuseum.org.uk
Le Musée des Sciences propose des expositions temporaires très courues (réservations obligatoires!). Ne pas manquer les salles de jeux d'eau au sous-sol pour les 2-4 ans, les salles de jeux scientifiques interactifs (faites votre hélicoptère en papier, le *simulator*,...). Boutique intéressante.

Cour intérieure du V&A

V&A
Cromwell Rd, SW7
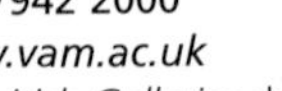
020 7942 2000
www.vam.ac.uk
Les *British Galleries* du Victoria and Albert Museum, récemment réorganisées, sont superbes et attrayantes pour les enfants car très interactives: essayer un gant de chevalier, construire une chaise, faire son propre blason, découvrir l'utilisation de tel ou tel objet...

Tate Modern
Holland St, SE1
020 7887 8000
www.tate.org.uk
⊖ Blackfriars, Mansion House, Southwark
Le rez-de-chaussée de cette ancienne centrale thermique transformée en musée d'art contemporain international accueille régulièrement une installation artistique éphémère et spectaculaire qui habille le hall, l'envahit et fascine souvent les enfants.
Les *trails* (parcours) proposés par le musée sont bien faits, mais vous pouvez aussi simplement aller à la découverte d'une ou deux œuvres comme le piano de Barbara Hepworth, le nuage aux robinets...

Musée d'Histoire de Londres
Lambeth Rd SE1
020 7416 5000
⊖ Waterloo et Lamberth North
Bien que difficile à trouver, ce musée mérite le détour. Très visuel et très concret dans sa présentation, il séduit les enfants d'âge divers. Ils en sortent avec plein d'images de la vie londonienne d'autrefois.
Les intérieurs romains, les boutiques victoriennes, la maquette de l'incendie de 1666 qui a ravagé la ville ont toujours beaucoup de succès.

Imperial War museum
Lambeth Rd SE1
020 7416 5000
www.iwm.org.uk
⊖ Waterloo et Lamberth North
10h-18h. Voici un musée exceptionnel pour revivre les tranchées de la guerre de 1914 ou l'expérience du *Blitz* (les bombardements de Londres par l'aviation allemande). Il permet de comprendre, à travers une reconstitution dont le réalisme peut être oppressant, le déroulement de la première et deuxième guerre mondiale et de réaliser l'horreur de la guerre.

Cabinet War Rooms
Clives Steps, King Charles St, W1
020 7930 6961
(9h30-18h) Pour les amateurs, les *Cabinet War Rooms* représentent en l'état les

Earth Gallery au Natural History Museum

quartiers généraux de Churchill pendant le bombardement de Londres.

Apsley House
Hyde Park Corner, W1J 7NT
020 7499 5676
www.apsleyhouse.org.uk
Hyde Park Corner
Lors de la semaine Waterloo (juin), allez écouter le récit de la bataille du même nom dans la maison de Wellington, vainqueur de Napoléon. Ce sera la première fois sans doute que l'on vous présentera Napoléon comme un poltron (*coward*)! Vous passerez un moment très drôle et comprendrez toute la subjectivité du récit historique.

National Maritime Museum
Romney Rd, SE10
020 8858 4422

Dans un superbe bâtiment clair et spacieux, le musée de la marine très visuel et très diversifié intéresse les petits et les grands. Magnifiques bateaux, "voyage" au sein d'un paquebot de croisière, nombreuses interactivités et... ne manquez pas les explications du marin sur les multiples objets utilisés lors de la navigation.

Royal Observatory Greenwich
Greenwich Park, SE 10
020 8858 4422/020 8312 6565
www.hmm.ac.uk
Prononcez "Greenich". Montez au plus vieil observatoire anglais (1675). Flamsteed, premier astronome nommé par Charles II, inventa un moyen pour les marins de déterminer leur position exacte. Après de nombreux efforts et des appareils plus loufoques les uns que les autres, bien présentés dans l'exposition, John Harrison finit par mettre au point le chronomètre capable de mesurer le temps et d'indiquer la position par rapport au méridien de Greenwich devenu la référence...
Après la visite, les enfants pourront dévaler les jardins.

Parcs d'attraction

Chessington World of Adventures
Chessington, Surrey, KT9 2NE
0870 444 7777
A 12 miles de Londres, sur la A 243, sortie 9 ou 10 sur la M25.
Grand parc à la campagne avec de nombreuses attractions (surtout pour les plus de 10-12 ans). Bien entretenu à l'anglaise, il a un beau zoo avec des phoques, une attraction musicale (les *blues brothers*), de nombreuses animations et plutôt moins d'affluence que certains parcs similaires.

Legoland ➤ p128

Longleat Safari ➤ p133

Bibliographie

www.kidslovelondon.com
Des idées sur les endroits où aller avec vos enfants. Nombreux témoignages d'enfants sur leurs visites.

Time Out, London for children
Guide vendu dans toutes les librairies.

Et n'oubliez pas d'aller voir dans les **Pages Quartiers** de votre **Expat Guide**...

Vie sociale Cultes

Associations
Lieux de culte

Associations

Fédération des Associations Françaises de Grande Bretagne
www.fafgb.org
Ce site recense toutes les associations françaises, y compris les Bretons, Alsaciens, Auvergnats... de Londres, Anciens Elèves des Grandes Ecoles, Anciens Combattants, etc...

Londres Accueil
14 Cromwell Place, SW7 2JR
020 7823 9947
www.londresaccueil.org.uk

Indispensable pour les nouveaux arrivants, cette association française permet de mieux vous intégrer dans votre quartier par des "cafés rencontres" et de nombreuses activités: gymnastique, aquagym, golf, peinture, bridge, cuisine, anglais... Infos et large choix de conférences et de visites souvent originales et de grande qualité, généralement en français. Permanence, lundi 13h30-15h30. Les **Quartiers** du guide ont tous une antenne locale. Adhésion £25/an.

Clubs suisses, belges et québécois
www.swissembassy.org.uk
020 7616 6000
Parmi les 30 clubs et associations regroupant les **Suisses** en GB: le **City Swiss Club** facilite le contact entre les *businessmen* suisses et anglais, **La Causerie,** un club exclusivement féminin et le **Cercle genevois** de Londres. Il n'y a pas de *Swiss Institute* à Londres, contrairement à Paris, Berlin et New York par exemple, mais l'Ambassade publie le calendrier des événement culturels, le *PLUS*.

Il n'y a pas de club pour les **Belges** francophones ni pour les **Québécois.** Mais une revue trimestrielle *Belgian Events* renseigne les Belges de Londres sur les événements culturels ainsi que sur les relations anglo-belges, distribuée par l'Ambassade belge.

De même la Délégation générale du **Québec** édite quatre fois par an la *Brochure Culturelle* (agenda).

Les *Friends* des institutions culturelles
Les nombreux *friends* des musées et des jardins sont très actifs. Ces associations organisent des visites, parfois des voyages et sont un bon moyen de rencontrer des Anglais. Ainsi les *friends* du Victoria and Albert Museum, organisent de multiples sorties classiques et insolites, y compris en dehors de Londres. Faire partie des *friends* de Kew Garden donne droit à des réductions à l'entrée.

Scouts
www.scouts.org.uk
Les scouts sont organisés par groupes d'âge: les *beavers* (6-8 ans), *Cubs* (8-10 ans1/2), *Scouts* (10 ans1/2-14 ans), *Explorers* (14-18 ans). Actifs en GB, ils ont souvent des antennes locales dans vos quartiers. Leur résidence internationale, au coin de Cromwell Rd et de Queen's Gate, s'appelle Baden-Powell House.

Lieux de culte

OECUMÉNIQUE

Eglise Américaine
Whitefiled Memorial Church
79a Tottenham Court Rd, W1
020 75802791
www.americanchurchinlondon.org
Protestants et catholiques. Nombreux français et canadiens.

CATHOLIQUE

Notre Dame de France
5 Leicester Place, WC2 - 020 7437 9363
www.notredamechurch.co.uk
Leicester Sq
Au cœur du *West End Theatre*, le lieu de rassemblement pour tous les catholiques français vivant à Londres. En relais, la paroisse loue l'église anglicane **Christchurch** de **Victoria Rd** (South Kensington, W8) pour célébrer une messe hebdomadaire, le samedi soir à 18h, hors vacances scolaires.

Aumônerie du Lycée Français
23 Cromwell Mews, SW7 - 0207 584 3006
Catéchisme du Ce1 à la Terminale.
Horaires concertés avec le Lycée. Préparation aux sacrements. Eveil à la foi des 3-7 ans. Catéchisme pour les enfants non scolarisés au Lycée (020 7736 5284).

Saint Thomas of Canterbury R.C. Church
60 Rylston Rd, SW6 - 020 7385 4040
Paroisse catholique sympathique, accueille sur Fulham de nombreuses familles françaises.

Cathédrale de Westminster
42 Francis St, SW1 - 020 7798 9055
www.westminstercathedral.org.uk
Victoria
La magnifique cathédrale catholique de Londres, à ne pas confondre avec sa voisine Westminster Abbey, d'obédience anglicane.

PROTESTANT

Eglise protestante francaise de Londres
9 Soho Sq, W1 - 020 7437 5311
www.egliseprotestantelondres.org
Tottenham Court Rd
Temple protestant de l'Eglise Réformée de France. Lieu d'échanges et de réflexions très dynamique, nombreuses conférences/débats.

Eglise suisse de Londres
79 Endell St, WC2 - 020 7836 1418
www.swisschurchlondon.org.uk
Nombreuses activités. Cultes protestants le premier dimanche de chaque mois (allemand et français) et le troisième dimanche en anglais.

ISRAÉLITE

Western Marble Arch Synagogue
32 Great Cumberland Place, W1H
020 7723 7246
www.unitedsynagogue.org.uk
Marble Arch

West Central Liberal Synagogue
Montagu Centre, 21 Maple St, W1T
020 7636 7627
Warren St, Goodge St

Spanish & Portugese Synagogue
St James Gdn, Holland Park, W11
Rite séfarade.

Chelsea Synagogue
Smith Terrace, Smith St, SW3
020 7629 0196
Petite synagogue très familiale qui revit grâce aux familles françaises de plus en plus nombreuses à la rejoindre.

MUSULMAN

London Central Mosque
146 Park Rd, NW8 7RG - 020 7724 3363
Baker St
Beaucoup de Francophones s'y retrouvent.

Sortir à Londres

- Infos et réservations
- Spectacles
- Cinéma
- Musées
- Salons de thé
- Pubs
- Bar à vin
- Restaurants
- Galeries d'art

Infos Réservations

Le magazine hebdomadaire *Time Out* est la référence. Il paraît le mercredi (£2.35). Très complet sur l'actualité des spectacles et la vie quotidienne à Londres, il est entre l'Officiel des Spectacles et Télérama. Citons également le magazine concurrent *What's on?*, les pages culturelles des quotidiens et leurs suppléments du week-end pour le *Guardian* et *The Times*, du jeudi pour l'*Independent* et l'*Evening Standard*.

www.timeout.com, ce site vous donne toutes les infos sur tous les événements culturels, et la possibilité de réserver.

N'hésitez pas à consulter les sites des salles pour connaître les programmations annuelles.

Agence centrale de réservation
Ticketmaster: 087 0534 4444
Attention: chaque réservation fait l'objet d'un *booking fee* de £2/billet.

The Leicester Square Half Price Ticket Booth - Leicester Square
Lundi-samedi 10h-19h et dimanche 10h-15h. Equivalent du kiosque place de la Madeleine à Paris: billets à moitié prix. Paiement en liquide.

Spectacles

L'offre de spectacles à Londres est impressionnante par sa diversité. Le coût est élevé mais le choix immense. Les spectacles commencent généralement à 19h30 et comportent un entracte.

THÉÂTRE

Il appartient à la tradition britannique depuis son développement sous Elisabeth Ière avec Shakespeare (1564-1616). Ce répertoire est d'ailleurs toujours à l'affiche notamment avec la *Royal Shakespeare Company* qui joue aujourd'hui dans divers théâtres londoniens. Il y a également l'été la programmation du **Globe**, théâtre élisabéthain semi-couvert de Skakespeare reconstitué à proximité de la Tate Modern.

Issus d'excellentes écoles de théâtre, les acteurs ont toujours une remarquable diction et souvent un jeu très complet qui les rendent accessibles même aux personnes ne maîtrisant pas parfaitement l'anglais.

En GB, *theatre* englobe le genre très populaire de la comédie musicale. Certaines tiennent l'affiche plus de 20 ans. Une tendance actuelle est à la reprise de l'histoire d'un grand groupe de pop, comme *Mamma Mia* (Abba). *We Will Rock You*, *Billy Elliott* ou *The Lion King* sont de très bons spectacles familiaux.

La plus grande concentration de théâtres se trouve dans le **West End** qui multiplie par dix sa population le week-end. Au cœur de celui-ci, l'opéra de **Covent Garden** a su se rénover tout en s'intégrant dans le quartier. Le foyer et la verrière ont été magnifiquement restaurés. Si vous avez la chance d'obtenir une place n'oubliez pas d'aller sur la Terrasse qui donne une vue sur les toits londoniens.

Ne manquez pas aussi d'aller écouter les opéras d'Haendel au **London Coliseum** où réside l'*English National Opera*. Sa spécificité est de donner tous les opéras en anglais, *british atmosphere* garantie.

Certains théâtres sont historiques comme le **Theatre Royal Drury Lane** (établi depuis 1663), l'élégant **Theatre Royal Haymarket** ou le **Palace** avec sa façade en brique (attention pour ceux qui ont le vertige, les places du haut sont vraiment hautes...). Beaucoup sont des théâtres privés, mais il existe des théâtres subventionnés qui sont des centres culturels internationaux et pluridisciplinaires, souvent "décentralisés" comme le **Barbican Centre** (City) ou le **Southbank Centre** le long de la Tamise, avec ses 3 théâtres dont le **National Theatre**.

L'*off-theatre* et le *fringe theatre* (*off-off theatre*) prennent plus de risques. L'**Almeida** est un remarquable théâtre dans le quartier très animé d'Islington où cafés et restaurants se succèdent. La salle a une bonne dimension et vient d'être entièrement refaite. Il y a aussi le **Donmar Warehouse**, le **Studio** au **Lyric** et le **BAC Theatre**.
Le café-théâtre a lieu dans les *pubs*: le **Gate Theatre** au-dessus du pub Prince Albert à Notting Hill, the **King's Head** à Islington et le **Grace** au pub Latchmere, à Battersea. N'oubliez pas de consulter la programmation des théâtres de quartiers, souvent de très bonne qualité.

DANSE-MUSIQUE

Covent Garden et le **Barbican Centre** programment fréquemment des ballets, tandis que **Sadler's Well** et **The Place** sont des salles exclusivement consacrées à la danse contemporaine. Cette dernière permet toujours de magnifiques découvertes.

Les concerts sont innombrables et présentent les plus grands interprètes. Citons **The Royal Festival Hall** (Southbank), le **Barbican Concert Hall** où réside le *London Symphonic Orchestra* (notez leurs concerts trimestriels pour les enfants), le **Wigmore Hall** dont l'acoustique est excellente et l'église de **Saint Martin in the Fields** dont la programmation suit l'année liturgique (vous pourrez y entendre la *Passion de Saint Jean* de Bach à Pâques ou *Le Messie* de Haendel à Noël).

Le **Royal Albert Hall**, grande salle toute ronde en bordure d'Hyde Park, offre une programmation très hétéroclite et accueille notamment les *Proms.* Cela vaut la peine d'aller au **Spectacular**, grand concert où la salle entonne *Rule Britannia* en agitant les drapeaux anglais, *very british*! Ne pas manquer également leurs concerts de Noël.

Nombreux concerts gratuits dans les églises le midi, avec possibilité d'amener son sandwich!

Malgré les incertitudes du temps, les Londoniens multiplient les concerts en plein air entre juin et septembre. A Kenwood House, Holland Park, Regent's Park, Marble Hill House (Richmond), Hyde Park, plusieurs concerts ou opéras ont lieu le temps d'un pique-nique. Ambiance sympathique et détendue. Pour les plus "chic", le *Glyndebourne Festival.*

CLUBS DE JAZZ - PIANO BARS

Londres compte aussi d'excellents clubs de jazz où vous pouvez manger tout en écoutant un groupe *live*.

Jazz Café
5 Parkway, Camden Town NW1
Résa: 020 7534 6955/infos: 020 7916 6060
www.meanfiddler.com
Camden Town
Réputé pour la qualité de la musique et son ambiance décontractée. On dîne dans la Galerie qui domine le *Dance floor.* Entrée £8-£20.

Ronnie Scotts
47 Frith St, W1 (Soho)
020 7439 0747
www.ronniescotts.co.uk
Leicester Square
Excellente qualité des musiciens, mais ambiance un peu contrainte. Nourriture quelconque. Entrée £25. *Dance Floor.*

6O6 Fulham
90 Lots Rd, corner Talema Rd, Fulham SW10
020 7352 5953
Fulham Broadway
Ambiance décontractée et sympa, assez bonne cuisine. Plusieurs membres du staff sont français. Programmation moins internationale que les deux autres, davantage de groupes anglais. £30/personne dont repas.

Pizza Express Jazz Club
10 Dean Street, Soho London, W1
020 7437 9595
www.pizzaexpress.co.uk
Cette chaîne populaire de pizzérias propose souvent des concerts de musique *live* dans ses divers restaurants. Celui de Soho en est le fleuron et attire les meilleurs musiciens internationaux. Entrée £20.

Si vous aimez les ambiances piano-bars, n'hésitez pas à vous rendre dans les beaux hotels comme le **Savoy** (style art déco), The Blue Bar at the **Berkeley hotel**, The Long Bar at the **Sanderson Hotel**, ou aller prendre un cocktail dans le royaume du "voir et être vu" à l'Asia de Cuba, dans le magnifique hotel **St Martin's Lane** (cher).

Cinéma

La sortie des films suit un calendrier différent de celui de la France. On retrouve les chaînes (Odeon, UGC,...) et leur programmation largement américaine, mais certaines des salles proposent de l'art et essai (et également du cinéma français).
Pour les cinéphiles, une programmation très riche dont des rétrospectives au

British Film Institute, BFI
Southbank
020 7928 3535
Résa: 020 7928 3232

Pour avoir accès au catalogue des films britanniques, allez sur le site *www.britfilms.com*

Deux cinémas incontournables:

The Electric
191 Portobello Road, W11
020 7908 9696

The experience! Sièges en cuir, canapés, repose-pieds et guéridons. Programmation art et essai. Bar ouvert 1/2 h avant chaque séance. Animations.

Le Ciné Lumière de l'Institut Français propose une programmation très variée de films étrangers et français dont avant premières en présence des artistes.

A Londres, la pré-réservation est courante (et recommandée si vous voulez voir un film récent le samedi soir). La recherche par film, cinéma... est très aisée sur le site du Guardian *http://film.guardian.co.uk.* Coût élevé (£8-9) mais certaines réductions sont possibles (cartes mensuelles, etc...)

Où voir des films français?

Ciné Lumière, Institut français
Queensberry place SW7 - 020 7073 1350
⊖South Kensington
Films en vo, sous-titrés en anglais.

Ciné Renoir
Brunswick shopping centre
020 7837 8402
⊖Russel square

Gate cinema
87 Notting Hill - 020 7792 8939
⊖Notting Hill Gate

Riverside Studios
Crisp Rd, Hammersmith - 020 8237 1000
⊖Hammersmith

Richmond Film House
3 Water Lane, Richmond
020 8332 0030
⊖Richmond

Waterman Art Centre
40 High St, Brentford, TW8
020 8232 1010

Musées

Londres compte d'innombrables musées que vous découvrirez au fur et à mesure de votre séjour. Nous ne ferons qu'évoquer les "incontournables": Le **British Museum** avec ses magnifiques collections archéologiques égyptiennes (la pierre de Rosette), perses, et son hall (remarquable architecture) qui abrite la célèbre bibliothèque ronde. La **National Gallery**, qui contient l'une des plus belles collections de peinture à travers les âges, est jouxtée par la **National Portrait Gallery** où l'on visualise l'histoire généalogique de la royauté britannique. La **Tate Britain** présente l'histoire de la peinture britannique dont les célèbres Turner, sans oublier la charmante **Wallace Collection**, XVIIIe. ➤ **p299**

The Wallace Collection

Nos musées préférés

Victoria & Albert Museum
Cromwell Rd, South Ken, SW7
020 7942 2000
www.vam.ac.uk
Créé à la grande époque victorienne, ce musée est l'un des plus *british*. Il se caractérise par son hétéroclisme et la qualité de ses collections: meubles XVIIIe, statuaire médiévale (et les vitraux de saint Germain des Prés), cartons de Raphaël, tissus et papiers peints, sans oublier l'argenterie et l'art d'Extrême Orient.

Eltham Palace
Court Yard, off Court Yard Rd, SE9
020 8294 2577
www.heritagehospitality.org.uk
Résidence de la famille Courtaud dont la célèbre collection d'Impressionnistes et d'Art du XXe est visible à la Somerset House. Elle offre simultanément une vue sur l'active City et sur la quiétude campagnarde des prés où paissent quelques chevaux. Construite sur les ruines d'un ancien château médiéval royal (dont la salle cathédrale subsiste comme salle de réception), les Courtaud l'ont aménagée

dans un style années 30 somptueux (hall et salle à manger). Sans compter un jardin restauré par une paysagiste qui a habilement exploité les douves.

John Soane Museum
13 Lincoln's Inn Fields, WC2 - 020 7440 4263
www.soane.org
Un petit musée bric-à-brac de charme, avec éclairage à la bougie le 1er mardi de chaque mois entre 18h et 21h. Gratuit.

Geffrye Museum
Kingsland Rd, E2 - 020 7739 8543
Au nord de Londres, au milieu d'un quartier vietnamien (excellents restos), cet ancien hospice entouré de jardins a été reconverti en vitrine de l'habitat britannique au cours des âges. A chaque pièce son style, élisabéthain, edwardien, géorgien, victorien, et son lopin de jardin correspondant. Animations pour les enfants, restaurant et expositions temporaires d'artistes contemporains. En été, concerts de jazz gratuits dans le parc.

Salons de thé

Dans l'esprit des Français, l'Angleterre est souvent associée à l'image de salons de thé. En réalité, ils ne sont pas aussi nombreux qu'on l'imagine. ➤Quartiers

Brown's Hotel
30 Albermale St, W1

020 7493 6020
Ce bel hôtel est l'endroit idéal pour prendre le thé entre 14 et 18h, accompagné de scones et de délicieux petits sandwichs au concombre ou saumon fumé. Cette expérience britannique vous coûtera environ £30. Réservez.

Fortnum & Mason ➤Chapitre Shopping

Basil St
8 Basil St, SW3 - 020 7581 3311
Dans un hôtel à l'ambiance très féminine.

Tea Palace
175 Westbourne Grove, Notting Hill
020 727 2600
Un nouveau salon de thé très branché pour petit déj, déj, et *afternoon tea*…
Boutique de thés.

Pubs

Institution britannique, une *public house* (diminutif: *pub*) est traditionnellement le lieu de convivialité où l'on se retrouve pour boire une bière et accessoirement manger. A l'origine, ces auberges étaient un peu l'équivalent des relais de poste français. Les Londoniens y trouvaient refuge pour fuir leurs habitations insalubres à la fin du XIXe. Ils gardent souvent une atmosphère très *cosy* avec des boiseries et des chaises de cuir. Lieux longtemps réservés aux hommes, ils sont ouverts depuis peu aux femmes. Un grand nombre d'entre eux n'acceptent pas les enfants, sauf le dimanche à l'heure du déjeuner, autour du traditionnel *Sunday Roast*.

Le vendredi soir revêt des airs de fête. Dès la sortie des bureaux, les Britanniques se retrouvent autour d'une bière dans une atmosphère décontractée. L'ambiance est à son comble l'été, quand les pubs débordent et que chacun boit debout sur la terrasse et dans la rue.

Leurs heures d'ouverture sont règlementées: 11h-23h. Une loi récente autorise certains *pubs* à fermer plus tard.

Quelques adresses, mais regarder aussi dans nos **pages Quartiers**:

The Black Friars
174 Queen Victoria St, EC4
0207 236 5474
L'un des plus beaux, décor Art Nouveau, ouvert uniquement la journée en semaine.

The Albion
10 Thornhill Rd, N1
0207 607 7450
Un *pub* de *gentleman farmer* au cœur de Barnsbury village, coin d'Islington où habitait Georges Orwell.

The Victoria
10a Strathearn Place, W2
020 7724 1191
Vieux pub au très beau décor victorien sur deux étages. Service sympa et large choix de bières et de plats.

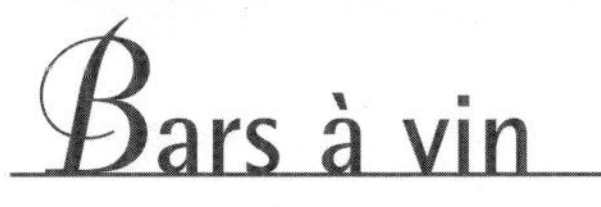

Ils se sont beaucoup développés ces dernières années.

Tappit Hen
5 William IV St, Strand, WC2N
020 7836 9839
Tout en bois, atmosphère chaleureuse, cave au sous-sol très agréable. Restaurant.

The Evangelist
33 Black Friars Lane, EC4V - 020 7928 1111

Square Meal
Guide annuel très complet sur les restaurants, les hotels, les traiteurs mais aussi les golfs, les lieux où organiser des fêtes. Une mine d'informations accessibles sur le web *www.squaremeal.co.uk*

En sus de ceux listés dans vos quartiers, nous vous recommandons:

Lindsay House
21 Romilly St, Soho W1 - 020 7439 0450
Bonne cuisine. Charme (cheminée).

Rules
35 Maiden lane, WC2
Covent garden - 020 7836 5314
Le plus ancien restaurant de Londres (205 ans). Cuisine anglaise de très bonne qualité, spécialité de gibier en saison. Boiseries, photos, atmosphère chaleureuse. Réservation indispensable. £50.

The Connaught
16 Carlos Pl., W1 (Mayfair)
020 7592 1222
Cuisine délicieuse, service très attentionné dans le cadre d'un grand hotel très stylé. Amusant: vous pouvez dîner à 6 ou 7 "dans les cuisines" comme au Claridge. £70.

Tas Pide
Globe Theatre
20-22 New Globe Walk, SE1
020 7928 3300
Très bonne cuisine d'Anatolie.
Cadre "typique" sympa. Bon rapport qualité/prix. £20.

La Brasserie Roux
8 Pall Mall, SW1
020 7968 2900
Très agréable. Très bon menu *pre or post-theatre*, 3 plats, £15 quand on va au spectacle du côté de Picadilly. Sans oublier le *Sunday Brunch for jazz lovers*, £30.

Galeries d'art
et pauses café

Avec l'internationalisation et l'afflux d'argent de la City, Londres est devenue en quelques années un centre majeur de création et de commerce d'art contemporain. Voici quelques itinéraires sélectionnant les meilleures galeries, par quartiers, avec leurs pauses-café ou déjeuner...

AUTOUR DU WEST END

Commencez par vous rendre à l'**Institute of Contemporary Art,** sur The Mall. Outre le cinéma, il s'y passe toujours quelque chose d'intéressant. Puis remontez vers Picadilly. Au 196, **Hauser & Wirth** est une grande galerie suisse installée dans une ancienne banque à l'architecture intéressante.

Plus haut, dans **Cork St**, se trouvent de nombreuses galeries plus classiques. Sur Conduit St, faites un détour par **Sketch,** lieu amusant (voir aussi les toilettes), projection de vidéos d'artistes, accès à droite du bar.

En remontant vers Oxford St, vous découvrirez **Haunch of Venison** (6 Haunch of Venison Yard), une belle galerie située dans une charmante petite impasse. Revenez au métro Oxford Circus par Dering St, la grande galerie **Timothy Taylor** se trouve au 24. Enfin n'oubliez pas la nouvelle galerie **White Cube** (25-26 Mason's Yard).

VERS EDGWARE ROAD

Pour sortir des sentiers battus, vous pouvez combiner la **Lisson Gallery** (52-54 Lisson St et 29 Bell St) et **Alfies Market**, un marché d'antiquités baroque situé un peu plus loin dans **Church St**, une rue bordé d'antiquaires au coeur d'un quartier populaire. Restauration sur place dans Alfies Market. Marché tous les jours dans Church St.

AU SUD DE LA TAMISE

De la Modern Tate à Westminster, en passant par South Bank. Commencer par la **Tate Modern** sur Bankside. Construite dans une ancienne usine d'électricité située au bord de la Tamise et en face de St Paul Cathedral (belle vue du restaurant), le magnifique hall d'entrée, *Turbine Hall* vaut le détour à lui seul. Collections permanentes et expositions temporaires de grande qualité.

La Saatchi Gallery, qui présente la collection privée du grand mécène de l'art contemporain britannique Charles Saatchi, ré-ouvre mi-2007 au Duke Of York's HQ, à Chelsea.

Autour, de nombreuses galeries ont ouvert leurs portes. Par exemple **fa Projects** ⓘ (1-2 Bear Gardens), **Danielle Arnaud** ⓘ (123 Kennington Rd). Un classique: La **Hayward Gallery** (Belvedere Rd) dont la programmation est toujours très interessante.

Vous pouvez faire une pause-repas au restaurant **Baltic** du **Shakespeare's Globe Theatre** (74 Blackfriars Rd). Pas très loin, les galeries **Corvi-Mora, Greengrassi, Purdy Hicks** (65 Hopton Street)**, Gasworks**

(Vauxhall St) et la **South London Gallery** au 65 Peckham Rd, méritent le détour.

Pauses-café
Madeira star cafe (337 Kennington Rd), **The Bonnington cafe** (Bonnington Square) ou **The Beehive Public House** (51 Durham St), ainsi que **The Oval Cricket Ground.**

EAST END

Ce quartier à la fois populaire et branché est au coeur de la création contemporaine.

Commencez au métro **Aldgate East** par la **Whitechapel Gallery** (Whitechapel High St). L'un des précurseurs de l'art contemporain dans le quartier. En suivant Whitechapel High St, dirigez vous vers Bethnal Green, où vous trouverez **Maureen Paley/Intérim Art** (21 Herald St), à combiner avec Wilkinson Gallery (242 Cambridge Heath Rd). Voir aussi **Mobyle Home** au n° 7 et **Modern Art** au n°10 dans Vyner St. De l'autre coté du *Victoria Park,* finissez par **Chisenhale Gallery** (64 Chisenhale Rd).

Dans le *Tea Building,* ⊖ Liverpool Street, deux petites galeries à découvrir: **Hales Gallery** et **Andrew Mummery Gallery** (5-11 Bethnal Green Rd)

HOXTON SQUARE

Ne pas manquer le **White Cube** au 48 Hoxton Square, ouverte par Jay Jopling, l'un des plus grands *art dealers* britanniques. Y sont notamment exposées les oeuvres de l'enfant terrible de l'art contemporain britannique, Damien Hirst.

La galerie White Cube

Un peu plus loin, **Victoria Miro Gallery** (16 Wharf Rd), avec son architecture spectaculaire. A découvrir avec un plan des galeries du quartier: de nombreux lieux d'exposition innovateurs.

Par exemple cette nouvelle galerie française: **Bischoff/Weiss** (95 Rivington Street).

Pauses repas
Dans l'un des innombrables restaurants indiens de Brick Lane
- *Coffee shop*: **@Brick Lane** à l'angle de Buxton Street
- **Sweet Basil,** 65A Brushfield St
- **Beigel Bake** au 159 Brick Lane, les meilleurs bagels de Londres, ouvert 24/24h.

Consulter le prospectus bi-mensuel distribué dans les galeries:
New exhibitions of contemporary art
www.newexhibitions.com.

La règle des £100 mini...

Bienvenue à Londres *by night*! Actualité artistique et culturelle foisonnante, restaurants internationaux de top qualité (si, si, on mange très bien à Londres de nos jours!), opéra, concerts, ballets, comédies musicales, etc...Tout un programme!

Attention toutefois: la moindre sortie nocturne allègera considérablement votre portefeuille... Rapide calcul:

£8 pour une séance de cinéma

£40-50 pour une place moyennement placée au théâtre ou au concert; pour l'opéra, les prix s'envolent (si vous avez la chance d'obtenir une place...)

£30-40/personne pour le resto (l'Indien du quartier, car un "bon" resto gastronomique va chercher dans les £60-£100 et + par personne avec le vin...)

£5-7/h pour la babysitter

£20 pour revenir en taxi du West-End (vers South Ken), mais parfois, la pénurie est telle que les chauffeurs vous demandent un supplément pour vous prendre en charge.

Un conseil: *book in advance*, car malgré ces prix, tout est toujours *sold out*!

19 Visites et promenades autour de Londres

Stonehenge

Le long du "Thames Path"
Hampton Court Palace
Autour de Windsor
Richmond Park
Brighton
Sur les falaises d'Eastbourne
Surrey, Sussex, Kent
L'île de Wight
Bath
Les Costwolds
Le Wiltshire
Week-ends de 3 ou 4 jours

Nous avons sélectionné pour vous quelques unes de nos balades favorites pour la journée, un week-end ou un long WE autour de Londres...
Commencez par adhérer au *National Trust (N.T.)* ou à l'*English Heritage (E.H.)*. Pour une cotisation annuelle de l'ordre de £60 par famille, vous aurez accès gratuitement à un ensemble de propriétés et de jardins historiques gérés de façon très dynamique par ces deux *trusts* dépositaires du patrimoine architectural britannique. La plupart des propriétés *National Trust* disposent d'un restaurant.

Pour plus d'informations consultez *www.nationaltrust.org.uk* et *www.english-heritage.org.uk*

Le Thames Path
à pied ou en vélo

La Tamise est le *life blood* de l'Angleterre. Son cours de 210 miles (330km) traverse Oxford et de nombreux domaines et propriétés royales, dont Windsor et Hampton Court. A l'exception de Londres et de Reading, la vallée de la Tamise n'est absolument pas industrialisée et présente des paysages bucoliques typiquement anglais qui feront les délices de vos week-ends. Aisément accessible par le train (la *Great Western line* suit la vallée de la Tamise depuis Paddington), aménagé sur toute sa longueur pour la promenade, le *Thames Path* est une source inépuisable de promenades à pied ou en vélo, de gare en gare, avec pique-nique ou déjeuners au *pub*...

Le mieux est de se procurer l'un des nombreux guides du *Thames Path* pour commencer votre exploration. Une sélection est présentée sur le site ***www.thames-path.com.*** Malheureusement il n'existe pas de loueurs de vélos sur le *Thames Path*, il vous faudra emmener les vôtres.

Hampton Court Palace et croisière sur la Tamise

Facile d'accès depuis Londres (proche de Richmond), **Hampton Court**, demeure d'Henry VIII, est un palais somptueux parfaitement restauré, entouré de jardins magnifiques et d'espaces verts à perte de vue. Ne manquez pas les imposantes cuisines Tudor, mises en valeur par une reconstitution d'époque très vivante (mets sur les tables, menus en cours de préparation, parfois même "vraies" cuisinières à l'œuvre...), et le labyrinthe des jardins nord, une attraction de choix pour les enfants. Au printemps, les pelouses des sous-bois se couvrent de jonquilles et de narcisses, le spectacle est superbe.

Vous pouvez y arriver par les berges de la Tamise depuis Richmond ou Kew (très agréable promenade en vélo), ou encore en bateau depuis le centre de Londres (embarcadère de Westminster, 3h), avec arrêts possibles à Richmond et Kew. Une fois sur place, vous pouvez aussi effectuer une croisière A/R sur la Tamise. L'embarcadère est situé à l'entrée du château. Sinon, des trains desservent Hampton Court depuis Waterloo. Le trajet dure environ 30 mn.

Hampton Court Palace
0870 7515175
£12.30 par adulte et £8 par enfant pour le château. Jardins seulement £4 et £2.50

Renseignements croisières Tamise
020 7930 2062

Autour de Windsor

On revient souvent à Windsor, car outre la demeure royale elle-même, les alentours offrent de multiples points d'intérêt. Sitôt sortis de la M4 après seulement 1/2h de route du centre de Londres, plusieurs choix se proposent.

La jolie ville de **Windsor** et son château sont l'un des grands sites touristiques anglais. Après avoir visité le château bâti au temps de Guillaume le Conquérant et continuellement habité depuis (il abrite encore la Reine), flâner dans les ruelles médiévales alentours est très agréable. Restaurants, salons de thé, boutiques de souvenirs, et même la possibilité de se faire photographier avec toute la famille en costume d'époque victorienne (des femmes costumées vous le proposeront dans la rue). L'habillage prend quelques minutes, mais les poses sérieuses de chacun sur la photo d'"époque" vous feront sourire pour toujours.

Le château est prolongé par un immense parc, justement appelé **Great Park**, qui s'étend à perte de vue en devenant plus sauvage au fur et à mesure que l'on s'éloigne. Les courageux qui traverseront le parc à pied finiront par tomber, après avoir longé le terrain de polo de la famille royale, sur un magnifique jardin planté de multiples essences et superbement dessiné, le **Savill Garden**. Possibilité de faire une halte dans le restaurant situé à l'entrée et d'acheter des plantes dans la jardinerie attenante. Pour les moins courageux qui auront repris la voiture, sachez que le parking est gratuit si vous visitez le jardin (demander un *voucher* à l'entrée).

Depuis le centre de Windsor, en tournant le dos au parc vous pouvez également décider de descendre vers les bords de la Tamise, aménagés pour la promenade et dotés de restaurants avec d'agréables terrasses. Traversez la rivière, et vous voici à **Eton**, emplacement de la plus prestigieuse *public school* britannique, l'école des princes et de l'aristocratie où l'on est inscrit dès sa naissance. Le collège ne se visite pas, mais l'ambiance de la *High Street* est bien celle d'une ville étudiante chic, avec les *Etonians* en uniforme omniprésents.

Si, à la sortie de l'autoroute, vous prenez à droite, vous trouverez au bout de quelques kilomètres **Cliveden**, une propriété du *National Trust* dotée d'une terrasse avec une magnifique vue dégagée sur la vallée de la Tamise. Possibilité de visiter le parc (le château est transformé en hôtel), se restaurer sur place puis flâner le long de la rivière. Excellent *pub* sur la route à droite avant d'arriver à l'entrée.

Enfin, difficile à éviter si vous avez des enfants, **Legoland**, un très grand parc d'attraction, se trouve également sur la route qui mène à Windsor. Legoland enchante même ceux qui redoutent ce genre d'endroit. A taille humaine, il propose diverses attractions classiques (toboggans d'eau, chenilles, grand huit, conduite,...) dans un cadre agréable. Mais sa particularité est de rendre réel le rêve de tout enfant ayant joué aux legos, par ses constructions en assemblage de milliers de legos: un dinosaure, divers personnages grandeur nature, et surtout la reproduction en lego des principales villes d'Europe, Amsterdam et ses canaux avec tout un système d'écluses en marche, Londres avec Big Ben, sa grande roue, la Tour de Londres et la garde de la Reine qui défile. Bref, un ravissement.

Windsor Castle
Hight St, Windsor - 020 7766 7304
www.royal.gov.uk
Adulte £13.50, enfant £7.50, famille £34.50.

Cliveden N.T.
Route B476, Taplow, Maidenhead, Buckinghamshire - 016 2860 5069
Jardins ouverts tous les jours, toute l'année (à partir de 11h). Adulte £7.50, enfant £3.70, famille £18.70.

Legoland
Winkfield Rd, Windsor
087 0504 0404
www.legoland.co.uk
Adulte £31, enfant £24. Réductions pour les tickets réservés à l'avance par téléphone ou Internet. Ouvert de mars à octobre.

Richmond Park et Isabella Plantation

A toute époque de l'année, **Richmond Park** (sud-ouest de Wimbledon) est une destination de choix pour toute la famille pour ses troupeaux de daims en liberté (impossible de les manquer: ils sont partout), sa piste cyclable qui en fait le tour et son réseau de sentiers de promenade. Le parc est assez peu boisé en raison de la présence des troupeaux de daims, il est aussi très agréable d'y marcher l'hiver, notamment autour des lacs. Club hippique. Peu de restauration (un seul café-restaurant à l'entrée du parc) mais possibilité de pique-niquer. Entrée gratuite.

A ne pas manquer en mai: la floraison des azalées et des rhododendrons à **Isabella Plantation**, au cœur de Richmond Park. Nulle part ailleurs vous ne verrez de si beaux specimen de ces arbustes qui s'épanouissent ici jusqu'à plus de 10 mètres de haut sous la frondaison protectrice d'arbres immenses. Vous serez éblouis par la variété des couleurs

et la délicatesse des fleurs. Isabella Plantation est également très spectaculaire en février-mars, au moment de la floraison des camélias dont la collection est très variée. Entrée gratuite.
Finissez par la visite de **Richmond**, une autre banlieue chic de Londres, avec tout ce qu'il faut de restaurants et de boutiques. Très belle balade le long de la Tamise, vers Kew et son jardin botanique au nord, ou vers **Ham House** (un autre *National Trust*) au sud (tous deux à moins d'une heure de marche du centre de Richmond). *Pubs* agréables en bordure, mais les places sont rares.

Brighton
ou une journée au bord de la mer

Brighton est la station balnéaire de Londres, et de ce fait, il est très facile de s'y rendre, de préférence en train, pour une journée. Les trains partent de Victoria toutes les demi-heures et le trajet ne dure que 50 mn. Une fois sur place, un quart d'heure de marche vous amène au **Pavillon Royal**, symbole de la ville, un curieux mélange d'architecture datant de George IV (début XIXe). On peut pique-niquer dans le parc, ce qui est préférable par beau temps car Brighton n'a pas vraiment une réputation de gastronomie, avant de se rendre au bord de la mer. Si les galets sont moins confortables et la température de l'eau définitivement impropre à la baignade, on passe néanmoins un excellent moment à flâner sur le **front de mer** tout en respirant l'air iodé et en profitant du soleil (l'exposition plein sud permet d'exploiter le moindre rayon). Enfin, finir par le *must*: un tour sur le fameux ***pier*** qui avance dans la mer, son ambiance de fête foraine avec jeux, machines à sous, et *Fish&Chips*. Revenir en flânant par les ***lanes***, un charmant dédale de ruelles.
Site de la ville: ***www.visitbrighton.com.***
Le Brighton Pier est ouvert tous les jours de l'année.

Pavillon royal
Tous les jours 10h-17h (oct à mai) et 10h-18h (juin-sept). Fermé les 25 et 26 déc.

Sur les falaises d'Eastbourne

La ville d'Eastbourne n'a rien de remarquable, mais est située au pied d'une de ces falaises de craie blanche si typiques de l'Angleterre. Un sentier longe cette falaise et vous amène en 1 h à *Beachy Head*, un cap impressionnant qui domine la mer à pic à près de 200 m de haut. C'est là que Debussy a écrit *La Mer*. La vue est splendide de tous les côtés et la falaise dénudée se prête aux pique-niques, parties de foot ou de cerf-volants. Par beau temps, vous serez entourés par des parapentes multicolores qui se lancent depuis la falaise. N'hésitez pas à y aller tôt le matin, les cars de touristes affluent ensuite.
La région alentour, appelée les *South Downs*, est très belle avec ses paysages de collines ondoyantes. A votre retour, vous pouvez faire une halte pour visiter la jolie ville médiévale de Lewes. (1h de Victoria Station).

Cette région est célèbre car elle a abrité (à Charleston) le fameux Bloomsbury Group*, un regroupement anti-conformiste d'artistes et d'écrivains anglais du début du XXe siècle comprenant notamment Virginia Woolf, T.S. Eliot et John Maynard Keynes.*

Au pays
des gentlemen farmers... Surrey, Sussex, Kent

Nulle part ailleurs que dans ces trois *counties* vous ne pourrez mieux comprendre un certain idéal de *british way of life*: avoir une belle demeure à la campagne et un pied à terre à Londres. Ils sont suffisament proches de

Londres pour avoir attiré de tout temps ces *gentlemen farmers* aussi à l'aise dans leurs *Wellingtons* (bottes en caoutchouc) qu'en costume de ville... Leurs douces collines sont parsemées de propriétés (privées) immenses dotées de jardins magnifiques et de prairies où broutent les pur-sangs. La meilleure façon de découvrir ce mode de vie à l'anglaise est de partir pour le week-end en se fixant pour objectif la visite d'une propriété ou d'un jardin historique, et surtout de ne pas hésiter à s'égarer ensuite dans les villages et dans la campagne environnante, sans manquer le traditionnel *Sunday Roast* au *pub* local.

Nous avons sélectionné ci-dessous quelques jardins si beaux qu'ils valent à eux seuls le déplacement. Ils sont tous entourés de vastes espaces propices aux promenades et situés dans de très belles régions qu'il est agréable de découvrir une fois la visite terminée.

AU COEUR DU KENT

Sissinghurst, Bodiam Castle
Hever Castle, Leeds Castle

Sissinghurst est la création de l'écrivain Vita Sackville-West (également amante de Virginia Woolf) et de son mari parlementaire et écrivain Sir Harold Nicholson. De la combinaison de leurs talents (à lui le dessin classique et rigoureux du jardin, à elle le choix des plantes et des couleurs), est né l'un des jardins les plus célébrés du monde, symbole du jardin anglais. Développé autour des restes d'un ancien manoir élizabethain, ce jardin anti-conformiste, très représentatif du mouvement Arts and Crafts, est organisé en succession de dix "chambres", présentant chacune une atmosphère et des plantes différentes. Ne pas manquer le jardin blanc, l'allée des tilleuls (magnifique au printemps) et le *Cottage Garden*, uniquement planté de couleurs vives rouge-orangé et jaune.

Sissinghurst est situé non loin d'Ashford sur la route de France. Une excellente idée d'étape.

Sissinghurst Garden (N.T.)
Sissinghurst, Cranbrook, Kent, TN17 2AB
01580 710700
23 mars-2 nov. Lun, ma, ven 11h-18h30.
Sam, dim et jours fériés 10h-18h30.

A visiter également dans le Kent:

Bodiam Castle (N.T)
Bodiam, near Robertsbridge, East Sussex
01580 830436
Superbe ruine médiévale entourée d'eau. Vous pouvez passer la nuit à **Hoath House** (au nord-ouest de Turnbridge Wells). Incroyable demeure à colombages composée de parties médiévales, élizabéthaines et du XVIIIe.

Hever Castle
Hever, near Edenbridge, Kent
01732 865224
www.hevercastle.co.uk
Château d'enfance d'Anne Boleyn à 30 miles de Londres par la M25.

Leeds Castle
Maidstone, Kent
01622 765400
www.leeds-castle.com
Superbe château entouré d'eau, avec un très beau parc.

DANS LE SUSSEX

Nymans garden, Arundel Castle, Rye-Sussex

Nymans Garden N.T.
Handcross, nr Hayward Heath,
West Sussex
01444 400321
Beau jardin, situé au sud de Crawley sur la route de Brighton. De très beaux arbres et une magnifique glycine sur une ruine.

Nymans Garden

Pique-nique agréable avec une très belle vue sur la campagne anglaise. Collection internationale de fleurs.

Arundel Castle
Arundel, West Sussex
01903 882173
Petite ville blottie au pied d'un imposant château féodal. Ouvert d'avril à octobre. Fermé le samedi.

Rye-Sussex
A l'est d'Hasting par la A259.
L'une des plus jolies villes du sud de l'Angleterre, car elle a conservé un aspect médiéval avec ses petites ruelles pavées et ses maisons anciennes.

SURREY: RHS WISLEY

L'un des fleurons de la RHS (***Royal Horticultural Society***), où sont sélectionnées et cultivées les nouvelles plantes et mises en œuvre de nouvelles techniques de jardinage. Mais Wisley est beaucoup plus qu'un laboratoire. C'est un magnifique jardin où se côtoient harmonieusement des plantes de toute beauté et d'une diversité inimaginable. Ne manquez pas de faire un tour à la pépinière après votre visite.

Allez-y en octobre et faites un tour dans le verger. L'occasion de découvrir (et goûter, sans trop se faire voir), une incroyable variété de pommes!

RHS Wisley
Woking, Surrey
0845 260 9000
www.rhs.org.uk
Adulte £7.50, enfant £2, gratuit pour les membres RHS.
Hiver: 9h-16h30 – Eté: 9h-18h
Possibilité de se restaurer sur place.

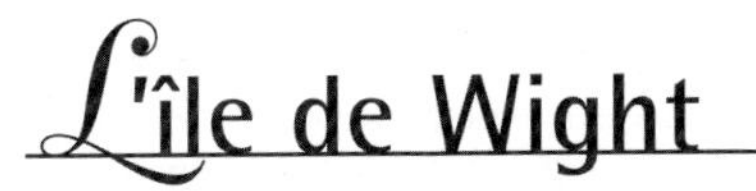

L'île de Wight

Un petit condensé d'Angleterre, c'est ainsi que l'on pourrait décrire cette île au large de Portsmouth, star balnéaire de l'époque victorienne. Des falaises, des plages, des villages de pêcheurs se succèdent au gré des criques. Les villages sont touristiques bien sûr, mais très agréables avec leurs jolis salons de thé aux toits de chaume. La campagne est belle et verdoyante, on y trouve des châteaux médiévaux, des ruines romaines et même des vignobles. Une multitude de sentiers très bien entretenus la sillonnent.

L'idéal est donc de laisser sa voiture sur le "continent", prendre un ferry et explorer l'île à pied (un sentier côtier de plus de 100 km fait le tour de l'île), en vélo, ou encore à l'aide du pittoresque train à vapeur qui suit une partie de la côte (départ de Ryde).

Outre ces nombreuses attractions, les nombreux hôtels, *B&B* et restaurants présents sur l'île en font une destination idéale de week-end.

Pour s'y rendre: des trains partent de Waterloo pour Portsmouth (environ 2h) et Lymington (2h15). La traversée la plus belle est entre Lymington (après la New Forest) et Yarmouth (30mn), mais il existe également des *ferries* de Portsmouth à Fishbourne (35mn) ou Ryde (15mn).

Bath et l'abbaye de Harry Potter

A seulement 1h30-2h de route de Londres en voiture (1h15 en train depuis Paddington), la ville de Bath, classée au patrimoine mondial de l'humanité par l'Unesco, est une destination privilégiée de week-end. Connue pour ses fameux bains romains en plein air, c'est aussi un exemple parfait d'architecture géorgienne. Vous êtes plongé dans l'atmosphère de l'Angleterre de Jane Austen, des années 1800, quand la haute société britannique venait prendre les eaux et se distraire dans cette ville de plaisirs mondains.

"Oh, who can ever be tired of Bath?" *soupire l'héroïne de Jane Austen dans Northanger Abbey...*

La ville se parcourt aisément à pied. Visitez les bains romains et l'abbaye, et surtout ne manquez pas le splendide **Circus**, merveilleuse place circulaire entourée d'immeubles géorgiens, et le **Royal Crescent** qui s'ouvre sur la vallée de l'Avon en contrebas. Flânez le long de la rivière qui enserre le cœur de la vieille ville et découvrez les multiples facettes de cette ville-musée.

La région, autour de Bath, présente des attraits multiples.

Bradford on Avon, situé à quelques km au sud-est de Bath, en est une reproduction miniature: jolie promenade le long de la rivière, belles constructions dans la pierre jaune caractéristique de cette région, vieille ville médiévale, *pubs* et restaurants...

Un peu plus au nord, du côté de Clippenham, vos enfants seront ravis de découvrir "l'abbaye d'Harry Potter", où ont été tournées certaines scènes du film. Cette abbaye médiévale est située à **Lacock**, un village classé appartenant entièrement au *National Trust*. Concept intermédiaire entre le vrai village et la reconstitution historique, Lacock est une réussite: de vrais artisans y travaillent à l'ancienne (la boulangerie est un régal du genre, de même que la poterie), les restaurants et *pubs* sont ouverts et l'activité est bien réelle. Mais en même temps, rien ne semble avoir changé depuis le XVIIIe...
Lieu de choix pour les tournages de films, Lacock est un endroit à ne pas manquer, d'autant qu'il est situé dans une très belle campagne.

Une dernière suggestion si vous aimez les arbres où si vous y allez en octobre, l'arboretum national de **Westonbirt** et ses collections d'arbres de toutes espèces. Elles sont si spectaculaires en automne que des "sons et lumières" y sont organisés de nuit sous les frondaisons.

Office du Tourisme de Bath
0870 420 1278 (réservations logement)
www.visitbath.co.uk

Lacock Abbey and grounds (N.T.)
012 4973 0459
www.nationaltrust.org.uk

Les Cotswolds

Ils forment une sorte de triangle qui passe par Stratford, Cheltenham et Cirencester. Des villages superbes avec leurs maisons couleur miel et leurs toits de chaume. Nombreux antiquaires pour les amateurs, mais attention aux prix! A voir:

- **Burford**, village médiéval
- **Cheltenham**, ville thermale
- **Broadway**, peut-être le village le plus visité
- **Chipping Camden**. Surtout ne pas manquer le *Market Hall*, une ancienne halle bâtie en 1627 avec sa superbe charpente
- **Stratford upon Avon**, ville charmante. célèbre grâce à Shakespeare à qui toute la ville est consacrée.

Le Wiltshire

Le Wiltshire, comté situé à 2 ou 3 heures de route au sud-est de Londres, concentre dans ses collines calcaires recouvertes d'herbe rase certains des plus beaux sites préhistoriques du monde, une cathédrale remarquable et de magnifiques propriétés et jardins historiques. Nous vous proposons un week-end familial d'exploration à travers les âges: la cathédrale de Salisbury, Stonehenge, Stourhead Garden et Longleat.

Cette région est riche en White Horses, chevaux stylisés gravés dans le sol calcaire dont la blancheur se détache au loin. Si certains peuver dater de la préhistoire, la plupar remontent au XVIIIe, quand c'était la mode de les graver dans les collines.

SALISBURY

Promenez-vous dans les rues médiévales de Salisbury, contemplez sa cathédrale. C'est l'une des plus remarquables pour son architecture (style *Early English*, XVIIIe). Sa flèche est la plus haute d'Angleterre. On peut y voir aussi la plus vieille horloge (1386) en état de marche.

STONEHENGE

Le site préhistorique de Stonehenge date de 5000 ans (quelques siècles avant la Pyramide d'Egypte!). Sur les traces des druides, vous pouvez faire le tour de ces pierres alignées en cercles concentriques. Le nouvel aménagement vous les rend plus distantes, et le site est malheureusement encerclé par deux routes bruyantes, mais l'émotion reste au rendez-vous. Comment ne pas être impressionné par cet ouvrage monumental dont la réalisation s'est étalée sur une période de 1500 ans! Le véritable objet de cette construction nous échappe encore (était-ce une sépulture, un observatoire astronomique?) mais l'immensité des efforts humains qu'il a fallu produire pour sa construction (certains blocs de pierre ont été traînés sur 30 km par plus de 600 hommes!) nous fascine. Malgré l'ambiance touristique qui l'entoure, Stonehenge est, et restera un lieu magique, y compris pour les enfants.

STOURHEAD GARDEN

C'est l'un des plus beaux exemples d'*English Landscape Garden* (XVIIIe), absolument magnifique: en faisant le tour d'un lac, les vallonnements vous font découvrir ici un temple, là une grotte. De cette promenade idyllique, vous ressortez apaisé, comblé par la beauté de cette nature que Turner lui-même a dépeinte.

LONGLEAT

Au cœur d'une propriété anglaise, un vrai safari vous permet de découvrir lions, tigres girafes, loups... sans compter les nombreux singes qui viennent sur votre voiture. Aménagé dans le parc du château du marquis de Bath, Longleat propose également d'autres attractions dont la maison de *Postman Pat* et le plus grand labyrinthe du monde avec 2,7 km de chemins.

Infos pratiques

Stonehenge (E.H./N.T.)
Amesbury, Wiltshire
01980 664780
www.nationaltrust.org.uk
Ouvert toute l'année (mais peut être fermé au moment du solstice le 21 juin) 9h30-18h30

Stourhead (N.T.)
017 4784 1152
www.nationaltrust.org.uk
Ouvert toute l'année de 9h à 19h.

Longleat
Warminster, Wiltshire
019 8584 4400
www.longleat.co.uk
Ouvert tous les jours de fin mars à fin octobre et pendant les vacances scolaires, les week-ends en mars. Adulte £20, enfant £16.

Logement

Eastcott Manor
Eastcott, Wiltshire
013 8081 3313
Cottage anglais confortable, de charme campagnard (écuries dans le jardin).
Vous pouvez aussi vous baser à Salisbury pour le week-end.

Un peu plus loin (week-ends de 3-4 jours)

JURASSIC COAST

Récemment classée au patrimoine mondial de l'humanité par l'Unesco, cette partie de la côte sud anglaise est située entre Weymouth et Bournemouth. Très riche en fossiles préhistoriques du fait de sa

Lyme Regis

Snowdonia au Pays de Galles

constitution géologique particulière, c'est également une côte magnifique entièrement préservée de toute urbanisation.

A ne pas manquer:
• La baie toute ronde de **Lulworth Cove**, et les promenades aux alentours sur les falaises découpées par l'érosion.
• La chasse aux fossiles sur la plage de **Charmouth** qui dispose également d'un musée et d'une boutique (au cas où vous n'auriez pas eu de chance). Les animateurs du musée vous donneront des conseils sur les meilleurs endroits pour la "chasse".
• Le charmant port de **Lyme Regis** dont la baie a abrité des générations de marins et a inspiré de célèbres romanciers dont Jane Austen (*Persuasion*) et John Fowles (*La Femme du Lieutenant Français*).

Sur la côte Jurassique
(également nommée *World Heritage Coast*)
www.swgfl.org.uk/jurassic ou
www.worldheritagecoast.net

Sur la côte de Lulworth
www.lulworth.com

LA CORNOUAILLE

Si vous aimez la Bretagne, rendez-vous en Cornouaille. Cette région située à l'extrême sud-ouest de l'Angleterre est dotée d'un climat assez doux grâce à l'influence du *Gulf Stream*. La côte très découpée alterne de charmantes criques où se blotissent des villages de pêcheurs avec des falaises offrant d'infinies possibilités de promenades.

De ce fait, les endroits de villégiature sont très nombreux: Bude, Newquay, Falmouth, Penzance... Newquay est la capitale du surf anglais et le village de St Ives est réputé pour la beauté de son site et ses galeries d'art.

Si vous avez le temps, allez jusqu'aux Iles Sorlingues (*Scilly Islands)*, à l'extrême pointe sud-ouest du pays. Plages de sable blanc, jardins tropicaux et lagons turquoises en font le Bora Bora de l'Angleterre.

LE PAYS DE GALLES

Si vous disposez de deux ou trois jours, nous vous conseillons de faire un tour au Pays de Galles. *Wales* pour les Anglais et *Cymru* pour les Gallois, cette fière et belle région située sur la côte ouest du pays est à découvrir absolument.

Croeso i Gymru...
Bienvenue aux Pays de Galles

Vous pouvez y alterner la visite des plus beaux châteaux médiévaux d'Angleterre (plusieurs sont classés par l'Unesco), la découverte de la campagne et de ses très beaux villages préservés, et les randonnées (à pied, en vélo, en canöe, à cheval...) au sein des magnifiques parcs naturels (Snowdonia, Pembrokeshire Coast, Brecon Beacons) que compte la région. L'idéal est de se baser pour quelques jours dans un *B&B* ou mieux encore dans une ferme, et d'explorer les environs.

Un exemple d'excursion:
A un peu plus de deux heures de route de Londres, vous pouvez vous détendre à Old Trecastle Farm. C'est une ferme familiale traditionnelle qui date du XIVe, située en pleine campagne galloise. Promenez-vous dans la vallée historique de la rivière Wye pour découvrir l'abbaye de Tintern peinte par le célèbre paysagiste JMW Turner. Puis descendez dans une ancienne mine de charbon, guidé par un ancien mineur à Pwll Mawr (Big Pit en anglais). Enfin, baladez-vous parmi les librairies à Hay on Wye ou encore visitez les musées de Cardiff, capitale du Pays de Galles.

Old Trecastle Farm
Pen-y-clawdd, Monmouth - 016 0074 0661

Vous pouvez aussi essayer:

Royal Oak Farmhouse
Betsw-y-Coed, Conwy LL24OAH
016 9071 0427
Superbe ancien moulin, très charmant.

Sites intéressants
www.downourlane.co.uk
www.visitwales.com

LE LAKE DISTRICT

Région de lacs située au nord de l'Angleterre à la limite de l'Ecosse. Endroit idéal pour les amoureux de la nature et des promenades (à pied, à vélo, autour d'un lac ou encore en montagne qui peut culminer jusqu'à 1085m). La meilleure période pour y aller reste certainement l'automne car les arbres revêtent alors des couleurs extraordinaires. C'est aussi très beau en mai lorsque fleurissent les rhododendrons et les jonquilles. Pour le logement sur place contacter *www.cumbriancottages.co.uk.*

Ouvrages et sites recommandés

Time Out Book of week-end breaks
£14.99 en librairie

British Bed and Breakfast
Collection *"Special places to stay"* d'Alastair Sawday (£14.99).

Sites Internet pour trouver un *B&B* ou un farmstay:
www.guestaccom.co.uk
www.farmstayuk.co.uk

Lake District

Conversion pounds/euros
Météo
English Food
Sites Internet à visiter
Bibliographie
Poids/mesures...

POIDS ET MESURES

LONGUEURS

1 pouce	*1 inch*	2,5 cm
1 pied	*1 foot (12 inches)*	30 cm
1 yard	*3 feet*	90 cm
1 mile		1,609 km

pour passer des *miles* en Km: x 0,62

SUPERFICIE

1 square foot	929 cm^2
1 are	0.404 ha
1 square mile	2,589 km^2

VOLUMES

fl.oz	**fluid once**	**ml**
1floz		28,4 ml
1 pint	*20 floz*	570 ml

litres	**fluid once**
100 ml	*3,5 floz*
500 ml	*18 floz*
1 l	*36 floz*

Mesure liquide

5ml	*1 teaspoon*
10 ml	*1 dessert spoon*
240 ml	*1 cup*
470 ml	*1 pint*

TAILLES

Vêtements femmes

France	36	38	40	42	44	46
GB Robe	8	10	12	14	16	18
GB Pulls/corsage	30	32	34	36	38	40

Chemises hommes

France	38	39	40	41	42	43
GB	***14.5***	***15***	***15.5***	***16***	***16.5***	***17***

Chaussures

France	36	37	38	39	40	41	42	43
GB	***3***	***4***	***5***	***6***	***7***	***8***	***9***	***10***

Enfants

En cm	100	125	155
Ages	3-4	7-8	12
Statures in inches	***40***	***50***	***60***

VITESSE

Km/h	***Mph (Miles per hour)***
40	***25***
60	***32***
80	***37***
100	***62***
120	***75***

POIDS

1 ounce	*1 oz*	28,35 g
1 pound (livre)	*1 lb (libra)*	0,454 kg
1 stone		6,348 kg

CONVERSION POUNDS / EUROS

€1= ***£0,65*** ***£1*** = €1,50

Le site ***www.xe.com/ucc/convert.cgi*** est spécifiquement dédié aux conversions monétaires, très pratique. Pour obtenir le dernier taux de change de la journée, cliquer dans devises sur ***www.boursorama.fr***.

English food

Pour étonner vos papilles, à découvrir absolument en GB:

Les ***crumpets***, galettes molles et chaudes à tartiner avec du beurre, du miel ou de la confiture, à savourer avec une tasse de thé.

Les ***buns*** au lait, les ***scones*** aux raisins et les ***muffins*** accompagneront aussi votre petit déjeuner ou pause de l'après midi.

Les ***(cream) crakers*** sont des biscuit salés, à découvrir avec un morceau de fromage: le *cheddar*.

Le ***lemon curd*** est une délicieuse crème à tartiner au citron à déguster avec votre petit déjeuner ou à l'heure du thé. Essayez aussi l'***orange marmalade***.

Côté crème salée, la ***Marmite*** est vraiment étonnante, extrait de levure au goût de viandox, à tartiner.

Du coté sauces et condiments, un régal de découvertes pour votre palais:

Mint sauce, délicieuse sauce à la menthe qui accompagne très bien l'agneau.

Horseradish sauce, sauce au raifort avec le *roastbeef*.

Salad cream, mayonnaise un peu sucrée.

Chutney, confiture sucrée/salée à consommer avec de la viande.

Piccalilli, déguster vos viandes froides avec cette crème aux cornichons, vinaigre, chou-fleur et moutarde.

Sites Internet

www.easyexpat.com
Que vous alliez vous expatrier à Londres, Madrid, Milan, New-york, Sydney, San Francisco, Frankfort, Montreal, pour chacune de ces grandes capitales vous trouverez une foules d'informations pratiques pour organiser votre départ, logement,école, santé, travail, services... et retour.

www.londoscope.co,uk
Toute l'actualité francophone à Londres...

www.canalexpat.com
Pour expats francophones à Londres, avec des infos sur le logement, la santé, les loisirs, le shopping...

www.femmexpat.com

Un site très intéressant pour se préparer à un nouveau départ, une nouvelle expatriation ou un retour en France...
Des informations pratiques, des expériences vécues par d'autres femmes expatriées dans de nombreux pays.

www.inpat.fr
Site pour le retour en France.

www.ici-londres.com
Un site et aussi un mensuel gratuit, diffusé dans de nombreux lieux (librairies françaises, Institut français...). Idéal pour passer ou chercher une petite annonce

www.franceinlondon.co.uk
Pour trouver les marques, les adresses, les événements français à Londres, un site bien

Lexique

Agneau: *lamb*
Ail: *garlic*
Bouillon: *stock*
Cabillaud: *cod*
Citron vert: *lime*
Clémentine: *tangerine*
Côtes d'agneau: *lamb chops*
A la cocotte: *casserole*
Crème anglaise: *custard cream*
Chevreuil (viande de): *venison*
Daurade: *sea-bream*
Dinde: *turkey*
Entrecote: *ribsteak*
Epaule: *shoulder*
Faux-Filet: *sirloin steak*
Filet: *tenderloin steak*
Flétan: *halibut*
Gigot: *lamb leg*
Infusion: *herbal tea*
Lotte: *monkfish*
Volaille: *poultry*
Ragoût: *stew*

organisé et clair, avec beaucoup d'adresses... Toute l'actualité culturelle française à Londres (films, théâtre, etc...).

- *www.viapresse.com*
Ce site vous permet de vous abonner directement aux magazines français.

- *www.UpMyStreet.com*
Donne des infos "locales" avec une recherche par quartier, par catégorie de produits. Permet une recherche des différents services locaux par code postal (*post code*).

- *www.gumtree.com*
Petites annonces tous azimuts sur Londres. Très pratique. Gratuit.

Bibliographie

Quelques ouvrages qui donnent des clés de compréhension sur les Anglais et la GB:

- **Watching the English** par Kate Fox, 2005. Une analyse de l'*Englishness* par une anthropologue britannique qui passe à la loupe les comportements, dits et non-dits, de ses concitoyens. On y apprend comment identifier la classe sociale au premier coup d'oeil, le phénomène de l'excuse-réflexe *(sorry!)*, les règles de la *queue*, le *weather talk*, la culture du *pub*, etc... Edifiant!

- **The English, a portrait of a people** par Jeremy Paxman, Penguin books, 1999
Analyse des Anglais vu par un Anglais, le journaliste des *News at Night*.

- **Lettres philosophiques** (ou Lettres Anglaises) de Voltaire, 1734. 1964 GF Flammarion. Ces lettres sont d'une actualité étonnante et d'une écriture très contemporaine. Les premières expliquent les différentes religions de GB.

- **The remains of the day** (Vestiges du jour) de Kasuo Ishiguro, 1993, mis en film par James Ivory avec Emma Thompson et Hopkins montre très bien l'intériorisation de la passion chez les Anglais.

- **L'Anglomanie, une fascination européenne** de Ian Buruma (2001).
Ecrit par un "citoyen du monde" londonien d'adoption, ce livre retrace la passion entretenue par de nombreux personnages historiques, dont Voltaire, pour les Anglais et leurs coutumes. Une promenade passionnante, éclectique et drôle dans l'histoire britannique.

- **Honni soit qui mal y pense, l'incroyable histoire d'amour entre le français et l'anglais** de Henriette Walter. (R.Laffont)
Tous les apports et les échanges entre les deux langues.

Ecrivains anglais à (re)découvrir

- **Jane Austen** (*Pride & Prejudice, Northanger Abbey, Sense & Sensibility*).
La littérature romantique du XVIIIe dans toute sa splendeur. Pour se plonger dans un monde de passion et de sentiments. Facile à lire, même en anglais.

- **Nick Hornby** (*High fidelity, About a boy, How to be good*). L'un des écrivains contemporains les plus célèbres. Plusieurs de ses livres ont été adaptés au cinéma. Un humour décapant et une très grande justesse de sentiments.

- **Jonathan Coe** (*La Maison du Sommeil, Testament à l'Anglaise*). Imagination délirante, satyre et humour forment un cocktail réjouissant.

MÉTÉO

Mois	J	F	M	A	M	J	J	A	S	O	N	D
Température maxi	6	7	10	13	17	20	22	21	19	14	10	7
Température mini	2	2	3	6	8	12	14	13	11	8	5	4
Jours de pluie	11	9	8	8	8	8	9	9	9	9	10	9

Londres par quartiers

Des adresses, des conseils dans chaque quartier

Sommaire des Quartiers

Une bonne adresse, un bon conseil d'**Expat Guide**.

A activités pour Adultes
E activités pour Enfants.
AE activités Adulte/Enfant.

(f) parle français.

Les tarifs mentionnés sont indicatifs.

South Kensington

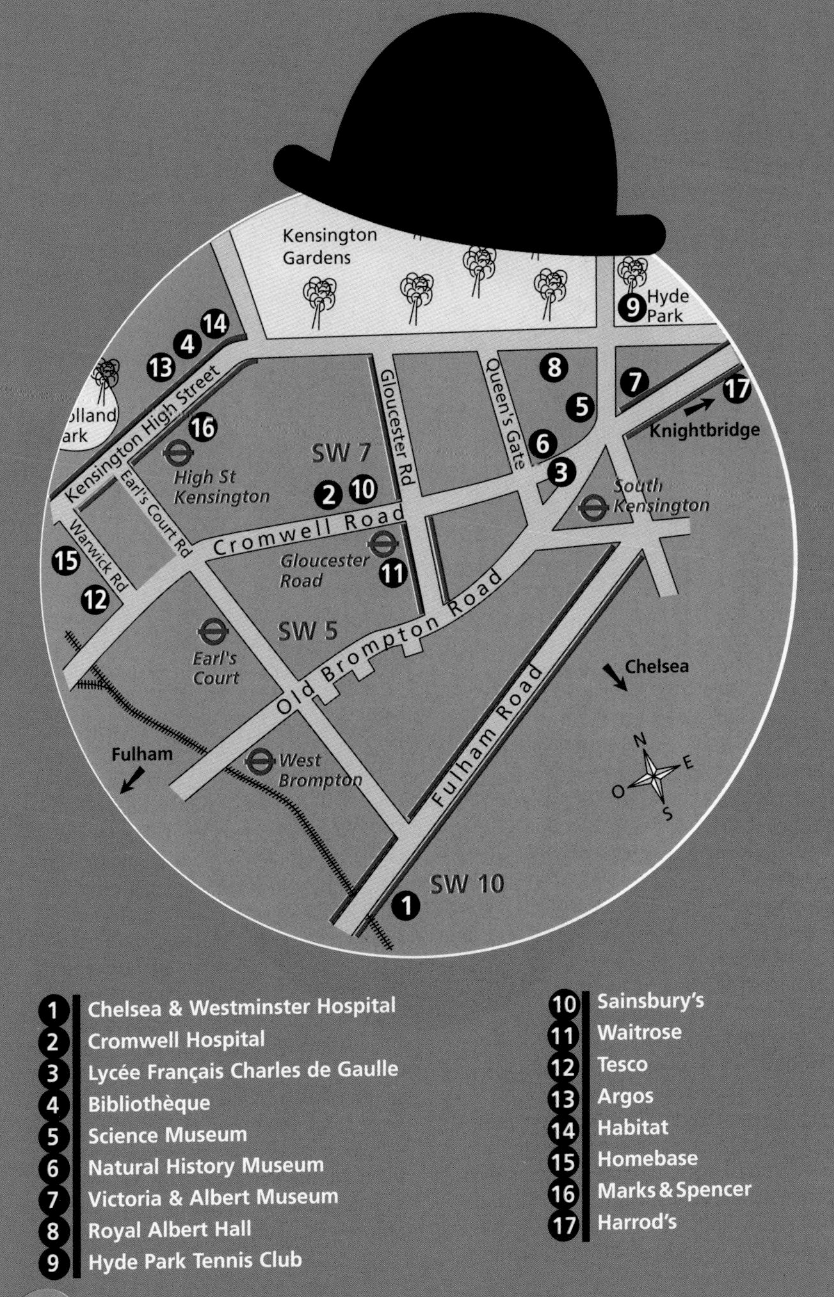

1. Chelsea & Westminster Hospital
2. Cromwell Hospital
3. Lycée Français Charles de Gaulle
4. Bibliothèque
5. Science Museum
6. Natural History Museum
7. Victoria & Albert Museum
8. Royal Albert Hall
9. Hyde Park Tennis Club
10. Sainsbury's
11. Waitrose
12. Tesco
13. Argos
14. Habitat
15. Homebase
16. Marks & Spencer
17. Harrod's

Zone commerçante

South Kensington

C'est le coeur du quartier français, historiquement regroupé autour du pôle d'attraction que constituent le Lycée, le Consulat et l'Institut. Chic, agréable à vivre et facile d'accès, c'est aussi le quartier le plus cher du Royaume Uni. L'habiter est donc un grand privilège, on est au cœur de la ville tout en bénéficiant de la verdure, de la proximité de Hyde Park bien sûr mais aussi des multiples jardins-squares sur lesquels donnent de nombreux appartements. Sans oublier les charmantes ruelles fleuries des *mews* réaménagées (Kynance Mews, Ennismore Gardens qui permet de se rendre de Queen's Gate à Harrods). Ses larges artères donnent un sentiment d'espace tandis que les nombreuses façades blanches lumineuses égaient les jours les plus gris. Quartier très international aussi, tellement fréquenté par la communauté française qu'il est difficile de partager le quotidien des Anglais. Mais les musées des Sciences et d'Histoire Naturelle sont parmi les plus appréciés des enfants, de même que le Victoria and Albert Museum. South Kensington fait partie du *Royal Borough of Kensington & Chelsea,* qui regroupe également Kensington (W8), Notting Hill (W11), Chelsea (SW3), Earls'Court et West Brompton (SW5). Même si l'on se trouve à l'intérieur de la zone de *Congestion Charge,* on peut se passer de voiture. Tous les commerçants sont à proximité, notamment autour de South Ken (nombreuses boutiques et librairies françaises). Les grands magasins sont sur Kensington High Street, tandis que les boutiques de mode et de décoration se trouvent plutôt du côté de Chelsea. Vers West Brompton et Earl's Court, l'animation est plus intense et le quartier se fait plus populaire, tout en restant résidentiel. Ces quartiers comptent également de nombreux *pubs* et restaurants qui valent le détour.

Petite enfance

Pour toute information

The Children's information Service
www.childcarelink.gov.uk - 020 7361 3302

DAY NURSERIES

The Boltons Nursery School
262b Fuhlam Rd, SW10 9EL - 020 7351 6993
2-4 ans. Une seule grande salle où une quinzaine d'élèves se retrouvent autour de 5 institutrices. Session le matin et l'après-midi.

French Nursery School Les Chatons
Baden-Powell House, SW7 - 020 7259 2151
1-5 ans. Près du Lycée. Mode de garde très souple. 9h-12h et 13h-15h. Sans exigence de durée. Equipe qualifiée encadrée par une puéricultrice française.

Iverna Gardens Montessori
Armenian Church Hall
Iverna Gardens, W8 6TP - 020 7351 6993
www.iverna.com
2ans et 3 mois-5 ans. 9h15-12h30 et 13h30-16h.

Ladybird Nursery School
Crypt St Jude's Church
24 Collingham Rd, SW5 OLX
020 7244 7771
www.ladybirdschool.com
3-5 ans. Tous les jours 9h30-12h30, 12h30-14h45. Locaux en sous-sol mais accès direct au jardin (*common*). Très bonne équipe pédagogique dirigée par Fanny dont l'enthousiasme rayonne. Idéal pour acquérir l'anglais dans une atmosphère détendue. £1300/trim le matin, £20 par après-midi.

Queensberry Nursery
24 Queensberry Place, SW7 - 020 7581 0200
www.queensberrynursery.com
3 mois-5 ans. £2680/trim pour 5 matinées par semaine.

Ravenstone House
24 Elvaston Place, SW7 - 0207 225 3131
Dès 2 mois-5 ans. Petite école anglaise située à proximité du Lycée. Personnel compétent. Bon accueil. Beaucoup de Français (1/4 des effectifs).

The Playroom
Christchurch Vestry, Victoria Rd, W8
020 7376 1804
Dès 2 ans. Matinées seulement.

Pooh Corner
St Stephens Hse, 48 Emperor's Gate, SW7
020 7373 6111
2-5 ans. 9h-12h15 ou 13h30-15h45. £1585/trim le matin, £1325 l'après-midi.

CHILDMINDERS-NANNIES

Convent of Mary Immaculate
15 Southwell Gardens, SW7
020 7373 7007

Gloucester Road
Couvent qui accueille et héberge des jeunes filles en majorité sud-américaines. Les sœurs centralisent les offres et demandes d'emploi pour filles au pair, nannies, babysitters, femmes de ménage... Se rendre directement sur place.

MOTHER & TODDLER GROUPS

Kensington Library
One o'clock Club. → Administrations

St Mary's Church
The Boltons, SW7
Vendredi matin.

PLAYGROUPS

Church Hall
26 St Alban Grove, W8
020 7888 5253
Garderie 9h-12h30.

David Lloyd Club
Au dessus du Sainsbury's, Point West. Cromwell Rd
Garderie. → Sports

AUTRES CLUBS

Crechendo
Badden Powell House
65-67 Queens Gate, SW7

Gymborée
020 8780 3831
3 mois-5 ans. Jeux, musique, dessin. 1ère classe d'essai gratuite.

Ecoles

ÉCOLES FRANÇAISES

Lycée Français Charles de Gaulle
35 Cromwell Rd, SW7 2DG
www.lyceefrancais.org.uk
020 7584 6322
4-18 ans (Maternelle à Terminale). Très grand établissement géré par l'Etat, équivalent d'un établissement public en France. Les bâtiments sont scindés en deux parties:

Maternelle & primaire

Moyenne section-CM2
1200 élèves

8h40-15h (maternelle)
8h40-15h30 (primaire)
Des ateliers sont proposés le mercredi après-midi. Possibilité de garderie.
De 28 à 30 élèves par classe. Ascenseur et cantine spécifiques pour les maternelles. Cour séparée pour le primaire.

Collège & lycée

1300 élèves

Bac général L, ES, S. Classe européenne à partir de la 4e. Section britannique à partir de la 3e, filière séparée pour des élèves bilingues qui souhaitent suivre le cursus britannique. Les résultats en font une des meilleures écoles anglaises au classement de l'*Ofsted*. Anglais première langue obligatoire, enseigné dès le CP (plusieurs groupes de niveaux). Seconde langue: allemand, espagnol, russe, arabe, italien.

L'un des meilleurs Lycées Français à l'étranger, mais le manque de place signifie des classes surchargées et peu d'activités extra-scolaires (art, musique, sport).

Demi-pension obligatoire (env £200/trim)
Frais de scolarité: £850/trim en primaire, £1000/trim en secondaire, £2100/trim en *British Section*.
Des bourses scolaires sont possibles.

Admission

Les inscriptions se font au maximum un an à l'avance. Liste d'attente possible selon les niveaux. Les candidatures sont acceptées dans la limite des places disponibles et selon l'ordre de priorité suivant: les élèves français, puis ceux des lycées français à l'étranger, les non-Français ayant déjà un enfant scolarisé au Lycée, les membres de la CEE francophones, les francophones hors CEE puis les Britanniques. C'est pourquoi, bien que francophones, les Suisses, les Canadiens-Québecois ou Belges ne sont pas prioritaires. Après le CP, tous les enfants venant d'un système scolaire non français doivent parler français et passer un examen en français et en mathématiques.

Une association de parents d'élèves APL très active et un magazine, ***L'Echo*** *sur la vie du lycée et de la communauté française, www.lecho.org.uk.*

ECOLE BILINGUE

L'Ecole bilingue
24 Collingham Rd, SW5 OLX - 020 78351144
www.lecolebilingue.com
3-11 ans. Enseignement dans les deux langues selon les disciplines. Programmes de l'Education Nationale. Deux sites: à partir du CE1, les classes ont lieu à Bayswater (W2).

ECOLES ANGLAISES

Vous trouverez une liste exhaustive des écoles publiques du quartier à la mairie de Kensington et Chelsea ou à la bibliothèque. En voici quelques unes recommandées par des parents français.

Nursery & Primary schools

Gratuites:

Bousfield Nursery and Primary School
South Bolton Gardens, SW5 ODJ
020 7373 6544
3-11 ans. 9h-15h30. Bonne *state school* de quartier. Les enfants sont pris en compte et responsabilisés. Ecole réputée pour son ouverture (plus de 40 nationalités et une cinquantaine de familles françaises). Equipe pédagogique de grande qualité. Inscription directement auprès de l'école, admission sur critère de proximité (difficile en *nursery*) mais, selon les places, accueil des familles de Fulham. Belle bibliothèque.

St Barnabas and St Philips School
Pembroke Mews,
58 Earls Court Rd, W8 6ES
020 7937 9599
www.sbsp.rbkc.sch.uk
5-11 ans. Ecole confessionnelle *Church of England.* Admission sur critères religieux, mais ouverte aux non-croyants habitants localement. Excellente réputation. Ecole «Beacon» (critère d'excellence).

Our Lady of Victories RC Primary School
Clareville St, SW7 5AQ
020 7373 4491
3-10 ans. Nombreux Français. Références catholiques nécessaires pour l'admission. 2 cours de français par semaine. Très bon niveau.

Payantes:

Eaton House The Vale
2 Elvaston Place, SW7 5QH
020 7584 9515 Mrs Calder
www.eatonhouseschools.com
4-11 ans. *Independent school* mixte et très accueillante. Pas de cour, les enfants sont emmenés à Kensington Gardens tous les jours pour le sport. Activités extrascolaires. £3050/trim.

Falkner House
19 Brechin Place, SW7 4QB
020 7373 4501
www.falknerhouse.co.uk
3-11 ans. *Independent school* de filles. 140 élèves. Bons professeurs, niveau élevé, pour élèves travailleuses. Admission selon places disponibles en liste d'atttente. £3600/trim.

Glendower Preparatory School
87 Queen's Gate, SW7 5JX
020 7370 1927
www.glendower.sch.uk
4-11 ans. *Independent school* de filles. Ecole académique et traditionnelle, beaucoup de travail mais de bons résultats. Nombreuses élèves françaises. Cours de français langue maternelle 3 fois par semaine. Admission selon places disponibles en liste d'atttente. £3250/trim.

The Hampshire School
63 Ennismore Gardens, SW7 1NH
020 7584 3297
www.ths.westminster.sch.uk
3-13 ans. *Independent school* mixte. £2100 à £3350/trim. Bon niveau général.

St Nicholas Preparatory School
23/24 Prince's Gate, SW7 1PT
020 7225 1277
www.stnicholas.kensington.sch.uk
3-13 ans. Beaucoup d'étrangers et notamment de Français. Offre la possibilité de faire le CNED sur les horaires de cours par un professeur français. £3000/trim primaire.

Thomas's London Day School
17-19 Cottesmore Gardens, W8
020 7361 6500
www.thomas-s.co.uk
4-11ans. *Independent school* mixte. Difficile d'accés, longue liste d'attente. La plupart des élèves continuent à Thomas's Battersea jusqu'à 13 ans. Beaucoup de théâtre, sport, excellent niveau.

Nursery, Primary & Secondary

Queen's Gate School
133 Queen's Gate, SW7 5LE
020 7589 3587
4-18 ans. *Independent school* de filles. 450 élèves. Beaucoup de travail mais un bon niveau. £900-£3650/trim. Admission sur examen à 11 ans, selon places disponibles dans les autres classes.

Secondary schools

Il y en a 4 publiques ou confessionnelles (gratuites) dans le *Royal Borough of Kensington et Chelsea* (cf ***www.rbkc.gov.uk***). Les meilleures sont Holland Park School et Cardinal Vaughan.

➛**Quartier Notting Hill**

A savoir: la plupart des familles anglaises du quartier scolarisent leurs enfants dans le secondaire privé.

Mander Portman Woodward
90-92 Queen's Gate, SW7 5AB
020 7835 1355
www.mpw.co.uk
15-19 ans. *College* (lycée) privé mixte. 400 élèves. Cours quasi à la carte en fonction du choix d'orientation des élèves. Bons professeurs, excellente orientation, et bons résultats (plusieurs admissions à Oxbridge chaque année). ESL à la demande mais test d'aptitude en anglais à l'entrée. Une bonne solution de dépannage, bien que chère.

Logement

Le parc immobilier est le reflet du quartier: chic et cher. A **South Ken**, on peut louer une maison de trois chambres entre £1500-2500/sem. Plus proche du Lycée et des musées, de grandes maisons souvent divisées en appartements, l'endroit est colonisé par les Français. Compter £900-1800/sem pour la location d'un 4 pièces.

L'accès aux magnifiques squares et jardins qui jalonnent les rues est réservé aux propriétaires ou locataires des immeubles qui les entourent. Ils sont souvent gérés par le borough *qui facture aux détenteurs de clés d'accès les frais d'entretien dans leur* council tax.

Autour d'**Earl's Court** les prix baissent légèrement. Nombreuses familles françaises et internationales. Une ambiance de village règne autours des *mews*, squares et jardins privés dès que l'on quitte Earl's Court Rd et sa forte circulation (axe N-S). On y trouve de grandes maisons familiales avec jardin entre £1500-2500/sem.

Plus au sud dans **West Brompton**, autour des Boltons, une quarantaine de magnifiques demeures. Quartier chic très résidentiel: maison £2000-3000/sem, appartement de 3 chambres £700-1500/sem.

Plus haut, entre **Kensington High Street** et **Cromwell Rd** à l'ouest de Gloucester Rd, des rues paisibles abritent de jolies maisons victoriennes. Nombreuses *mews* fleuries. Quartier très agréable, maisons de 4 chambres à £1800-2500/sem.

A l'est vers **Knightsbridge**, grands hôtels et grands magasins font de ce quartier très luxueux un lieu recherché par de nombreux étrangers. Autour de Harrods, de nouveaux appartements sont en vente £640 000-1.3 M. Autour de Brompton Square, une maison standard vaudra environ £1000-2500/sem et un appartement £750-2000/sem.

Transports

LE METRO

South Kensington (District, Circle et Piccadilly *line*)
Gloucester Road (District, Circle et Piccadilly *line*)
Earl's Court (District, Picadilly *line*)
High Street Kensington (District, Circle *line*)
Knightsbridge (Picadilly *line*)

LE BUS

Le **9** et le **10** longent Kensington High St et mènent à Piccadilly, Oxford St et Covent Garden. De South Ken, prendre plutôt le **14** pour les mêmes destinations, il passe aussi par Harrods et circule la nuit.
Le Lycée Français se situe à deux pas de la station **South Ken**, où passent les **14, 49, 70, 74, 345, 414** et **C1**.

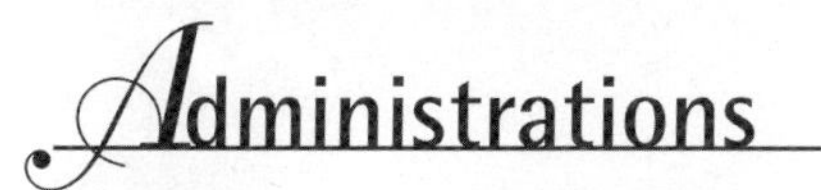

Administrations

MAIRIE

RBK&C
Town Hall
8 Hornton St,
W8 7NX
020 7937 5464
www.rbkc.gov.uk
Kensington High St

BIBLIOTHÈQUES

L'Institut Français-Médiathèque
17 Queensbury Place, SW7
020 7838 2144
Grande bibliothèque adultes à l'étage, enfants à l'angle avec Harrington Rd.
Inscription: £40/adulte, £15/moins de 15 ans.
Emprunt (pour 2 semaines, 8 livres, 2 films, 4 CD, 1 CD-ROM) et consultation sur place de journaux, cassettes et vidéos en français.

Vous avez également accès à deux bibliothèques municipales où vous pourrez vous inscrire gratuitement sur présentation d'un justificatif de domicile.

Central Library
Hornton St, W8 - 0207 937 2542
A la bibliothèque municipale qui jouxte la Mairie, vous trouverez magazines, grand choix de livres, vidéos, dont certains en français, CD, DVD, video K7, etc... et une mine d'informations (services sociaux, médecins, liste garderies, activités enfants, cours adultes...)

Brompton Library
210 Old Brompton Rd, SW5
020 7373 3111
Lun, mar, jeu 10-20h, ven 10-17h, mer et sam 10-13h. Petite annexe avec large choix de livres dont certains en français, vidéos et CD. Belle section enfant avec activités le mer et sam.

COMMISSARIAT

Kensington Police Station
72 Earl's Court Rd, W8 - 020 7376 1212

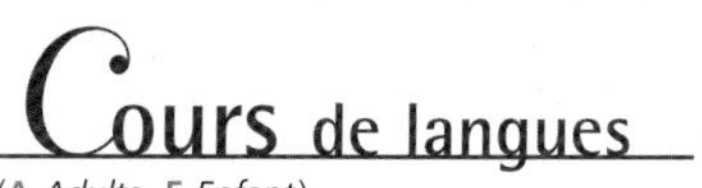

Cours de langues

(**A** *Adulte*, **E** *Enfant*)

Abrakadabra E
Lyndhurst Gardens, SW7 - 020 7924 4649
www.abracadabra.org.uk
1-5 ans. Apprendre les langues (anglais, français, espagnol, allemand) à travers la musique, la peinture, les jeux et les histoires. La plus ancienne école de langue pour enfants à Londres.

Educa A+E
3A Harrington Rd, SW7 - 020 7589 1020
www.educalondon.co.uk
Egalement soutien scolaire en français.

Fast Languages A+E
07748 804629 - *www.fastlanguages.co.uk*
Cours à domicile.

Kensington and Chelsea College A
Marlborough Centre
Sloane Av, SW7
020 7589 2044 → Chelsea

Conversation A
Voir Londres Accueil → Chapitre Vie Sociale

Sports

(A *Adulte*, E *Enfant*)

CLUBS

David Lloyd
Point West, Cromwell Rd (au-dessus de Sainsbury's) - 020 7341 6401
Assez cher mais bien équipé. Piscine.

Holmes Place
3rd Floor, 17A Old Court Place, W8
020 7761 0000
L'un des plus chics (et chers) de la chaîne. Nombreuses classes de tous sports.

Imperial College sports centre - Ethos
7 Prince's Gardens, SW7 - 020 7594 6660
www.imperial.ac.uk
Club de sport flambant neuf de la fameuse université. Accueil des extérieurs en journée et le week-end.

Soma
Royal Garden Hotel,
Kensington High St, W8 - 020 7361 1995
Centre qui propose des soins de beauté et des cours de gym, yoga, Pilates, etc… à la carte (£15 le cours). Intéressant si vous êtes de passage et ne souhaitez pas prendre d'abonnement.

Soho Gyms
254 Earl's Court Rd, SW5
020 7370 1402
www.sohogyms.com

Le club où allait Lady Di quand elle habitait Earl's Court avant de se marier. A £28/mois *off-peak* (tous les jours jusqu'à 17h et samedi et dimanche), c'est de loin le club le moins cher de tout le quartier. De plus vous pouvez suivre des cours pour £5-6/h sans être membre. Décor peu spectaculaire mais très bonne ambiance.

Marche rapide, aquagym, gymnastique, yoga
Voir Londres Accueil.

ARTS MARTIAUX

Budokwaï AE
→ Chelsea

DANSE

La Sylvaine School
• **Au Lycée** (lundi soir) pour les enfants du Lycée
• A **Bousfield School** (mardi soir)
• **Chelsea Centre and Theatre**
World's End Place, King's Rd (samedi matin).
→ Chelsea

EQUITATION

Ross Nye Stables AE
→ Bayswater

Promenade à cheval dans Hyde Park

FOOTBALL

Foot à Hyde Park E → Carte p14
A proximité des courts de tennis. Matchs par niveau d'âge après 30 mn d'entraînement. Encadrement professionnel anglais très enthousiaste. Samedi matin 9h30-11h30 hors vacances scolaires anglaises. Paiement à la séance: £7. Le meilleur joueur de chaque niveau remporte une coupe chez lui pour la semaine!

Duet Football Academy E
Kensington Gardens (à côté de Kensington Palace et à l'entrée de Kensington High St)
07932 920198 - Cyrille Allain
Le mercredi 13h30-15h (6-9 ans), 15h-17h (10-12 ans). Entraînement supplémentaire le samedi matin à Battersea.

Fit for sport E
20 Kensington Church St, W8
020 7938 2775 - Mr Dean
www.fitforsport.co.uk
Prestataire de services dans des écoles privées du quartier. Club de foot et activités diverses le samedi matin à Hyde Park. 9h-13h. "Centre aéré" pendant les vacances scolaires (anglaises). Intérêt majeur: les activités se déroulent en anglais. Encadrement dynamique et sympathique.

FOOTING

Pour les courageux, le tour d'Hyde Park et Kensington Gardens (7,5 km).

PISCINE

→ Chelsea

RUGBY

French Rugby School E
www.frenchrugbyschool.co.uk
Entraînement en français pour les jeunes du Lycée (6-13ans) le samedi matin 9h30-12h à Hyde Park à côté des Tennis.

TENNIS

Hyde Park Tennis Centre AE
South Carriage Drive, W2
020 7262 3474 → Carte p141
6 courts dans un cadre idyllique. Proximité d'un minigolf de 12 trous que les enfants peuvent parcourir seuls. Cours individuels et collectifs. Stages pendant les vacances scolaires anglaises.

Queen's Club
Palliser Rd, West Kensington, W14
020 7385 3421
www.queensclub.co.uk
Le top du top du chic du tennis. 28 courts extérieurs en gazon, dont 12 "*arguably the finest grass courts in the world*", 8 courts intérieurs en gazon, squash, gymnase...
Il faut être recommandé par deux membres du club pour pouvoir s'incrire sur la liste d'attente (18 mois à 2 ans).
Droit d'entrée astronomique.

Hyde Park Tennis

YOGA

The Life Centre
15 Edge St, W8 (off Kensington Church St)
020 7221 4602
www.thelifecentre.com
Centre dédié au yoga sous toutes ses formes. Très professionnel. Excellents enseignants, mais classes un peu chargées. £12/cours, possibilité de cartes d'abonnement.
Egalement centre de thérapies douces.

Activités artistiques et culturelles

(A *Adulte*, E *Enfant*)

Le quartier de South Kensington est connu comme le «culture square mile» du pays. Dans le même lieu sont en effet concentrées des institutions culturelles de tout premier ordre, comme les trois grands musées nationaux (Natural History, Science, Victoria & Albert), des universités d'élite, comme le Royal College of Music, Royal College of Arts, Imperial College et enfin la Royal Geographical Society, sans oublier la salle de spectacles et de concerts du Royal Albert Hall. Certaines de ces institutions sont fermées au public, d'autres proposent cours, concerts et séminaires tout au long de l'année.

Victoria and Albert Museum A
Old Brompton Rd, SW7
www.vam.ac.uk
Le V&A propose un programme d'activités très varié. Ateliers d'artisanat, démonstrations d'artistes, conférences, visites guidées et commentées, séminaires thématiques à la journée, et même des cours d'histoire de l'art au trimestre ou à l'année. Possibilité également de faire du volontariat.

Kensington & Chelsea Adult Education College A
Information 020 7573 5333
www.kcc.ac.uk
Nombreux cours pour adultes dans tous les domaines dans 3 centres différents. Demandez le catalogue ou prenez-le à la bibliothèque.

Institut Français AE
17 Queensberry Place, SW7
www.institut-francais.org.uk
Plutôt tourné vers les Anglais (la mission de l'Institut est de faire rayonner la culture française), il organise des débats, rencontres avec des écrivains, cinéastes, artistes, etc... Dommage que la plupart du temps tout soit traduit en anglais, ce qui alourdit considérablement le rythme. Le Ciné-Lumière a une programmation variée de films français (programme sur le site).

MUSIQUE

Monkey Music E
St Stephen Church, Gloucester Rd, SW7
Lundi après-midi et mardi matin.

Royal College of Music AE
Prince Consort Rd, SW7
www.rcm.ac.uk
Pour trouver des professeurs particuliers de musique parmi les étudiants. Se rendre sur place et laisser vos coordonnées. Il est possible aussi d'assister à des concerts gratuits sur place (programme sur le site).

THEATRE

Perform E ➤ Chapitre Activités

Stagecoach E ➤ Chapitre Activités
Zuzanna Day : 020 7602 8585

Voiture

PARKING

Parking shop
19-27 Young St, W8
Infos 020 7361 3004
⊖ High St Kensington
Lun-mar-jeu 8h30-16h30. Mer-ven 8h30-16h.

Resident permit, £130/an. Vérifier que vous avez tous les papiers originaux.

Depuis février 2007, Kensington&Chelsea se trouve en partie en zone de *Congestion Charge* (£8/j) ➤ Chapitre Voiture. Toutefois, les résidents ont droit à une réduction de 90%, soit environ £200/an. Certains résidents habitant hors de la zone ont aussi droit à la réduction. Pour toute info, tel au 0845 900 1234 ou *www.cclondon.com*

GARAGES

Central Car Care
13/14 Osten Mews, SW7 - 020 7244 9000
Toutes marques et MOT. Accueil sympa. Prix raisonnables.

Galicia Motors
14-17 Astwood Mews, SW7
020 7373 2408
Toutes marques. Très bonne réputation.

NETTOYAGE

Parking du Tesco, Warwick Rd
Nettoyage intérieur extérieur pendant vos courses.

STATION SERVICE

Shell
106 Old Brompton SW7
181-183 Warwick Rd, W14
49 Tradema Rd, SW10

FOURRIÈRE

Lots Road Car Pound
63 Loats Rd, SW10
020 7352 0654, lundi-samedi 8h-20h;
020 7376 8402 en dehors.

En cas de pose d'un sabot (*clamping*) téléphoner ou se rendre à Lots Rd ou au *parking shop* de Young Street (cf ci-dessus). Une fois payées la décharge (£65) et l'amende (£50), retourner à votre voiture et attendre l'enlèvement du sabot.
Si votre voiture est déjà partie à la fourrière, et dans le cas où elle était garée dans le *Royal Borough of Kensington and Chelsea*, vous pourrez la récupérer à Lots Rd, après paiement de la décharge (£200) et de l'amende (£60). Si votre véhicule était garée dans un autre district, téléphoner au *Transport Committee for London Public Inquiry Line*, au **020 7747 4747**, pour obtenir l'adresse de la fourrière.

Attention si vous sortez le soir, vérifiez bien l'heure le début de stationnement autorisé pour les non-résidents (généralement 20h à RBK&C, mais 22h à Westminster).

Installation et entretien

TV

NTL câble en partie le quartier.
Infos *www.ntl.co.uk*

ORDURES MÉNAGÈRES

Ramassage des ordures ménagères deux fois par semaine. Se renseigner sur les jours en mairie, ou sur *www.rbkc.gov.uk*. Poubelle noire pour les déchets ménagers, verte pour le recyclage (papier, verre, boites de conserve, emballages carton). Ramassage séparé des déchets végétaux, à entreposer dans des sacs verts à acheter à la mairie. La décharge la plus proche est située à Wandsworth
→ Wandsworth

SERVICES DOMESTIQUES

Cordonniers

- Galerie marchande de la station de métro High Street Kensington
- **Elias** - 312 Earl's Court Rd, SW5
- **Kensington Shoe repair**
20 Victoria Grove, W8.

Electriciens

- **Michael Rolle**
07821 161716
Ancien ingénieur de BT.
- **Rafael**
0781 777 1491
Pour tous travaux maison+audio.

Handyman/Peintre

- **Andy**
077 346 94191
Peintre et handyman.
- **Matthew Arcilla**
0798 437 1113
Peintre décorateur et tous travaux simples dans la maison.

Plombier

- **Kevin O'Rourke**
0795 1597408

Réparateur électro-ménager

- **W.H.Fox and Co**
66 Kenway Rd, SW5 - 020 7370 5747
Vente de pièces détachées et de sacs aspirateurs. Service à domicile.

Teinturiers

- **Delux Dry Cleaners**
312 Earl's Court Rd, SW5
020 7373 451
- **Elias**
16-17 Glendower place, SW7
020 7584 1246
Service haut de gamme.
- **Faiza Unique**
48 Harrington Rd, SW7 - 020 7581 3080
Service de qualité. Accueil chaleureux. Service à domicile.
- **Regent's Dry Cleaners**
18 Thackeray St, W8
Le moins cher du quartier (£5.50/costume) pour un service tout à fait correct. Retouches.

Santé

NHS

Pour tout ce qui concerne le NHS dans le *Royal Borough of Kensington & Chelsea*, vous pouvez contacter:

Kensington & Chelsea Primary Care Trust
020 8451 8000 (lundi-vendredi 9h-17h)
www.kc-pct.nhs.uk
ou le **NHS: 0845 4647**

Les centres médicaux suivants nous ont été recommandés:

Courtfield Medical Centre
73 Courtfield Gardens, SW5
020 7370 2453

Redcliffe Surgery
10 Redcliffe St, SW10 - 020 7460 2222
Lundi-vendredi 8h45-13h et 14h-18h30.
Samedi et dimanche pour les urgences.
Très bien. Locaux agréables. Cinq médecins.

Hôpital

Chelsea and Westminster Hospital
369 Fulham Rd, SW10
020 8746 8000
URGENCES 020 7828 9811
Pour toutes les urgences adultes et enfants.
➤Chelsea

MÉDECINE PRIVÉE EN FRANCAIS

Nous ne mentionnons dans cette sections que les médecins et cabinets français, nombreux dans le quartier.

Cromwell Hospital ➤Carte p141
Cromwell Rd, SW5 - 020 7460 2000
Hôpital privé dans lequel exercent des généralistes et spécialistes (dermatologue gynécologue, pédiatre) français. Orientation vers des spécialistes anglais pour des examens complémentaires. Pas de service d'urgences.

Deane Medical Centre
21 Thurloe Place, SW7 - 020 7591 1910
Pédiatre (Dr M'Baye) et oto-rhino laryngologue (Dr Beaudru) français.
A deux pas du Lycée.

Médecine Française de Londres
020 7602 6021➤Chapitre Santé
www.medecinefrancaiselondres.org.uk

Medicare Français
3 Harrington Rd, SW7 - 020 7370 4999
Généralistes et nombreuses spécialités médicales, y compris dentistes et orthodontistes. Analyses.
Pharmacie sur place (attention les médicaments français sont très chers!).

Dr Olivier Reymond
12a Thurloe St, SW7 - 020 7589 6414
Médecine générale.

Cabinet Dentaire Français
Dr Bertrand Larmoyer
75 Queen's Gate, SW7 - 020 7373 9748
www.cabinetdentaire.co.uk
RV du lundi au samedi.

Queen's Gate - Cabinet dentaire
71 Queen's Gate, SW7 - 020 773 6899
Dentisterie générale/orthodontie en français.

OSTHEOPATHIE

Romain Luquet
10 Thurloe St, SW7 - 020 7591 3847

Julien Pargade
12a Thurloe St, SW7 - 020 7589 6414

PHARMACIES

Zafash 24/24h, 7/7j
233-235 Old brompton Rd, SW5
020 7373 2798

Dajani Pharmacy
92 Old Brompton Rd, SW7 - 020 7589 8263
Jusqu'à 22h en semaine, 21h samedi et 20h dimanche.

Vie sociale

Londres Accueil

14 Cromwell Place SW7
0207 823 9947
➢Chapitre Vie Sociale

Club de Bridge des Français de Grande-Bretagne
32 Barkston Gardens, Earl's Court, SW5
020 7373 1665
Réunit des joueurs de toutes nationalités les lundi, mardi et samedi. Si vous cherchez un partenaire, prévenez-les à l'avance.

Kensington and Chelsea Women Club
Box 567, 28 Old Brompton Rd, SW7
020 7863 7562
www.kcwc.org.uk
Cette association regroupe environ 1500 membres de diverses nationalités afin de favoriser les contacts sociaux et culturels entre les expatriées et les Anglaises. Activités variées: cafés-rencontres, tennis, promenades dans Londres, conférences, bridge. £48/an.

Café-Bistrot de l'Institut
Situé au cœur de l'**Institut Français** et donnant sur la cour de l'école primaire, le **Café-Bistrot de l'Institut** est un lieu de rencontre privilégié. On peut y prendre un café le matin après avoir déposé les enfants à l'école, y déjeuner sur le pouce, ou encore y goûter après l'école. Journaux et magazines français en consultation libre.

L'Institut Français organise des sessions de *wine tasting*, des cafés-philo ou des conférences. Un moyen de rencontrer des Anglais francophiles.

Achats

Ce quartier se trouve entre trois grandes zones commerçantes, **Knighstbridge/ Brompton Rd, Kensington High St et Fulham Rd.** Le shopping y est donc roi, et le site ***www.streetsensation.co.uk*** permet de visualiser toutes les boutiques de ces rues, avec leurs coordonnées.

ALIMENTATION

Pas de marchés dans ce quartier, mais de nombreux supermarchés et traiteurs avec une offre adaptée à la clientèle internationale (fromages français, charcuterie...)
➢Carte p141.

Supermarchés

Secteur South Kensington

Marks &Spencer Food Hall
Sur Brompton Rd

Waitrose
128 Gloucester Rd (au métro)
Livraison à domicile.

Sainsbury's
158 Cromwell Rd - 24/24h-dim 17h
Petit **Sainsbury's Local** face à Harrods sur Brompton Rd.

Secteur Kensington

Marks&Spencer
113 Kensington High St

Waitrose
243 Kensington High St

Secteur Earl's Court

Tesco
100A West Cromwell Rd, W14
Tout près, moins cher et bien pour les gros ravitaillements. 24/24h - dim jusqu'à 17h00.

Autres commerces

Hotel Chocolat
125 Kensington High St, W8
5 Montpelier St, SW7
www.hotelchocolat.co.uk
Ce chocolatier fait un malheur sur Londres, à juste titre. Pour les fondus, possibilité de commander sur le site.

Nespresso
58 Beauchamp Place, Knightstbridge SW3
Pour déguster les nouvelles variétés et éviter les frais de livraison, assez importants.

Whole Foods Market
Bâtiment Barkers sur Kensington High St.
Ouverture 2007 dans les locaux de l'ex-Barkers du premier magasin anglais de cette chaîne américaine d'alimentation bio.

En face du métro **Earl's Court**, vous trouverez deux petites rues charmantes aux maisons colorées qui abritent des magasins asiatiques et orientaux. A ne pas manquer si vous aimez les cuisines du monde.

Manila Supermarket
11-12 Hogarth Place, SW5
Tous les jours, 9h-21h.
Arrivage de produits frais, citronnelle, herbes, choux chinois, feuilles de bananiers, piments et mille et une sauces asiatiques.

Secteur Cromwell Road

Cachée derrière Cromwell Road, **Stratford Road (W8)** offre tous les commerces de proximité de qualité: boucher organique, petit marchand de légumes, traiteur italien, pâtisserie, caviste, fleuriste, soins de beauté, magasins de décoration, teinturier-cordonnier... Le charme anglais.

Sans oublier **Harrods** et son fabuleux rayon alimentation.

Quelques supérettes bien pratiques

Tesco Express 24/24h, 7/7j
Gloucester Rd face au métro

297-299 Old Brompton Rd

Partridges 7/7j - 8-23h
17-21 Gloucester Rd, SW7
Traiteur et épicerie fine, également produits de première nécessité et pain frais. Prix élevés.

Traiteurs et boulangerie française

Bagatelle
44 Harrington Rd, SW7 - 020 7581 1551
Boulangerie, pâtisserie et traiteur.

La Grande Bouchée
Bute St, SW7- 020 7589 8346
Traiteur français.

Maison Blanc
7 Kensington Church St, W8

Montparnasse Café
20 Thackeray, W8
Boulangerie-café tenue par de jeunes Français.

Paul
47 Thurloe St, SW7
73 Gloucester Rd, SW7

AMEUBLEMENT-DECO

Sur **Kensington High St**, vous trouverez **Habitat, Argos** ➤ Carte p141

Nombreux magasins également sur **Fulham Rd** (Sofa Works, Delcor, Designer's Guild...). ➤ Chelsea

Magasins d'antiquités, miroirs anciens et galeries d'art sur **Kensington Church St (W8)** - à réserver aux gros budgets...

Christie's
85 Old Brompton Rd, SW3
0845 9001766
www.christies.com
Ne pas hésiter à pousser la porte de cette salle des ventes qui organise régulièrement des ventes de meubles, tableaux, objets décoratifs divers. Pratique, car à deux pas du Lycée.

Conran Shop
81 Fuhlam Rd, SW3
020 7589 7401
Temple de l'ameublement moderne. Dans un véritable immeuble Art Déco, on y trouve des meubles de *Sir* Conran *himself*, Tom Dixon et Philippe Starck.

Dreams
118-120 Brompton Rd, SW3
020 7581 5700
Le plus grand vendeur de literie anglais.

Peter Jones
Sloane Sq, SW1
020 7730 3434
Bon rapport qualité prix pour l'ameublement, l'électroménager et la confection des rideaux.

Homebase ➤ Carte p141
Warwick Rd, SW7
0845 640 7062
Très bien pour l'installation, le bricolage, les plantes d'intérieur et d'extérieur.

Shaukat
170-172 Old Brompton, SW5
020 7373 8956
Caverne d'Ali Baba pour trouver des *libertys*, des tissus indiens...

Tapissier

Kuhn Upholstery - Louis Rochet
0207 604 3000
www.kuhnupholstery.co.uk
Grande sélection de tissus pour canapés et chaises. Déplacement à domicile.

BRICOLAGE

Homebase cf ci-dessus.

Robert Dyas
201 Kensington High St
et 188 Earl's Court

Ryness Electricals
211 Kensington High St, W8

Paint Ironmongery Tools
87 Old Brompton Rd, SW3

Margaret Mills Hardware Store
48 Gloucester Rd, W8
Quincaillerie de quartier, ils ont tout!

ACTIVITÉS MANUELLES

Book Ends Papercrafts
25/28 Thurloe Pl, SW7
Tout le nécessaire aux activités manuelles (papiers, cartons, crayons, peintures vernis, paillettes, maquettes...). Egalement un éventail très large de guides d'activités et un bon choix de livres pour enfants.

Art London Cass
220 Kensington High St, W8
Matériel et fournitures d'art.

SPORTS

First Sport
205 et 188 Kensington High St, W8
Vêtements de sport, équipement randonnée et ski.

Cycle care
54 Earl's Court, W8
020 7460 0495
Vente et réparation de vélos

Cyclopedia
62 Kensington High St, W8
020 7603 7626
Vente et réparation de vélos

FLEURS

Gilding the Lily
Stand sur le trottoir face au métro South Ken. Le meilleur rapport qualité/prix du quartier.

Vermont Natural Flowers
10 Thackeray St - 020 7368 6688
Fleuriste design, pour des bouquets uniques.

MUSIQUE

Kensington Chimes
9 Harrington Rd, SW7 - 020 7589 9054
Tous instruments et partitions. Tableau d'affichage utile pour trouver un professeur particulier.

Music, music, music
288 Kensington High St, W8
020 7602 7566
Vente et location de pianos.

JOUETS-COTILLONS

Non Stop Party Shop
214-216 Kensington High St
Tout pour réussir les goûters d'anniversaire des enfants. Magasin sur deux niveaux, beaucoup de choix.

Tridias
25 Bute St, SW7
Boutique de jouets très proche du Lycée.

VÊTEMENTS-CHAUSSURES

Kensington High St est une sorte de "méga" *high street* qui accueille les plus grandes succursales des chaînes commerciales présentes en Angleterre. Immenses magasins de vêtements: Next, Zara, H&M, Top Shop, GAP, Jigsaw, Monsoon, Mark&Spencers, East etc... Pour les chaussures: Clarks, Ecco, Russel&Bromley... ➤ **Carte p141**

Sur **Fulham Rd** et **Kensington Church St** vous trouverez en revanche des petites boutiques plus personnelles.

Prêt à porter plus chic, autour de l'angle formé par **Walton Rd** et **Draycott Av**: Joseph, Paul&Joe, Jean-Paul Gauthier, Agnès B, Formes (femmes enceintes) et Chanel.

Nombreuses marques de luxe dans le triangle **Brompton Rd, Beauchamp Place** et **Sloane St.**

Footsies
27 Bute St, SW7
Chaussures enfant de qualité, mais chères.

Sally Parsons
15a Bute St, SW7
Vêtements femme haut de gamme.
Marques françaises.

Trotters
127 Kensington High St, W8
020 7937 9373
Vêtements et chaussures de plusieurs marques pour enfants, dont petits chaussons de danse. Sélection de livres et jeux éducatifs. Collection de petites peluches. Mais aussi coupes de cheveux pour vos petits avec une originale fusée aquarium pour les distraire pendant la délicate opération!

LIBRAIRIES-DISQUES

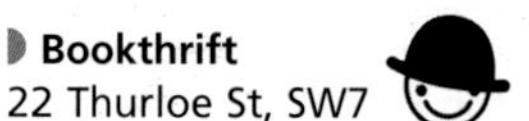

Bookthrift
22 Thurloe St, SW7
Livres neufs à prix réduits. Un choix fantastique dans tous les domaines. Parfait pour les "beaux livres" d'art ou de spécialité.

Children's Book Centre
14 Earl's Court Rd, W8
020 7937 7497
Un paradis pour les enfants; livres éducatifs (anglais), jouets et jeux, CD-Rom. Bon accueil.

Librairie Au Fil des Mots

19 Bute St, SW7
020 7589 9400
www.aufildesmots.co.uk
Dernière venue du quartier. Convivial, spacieux, salon de thé. Papeterie. Signatures.

Librairie La Page

7 Harrington Rd SW7
020 7589 5991
www.librairielapage.com
Signatures d'auteur. Rayon papeterie (fournitures scolaires françaises). Littérature enfantine.

The French Bookshop

28 Bute St, SW7
020 7584 2840
www.frenchbookshop.com
Toutes les nouveautés littéraires françaises et de nombreuses animations: signatures d'auteurs... Papeterie (fournitures scolaires françaises).

The Pan bookshop
158 Fulham Rd, SW10
020 7373 4997
Vaste librairie indépendante. Très bons rayons guides touristiques et enfants.

Virgin Megastore
62-64 Kensington High St, W8

Waterstone's
99-101 Old Brompton Rd
& 193 Kensington High St

WH Smith
132-136 Kensington High St

COIFFURE-BEAUTÉ

Jean-Marie - Haute Coiffure
68 Gloucester Rd, SW7
020 7584 6888
9h-18h30 du mardi au samedi. Personnel international et stable. Salon pour hommes au rdc et femmes au sous sol.

Imenio
20 Tackeray St, W8
020 7937 4112
Le moins cher du quartier à £20 la coupe. Mais un *turn-over* élevé.

Paris Beauty Institute
32 Thurloe Pl, SW7
020 7581 0085
Institut de beauté.

0773 0552420

Super Cuts
Face au Waitrose au métro Gloucester Rd
£12 la coupe sans RV. Parfait pour les enfants et les jeunes.

René Aubrey
39 Old Brompton Rd, SW7 - 020 7584 3850
Personnel souvent français. Atmosphère détendue et agréable.

Soma Centre
Royal Garden Hotel, Kensington High St
020 7361 1995
www.somacentre.co.uk
Soins de beauté, massages...Egalements cours de yoga, pilates, etc... particuliers ou en groupe. Un médecin français sur place propose des soins de chirurgie esthétique.

DIVERS

Mailboxes
22 Gloucester Rd, SW7
28 Old Brompton Rd, SW7
237 Earl's Court Rd, SW5
Pour tous envois lettres et colis, service Fedex, photocopies, etc...Pas plus cher que la poste et excellent service.

PC World
53 Kensington High St, W8

Sony Centre
203 Kensington High St, W8
020 7938 3994

Sortir

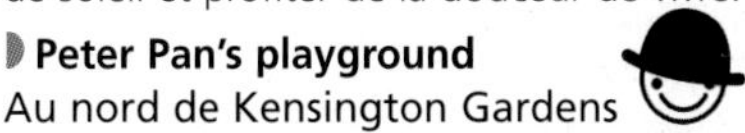

PARCS ET AIRES DE JEUX

Kensington Gardens
A l'ouest de Hyde Park, séparé de celui-ci par une route, une piste cyclable et une allée cavalière. En face de Kensington palace, un très beau lac avec ses cygnes et ses canards. Les enfants sont enchantés de leur donner un peu de pain... Autour, une grande pelouse avec des transats en été, idéale pour un bain de soleil et profiter de la douceur de vivre.

Peter Pan's playground
Au nord de Kensington Gardens
La plus belle aire de jeux du pays, dédiée à la princesse Diana. Magnifique bateau

Le monument au Prince Albert, époux de la reine Victoria, Hyde Park

pirate (un rêve grandeur nature pour les enfants) des structures d'escalade en bois, un parcours musical, des tentes et totems... Le tout dans un espace magnifiquement paysagé. Café à l'extérieur.

Hyde Park

LE gros avantage de ce quartier: habiter en plein centre ville et pouvoir s'échapper dans cette grande et magnifique étendue de verdure. Promenades, pique-nique, détente, seul, en famille ou entre amis, vous oubliez la ville, le bruit, le stress...
A chaque saison le parc est magnifique, et même si vous croisez beaucoup de promeneurs le samedi après midi, la sensation d'espace et de grand air vous oxygène.
Au centre le grand lac *The Serpentine* avec même une plage où il est possible de se baigner l'été! Cafés, location de canoës et pédalos. Equitation, tennis, boules. Quelques *playgrounds* pour enfants, au nord et au sud. Belle roseraie. A l'intérieur de Hyde Park, certaines allées sont dédiées aux vélos, rollers, pistes en terre pour les promenades à cheval.

Redcliffe Square
En face de l'église St Luke, SW10
L'un des très rares jardins publics du *borough* pour ceux qui ne bénéficient pas de jardins privés.

Brompton Cemetery
South Gate off Fulham Rd
North Gate off Old Brompton Rd
Paisible cimetière du XIXe avec ses tombes en ruine, ses fleurs sauvages et ses grands arbres aux corbeaux. Très agréable pour une promenade introspective. Des visites guidées sont organisées sur les personnages célèbres et les essences d'arbres rares. 8h-19h en été, 8h-16h en hiver.

FÊTES

Hyde Park accueille de nombreuses manifestations toute l'année: concerts, expositions, etc..., et les célèbres *BBC Proms*.

MUSÉES

Trois musées nationaux importants se succèdent sur Cromwell Rd. L'entrée est gratuite.

Victoria & Albert Museum
Angle Exhibition Rd-Cromwell Rd
10h à 17h45, le mercredi jusqu'à 22h.
→ Carte p141

Science Museum
Exhibition Rd SW7 - 020 7938 8000
10h -18h ; 11h-18h le dimanche.
Très intéressant pour toute la famille, avec des activités, des conférences, un cinéma Imax et des ateliers. → Carte p141

Natural History Museum
Cromwell Rd, face au Lycée français
0207 938 9123
10h-17h50 et 11h-17h50 le dimanche
Très beau bâtiment qui regroupe toutes les formes de vie de notre planète. Très intéressant pour tous les âges. Ne pas manquer la *Earth Gallery*: vous entrez au centre de la Terre et assistez à un tremblement de terre et une éruption volcanique. Sans oublier la mondialement célèbre galerie des dinosaures. *Discovery centre* pour les enfants au sous sol.

Les enfants adorent, prévoir de faire une salle à chaque visite.

Le Palais de Kensington
Kensington Palace Gdns W8
Visite des appartements royaux ainsi que de la collection de vêtements de la Reine et de Lady Diana. 9-17h et 11-17h le dimanche. Accès payant.

Serpentine Gallery
Kensington Gardens, W2 - 0207 402 6075
Galerie d'art située au cœur de Kensington Gardens. Choix éclectique d'artistes contemporains, souvent ludiques.

Linley Sambourne House
18 Stafford Terrace, W8 - 020 7602 3316
www.rbkc.gov.uk
Tous les jours, 11h-17h30. Demeure victorienne du caricaturiste Linley Sambourne restaurée avec son décor original. Idéal pour découvrir une maison encore intacte, la plupart d'entre elles ayant été transformées en appartements avec le temps.

THÉÂTRE

Finborough Theatre
118 Finborough Rd
www.finboroughtheatre.co.uk
Théâtre «fringe» avec une programmation internationale éclectique.

CINEMA

Ciné Lumière à l'Institut Français
17 Queensbury Pl, SW7 - 0207 073 1350
www.institut-francais.org.uk
Films en vo. Pas de sous-titres français. Rétrospectives. Débat-rencontres avec diverses personnalités culturelles françaises.

CONCERTS

Royal Albert Hall
Kensington Gore, SW7 - 020 7589 8912
www.royalalberthall.com
Célèbre salle ronde face à Hyde Park. Accueille des concerts en tous genres toute l'année. Ne pas manquer les concerts de Noël *Christmas Carols.* Prendre des places directement au box-office, vous économiserez £2.95 en frais de réservation téléphonique!

Royal College of Music
Prince Consort Rd, SW7
020 7591 4314
www.rcm.ac.uk

Situé derrière le Royal Albert Hall et à deux pas du lycée, c'est l'un des meilleurs conservatoires de musique anglais. De nombreux concerts y sont donnés gratuitement toute l'année par les étudiants. *Masterclasses* avec des musiciens invités.

St Mary Abbots Church
Angle de Kensington High St et Kensington Church St, W8
Concerts gratuits le vendredi midi par les étudiants du RCM (cf ci-dessus). Amenez votre sandwich !

GALERIES D'ART

Kensington Church St (W8) est tout entière consacrée à l'art et aux antiquités. Non loin, quelques petites galeries situées dans des petites rues derrière Kensington High St valent le détour:

Envie d'Art
16 Victoria Grove, W8 - 020 7589 8200
www.enviedart.com
Cette galerie toute nouvelle, émanation londonienne d'un concept à succès à Paris («démystifier l'art») expose essentiellement de jeunes artistes français contemporains, peintres et sculpteurs. Elle est tenue par deux Françaises sympathiques, n'hésitez pas à pousser la porte, 80% des toiles valent moins de £1500. Ma-Sa 10h-18h.

Hackelbury Fine Art
4, Launceston Place, W8
020 7937 8688
www.hackelbury.co.uk
Galerie consacrée à la photographie d'art.

Thackeray Gallery
18 Thackeray St, W8 - 020 7937 5883
www.thackeraygallery.com
Galerie consacrée aux artistes britanniques contemporains. Expose en général un seul artiste à la fois. Excellente sélection de peintres, sculpteurs et céramistes.

En face (no 15), la galerie **Duncan Cambell** expose aussi des artistes britanniques contemporains. Pour encadrer vos acquisitions sans quitter la rue, la **Gallery 19** qui fait l'angle avec Kensington Court Place est tenue par une dame charmante et très professionnelle, installée là depuis toujours (020 7937 7222).

RESTAURANTS

Cambio De Tercio
163 Old Brompton Rd, SW5
0207 244 8970
Typiquement espagnol.

L'Etranger
36 Gloucester Rd, SW7 - 020 7584 1118
Cuisine française d'influence orientale très réussie servie dans un cadre épuré. Très longue carte des vins. Bar au sous-sol pour finir la soirée. Bonne adresse, commence à être connue. Menu 3 plats le midi à £15. Très bon rapport qualité/prix.

Kulu-Kulu Sushi
39 Thurloe Place, SW7
Sushi-bar déroulant. Frais et vraiment pas cher. Idéal pour déjeuner rapidement. Attention il se remplit très vite. Alternative: l'Indien à gauche, et le Thaï à droite sont très corrects.

Itsu
118 Draycott Av, SW3 - 020 7590 2400
Un peu plus chic et plus cher que le précédent, mais excellent aussi.

La Rueda Gallega
314 Earl's Court Rd, SW5 - 020 7370 3101
On peut y aller en famille.

Launceston Place Restaurant
1a, Launceston Place, W8 - 020 7937 6912
Excellente cuisine française dans un cadre très calme. Une valeur sûre.

Memories of India
18 Gloucester Rd, W8 - 0207 589 6450
Très bonne cuisine indienne. Bon rapport qualité-prix.

Montignac Boutique&café
160 Old Brompton Rd, SW5
020 7370 2010
www.montignac.co.uk
Une petite pause pour un déjeuner gourmet tout en gardant la ligne.

Spago
6 Glendower Pl, SW7 - 020 7225 2407
Bonne pizzeria. Très bon rapport qualité/prix. Sympa pour des déjeuners en famille.

The Gore
190 Queen's Gate, SW 7 - 020 7584 6601
Dans le cadre d'un hotel très *british*, décor chaleureux, boiseries et gravures. Salle-bistro très plaisante. Bonne cuisine.

The Orangery (Restaurant Salon de thé)
Kensington Palace - 0207 938 1406
Un lieu calme, spacieux et lumineux où il fait bon se réchauffer après une bonne balade dans Hyde Park, et prendre un thé accompagné d'un scone ou autre délicieuse pâtisserie. Salades et soupes également.

The Thaï
93 Pelham St, SW7 - 020 7584 4788
Petit restaurant thaïlandais très bon. Menu midi, 2 plats à £8.95. Nappe blanche et fleurs, idéal pour un déjeuner entre ami(e)s.

The Troubadour Café
265 Old Brompton Rd, SW5
020 7370 1434
www.troubadour.co.uk
Superbe café tout en bois où l'on peut jouer aux échecs ou écouter de la poésie. Soirées jazz également très sympas. Possibilité de louer la salle du sous-sol pour des *parties*.

Wodka
12 St Alban's Grove, W8 - 020 7937 6513
Restaurant polonais, si vous avez envie de gibier aux airelles...

Zaïka
1 Kensington High St, W8
020 7795 6533
Un des meilleurs restaurants indiens de Londres, récompensé par une étoile Michelin et fréquenté par les Indiens de Londres. Excellente cuisine indienne parfumée et délicate parfois surfaite. Bon choix de vins à prix corrects.

Abbaye
102 Old Brompton Rd, SW7
020 7373 2403
Pub belge. Moules-frites. Bonne atmosphère.

The Churchill Arms

Churchill Arms
119 Kensington Church St, W8
020 7727 4242
Pub anglais traditionnel avec une grande cheminée, bien sympa en hiver. A l'arrière du *pub*, un authentique restaurant Thaï sert de très bons plats pour un prix modique. Bébés et enfants acceptés au restaurant.

Devonshire Arms
37 Marloes Rd, W8 - 020 7937 0710
Vieux *pub*, un peu *beatnik* à l'intérieur. Terrasse agréable dès les premiers rayons de soleil où ils servent des hamburgers au barbecue.

The Duke of Clarence
148 Old Brompton Rd SW5
0207 373 1285
Salle privée.

O'Neill's
326 Earl's Court Rd, SW5
0207 244 5921
Musique irlandaise.

Windsor Castle
114 Camden Hill Rd, W8
020 7243 9551
Atmosphère douillette et typique.

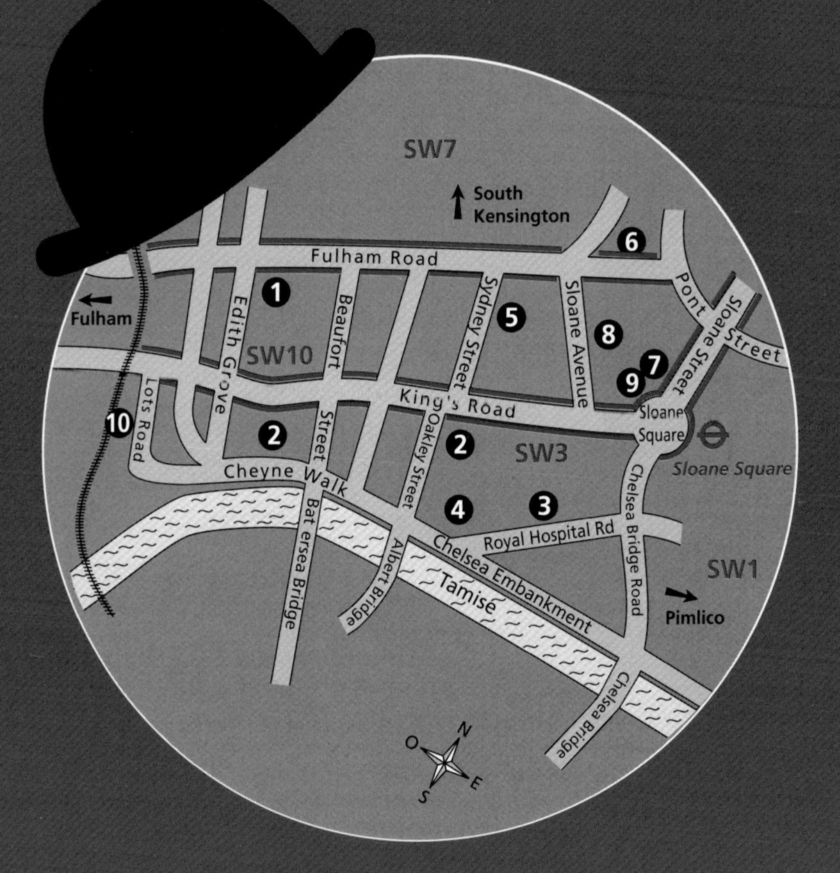

1. Chelsea & Westminster Hospital
2. Bibliothèques
3. Royal Hospital (musée)
4. Christchurch Primary School
5. Oratory School
6. Hill House School
7. Sussex House School
8. Marlborough School & Centre
9. Peter Jones
10. Salles des ventes

Chelsea

Dans les années 60, **Chelsea** était le quartier bohème de Londres où vivaient de nombreux artistes. Les modes s'y créaient et les jeunes les adoptaient avec enthousiasme.

Depuis les années 80, Chelsea (SW3) est un quartier en vogue, recherché et cher, célèbre pour ses innombrables boutiques de luxe ou de mode. Cependant, Chelsea a su conserver un charme de village avec ses maisons multicolores, ses petits jardins et ses rues bordées d'arbres.

C'est dans sa boutique Bazaar de King's Road que la modéliste Mary Quant créa la mini-jupe en 1965.

Il fait bon y vivre car on dispose de tous les commerces et services, de nombreuses lignes de bus et de deux lignes de métro qui relient rapidement Chelsea au centre de Londres. Les artistes des années 60 ont laissé la place à une population internationale, souvent employée dans la finance ou le droit. Chelsea attire les familles en raison de ses écoles de qualité.

Ce quartier agréable et animé a pourtant un revers: les loyers sont parmi les plus élevés de Londres.

Petite enfance

Pour toute information sur les structures d'accueil et les places disponibles, consultez le site *www.chilcarelink.gov.uk*

DAY-NURSERIES

Ashburnham Day Nursery
Ashburnham Community Centre
69 Tetcott Rd, SW10- 0207 376 5085
2-5 ans, lundi-vendredi 8h30-17h30. Payant.

Violett Melchett Day Nursery
30 Flood St, SW3 - 020 7352 1512
3 mois-5 ans, lundi-vendredi, 8h-18h.
£41/jour pour les parents qui travaillent et gratuit pour les personnes à faible revenu.

CHILDMINDERS

Consulter les annonces (ou en passer une), soit à la Chelsea Library soit au magasin de jouets:

Traditional Toys
53 Godfrey St, SW3 - 020 7352 1718

NANNIES-FILLES AU PAIR

Nanny Connection
Collier House, 163-169 Brompton Rd, SW3
020 7591 4488

PLAYGROUPS

The Rainbow Playgroup
St Luke's Church Hall, St Luke's St, SW3
020 7352 8156
2-5 ans. Lundi, mercredi et vendredi 14h30-16h00. £800/trim.

MOTHER & TODDLER GROUPS

The Rainbow Carer and Toddler Group
Même lieu que le *playgroup* ci-dessus.
One o'clock, tous les jeudis 14h30-16h00.
3 mois-2 ans. £180/trim. Activités artistiques.

Ecoles

ECOLE FRANÇAISE

Pas d'école française à Chelsea, mais le Lycée Français Charles de Gaulle est à 10/25mn à pied selon l'endroit où vous habitez.

ECOLES ANGLAISES

Nurseries

Chelsea Open Air Nursery School
51 Glebe Place, SW3 5JE
020 7352 8374
3-5 ans. 60 places. Bonne réputation, gratuite. Pour obtenir une place, critère de proximité et inscription dès l'âge de 2 ans. Liste d'attente mais le délai peut être court (désistement). Demi-journée pour les plus jeunes, 9h-11h30 ou 13h-15h30. Les plus grands restent la journée complète.

Chelsea compte d'excellentes écoles publiques, religieuses et privées.

Chelsea Kindergarten
St Andrews Church
43 Park Walk, SW10 0AU
020 7352 4856
2 ans 1/2-5 ans, lundi-vendredi 9h-15h. £1450 mi temps, £2200 plein temps.

Ringrose Kindergarten
St Luke's Hall, St Luke's St, SW3 3RP
020 7352 8784 (le matin)
3-5 ans. Tous les matins 9h-12h. £3000/an. Inscription sur liste d'attente dès la naissance.

Paint Pots Montessory School
Chelsea Community Church, SW10 0LB
020 7376 4571
2 ans 1/2-5 ans. £1650/trim (5 matinées) ou £995/trim (4 après-midis).

Tadpoles Nursery School
Park Walk Play Centre, SW10 0AY
020 7352 9757 (matin)
020 8963 1173 (soir)
Méthode Montessori, 2 ans 1/2 -5 ans. 9h30-12h30 ou et 13h-15h. £900-1100/trim.

Nursery & Primary Schools

Ashburnham Primary School
17 Blantyre St, SW10 0DT - 020 7352 5740
www.ash.rbkc.sch.uk
State school, 3-11 ans. Mixte. 192 élèves. Statut Beacon (bonne école).

Hill House Preparatory School
17 Hans Place, SW1
020 7584 1331
Independent school. 3-14 ans. Mixte. 1000 élèves. £6-7000/an. Ecole internationale de très bonne réputation. Nombreux Français. Uniforme. → **Carte p161**

Marlborough Primary School
Draycott Av (entrée Sloane Av), SW3 3AP
020 7589 8553 → **Carte p161**
State school, 3-11 ans. Mixte. 180 élèves. Bon niveau.

Park Walk Primary School
Park Walk, SW10 0AY - 020 7352 8700
State school. 3-11 ans. Mixte. 168 élèves.

Redcliffe School
47 Redcliffe Gardens, SW10 9JH
020 7352 6936

Independent school. 2.5-8 ans (garçons), 2.5-11 ans (filles). 95 élèves. Doublement des effectifs 2.5-6 ans en septembre 2007. Institutrices francophones en *nursery* et *reception*. £3000/trim.

Servite Roman Catholic Primary School
252 Fulham Rd, SW10 9NA - 020 7352 2588
Ecole catholique. 3-11 ans. Garçons. 193 élèves.

Primary Schools

Christ Church of E. Primary School
1 Robinson St, SW3 4AR
020 7352 5708
Ecole anglicane. 5-11 ans. 205 élèves. Très bonne réputation. → **Carte p161**

Oratory Roman Catholic Primary School
Bury Walk, Cale St, SW3 6QH
020 7589 5900
Ecole catholique. 5-11 ans. 207 élèves. Très bonne réputation (école des enfants Blair) mais difficile d'y entrer (familles très catholiques uniquement).

Sussex House School
68 Cadogan Square, SW1 0EA
020 7584 1741 ➤ Carte p161
Independent school de garçons, 8-13 ans. 180 élèves. £10 000/an. Nombreux Français.

Cameron House School
4 The Vale, SW3 6AH
020 7352 4040
Ecole spécialisée pour enfants dyslexiques, 4-11 ans.

Secondary Schools

St Thomas More Roman Catholic Secondary School
Cadogan St, SW3 2QS - 020 7589 9734
Ecole catholique. 11-16 ans. 637 élèves.

More House School
22-24 Pont St, SW1 0AA - 020 7235 2855
Ecole de filles, 11-18 ans, catholique romaine acceptant des élèves de toute religion. 230 élèves. Payant.

Logement

Chelsea est un quartier plein de charme qui présente des aspects variés. On y trouve de nombreuses et jolies maisons du XVIIIe et XIXe, parfois agrémentées de petits jardins, des rangées de façades peintes de couleur pastel, des rues bordées d'arbres, de superbes maisons géorgiennes mais aussi des groupes d'habitations en briques rouges à loyer modéré et des immeubles de grand standing.

Selon la légende, le roi Charles II parcourait régulièrement à cheval ce chemin de terre pour aller rendre visite à l'une de ses maîtresses, d'où cette appellation de King's Rd.

King's Road traverse Chelsea dans sa longueur. On y trouve tout: mode, restaurants, cinémas, mobilier design, poste, mairie, supermarchés... C'est l'axe le mieux desservi par les transports en commun. Cette artère animée est parfois bruyante. Par contre, les petites rues latérales sont incroyablement calmes tout en restant proches des magasins et services de King's Road.

Ce quartier particulièrement agréable à vivre à été la cible d'un engouement spectaculaire au cours de la dernière décade. Le prix d'un logement a été multiplié par 5 entre 1993 et 2006. Chelsea fait maintenant partie des secteurs les plus chers de Londres. Le **loyer** moyen pour un appartement de 2 ou 3 chambres est de £900 à £2000/sem et pour une maison de 3 ou 4 chambres de £975 à £2500/sem. On constate de grosses disparités de loyers au sein d'une même rue, souvent dues à la qualité de la décoration et à la rénovation plus ou moins récente du logement. N'hésitez pas à tenter votre chance auprès de plusieurs agences pour dénicher la perle rare qui satisfera vos envies et votre budget!

En partant du secteur le plus nord-est et en tournant dans le sens des aiguilles d'une montre, 6 micro-quartiers:

Sloane Square, **Cadogans** et **Pont St:** secteur commercial animé où se situent la station de métro du même nom et le grand magasin Peter Jones. Alignements de belles maisons de style et de nombreuses constructions de briques rouges dont beaucoup ont été divisées en appartements. Derrière ces immeubles se cachent de charmantes petites rues.

Royal Hospital: aux alentours de Royal Hospital Road se trouve un mélange de constructions anciennes et modernes. Attention à la circulation intense le long de la Tamise.

Old Chelsea: en se dirigeant vers l'ouest, on rejoint le "vieux Chelsea" qui abrite les habitations les plus chères du quartier. A Paultons Square, admirer les maisons aux balcons en fer forgé (1840) édifiées autour d'un jardin central. Le long de la Tamise s'allonge Cheyne Walk, l'une des adresses les plus recherchées de Londres, avec ses jolies maisons XVIIIe. Dans les petites rues aux alentours les maisonnettes se mêlent aux splendides demeures sur lesquelles les plaques bleues signalent leurs habitants célèbres.

West Chelsea: à l'extrémité ouest, le développement récent de Chelsea Harbour a permis de pousser les prix dans cette partie négligée du quartier. Maisons de styles variés dont quelques maisons victoriennes et immeubles de standing variable.

Elm Park/Chelsea Square: quartier très résidentiel entre Fulham Road et King's Road. Les rues ont beaucoup de charme avec leurs maisons initialement destinées à des artistes, écrivains ou musiciens.

Chelsea Green/St Luke's: secteur proche du Lycée Français de South Kensington. Grands ensembles d'appartements récents et luxueux, souvent avec services (portier, parfois même piscine et gymnase) et multiples immeubles rouges populaires. Mais le charme de cet endroit tient à l'existence d'une petite place de village, Chelsea Green, avec ses magasins "à l'ancienne": boulanger, primeur, boucher, poissonnier... mais aussi des boutiques de mode et des restaurants. Enfin, les jardins de l'église St Luke et son aire de jeux sont très appréciables pour les familles.

Transports

Chelsea est très bien desservi par le bus et le métro. Il est très facile d'y vivre sans voiture.

LE METRO

Sloane Square est la seule station.
Elle est desservie par les Circle et District *lines*: 15mn pour Oxford Circus, 20mn pour la City et 45 mn pour Heathrow.

LE BUS

Les principales lignes,
11: très utile pour visiter Londres; le bus passe devant la gare Victoria, Westminster Abbey, Trafalgar Square, la Courtauld Gallery et la cathédrale St Paul.
19: ligne des amateurs de shopping, elle dessert Knightsbridge (Harrods, Harvey Nichols), Piccadilly (Fortnum & Mason) et la Royal Academy, Piccadilly Circus (départ de Regent Street) et va jusqu'à Islington (Camden Market).
22: suit en grande partie l'itinéraire du 19 et vous conduit à Piccadilly Circus.
49: quand vous aurez fait toutes les boutiques de King's Road, vous pourrez prendre le 49 pour aller faire les magasins de Kensington High Street à moins de vous arrêter respirer dans Kensington Gardens.
211: direct Waterloo *Station* en 20/30 mn suivant la circulation, beaucoup plus économique qu'un taxi.
328: dessert la partie moins centrale de Chelsea et conduit à Earl's Court, Kensington High Street et Notting Hill Gate.
C1: de Sloane Square à South Kensington, Earl's Court et Kensington High Street.

Pour aller au Lycée Français:
La marche est la meilleure option, 15-20 mn suivant l'endroit où vous habitez, vous éviterez ainsi les problèmes de parking aux alentours du Lycée! Vélo déconseillé: il n'y a pas de garage à vélos pour les Primaires.
Si vous habitez du côté de World's End, le bus **14** sur Fulham Road, le **49** ou le **345** sur Beaufort Street passent à South Kensington.

Administrations

MAIRIE

Pour tout renseignement pratique, consulter le site du *Royal Borough of Kensington and Chelsea*, complet et bien fait: *www.rbkc.gov.uk*

Mairie
Située à Kensington.

BIBLIOTHÈQUE

Chelsea Old Town Hall
King's Rd, SW3 5EZ - 020 7352 6056
Sloane Square
Lundi, mardi et jeudi 9h30-20h.
Mercredi, vendredi et samedi de 9h30 à 17h.

First stop information service
A la bibliothèque, point infos sur votre quartier: associations locales, recyclage, adresses de médecins,...

COMMISSARIAT

Chelsea Police Station
2 Lucan Place, SW3 - 020 7589 1212

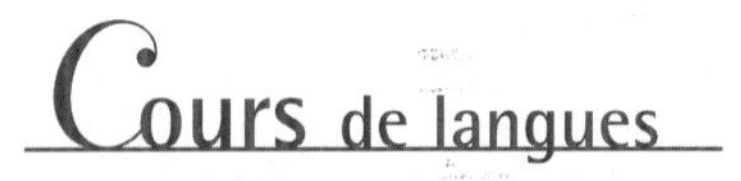

Cours de langues

(**A** *Adulte*, **E** *Enfant*)

Le Kensington and Chelsea College dispense des cours pour les adultes sur plus d'une centaine de sujets. Programme sur le *site www.kcc.ac.uk*. Les sessions semestrielles, débutent en sept et mars. Centre spécialisé dans l'enseignement de l'anglais.

Marlborough Centre A
Sloane Av, SW3 - 020 7573 5200
Prépare aux examens d'anglais de *Cambridge University* et à un examen d'anglais des affaires. Horaires diversifiés tous les jours, même le soir (au centre de Holland Park). Tarifs très compétitifs. Coût plus élevé pour ceux qui n'habitent pas le *borough*...

Sports

(**A** *Adulte*, **E** *Enfant*)

CLUBS

Présence sur le quartier de nombreux clubs de sport privés.

Chelsea Sports Centre AE
Chelsea Manor St, SW3
020 7352 6985

Nombreuses possibilités pour un coût modique, £5 la séance. L'abonnement n'étant pas obligatoire, c'est une formule avantageuse pour les personnes ne se rendant au club qu'une ou deux fois par semaine. Diversité des cours: yoga, aerobic, Pilates, gym... Salle équipée de machines. Centre de **natation**, piscine de 25 m et un petit bassin. Leçons de natation individuelles ou collectives. Cours collectifs pour les enfants.

Piscine du Chelsea Sports Centre

ARTS MARTIAUX

Budokwai AE
4 Gilston Rd, SW10
020 7370 1000
www.budokwai.org

Spécialisé dans les arts martiaux: judo, karaté, aikido, tai-chi, ju-jitsu et *self-defence*.
Mini-judo pour les 4-6 ans à partir de 16h. Pour les 6-13 ans, cours tous les jours à 17h15. Karaté les lundi, mercredi et vendredi à 18h30. Professeurs qualifiés et sympas. Pour les adultes, cours tous les soirs de la semaine et le samedi dans la journée. Pour les petits, Budokwai *Toddlers*, tous les jours 9h30-12h30, activités sportives et classes de peinture.

Sasori Shotokan Karate Club E
Chelsea Sports Centre
077 1006 6416
www.sasori.org
Cours de karaté mixtes, le lundi 20-21h, mardi 17-18h, jeudi 19h30-20h30, samedi 11h30-12h30 et dimanche 10-12h.

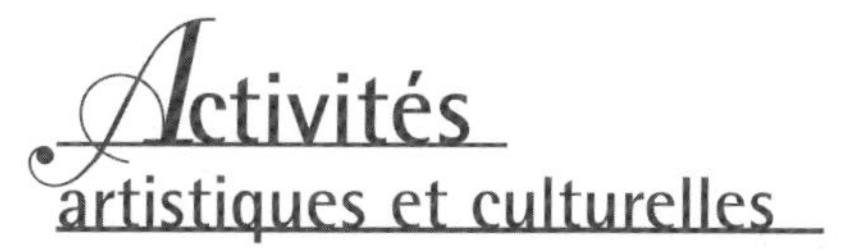

Activités artistiques et culturelles

(**A** *Adulte*, **E** *Enfant*)

Kensington and Chelsea College A
Infos au 020 7573 5333
www.kcc.ac.uk

Dispense de multiples cours dans des domaines très variés: danse, claquettes, poterie, couture,...

MUSIQUE

Pour des cours particuliers de musique, consulter les annonces à la *Chelsea Library*

Blueberry Playsongs
Chelsea Methodist Church
155a King's Rd, SW3
020 8677 6871

Monkey Music
Divers lieux dans Chelsea
020 8767 9827

Voiture

PARKING

➤South Kensington

STATION SERVICE

Station Total 24/24h
Sloane Av, SW3
020 7584 5469

Installation et entretien

ORDURES MÉNAGÈRES

➤South Kensington

SERVICES DOMESTIQUES

Cordonnier

Chelsea Green Shoe Repairs
31 Elystan St, SW3 - 020 7584 0776
Le *must*. Certaines viennent de loin pour pouvoir bénéficier de leur service à l'ancienne. Font également les doubles de clés, les gravures de trophée,...

Teinturier

Lewis & Wayne
13-15 Elystan St, SW3 - 020 8769 8777
Un vrai teinturier et blanchisseur, service à domicile.

Santé

NHS

GPs

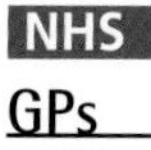

Violett Melchett Clinic-Chelsea
30 Flood Walk, SW3 - 020 8846 6677
Lundi-vendredi 8h30-17h. Nombreuses spécialités. Centre pour la petite enfance très adapté. Centre de planning familial.

Dr Rose Surgery
5 Sloane Av, SW3 - 020 7581 3187
Lundi-vendredi 9h-11h, 15h30-17h30 uniquement. Quatre médecins donnent des consultations dans ce centre dont les locaux sont impeccables. Prendre RV le plus tôt possible le matin pour être reçu dans la journée.

The Redcliffe Surgery
10 Redcliffe St, SW10 - 020 7460 2222
Lundi-vendredi 8h45-13h et 14h-18h30. Samedi et dimanche, uniquement pour les urgences.

Hôpital

Chelsea and Westminster Hospital
369 Fulham Rd, SW10 - 020 8746 8000
URGENCES: 020 7828 9811 ➤ Carte p161
Parking difficile aux alentours de l'hôpital, en cas d'urgence, il est préférable de venir en taxi. Hôpital assez récent. Service d'urgences pédiatriques. Bonne qualité, délais d'attente variables, moins de 3 heures. Nombreuses spécialités (cardiologie, cancérologie, diabète, dermatologie, chirurgie, gynécologie) ainsi qu'un centre mères-enfants et une unité spécialisée dans la pédiatrie où l'on peut rencontrer des sages-femmes ou des infirmières pour enfants. Centre de FIV, médecin français.

Si cet hôpital ne répond pas à vos attentes ou pour un traitement spécifique, vous pouvez consulter à l'hôpital privé **Lister Hospital** à Pimlico ou à **Cromwell Hospital** à South Kensington..

Dentiste et orthodontiste

GP Smith & Associates-Dental Surgery
60 Battersea Bridge Rd, SW11
020 7228 2092
Plusieurs dentistes reçoivent adultes et enfants. Prendre RV avec Brid, une irlandaise très sympa.

MÉDECINE PRIVÉE

Chirurgien-dentiste
Dr Granger Cohet et Dr Mercadov
90 Sloane St, SW1
020 7259 5649

Psychiatre-psychothérapeute
Dr Anne Drouet-Groff
90 Sloane St, SW1
020 7235 3327

Physio For All
222 Old Brompton Road, SW5
020 7373 0050
www.physio4all.com
Christine Julien-Laferrière et Anne Duclos Gambier. Kiné respiratoire, orthopédie, cours anté- et post-nataux, traumatologie, drainage lymphatique.

Opticien - Michel Guillon
35 Duke of York Square, SW3
020 7730 2142
Sur RV, 7/7j.

PHARMACIES

Boots The Chemist
60 King's Rd, SW3
020 7589 3234
Lundi-samedi 8h30-19h. Dimanche 10h-17h.

Dajani Pharmacy
92 Old Brompton Rd, SW7
020 7589 8263

Achats

Sur **King's Rd**, nombreuses boutiques de mode et chausseurs ainsi que plusieurs magasins de meubles et décoration.
La plupart des boutiques restent ouvertes le dimanche, 12h-17h.

Sloane St est réservée aux boutiques de luxe: Cartier, Chanel, Dior, Ferragano, Hermès, Vuitton... **Fulham Rd** aligne les boutiques de mode mais aussi de nombreux magasins de meubles et antiquités. D'autres rues commerçantes chic, **Walton Street, Beauchamp Place,** mélangent les genres et il est agréable d'y faire du lèche-vitrine.

ALIMENTATION

Supermarchés

Marks&Spencer Simply Food
289-291 Fulham Rd, SW10

Sainsbury's
75 Sloane Av, SW3

Waitrose
196-198 King's Rd, SW3

WM Morrison
35-37 King's Rd, SW3

Sans oublier le grand Tesco Superstore sur Cromwell Road ➤South Kensington

Autres Commerces

Baker and Spice
Denyer St, SW3 - 020 7589 4734
Grand choix de pains spéciaux, pâtisseries, quelques plats préparés à emporter ou à déguster sur place.

Frys of Chelsea
14 Cale St, SW3

Ce petit marchand de fruits et légumes approvisionne de nombreux restaurants dans Londres, qualité irréprochable. Prix raisonnables. Produits de saison rares: mâche nantaise, pommes de terre de Noirmoutier, girolles fraîches,...

Here Organic Supermarket
The Chelsea Farmer Market
Sydney St, SW3
Alimentation et produits d'entretien bio.

Jago's of Chelsea
9 Elystan St, SW3
020 7589 5531

Boucherie de qualité, grand choix de viande, du gibier en saison: faisans, perdrix...

Maison Blanc
Elystan St, SW3
303 Fulham Rd, SW10

Nicolas
6 Fulham Rd et 303 Fulham Rd, SW10

Le Pascalou
359 Fulham Rd, SW10
020 7352 1717

Un vrai commerce français. Excellents produits d'origine: fromages, viande blonde d'Aquitaine, poulet fermier (avec les abats!) et un très beau rayon poissonnerie. Livraison à domicile. Le plaisir de faire des courses.

La Réserve
Walton St, SW3
Caviste bien implanté à Londres.

Tray Gourmet
240 Fulham Rd, SW10- 020 7376 3350
Traiteur français. Livre à domicile.

AMEUBLEMENT-DECO

The Conran Shop
Sloane Av, SW3 - 020 7589 7401
www.conran.com
Ameublement et accessoires pour la maison.

Designers Guild
271 King's Rd, SW3
020 7351 5775

Ameublement, literie, vaisselle, tissus et papiers peints, colorés et toniques.

Gong
172 Fulham Rd, SW3
020 7370 7176
www.gong.co.uk
Meubles et luminaires d'inspiration asiatique. Décoration intérieure.

Habitat
208 King's Rd, SW3
Ameublement contemporain, vaisselle, déco.

The Pier
91-95 King's Rd, SW3
www.pier.co.uk
Le pendant anglais de Pier Import.

Alec Drew Picture Frames
7 Cale St, SW3 - 020 7352 8716
Encadrement sur mesure et réparation de cadres.

Voir également la salle des ventes aux enchères de Lots Rd
➤Carte p161 et Chapitre Shopping

ACTIVITES MANUELLES

Green and Stone
259 King's Road, SW3 - 020 7352 0837
Encadrement et réparation de cadres et tout le matériel nécessaire pour le dessin et la peinture.

GRAND MAGASIN

Peter Jones
Sloane Square, SW1
020 7730 3434

Lundi-samedi 9h30-18h. C'est LE grand magasin de Chelsea où l'on trouve pour tout ce qui concerne la maison (électroménager, vaisselle, draps et serviettes, tissus au mètre, meubles) et plus (vêtements, uniformes scolaires, parfumerie, jouets, fil DMC, etc). Réputé pour la qualité de son service après-vente et sa politique de prix serrés. Personnel serviable. ➤ Carte p161

BRICOLAGE

Chelsea Houseware
321 Fulham rd, SW10
020 7351 5444

Farmer Bros
319 Fulham rd, SW10
020 7351 5444
Petites quincailleries traditionnelles.

FLEURS

The Chelsea Gardener
125 Sydney St, SW3
020 7352 5656
Grand choix de plantes en pot, bulbes et graines ainsi que des fleurs coupées et des branchages. Sapins et décoration de Noël en décembre. Magasins Barbour et Le Prince Jardinier au même endroit.

CYCLES

Cycle Sport
427 King's Rd, SW10
020 7376 3700

Cyclopedia
256 Fulham Rd, SW10
020 7351 5776

SCOOTERS

Deux boutiques se succèdent sur Fulham Rd:

BMG Scooters
280 Fulham Rd, SW10 - 020 7351 0110

Scooter Training
296 Fulham Rd, SW10 - 020 7351 6214

JOUETS-COTILLONS

Daisy and Tom
181 King's Rd, SW3
020 7352 5000
www.daisyandtom.com

Beau magasin dédié aux enfants 0-10 ans. Tout le matériel de puériculture, lits bébés, vêtements, chaussures et un grand choix de jouets.

Early Learning Centre
36 King's Rd, SW3 - 020 7581 5764
Jeux et jouets d'intérieur et extérieur pour les 0-5 ans.

Traditional Toys
53 Godfrey St, SW3 - 020 7352 1718
Beaucoup de jouets en bois (Vilac), poupées Corolle, peluches, etc.

VÊTEMENTS-CHAUSSURES

Bonpoint
35b Sloane St, SW1

Iana
King's Rd, SW3
020 7352 0060
Vêtements de 0 à 14 ans, prix raisonnable. Marque italienne.

Petit Bateau
106-108 King's Rd, SW3
0207 838 0818

Trotters
34 King's Rd, SW3
020 7259 9620

LIBRAIRIES-DISQUES

Virgin Megastore
122 King's Rd, SW3

Waterstones Booksellers
King's Rd, SW3

WH Smith
36 Sloane Square, SW1

PARAPHARMACIE

Astell Pharmacy
6 Elystan St, SW3 - 020 7584 5424
Lundi-vendredi 9h-18h et samedi 9h -13h. Cette petite pharmacie de quartier vend de nombreuses marques françaises.

Sortir

PARCS ET AIRES DE JEUX

Battersea Park est le plus proche, ses grandes pelouses sont bien agréables pour jouer au ballon et les allées goudronnées idéales pour les rollers et vélos.

St Luke's playground
Cale St, SW3
Aire de jeux bien équipée pour les enfants jusqu'à 7/8 ans, située dans les jardins de l'église St Luke.

FÊTES

Sur le site du *borough* *www.rbkc.gov.uk/events*, infos sur les événements, expositions, visite de maisons célèbres, brocantes et ventes.Consulter aussi le site *www.chelseafestivals.com* pour connaître les animations autour de Noël, les concerts et d'autres fêtes ponctuelles.

Chelsea Festival

020 7351 1005 (mars à juillet)
Pendant une semaine en juin, de très beaux concerts, ballets, pièces de théâtres sont présentés dans Chelsea. Programme varié de grande qualité.

Chelsea Flower Show

Jardins du Royal Hospital.
L'événement annuel du jardin anglais!

Chelsea Antiques Fair
Old Town Hall, King's Road
Salon d'antiquaires haut de gamme en mars et septembre. Entrée payante.

MUSÉES

Antiquarius
131-141 King's Rd, SW3
Une centaine d'antiquaires exposent des gravures, bijoux, montres, pièces d'argenterie, malles de voyages, faïences et porcelaines, etc...de belle qualité.

Carlyle's House (N.T.)
24 Cheyne Row, SW3 - 020 7352 7087
Maison de l'écrivain et philosophe écossais Thomas Carlyle (1795-1881). Construite

Chelsea Wharf

en 1708 et conservée intacte, il y recevait ses amis Chopin, Dickens ou Darwin...

Chelsea Royal Hospital
Royal Hospital Rd, SW3 - 020 7730 0161
Inspiré des Invalides à Paris, l'hôpital royal fut édifié en 1682 par Sir Wren pour abriter 500 soldats à la retraite. Quelques pièces magnifiques sont ouvertes à la visite. Des militaires retraités y habitent aujourd'hui, et on les reconnaît dans le quartier à leur uniforme bleu marine ou rouge.

Michelin House
81 Fulham Rd, SW3
Immeuble Art Nouveau construit au début du XXe pour Michelin. Doté du bonhomme Michelin sur un vitrail en façade.

Saatchi Gallery
Duke of York's HQ, Sloane Sq, SW3
Ouverture été 2007 de la nouvelle et immense galerie abritant la collection d'art contemporain du grand collectionneur anglais Charles Saatchi.

GALERIES D'ART

Getty Images Gallery
3 Jubilee Place, SW3
Expos temporaires de photographes célèbres.

Open Studios Events
www.openstudios.org.uk
Portes ouvertes des ateliers d'artistes

THÉÂTRES

Royal Court Theatre
Sloane Sq, SW1 - 020 7565 5000
Théâtre très renommé. Créations d'auteurs contemporains. Souvent *sold out*, réserver. Restaurant sympathique au sous-sol.

Chelsea Theatre
7 World's End Place King's Rd, SW10
020 7352 1962
Petit théâtre de quartier. Jeune compagnie de qualité, très bons spectacles. Ateliers.

RESTAURANTS

L'aubergine
11 Park Walk, SW10 - 020 7352 3449
Restaurant francais, une étoile Michelin. Très bonne cuisine inventive.Menu du midi d'un bon rapport qualité/prix. Réservez.

Capital
22-24 Basil St, SW3 - 020 7589 5171
Restaurant français élégant. Très bonne cuisine, 2 étoiles Michelin. Réservez.

Gordon Ramsay
68-69 Royal Hospital Rd, SW3
020 7352 4441
Un des plus jeunes chefs à avoir décroché 3 étoiles au Michelin pour sa cuisine française de haut niveau. Addition élevée. Cadre sophistiqué et service soigné. A réserver aux grandes occasions (tel un mois à l'avance).

Pellicano
19-21 Elystan St, SW3 - 020 7589 3718
Restaurant italien très populaire.

Tampopo
140 Fulham Rd, SW10 - 020 7370 5355
Petit restaurant très sympa spécialisé dans la cuisine asiatique qui propose des plats savoureux de nombreux pays (Thaïlande, Vietnam, Malaisie, Japon, etc). Grandes tables en bois, très bon rapport qualité/prix, idéal en famille. Juste en face du cinéma UGC.

Racine
239 Brompton Rd, SW3 - 020 7584 4477
Ambiance brasserie parisienne avec ses banquettes en cuir et ses larges miroirs. Cuisine française régionale. Bib rouge au Michelin.

Royal Court Theatre Cafe
Sloane Sq, SW1

Restaurant sympathique, bon et pas cher au sous-sol du théâtre. Spacieux. Entrée sur le côté à droite du théâtre. Pratique quand on fait du shopping dans le quartier car les restaurants ne sont pas légion...

PUBS

Builder's Arms
13 Britten St, SW3- 020 7349 9040
Situé dans une petite rue juste derrière King's Rd (accès par Burnsall St). Accueillant, cuisine de qualité, permet de faire une pause entre deux magasins. Bébés et enfants admis.

Chelsea Potter
119 King's Rd, SW3
Très jolie façade extérieure, *pub* décevant à l'intérieur, mais idéalement placé pour boire un verre en observant la foule du samedi après-midi sur King's Rd.

Lomo
222 Fulham Rd, SW10- 020 7349 8848
Bar à tapas réputé, intérieur moderne, nourriture bonne et peu onéreuse.

Lots Road Pub & Dining Room
114 Lots Rd, SW10- 020 7352 6645
Pub traditionnel, fauteuils en cuir, cuisine ouverte, plats *modern British* de qualité à prix modiques. Meilleur "Pub Gastronomique" en 2002. Bébés et enfants admis.

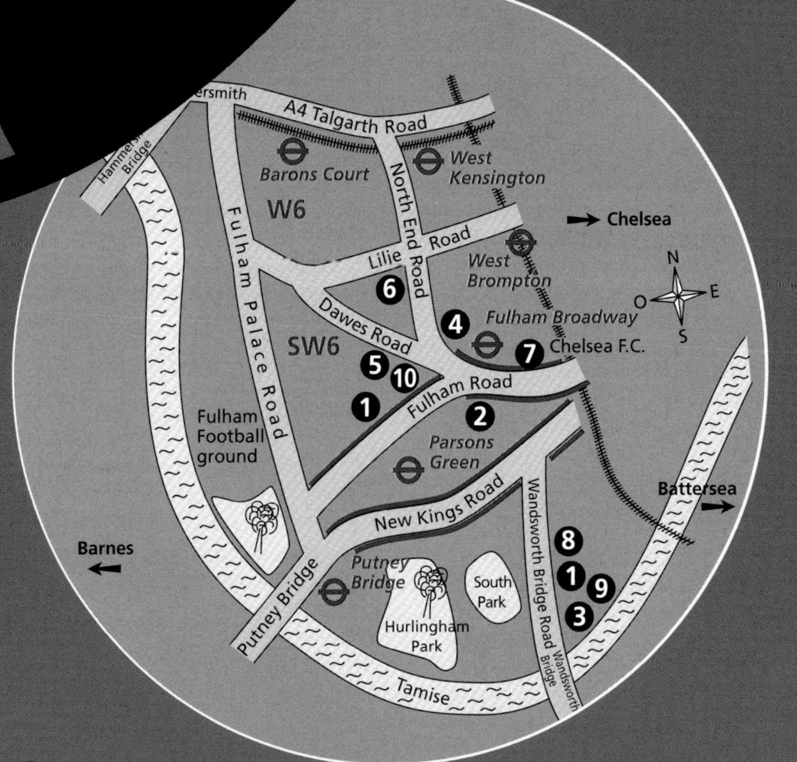

1. Bibliothèques
2. Mairie
3. Sainsbury's
4. Marks & Spencer
5. Safeway
6. Somerfield
7. Centre Commercial Fulham Broadway
8. Ecole des Petits
9. Chelsea Harbour
10. Police

Zone commerçante

Fulham (SW6) est situé dans une boucle de la Tamise dans le sud-ouest de Londres et fait partie du *borough* de Hammersmith & Fulham. Célèbre pour son équipe de foot, même si elle est moins réputée que celle de Chelsea, c'est aussi un endroit où il fait bon vivre, un quartier très cosmopolite avec plus de 200 000 habitants et 130 langues parlées! La communauté française y est importante car Fulham offre un cadre de vie particulièrement agréable avec ses petites maisons victoriennes aux couleurs pastel et leur jardinet. Elles sont plus nombreuses qu'à South Kensington et les loyers y sont plus abordables.
Très important, la proximité des écoles: l'Ecole des Petits (Fulham, Battersea), le Lycée Français (South Kensington), Wix (Clapham), Jacques Prévert (Brook Green) et un peu plus loin André Malraux (Ealing). Excellentes écoles anglaises publiques et privées également.
Fulham a aussi le privilège de posséder de nombreux parcs et espaces verts (South Park, Bishops Park, Hurlingham Park,...), agréables les beaux jours. Les bords de la Tamise offrent de belles promenades à pied ou à vélo.
Ce quartier, de plus en plus à la mode, est aussi réputé pour ses boutiques, *pubs* et restaurants. Il offre à la fois l'agitation et l'effervescence populaire du marché de North End Road et l'élégance des antiquaires et galeries de King's Road.

Petite enfance

DAY-NURSERIES

Bobby's Playhouse
16 Lettice St, SW6 4EL
020 7384 1190
www.bobbysplayhouse.co.uk
3 mois-5 ans. 8h-18h15. Service de baby-sitting possible avant et après les heures d'ouverture. Personnel très sympa. Ateliers de danse et de musique. Cour minuscule. A priori l'une des moins chères de Fulham.

Little People of Fulham
250A Lillie Rd, SW6 7PX
020 7386 0006
www.littlepeople.co.uk
6 mois-5 ans. 8h-18h. Ouverte toute l'année. £200/sem. Accueillante, située dans une grande maison sur 3 étages. Locaux propres, personnel très doux et attentif aux enfants.

Princess Christian Day Nursery
22 Cortayne Rd, SW6 3QA
0207 7384 0406

6 semaines-5 ans. 7h30-13h ou 13h-18h. Locaux très agréables et clairs, même si la cour est petite. Inspectée par l'OFSTED en 2006.

CHILDMINDERS

Il existe un grand nombre de nourrices dans le quartier. **Hammersmith & Fulham CIS, 020 8735 5868.**

MOTHER & TODDLER GROUPS

See Saw P&T
St Dionis Church Hall
Parsons Green Lane, SW6 - 020 8741 6400
Lun et mer 10h-12h. Participation de £1.50.

Fulham Library
598 Fulham Rd, SW6 5NX - 020 8753 3876
One o'clock/toddlers pour les moins de 5 ans, le mardi 14h15-15h15.

PLAYGROUPS

Bishops Park under 5's Drop in
Rainbow Playhouse, Bishops Park
Stevenage Rd, SW6 - 020 7731 4572
Ouvert tous les jours, 10h-12h. £2.
Aire de jeux extérieure.

Busy Bee drop-in
Normand Croft Community School
Bramber Rd, W14 - 020 7385 6847
Lu-Ma-Je-Ve, 9h15-15h. £0.50.
Aire de jeux extérieure.

ECOLE FRANÇAISE

Maternelle & Primaire

L'Ecole des Petits
2 Hazlebury Rd, SW6 2NB
020 7731 8350
www.lecoledespetits.co.uk
2-7 ans (CP inclus). Ecole homologuée. £4440-£6975/an. Ces prix incluent les cours de danse et de musique. Environ 140 élèves. Section française et bilingue. Très prisée car elle jouit d'une excellente réputation, longue liste d'attente. Locaux très agréables malgré une cour de recréation assez petite. Possibilité d'activités après la classe comme le football, théâtre, travaux manuels... ➤ **Carte p173**

Secondaire

Accès facile au Lycée Français Charles de Gaulle.

ECOLES ANGLAISES

Nursery schools

Dawmouse Montessori Nursery School
Brunswick Club, 34 Haldane Rd, SW6
020 7381 9385
21/2-5 ans. 8h45-15h30. £1400/trim. Environ 80 enfants. Locaux agréables. Méthode Montessori. Liste d'attente.

Pippa Popins
430 Fulham Rd, 020 7385 2458 et
165 New Kings Rd, 020 7731 1445
www.pippapopins.com
2-5 ans. Ouverte toute l'année. 8h15-18h. Possibilités pour l'après-midi seulement de 14h15 à 18h.

Seahorses Montessori Nursery
St Etheldredas Church, Cloncurry St, SW6
020 7471 4816
2-5 ans. 9h-12h et 13h-15h. £1350/trim. Bonne réputation.

The Roche School
All Saints Hall, 70 Fulham High St, SW6
020 7731 8788
www.therocheschool.co.uk
2-5 ans. Cadre agréable et personnel très compétent. 9h15-12h15 ou 9h15-15h. Par trimestre: £1600 pour 5 matinées/sem, £1300 pour 4 matinées/sem, et £2800 pour un *full-time*. Uniforme obligatoire. Primaire délocalisé sur Wandsworth.

Twice Time Montessory School

The Cricket Pavillion
South Park, SW6 - 020 7731 4929
2-4 ans. Cette petite école de quartier est une merveille même si les locaux sont un peu vieillots. Personnel très qualifié, sympathique et surtout très proche des enfants (15/classe). L'aire de jeux du parc sert de cour de récréation et dès les beaux jours, les enfants font leurs activités dehors. Fréquentée à la fois par beaucoup de familles anglaises et françaises, l'école permet une bonne adaptation avec la langue. Lu-Ma-Je-Ve 9h-12h30 et Me 9h-15h. +£1000/trim.

Nursery & primary schools

Difficile de donner des références pour ces écoles, car c'est vraiment une affaire de goût et de *feeling*. En effet, certaines peuvent offrir des locaux superbes mais un encadrement moyen, tandis que d'autres ont des locaux parfois un peu vétustes, mais un très bon niveau scolaire. Il vaut mieux donc aller vérifier sur place pour se rendre compte.

Eridge House Preparatory School ⓕ
1 Fulham Park Rd, SW6 - 020 7371 9009
www.eridgehouse.co.uk

2-11 ans (mixte jusqu'à 7 ans, puis filles seulement). *Independent school*.
Propose un module créé pour les enfants francophones qui veulent suivre le programme français en évitant les doublons avec l'anglais. Ecole fort sympathique à dimension humaine qui possède une vraie cour de recréation ainsi qu'un terrain de sport. Ouverture prochaine d'un nouveau bâtiment. Personnel international et bonne ambiance. £1700-£3200/trim. Pas de cantine, fournir un *packed-lunch*.
Activités extra scolaires: £90/trim.
Programme français: £100 à £250/trim.

The Fulham Preparatory School
Ecole séparée en 2 sites:
47a Fulham High St (Pre-prep, 4-7 ans)
020 7371 9911
200 Greyhound Rd (Prep, 7-13 ans)
020 7386 2444
www.fulhamprep.co.uk

Independent school. Mixte, non confessionnelle. Uniforme. £3150/trim pour les 4/7ans et £3500/trim pour les plus grands. Excellente cantine bio: £150/trim. Très bon niveau académique, les enfants sont préparés pour les concours d'admission aux meilleures écoles britanniques. Grande cour et bâtiments de sport. Bus scolaire. Un bon choix pour les Français qui optent définitivement pour l'enseignement britannique.

Holy Cross RC Primary School
Basuto Rd, SW6 4BN
020 7736 1447

3-11 ans. Ecole catholique, *voluntary aided*. Gratuite. Agréable car très familiale. Très bonne réputation. Bonne *nursery*. Difficile d'y entrer. Demande une pratique régulière à l'église. Uniforme obligatoire. 9h-15h30. Activités: initiation au parachutisme, tennis et cricket, cours de gymnastique au sol, et cours de français. Possibilité de leçons de piano sur demande.

Kensington Preparatory School
596 Fulham Rd, SW6 5PA
020 7731 9300
Independent school laïque de filles, 4-11 ans. £3120/trim, cantine £200/trim. 8h30-15h.

New Kings Primary School
New Kings Rd, SW6 4LY
020 7736 2318
3-11 ans. *Community school*. De beaux bâtiments agréables. La cantine est bien et le personnel très compétent. Uniforme obligatoire. Gratuite.

Sinclair House School
159 Munster Rd, SW6 6DA
020 7736 9182
www.sinclairhouseschool.com
2-8 ans. *Independent school* catholique mixte. Personnel très compétent et bilingue. Locaux agréables, mais petits. Pas de cour de recréation. L'école dispose d'une annexe à Courbevoie avec laquelle elle organise des échanges.

Sullivan Primary School
Peterborough Rd, SW6 3BN
020 7736 5869
3-11 ans. *Community school*. L'une des mieux placée dans le classement "*OFSTED*". Locaux corrects. Grande cour. Gratuite.

Thomas's Fulham
Hugon Rd, SW6 3ES
020 7751 8200
www.thomas-s.co.uk
4-11ans. *Independent school* mixte. Difficile d'accès, longue liste d'attente. Beaucoup de théâtre, sport (à South Park, en face), excellent niveau. £3500-4300/trim.

Secondary Schools

Lady Margaret School
Parsons Green, SW6 4UN
020 7736 7138
Ecole *voluntary aided Church of England* pour filles de 11à 18ans. Uniforme. gratuite, excellent niveau donc difficile d'accès.

London Oratory School
Seagrave Rd, SW6 1RX
020 7385 0102
Ecole catholique pour garçons de 11 à 18 ans et pour filles de 16 à 18 ans. 1 360 élèves. Très bonne réputation, mais très sélective (catholiques pratiquants uniquement). Gratuite.

Logement

Alors que Londres devient une ville de plus en plus internationale, Fulham n'en reste pas moins un quartier so *british*! Mais, à la différence de ses voisines plus huppées et plus bourgeoises que sont South Kensington et Chelsea, Fulham offre un charme "villageois" aux familles françaises.
La **location** varie entre £300 et £700/sem pour un appartement de 2 à 3 chambres, entre £450 et £750/sem pour une maison de 3 chambres et entre £800 et £2000/sem pour 4 à 5 chambres.
A la **vente**, compter pour un appartement de 3 à 5 chambres £480 000 à plus d'£1.2M et pour une maison de 3 à 5/6 chambres, £500 000 à plus de £2M.

Le quartier peut se découper en différentes zones.

Le **Peterborough Estate** est le plus connu et le plus recherché. Les prix peuvent être très élevés mais les maisons sont superbes, grandes avec leurs typiques *loft extension* ou *conservatories*. Cependant, les jardins ne sont pas très grands. Elles se distinguent par leur Lion en terracotta sur le toit. On les appelle les *Lion Houses*.

Hurlingham et **Fulham High Street** qui se trouvent à proximité d'Hurlingham Park, Bishops Park et South Park, sans oublier les bords de la Tamise. Ici aussi, les maisons sont assez grandes et on trouve quelques appartements. Mais pour les plus belles, allez du coté du fameux Hurlingham Club, elles peuvent avoir jusqu'à 6 chambres avec vue sur le parc du Club. Vous y trouverez aussi des immeubles datant des années 80 ainsi que de nouveaux complexes.

Bishops Park, avec ses rues s'étalant par ordre alphabétique en bordure du parc. Ici, le style de maisons change, puisque l'on trouve des *terraced* ou *semi-detached houses* construites au XIXe siècle avec de beaux jardins, ce qui n'est pas courant à Fulham. Le Fulham Football Club se trouve dans ce quartier.

Parsons Green, coincé entre Fulham Road et New Kings Road, est assez vaste avec ses 3 *storey houses* d'un coté, quelques maisons de style géorgien de l'autre ou encore celles datant du XIXe avec vue sur Eel Brook Common.

Fulham Broadway. Ce vieux village résiste tant bien que mal à la modernisation. C'est ici que se trouve le *Town Hall* ou Mairie. La station de métro vient d'être refaite à neuf et donne dans un *Mall* (boutiques, supermarché, club de sport et cinéma de 9 écrans). Ne pas oublier le marché populairede North End Road tous les jours de la semaine sauf le dimanche. Et surtout le fameux Stade de Chelsea.

Sand's End et **Riverside**, longtemps considérés comme lugubres à cause des usines à gaz. Ce quartier se réhabilite de plus en plus avec le développement du Chelsea Harbour et la construction en cours de St George Imperial Wharf, un tout nouveau complexe d'immeubles, clubs de sport, 4 hectares de verdure en bordure de la Tamise…

Transports

LE METRO

Proche du centre, Fulham dispose de trois stations: **Putney Bridge**, **Parsons Green** et **Fulham Broadway** sur la District *line*, ligne verte sur le plan, qui dessert le centre.

LE BUS

La ligne **14** part de Putney en passant par Fulham, South Kensington (très utile pour aller au Lycée Français), Knightsbridge, Green Park pour finir à Piccadilly Circus.
La ligne **414**, passe par Edgware Road pour aller sur Fulham Road et finir à Putney bridge (un arrêt à deux pas du Lycée).

La ligne **22** part de Putney Common pour passer par Parson's Green, Chelsea (par la rue commerçante de King's Rd), Sloane Square, Knightsbridge, Piccadilly Circus, Holborn, Liverpool Street et finir à Hackney.
La ligne **11** part de Shepherd's Bush, passe par Hammersmith, Fulham Palace Rd, Fulham, Chelsea, Victoria (gare pour prendre le Gatwick Express qui vous emmène directement à l'aéroport), Trafalgar Square pour finir à Liverpool Street.
La ligne **28** part de Kingston Vale pour passer par Wandsworth, Fulham Broadway, Olympia et Notting Hill.
La ligne **295** passe par Wandsworth, Fulham, Hammersmith pour vous emmener ensuite à Portobello.
La ligne **74** part de Camden Town, puis passe par Marble Arch, Knigtsbridge, South Kensington, Earl's Court, Lillie Road, Fulham Palace Rd, et terminus à Putney.
La ligne **220** part de Wandsworth, puis passe par Fulham Palace Rd, Hammersmith, Shepherds Bush, et White City.

Fulham est aussi très bien situé pour l'Eurostar (20mn pour Waterloo) et pour les aéroports d'Heathrow par la M4 (30mn) et de Gatwick par la M25 puis la M23 (45mn). Vous pouvez sortir de Londres assez facilement vers l'ouest par la A3.

Administrations

MAIRIE

The Old Town Hall ➢ Carte p173
Fulham Broadway, SW6020 7371 5678
Bureaux au RdC, lundi-jeudi 9h-16h30, vendredi jusqu'à 16h15.

BIBLIOTHÈQUES

Fulham Library ➢ Carte p173
598 Fulham Rd, 020 8753 3876

Sands End Library ➢ Carte p173
59-61 Broughton Rd, 020 8753 3885

COMMISSARIAT

Fulham Police Station
Heckfield Place, 020 7385 1212

Cours de langues

(**A** *Adulte*, **E** *Enfant*)

Hamersmith and Fulham Adult Education
Divers centres. Renseignements 020 8600 9191 ou *www.courseinfo.co.uk*. Bon marché.

London Study Centre A
676 Fulham Rd, 020 7731 3549
Tous niveaux. Prépare du *First Certificate* au *Proficiency*. Inscription en mi-septembre, janvier, Pâques pour 12 semaines. Cours d'été possibles de mi-juin à mi-septembre.

Sports

(**A** *Adulte*, **E** *Enfant*)

CLUBS DE SPORT

Tous les clubs de sport suivants proposent plus ou moins les mêmes activités: yoga, pilates, *stretching*, aquagym, *body bump* et autres ainsi que divers appareils de musculation. Piscine. *Personal trainer*. Salons de beauté: épilation, soins du visage et du corps, onglerie, UV, massage,...

La plupart de ces clubs organisent des activités pour les enfant pendant les vacances.

Cannons Health Club A
Stevenage Rd, 020 7471 1200
www.cannons.co.uk

First Steps School of Dance & Drama
234 Lillie Rd, 020 7387 5224
Cours de danse, piano, théâtre, karaté, kickboxing pour les 2-17 ans.

The Chelsea Club and Spa A
Stamford Bridge, Fulham Rd
020 7915 2200
www.thechelseaclub.com

David Lloyd Leisure Centre AE
Fulham Broadway Retail Centre
020 7384 2552
www.davidlloydleisure.co.uk

Harbour Club AE
Water Meadow Lane, 020 7371 7700
www.harbourclub.co.uk
Le plus chic et le plus prisé de tous, mais aussi le plus cher!

Holmes Place Fulham Pools AE
Normand Park, Lillie Rd - Westhill
020 7471 0450
www.holmesplace.co.uk
Refait à neuf, grand choix d'activités, prix raisonnable (env £50 par mois). Superbe piscine, (cours de natation).

Lillie Road Fitness Centre AE
374-380 Lillie Rd, 020 7381 2183

Hurlingham Club AE
Ranelagh Gardens - 020 7736 8411
Le *must* du club typiquement anglais au milieu de grands espaces verts. Courts de tennis, piscine couverte,... le tout dans la plus pure tradition. Liste d'attente de plusieurs années à moins d'être recommandé ou d'avoir le statut d'"expat". Coût très élevé.

Hurlingham Club

Sands End Community Centre
59-61 Broughton Rd
020 7736 1724/ 020 8753 3885
Mini-tennis, judo, karaté, etc...

DANSE

Attic Studio E
368 North End Rd - 020 7610 2055
Grand choix de cours. Très abordable, tous niveaux,

La Sylvaine et Wendy Bell E
Mission Hall, Parsons Green
020 8964 0561 Blandine Lamaison
→ Chapitre Activités

FOOTBALL

Des sessions de foot pour enfants sont organisées dans les parcs. Renseignements au 020 7736 1504.

NATATION

Fulham Pools AE
Normand Park, Lillie Rd - Westhill
020 7471 0450
Clubs de natation pour enfants en soirée et le week-end.

TENNIS

Tennis couverts uniquement au **Harbour Club**. Courts découverts dans la plupart des parcs (**South Park**, **Hurlingham Park** et **Bishops Park**), accessibles gratuitement ou à peu de frais. Coordonnées des professeurs particuliers affichées sur les portes.

Tennis Pavilion AE
Bishops Park, 020 7736 3854
Cours de tennis adultes et enfants sur courts découverts.

RUGBY

Hammersmith & Fulham Rugby Football Club AE
Hurlingham Park
www.fulhamrugby.co.uk
7-12 ans. Le dimanche à 10h30.

Activités artistiques et culturelles

ADULTES

Le *borough* propose des cours très variés via le Ealing Hammersmith & West London College. Divers lieux.
Catalogue: 020 8811 8812
www.courseinfo.co.uk

ENFANTS

Bridgewater Pottery Café
Fulham Rd, 020 7736 2157
Pour un goûter d'anniversaire ou simplement pour le plaisir, ce "café" propose aux adultes comme aux enfants de peindre une tasse, une assiette ou tout autre objet en porcelaine.

Monkey Music
Mission Hall, St Dionis Rd
Mardi et vendredi ou
Christchurch, 67 Studdridge St
020 8480 6064
Mardi et jeudi

Mira Art
53 Walham Grove, SW6 - 020 7386 8015
Mira recoit dans son atelier après l'école ou le samedi matin pour des cours de dessin, peinture, poterie. £140/trim matériel fourni.

Stagecoach Theatre Arts School
Lady Margaret School, Parsons Green
020 7602 8585

Voiture

PARKING SHOP

Pour effectuer ou renouveler son *resident permit*, aller à la Mairie ou écrire au

Parking Control Office
PO Box 3386, SW6 2YY - 020 7371 5678
Lundi–vendredi, 8h-18h.

GARAGE

Motorcare
93 New Kings Rd - 020 7731 4265

STATION SERVICE

Shell et **Tesco**
Sur Fulham Rd. 24/24h.

NETTOYAGE

City Car Wash
415 New Kings Rd
020 7371 7609

3 Valeters Cy
077 9777 1277
Se déplace à domicile.

Installation et entretien

TV

Le quartier n'est pas câblé.

ORDURES MÉNAGÈRES

Les ordures ménagères sont ramassées une fois par semaine le mardi matin.
Il y a deux sacs différents :
- Le sac orange où l'on peut mettre les papiers, journaux et cartons, les bouteilles en verre et plastique et les canettes.
- Le sac gris pour les déchets végétaux (ramassé le dimanche matin). Le reste des ordures va dans des sacs poubelles normaux.

Pour les objets beaucoup plus encombrants, deux solutions: soit à la **décharge municipale de Wandsworth**, soit téléphoner au *Refuse Department* de la mairie au **020 7748 3020** et ils enverront quelqu'un prendre vos objets (peut être payant).

SERVICES DOMESTIQUES

Cordonniers

Kelpis Shoes
761 Fulham Rd - 020 7736 3856

NS Shoes Repair
594 Fulham Rd - 020 7731 5566

Rompski Shoes Repairs
24 New Kings Rd - 020 7736 9152

Plombier/chauffagiste

Anderson & Sons
25 Filmer Rd - 020 7386 8888

Teinturiers

Gogay Cleaners
120 Wandsworth Bridge Rd

Peter and Falla
179 et 281 New Kings Rd

Supaclean
109 Wandsworth Bridge Rd/118 Dawes Rd

Toggs Cleaning
109 Munster Rd

Santé

NHS

GPs

Les cabinets médicaux ci-dessous regroupent plusieurs médecins (GP) et infirmières.

Cassidy Medical Centre
651a Fulham Rd - 0844 778607

Dr Das B. & Dr Basu B.
172 Wansdworth Bridge Rd
020 7731 3498

Fulham Medical Centre
446 Fulham Rd - 020 7385 6001

Lillyville Surgery
603 Fulham Rd - 020 7736 4344

Hôpitaux

Charing Cross Hospital 24/24h, 7/7j
Fulham Palace Rd, W6 8RF
020 8846 1234
Pour les accidents et urgences (adultes seulement).

Chelsea and Westminster Hospital
Urgences pédiatriques et adultes.
➤ Quartier South Kensington

Parsons Green NHS Walk in Centre
5-7 Parsons Green - 020 8846 6758
Petites urgences sans RV. Soins par des infirmières.

Ophtalmologiste

Walters Opticians
112 Wansdworth Bridge Rd
020 7736 8721
Pour effectuer votre visite annuelle (gratuite pour les enfants et £25 pour les adultes).

MÉDECINE PRIVÉE

Dr Laurence Jouinot (f)
077 1362 6663
Médecin généraliste se déplaçant à domicile du lundi au samedi matin.

Parsons Green Dental Centre
229 New Kings Rd
020 7736 3220

Dr Patrick Ethrington
Dentiste privé mais gratuit pour les enfants (dans le cadre du NHS).

Fulham Osteopathic Practice
769 Fulham Rd - 020 7384 1851
Cabinet d'ostéopathes.

The Physiotherapy Centre
39 Harwood Av - 020 7736 0193
Cabinet de kinésithérapeutes.

Achats

Loin d'être une banlieue résidentielle, Fulham est une petite ville très vivante qui combine centres commerciaux et magasins de chaînes (essentiellement au centre **Fulham Broadway**, situé au métro du même nom), et boutiques de charme. Celles-ci se concentrent surtout autour de **Parson's Green**, la partie affluente de Fulham, mais on en trouve ici ou là au hasard des rues. Grand choix en matière d'ameublement et de décoration, que ce soit dans les boutiques classiques de meubles anglais en pin de **Wandsworth Briddge Rd** ou chez les antiquaires-brocanteurs de **Lillie Rd**, et quelques commerces alimentaires raffinés, ainsi qu'un marché à faire pâlir d'envie les habitants des quartiers plus huppés de Kensington & Chelsea.

ALIMENTATION

Supermarchés

➤ Carte p173

Sainsbury's
Fulham Broadway et 51, Townmead Rd

Somerfield
254 North End Rd

Waitrose
380 North End Rd

Grand magasin

Marks&Spencer
25 Jerden Place, Fulham Island

Marché

North End Road Market
Principalement marché de fruits et légumes. Bonne qualité et prix intéressants. Au milieu, un petit poissonnier et surtout au début, quand vous arrivez de Fulham Rd, un fromager (vendredi et samedi) venant du pays de Caux avec un assez grand choix.

Autres commerces

Aziz & Delaziz
24-32 Vanston Place - 020 7386 0086
Restaurant et *delicatessen* de produits méditerranéens. Une bonne adresse pour un déjeuner sur le pouce.

Copes Seafood Company
778 Fulham Rd - 020 7371 7300
Excellent poissonnier.

Elizabeth King
34 New Kings Rd
020 7736 2826
Delicatessen proposant une multitude de produits méditerranéens (arrivée directe).

Emilia's Delicatessen
88 New Kings Rd - 020 7751 0189
Traiteur italien.

Megan's Delicatessen
571 New Kings Rd
020 7371 7837
Delicatessen proposant une multitude de produits en provenance de divers pays (France, Italie, Grèce,...). Possibilité de déjeuner sur place. Pain Poîlane.

Randalls Butcher
113 Wandsworth Bridge Rd
020 7736 3426
Sûrement l'un des meilleurs bouchers de Londres. Viande bio d'excellente qualité mais au tarif londonien ! Beau rayon de fromages.

AMEUBLEMENT-DECO

Boutiques d'antiquités et de brocante sur Lillie Road.

Cologne & Cotton
791 Fulham Rd
020 7736 9261
Linge de maison.

Pour les amateurs de meubles anglais en pin, le long de Wandsworth Bridge Road, nombreux magasins et choix immense possibilité de fabrication sur mesure.

Old Ginger
1b Bridge Studios
318-326 Wandsworth Bridge Rd - 020 7384 2155
Meubles indonésiens de bonne qualité. Possibilité de sur-mesure.

Pine House
138 Wandsworth Bridge Rd
020 7371 9999
Très beaux meubles en pin et chêne.

Spring Home
184 Munster Rd - 020 7736 0321
Tapissier, fabrication de rideaux,...

BRICOLAGE

Hitchcock King Glass Merchants
234-238 Lillie Rd - 020 7381 4301
Spécialisés dans la coupe du verre. Rapide et bon marché.

Idea Bright
772-776 Fulham Rd - 020 7736 4014
Electricité générale.

Perry's Art Plus Office
777 Fulham Rd - 020 7736 7225
Fournitures de bureau, peinture, encadrement.

Quincailleries:

RD Stores
114 Wandsworth Bridge Rd
020 7731 6854

Spratt & sons
618-620 Fulham Rd - 020 7736 6752

FLEURS

Molly Bloom
787 Fulham Rd - 020 7731 1212
Fleuriste interflora.

The Fulham Garden Centre
Bishops Avenue - 020 7736 2640
Pépiniériste.

Rk Alliston
173 New Kings Rd, Parson's Green
020 7731 8100
Fleuriste, paysagiste et tout pour le jardin.

Wandsworth Bridge Road

SPORTS

Sport World
427/429 North End Rd
0870 333 9432

The Board Room/Trek King
847 Fulham Rd - 020 7736 5982
Spécialisé dans le ski. Super soldes.

JOUETS-COTILLONS

Circus Circus
176 Wandsworth Brigde Rd
020 7731 4128

Cheeky Monkeys
94 New Kings Rd
020 7731 3031

Non-Stop Party Shop
694 Fulham Rd - 020 7384 1491
Farces et attrapes, cotillons, déguisements adultes et enfants,...

Patrick Toys & Models
107-111 Lillie Rd - 020 7385 9864
Jouets et modélisme.

VÊTEMENTS-CHAUSSURES

Blooming Marvellous
725 Fulham Rd - 020 7371 0500
Vêtements pour femmes enceintes et pour enfants.

Gillingham & Co
365 Fulham Palace Rd - 020 7736 5757
Super choix de chaussures adultes et enfants.

Kent & Carey
154 Wandsworth Bridge Rd
020 7736 5554

Vêtements pour bébés et enfants.

Mimmo
602 Fulham Rd
020 7731 4706
Vêtements pour enfants.

Pantalon Chameleon
187 New Kings Rd
020 7751 9871
Chaussures.

Pollyanna
811 Fulham Rd
020 7731 0673
Vêtements et chaussures pour enfants.

Sally Parson Women Wear
610 Fulham Rd - 020 7471 4848
Vêtements et chaussures pour adultes.

LIBRAIRIES-DISQUES

HMV
332-334 North End Rd

Virgin Megastore et **Books etc**
à la sortie du métro Fulham Broadway.

COIFFURE-BEAUTÉ

Anita Lawrence Hair Dressing
36 New Kings Rd
020 7731 5353

François Michel Hair ⓕ
118 Wandsworth Bridge Rd
020 7731 6543

Ark Health & Beauty
111 Wandsworth Bridge Rd
020 7731 8890
Salon de beauté esthétique.

PARCS ET AIRES DE JEUX

Bishops Park, Eel Brook Common, Hurlingham Park, South Park offrent de grands espaces verts pour jouer au foot ou pique-niquer et des aires de jeux pour les plus petits.
Nombreuses pistes cyclables. Plan très détaillé sur le site *www.lbhf.gov.uk* rubrique *cycling*.

FÊTES

Fair on the Green
Fête de quartier (nombreuses animations, bric-à-brac,...) sur le *green* de Parsons Green le premier samedi du mois de juillet.

Halloween
Le 31/10 les enfants frappent aux portes en lançant des *trick or treat* en échange de bonbons. Grande effervescence dans le quartier ce soir-là !

CINEMA-THEATRE

Cinema Vue
Fulham Broadway Centre - 0871 224 0240
Le reste des activités culturelles se trouve plutôt vers Hammersmith

MUSÉES

Museum of Fulham Palace
Bishops Avenue - 020 7736 3233
Musée retraçant la vie des Tudor. Visites guidées, activités éducatives et promenades dans les jardins. Gratuit.

GALERIES D'ART

King's Court Galleries
949-953 Fulham Rd - 020 7610 6939
Spécialisé dans les gravures anglaises. Encadreur.

RESTAURANTS

Blue Elephant
4-6 Fulham Broadway - 020 7385 6595
Restaurant thaïlandais très réputé. Incroyable décor de jungle.

Blue Kangaroo
555 Kings Rd
020 7371 7622
Restaurant familial (pizza, chicken nuggets...), aire de jeux au sous-sol.

Il Paggliaccio
182-184 Wandsworth Bridge Rd
0207 7371 5253
Italien avec une bonne ambiance familiale. Idéal avec les enfants.

Joe Brasserie
130 Wandsworth Bridge Rd
020 7731 7835
Sympathique, idéal pour un déjeuner.

Medea Brasserie
561 Kings Rd
020 7736 2333
Marocain. Bonne ambiance, accueil très chaleureux. Très bons couscous et tagines.

Strada
175 New Kings Rd
020 7731 6404
Italien idéal pour les déjeuners entre amis ou familiaux.

Sukho
855 Fulham Rd
020 7371 7600
Thaïlandais très raffiné. Excellent service. Réservation obligatoire le week-end.

The Pen
51 Parsons Green Lane
020 7371 8517
Pub au RDC, bon restaurant à l'étage.

PUBS

Ces deux *pubs* sont les plus caractéristiques de Fulham. Ils sont pleins à craquer les jours de match de Chelsea. Situés sur le triangle de Parsons Green, dès les beaux jours, les clients s'installent directement sur l'herbe leur verre à la main. Typical!

The Duke of Cumberland
235 New Kings Rd
020 7736 1777

The White Horse
1-3 Parsons Green
020 7736 2115

Putney

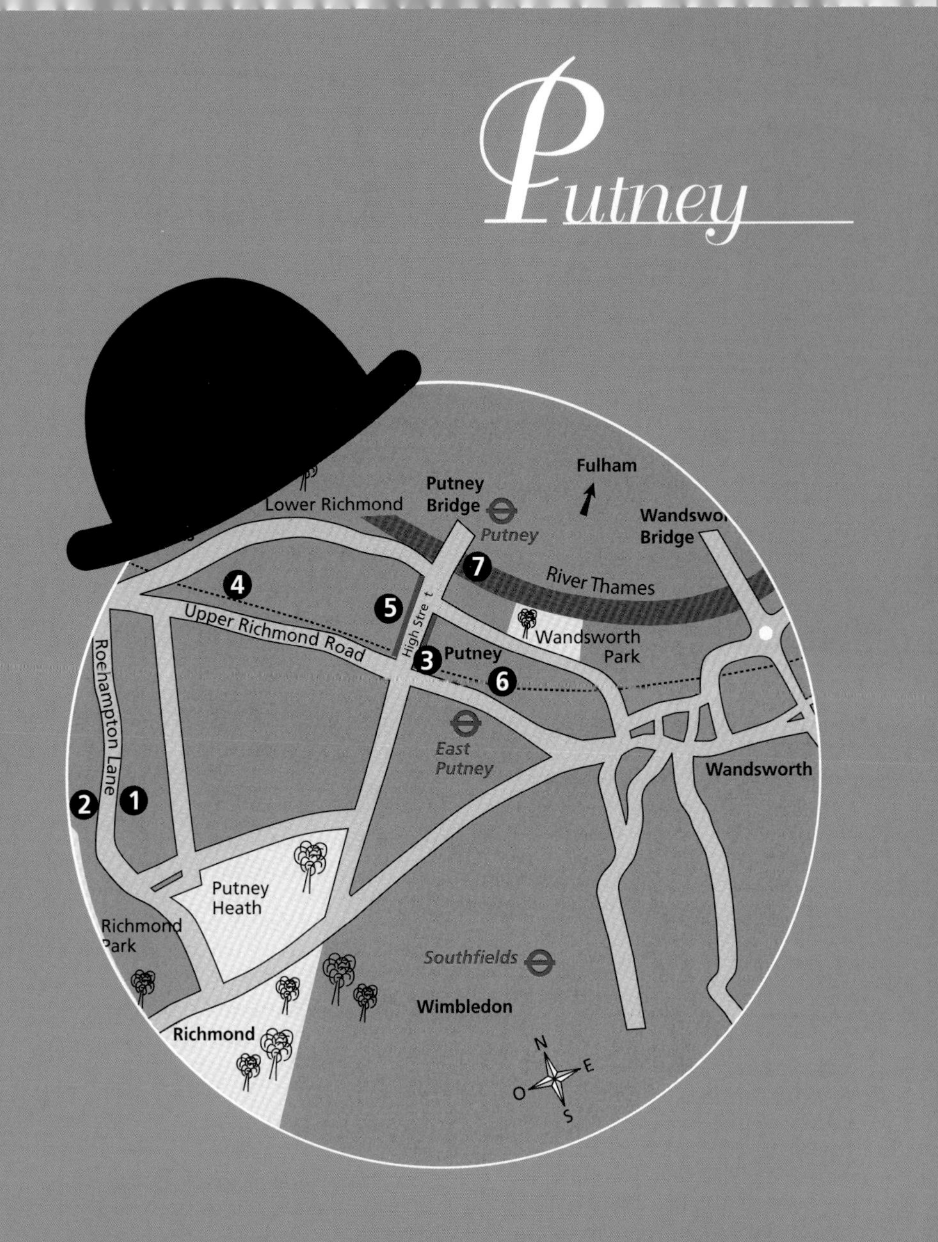

1. Queen's Mary Hospital
2. South Thames College
3. Bibliothèque
4. Putney Leisure Centre
5. Centre commercial The Exchange
6. Putney School of Art
7. St George Wharf

Zone commerçante

Putney (SW15) fait face à Fulham de l'autre côté de la Tamise et lui ressemble par bien des aspects: même ambiance de petite ville, même attrait des bords de Tamise. Putney est cependant plus spacieuse, plus aérée car entourée de nombreux et immenses espaces verts, et les bords de Tamise sont mieux aménagés. Il est possible d'aller à pied jusqu'à Barnes et au-delà, en longeant les nombreux clubs d'aviron (lieu de départ chaque année de la fameuse course Oxford-Cambridge) et le Wetland Centre. De l'autre côté du Putney Bridge, les quais de Tamise viennent d'être entièrement réaménagés en promenade piétonne agrémentée de nombreux restaurants et cafés, très agréable aux beaux jours. Putney est d'autant plus recherchée qu'elle dispose d'un parc immobilier varié et de bonne qualité (la moitié de la ville est classée, on peut y trouver de magnifiques maisons victoriennes dotées d'immenses jardins), d'excellentes écoles publiques et privées, et d'un bon réseau de transport (deux stations de métro et une gare qui rallie Waterloo en 12 mn).
Seules ombres au tableau: Putney se trouve juste sous la trajectoire d'atterrissage des avions à Heathrow, et le bruit peut être pénible par moments. La High Street qui la traverse est certes très pratique, mais la circulation y est infernale, de même que sur le pont aux heures de pointe.

Petite enfance

Wandsworth Children Information Service (CIS)
Wandsworth Council
Education Department
Town Hall
Wandsworth High St, SW18 2PU
020 8871 7899
www.childcarelink.gov.uk/westlondon

www.wandsworth.gov.uk
Rubrique *Education.* Site local sur les écoles, les modes de garde. Vous pouvez aussi appeler le *under 8s team*, service qui concerne les enfants en dessous de 8 ans, au **020 8871 7344**.

DAY-NURSERIES

Gwendolen's House
39 Gwendolen Av, SW15 6 EP
020 8704 1107
www.gwendolenhouse.com
3 mois-5 ans. 7h30-13h ou 13h30-19h, £45. Au centre ville.

Riverside Montessori Day Nursery
95 Lacy Rd, SW15 1NR
020 8780 9345
6 mois-5 ans. 8h-18h. £48 par jour.

NANNIES

Liste des agences disponible gratuitement au CIS (coordonnées ci-dessus). Consulter aussi les annonces de *nannies* et au-pair sur le site: *www.familiesonline.co.uk*

Everyday Angels
Erico house
93-99 Upper Richmond Rd - 020 8677 3015

MOTHER & TODDLER GROUPS

Bush Push
info: mail@paulinecrawford.co.uk

Groupe de parents qui se retrouvent tous les mardis et jeudis à 9h30 pour une grande marche au Wetland Centre. £5.

NCT Toddler Group
St Mary's Church, Putney Bridge
Le mardi 10h-11h30.

PLAYGROUPS

Three Plus Playgroup
Hotham Primary School, SW15 1PN
020 8788 2118
Lun-ven 9h15-11h45. Participation de £5.20/session ou £26/sem.

Ecoles

ECOLE FRANÇAISE

Maternelle & Primaire

Les plus proches sont l'Ecole primaire de Wix à Clapham, l'Ecole des Petits de Battersea et l'Ecole des Petits de Fulham.

Secondaire

Accès facile au Lycée Français Charles de Gaulle par le métro ou le Bus 14.

ECOLES ANGLAISES

Nursery schools

The Bee Hive
St Margarets Church Hall, Putney Park Lane, SW15
020 8780 5333
2 ans à 2 ans 1/2. Ouverte tous les matins 9h-12h15, mardi et jeudi jusqu'à 15h. £6.15/h, £75/sem.

Busy Bee (By the Bridge)
Parish Church of St Mary the Virgin, Brewer Building, Putney High St SW15
020 8780 3399
2 ans à 2 ans 1/2. Dans nouveau bâtiment. 5 matinées £880/trim, 3 matinées £800/trim.

The School Room Nursery
St Simon Church Hall, Hazlewell Rd, SW15
020 7384 0479
2-5 ans. Ouverte tous les matins 9h-12h15, mardi et jeudi jusqu'à 15h.

Nursery & primary schools

Brandlehow Primary School
Brandlehow Rd, SW15 2ED -020 8874 5429
www.brandlehow.ik.org
3-11 ans. *Community school* mixte. De beaux bâtiments et beaucoup d'espace, dans une rue calme. Non religieuse, uniforme simple (sweatshirt et T-shirt de l'école).

Hotham Primary School
Chrlwood Rd, SW15 1PN
020 8788 6468

www.hotham.wandsworth.sch.uk
3-11 ans. *State school* mixte, non religieuse, gratuite. 245 élèves dans une bâtisse victorienne avec beaucoup d'espace (3 cours de récréation). Excellente école, a reçu de nombreux prix (*Wandsworth Borough Centre for excellence, Best Primary Science Teacher*...). Importance donnée aux sciences et au sport. Nombreuses activités extra-scolaires.

Our Ladies of Victory RC Primary School

1 Clarendon Drive, SW15 1AW
020 8788 7957
www.ourladyofvictories.wandsworth.sch.uk
4-11 ans. Ecole catholique mixte, gratuite. Très bons résultats, la musique est un de leurs points forts (tous les enfants font solfège, chorale et flûte). Nombreux Français, donc cours de français d'un assez bon niveau. Admission sur critères religieux, très longue liste d'attente, mais des places se libèrent parfois dans les classes supérieures.

Merlin School
4 Carlton Drive, SW15 2BZ-020 8788 2769
www.thomas-s.co.uk
4-8ans. *Independent school* mixte (65 garçons, 35 filles). Petite école familiale, bon niveau, beaucoup de musique et de théâtre. Admission facilitée à The Harrodian à Hammersmith £2550/trim.

Nursery, Primary & Secondary Schools

Ibstock Place School
Clarence Lane, Roehampton, SW15 5PY
020 8876 9991
www.ibstockplaceschool.co.uk

3-18 ans. *Independent school* mixte, laïque. 760 élèves.Campus spacieux avec 3 bâtiments pour les différents niveaux (*nursery, junior, senior*). Terrains de sport et piscine. Eloigné des transports. Bonne réputation, liste d'attente. De £960/trim en nursery à £3900/trim au collège.

Putney High
35 Putney Hill, SW15 6 BH
020 8788 4886
www.gdst.net/putneyhigh
Independent school pour filles de 4 à 18ans. Laïque. Uniforme. Bon niveau, activités, sport et musique. £2300-3100/trim.

Logement

L'offre immobilière à Putney est très variée, depuis les *Council Estates* (HLM) aux magnifiques manoirs victoriens, en passant par tout l'éventail architectural britannique, *terraced houses,* maisons victoriennes et edwardiennes de toutes tailles, *mansion blocks,* et même appartements design dans des immeubles en verre.

Putney offre de vraies grandes maisons avec jardin, très recherchées car offrant une qualité de vie introuvable plus près du centre.

A la **location**, compter pour un appartement de 3 à 4 chambres £350 à £600/semaine, de £600 à £1000/semaine pour une maison de 3-4 chambres.

A la **vente**, £400 000 à plus de £700 000 et pour une maison de 3 à 5/6 chambres, £450 000 à plus de £2M.

La zone la plus résidentielle de Putney est **West Putney**, au nord du Heath: larges rues et grandes maisons victoriennes de 6 ou 7 chambres entourées de grands jardins; mais on en trouve aussi à **East Putney** (dont les plus belles sur les bords de Tamise), mieux desservi par les transports. Le reste de **East Putney** est un mix architectural de maisons mitoyennes (*terraced houses*), appartements et *mansions.* Prés de la **High St**, on trouve surtout des maisons victoriennes en *terrace,* qui deviennent de plus en plus grandes, de même que leurs jardins, au fur et à mesure que l'on se dirige vers Richmond à l'ouest.

St George's Wharf

Au sud de **Lower Richmond Rd**, quelques rues intéressantes ont été bien conservées avec leurs lignées de *cottages*, les lampadaires victoriens et les trottoirs pavés en briquettes (Parkfields, Coalecroft Rd). Un peu plus loin en allant vers Richmond, rues calmes et tranquilles au bord du **Putney Lower Common**.

Sans oublier les nombreux appartements flambant neuf dans le nouveau complexe immobilier de **St George's Wharf**, immédiatement près du pont.

Transports

LE METRO ET LE TRAIN

Deux stations: **East Putney** au centre, et **Southfields** au sud sur la District *line*, et une gare, **Putney,** qui amène à Waterloo en 12mn.

LE BUS

La ligne **14** part de Putney en passant par Fulham, South Kensington (très utile pour aller au Lycée Français), Knightsbridge, Green Park pour finir à Piccadilly Circus.
La ligne **414**, passe par Edgware Road pour aller sur Fulham Road et finir à Putney bridge (un arrêt à deux pas du lycée).
La ligne **22** part de Putney Common pour passer par Parson's Green, Chelsea (par la rue commerçante de King's Rd), Sloane Square,

Knightsbridge, Piccadilly Circus, Holborn, Liverpool Street et finir à Hackney.
La ligne **74** part de Camden Town, puis passe par Marble Arch, Knigtsbridge, South Kensington, Earl's Court, Lillie Road, Fulham Palace Rd, et terminus à Putney.

Vous pouvez sortir de Londres assez facilement vers l'ouest par la A3.

Administrations

MAIRIE

Wandsworth Borough Council
The Town Hall
Wandsworth High St, SW18 2PU
020 8871 6000
www.wandsworth.gov.uk

BIBLIOTHÈQUE

Putney Library
5/7 Disraeli Rd, 020 8871 7090
→ Carte p185

COMMISSARIAT

Putney Police Office
230-232 Putney Bridge Rd
Lundi-samedi 10h-17h30.

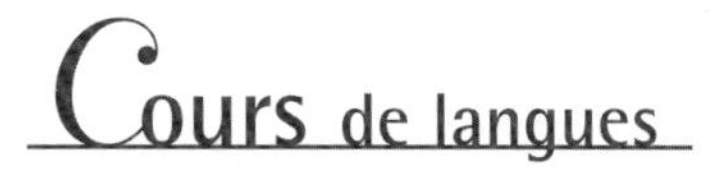

Cours de langues

(A *Adulte*, E *Enfant*)

South Thames College A
www.south-thames.ac.uk
020 8918 7777
Tous niveaux, journée et cours du soir.
First Certificate, Cambridge Advanced, English for international students (EIS), English for speakers of other languages (ESOL), Proficiency...

Sports

(A *Adulte*, E *Enfant*)

La situation de Putney en fait un paradis des sportifs. Outre les nombreux parcs, la proximité de la Tamise et de ses berges protégées permet de pratiquer des sports compliqués à faire à Londres, comme l'aviron ou le vélo. Enorme succession de terrains de sports sur les bords de Tamise entre Putney et Barnes avec prolifération de clubs en tous genres. Nous n'en citons que quelques uns ci-après.

CLUBS DE SPORT

Putney Leisure Centre AE
Dryburgh Rd - 020 8785 0388
Piscine avec cours de natation et aquagym, salles de sport, cours de danse, de yoga, gymnastique, pilates, activités pour les enfants. Café et garderie.

Roehampton Club AE
Roehampton Lane, SW15
020 8480 4205
www.roehamptonclub.co.uk

Club superbe, très anglais, bien équipé. Tennis, natation, squash, cricket, etc...
Atout: un terrain de golf de 18 trous.
Plusieurs types d'adhésion.

Roehampton Recreation Centre AE
Laverstock Gardens - 020 8785 0535
Cours et activités pour adultes et enfants.

AVIRON

Barn Elms Boat House AE
Queen Elizabeth Walk, Barnes SW13
020 8788 9472 - Contact Mr G Davies

Thames Rowing Club AE
Putney Embankment
www.thamesrc.demon.co.uk
Membership. Ouvert à tous mais pour rameurs sérieux. Inscriptions vers la fin septembre dans les équipes si des places sont disponibles.

Vesta Rowing Club AE
Putney Embankment
www.vrc.org.uk
Membership £350/an (étudiant £100, enfant £25). Liste d'attente.

FOOTBALL

Barnes Eagles FC E
Barn Elms
www.barneseagles.com
Le samedi matin 10h30-12h. Quelques entraineurs viennent du Fulham FC.

NATATION

Cours à la piscine de Putney cf ci-dessus.

TENNIS

Barn Elms AE
Queen Elizabeth Walk, Barnes SW13
020 8876 7685

Putney Lawn Tennis Club AE
Bulmuir Gardens, Putney
020 8788 0618
www.pltc.co.uk
10 courts en synthétique. *Membership*. Cours pour enfants, adultes, *social tennis*.

RUGBY

Rosslyn Park Rugby Football Club AE
Rosslyn Park, Priory Lane, Roehampton
020 8876 6044 /020 8876 1879
Le dimanche matin.

YOGA

Sivanada Yoga Centre A
49-51 Felsham Rd
020 8780 0160
Centre londonien de cette école de yoga internationale. Nombreux cours sur une base de *drop-in* (paiement à la séance), stages, café boutique et librairie.

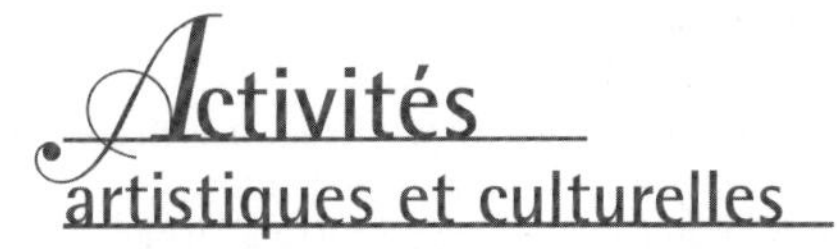

Putney School of Art A

Oxford Rd/Disaeli Rd, SW15
020 8788 9145
Très bons cours d'art et de design graphique sur ordinateur. Sponsorisé par la mairie donc très abordable.

South Thames College A
www.south-thames.ac.uk
020 8918 7777
Très grand choix de cours.

DANSE

Emma's Academy of Dance and Drama
Divers lieux
020 8452 600 181
Cours de danse pour tous les âges.

MUSIQUE

All Saints Singers A
Alison 020 8788 1031
www.putneysociety.org
Chorale qui se produit régulièrement à l'église All Saints Church.

Bea's Baby Music School E
Small Hall, Putney Leisure Centre
020 8670 9378
www.babymusic.co.uk
Eveil musical des tout-petits (6 mois-3 ans 1/2) Mercredi matin, plusieurs sessions, £6/session.

Monkey Music E
020 8480 6064

Putney Choral Society
www.putneychoralsoc.gemaugue.com
Chorale d'une soixantaine de personnes, ouverte à tous. Répertoire varié. répétitions le lundi de 19h15-21h15 au South Thames College.

Ritz Music → Achats
www.ritzmusic.co.uk
Une liste des professeurs particuliers est disponible sur leur site.

Tin Pan Annie E
020 8670 0644
www.tinpananie.co.uk
Eveil musical avec musiciens, chanteurs, percussions pour développer le goût de la musique.

THEATRE

Group 64
Putney Arts Centre, Ravenna Rd
020 8788 6935
www.putneyartstheatre.org.uk
Cours de théâtre pour enfants et jeunes.

Stagecoach Theatre Arts School
020 7631 5378
Mira recoit dans son atelier après l'école ou le samedi matin pour des cours de dessin, peinture, poterie. £140/trim matériel fourni.

Voiture

PARKING

➛Wandsworth

GARAGES

Mayday Motors
228 Roehampton Lane, SW15
020 8789 0946

Putney High Street

Putney Motors
118 Disraeli Rd, SW15
020 8874 5555

STATION SERVICE

Total
257 Upper Richmond, SW15
020 8246 7590

Installation et entretien

ORDURES MÉNAGÈRES

➛Wandsworth

SERVICES DOMESTIQUES

Putney SW15.com
www.putneysw15.com
Site Internet très bien fait qui recense les bonnes adresses et les actualités de Putney. En grande partie animé par les gens du quartier, vous y trouverez des tas d'adresses utiles notamment en ce qui concerne la vie quotidienne (*window cleaners, cleaners etc...*), avec des commentaires d'utilisateurs.
Très pratique.

Santé

NHS

GPs

Pour une liste des GPs dans votre quartier, tel à NHS Direct, 0845 4647 ou consultez le site du Wandsworth Primary Care Trust :
www.wandsworth-pct.nhs.uk

Putney Medical Centre
125 Upper Richmond Rd - 0844 477 1877
Centre médical ouvert en décembre 2006 dans lequel on trouve un grand cabinet médical (NHS et privé) avec 7 médecins (The Heathbridge Practice), un cabinet de physiothérapie (Physio4life), et un centre de soins d'urgences en dehors des heures de service des médecins (Harmony).

William Harvey Clinic
313-315 Cortis Rd, SW15 6XG
020 8788 0074
Lundi-vendredi 9h-17h.

Hôpitaux

Kingston Hospital
Galsworthy Rd, Kingston Upon Thames
020 8546 7711
www.kingstonhospital.nhs.uk
Bonne réputation pour les accouchements en NHS en chambre particulière!

Priory Hospital
Priory Lane, Roehampton SW15 5JJ
020 8876 8261
www.prioryhealthcare.com
Hopital privé spécialisé dans les troubles psychiatriques, y compris désordres alimentaires et toxicomanie.

Queen's Mary Hospital
Roehampton Lane, SW15 5PN
020 8487 6000
www.nhs.uk
Hopital public dépendant du NHS. Service d'urgences limité.

MÉDECINE PRIVÉE

Médecin Généraliste ⓕ
Dr Laurence Jouinot
077 1362 6663
Visites à domicile.

Médecin Généraliste ⓕ
Dr Anne de Laromiguère
079 3211 5002
Visites à domicile 7j/7. DU diététique et nutrition.

Achats

On trouve à peu près tout sur l'artère principale de Putney, la très fréquentée **High St**, et notamment dans le centre commercial **Putney Exchange**:

Exchange Commercial Centre
High St, Putney - 020 8780 1056
www.theexchangesw15.com
Ouvert du lundi au samedi de 8h30 à 20h et le dimanche de 11h à 17h.

Quelques boutiques de caractère dans **Lacy Rd**, et quelques commerces pratiques dans **Upper et Lower Richmond Rd. St George Wharf** et les quais de Tamise s'équipent aussi progressivement côté shopping, mais les rez de chaussée des immeubles sont plutôt consacrés aux restaurants et cafés pour le moment.

ALIMENTATION

Supermarchés

→ Carte p185

ASDA
31 Roehampton Vale (A3).

Sainsbury's
2-6 Werther Rd

Waitrose
The Exchange Shopping Centre

Marché

Putney Farmers' Market
St Mary's Church, Putney Bridge
Les vendredi et samedi de 10h-14h. Parking à l'Exchange Commercial Centre.

Autres commerces

J Buckley
88 Lower Richmond Rd - 020 8788 6160
Boucher traditionnel de qualité.

AMEUBLEMENT-DECO

Homebase et **B&Q** autour du rond-point de Wandsworth Bridge à Wandsworth Town.

Cargo Homeshop
Exchange Commercial Centre
Meubles et accessoires. Ustensiles de cuisine.

Pop UK
278 Upper Richmond Rd
020 8788 8811
www.popuk.com
Meubles, luminaires et accessoires contemporains et de designers.

JOUETS-COTILLONS

Early Learning Centre
The Exchange. Cf ci-dessus

VÊTEMENTS-CHAUSSURES

Frock Market
50 Lower Richmond Rd - 020 8788 7748
Vêtements de marque.

Savini Shoes
230 Upper Richmond Rd - 020 8788 4537
Chaussures italiennes de qualité.

LIBRAIRIES-DISQUES

HMV
The Exchange

Soul Brothers Records
1 Keswick Rd - 020 87875 1018
Cds, DVDs, et disques vynile d'occasion.

MUSIQUE

Ritz Music
3a Lacy Road - 020 8788 5000
www.ritzmusic.co.uk
Tous instruments, vente, location
et réparation.

COIFFURE-BEAUTÉ

Ark Health and Beauty
339 Putney Bridge
020 8788 8888
www.ahealthandbeauty.com
Soins du visage et du corps.

ASH Hairdressing
37 Putney High St - 020 8785 4488
Bon service, prix raisonnables.

Just Cuts
161 Putney High St - 020 8785 7772
Sans rendez-vous. Parfait pour les jeunes.

Toute l'actualité de Putney est sur le site
www.putneysw15.com.

CINEMA-THEATRE

Odeon Putney
26 High St - 0871 224 4007

Putney Arts Theatre
Ravenna Rd - 020 8788 6943
www.putneyartstheatre.org.uk

Cineworld Wandsworth
Southside Shopping Centre
Wandsworth High St, SW18
0871 220 8000
www.cineworld.co.uk
Immense complexe avec 14 salles.
Food Court.

GALERIES D'ART

Lacy Rd Gallery
30 Lacy Rd - 020 8789 1777
Expose de jeunes artistes contemporains.

Will's Art Warehouse
180 Lower Richmond Rd - 020 8246 4840
www.wills-art.com
Galerie spécialisée dans l'art contemporain entre £50 et £3000. Will Ramsay est un pionnier du concept d'art abordable et a notamment lancé la «*Affordable Art Fair*» qui a lieu deux fois par an à Londres.
7j/7, 10h30-18h.

RESTAURANTS

L'Auberge
22 Upper Richmond Rd - 020 8874 3593
Cuisine française de qualité et abordable.

Chakalaka
136 Upper Richmond Rd - 020 8789 5696
Nouveau restaurant sud-africain.

Boeuf organique, larges portions et bon choix de vins (sud-africains).

Chosan
292 Upper Richmond Rd - 020 8788 9626
L'un des meilleurs japonais au sud de la Tamise.

Enoteca Turi
28 High St - 020 8785 4449
Très bon Italien raffiné. Grand choix de vins.

Ma Goa
242-244 Upper Richmond Rd
020 8780 1767
L'un des indiens favoris du quartier. Cuisine familiale, mélange d'indien et de portugais (Goa). Réserver.

Phoenix Bar & Grill
162-164 Lower Richmond Rd
020 8780 3131
L'un des bons restaurants de Putney. Cuisine moderne franco-italienne dans un cadre rafffiné près de la Tamise. Terrasse. Assez cher.

Royal China
3 Chelverton Rd - 020 8788 0907
Chaîne de restaurants chinois de Hong Kong proposant notamment de délicieux *dim sums*.

PUBS

Bar M Putney
The Star & Garter, 4 Lower Richmond Rd
020 8788 0345
Superbe vue sur la Tamise. Parfait aussi pour un déjeuner.

Duke's Head
8 Lower Richmond Rd - 020 8788 2552
Pub agréable aux beaux jours en bord de Tamise. Terrasse.

JAZZ CLUB

Brooks Blues Bar
Pub The Telegraph, Putney Heath -
020 8780 9383
www.brookbluesbar.co.uk.co.uk
Concerts de musique country le vendredi soir dans ce *country pub* historique

Half-Moon
93 Lower Richmond Rd
020 8780 9383
www.halfmoon.co.uk

Ce pub/jazz club existe depuis 1963 et a reçu les plus grands (Stones, U2, The Who...).
Le programme change tous les jours, concerts de jazz gratuits le dimanche après-midi.

Putney Bridge

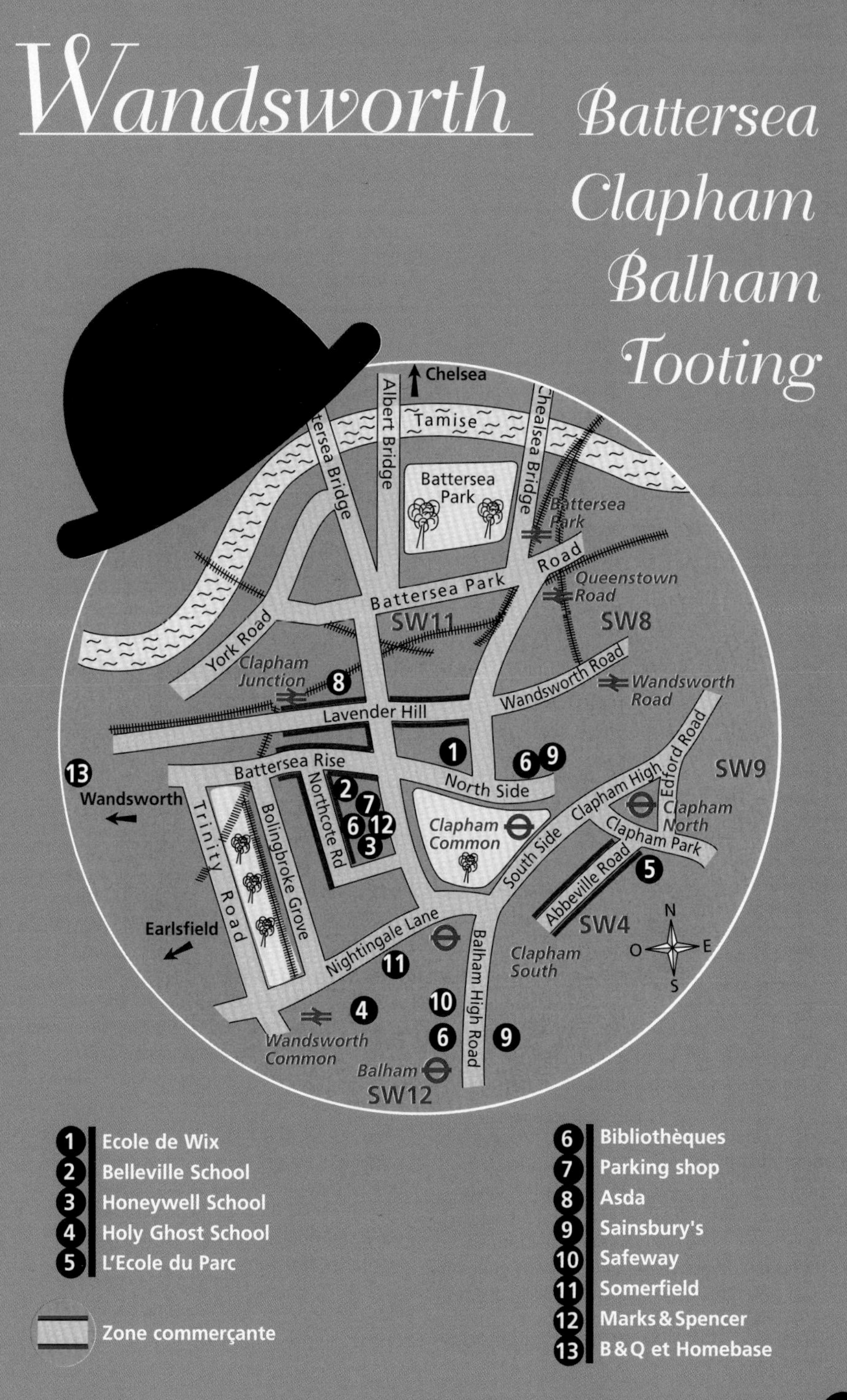
Wandsworth
Battersea
Clapham
Balham
Tooting
Chelsea
Tamise
Albert Bridge
Chealsea Bridge
Battersea Bridge
Battersea Park
Battersea Park
Battersea Park Road
Queenstown Road
SW11
SW8
York Road
Clapham Junction
Wandsworth Road
Wandsworth Road
Lavender Hill
Edford Road
SW9
Battersea Rise
North Side
Clapham High
Clapham North
Wandsworth
Trinity Road
Bolingbroke Grove
Northcote Rd
Clapham Common
South Side
Clapham Park
Abbeville Road
SW4
N
O
E
S
Earlsfield
Nightingale Lane
Balham High Road
Clapham South
Wandsworth Common
Balham
SW12
1 Ecole de Wix
2 Belleville School
3 Honeywell School
4 Holy Ghost School
5 L'Ecole du Parc
Zone commerçante
6 Bibliothèques
7 Parking shop
8 Asda
9 Sainsbury's
10 Safeway
11 Somerfield
12 Marks & Spencer
13 B & Q et Homebase

Wandsworth

Battersea
Clapham
Balham
Tooting

Au sud de la Tamise, ces quartiers ont de plus en plus le vent en poupe. Battersea SW8 et SW11, Balham SW12, Earsfield SW18, Tooting SW17, Streatham SW16, sont gérés par le *council* de Wandsworth, tandis que Clapham Park SW4, dépend du *council* de Lambeth.

Pour commencer, les mètres carrés y sont plus abordables. Pour le prix d'un appartement dans South Ken, vous pouvez vous offrir un mode de vie typiquement anglais: une de ces maisons victoriennes étroites de façade, avec une *bow window* sur la rue, et un petit jardin-patio où réunir les amis autour d'un barbecue.

Ici, on dit habiter "Clam". C'est plus chic!

Les vastes espaces verts, Battersea Park, Clapham Common, Wandsworth Common, contribuent à la qualité de vie. Une partie de ce quartier est connu sous le terme de *Between the Commons* et animé par une population jeune et active. Les rues commerçantes, décrépies jusqu'aux années 1990, se sont embourgeoisées, pour devenir par endroits branchées. Les bars nouvelle vague colonisent peu à peu les axes fréquentés. De Northcote Rd à Balham High Rd, c'est une floraison de vitrines remises au goût du jour. Pour les réfractaires aux courses en grande surface, on trouve là bouchers et fromagers, avec des petits marchés en plein air.

Du fait des embouteillages aux heures du *school run*, la densité des écoles ne manquera pas d'être remarquée par les nouveaux venus. Il faut se rappeler que Clapham est surnommé la *Nappy Valley*, en raison de la plus forte densité d'enfants au m² en Angleterre.

La forte présence française à Clapham et ses alentours est due à l'annexe du **Lycée Français Charles De Gaulle**, l'**Ecole de Wix**, située sur la partie nord de Clapham Common. Une tendance se dessine: la scolarisation des enfants dans une école anglaise locale telle **Belleville** ou **Honeywell School**, avec le suivi éventuel du **CNED**. Une nouvelle école française vient d'ouvrir à Battersea.

Il fait bon vivre du côté de Clapham. On y partage la vie des Anglais, sans pour autant être isolé tout à fait de sa douce France. L'Institut n'est pas loin, ni les merveilles de Kings' Rd. Les amis parlent les deux langues. Les enfants connaissent les règles du foot en anglais. Les parents s'y sont mis. Plus personne ne veut revenir à Paris.

Petite enfance

Wandsworth Children Information Service (CIS)
Wandsworth Council
Education Department
Town Hall
Wandsworth High St, SW18 2PU
020 8871 7899
www.childcarelink.gov.uk/westlondon

www.wandsworth.gov.uk
Rubrique *Education.* Site local sur les écoles, les modes de garde. Vous pouvez aussi appeler le *under 8s team*, service qui concerne les enfants en dessous de 8 ans, au **020 8871 7344**.

DAY-NURSERIES

Abbacus Early Learning Nursery
Deux centres:
135 Laitwood Rd, Balham, SW12 9QH
020 8675 8093
7 Drewstead Rd, Streatham, SW16 1LY
020 8765 8093
www.abacusnurseries.com
1an1/2-5 ans. L-V 8h-18h, possibilité d'aménagement horaire. £28-30/jour, £135-140/sem. Inspectée par l'OFSTED en 2006 et jugée «*outstanding*». Uniforme.

The Bumble Bee Nursery
Church of Ascension,
Pountney Rd, SW11
020 7350 2970
www.bumblebeeschool.co.uk
2ans1/2-5ans. 9h15-12h15. Musique, théâtre, danse et gymnastique par des professeurs spécialisés. Au dernier étage d'une église, local spacieux. Très bonne ambiance. Prix raisonnables.

Clapham Junction Nursery
204 Lavender Hill, SW11 1JG
020 7924 1267
1-5 ans. Sur le parking du supermarché ASDA, très pratique pour se garer. 8h-18h. Personnel très accueillant. Possibilité de mixer mi-temps et temps-plein. £42/jour.

L'Ecole du Parc → Ci-dessous: Ecoles

Elm Park Nursery
90 Clarence avenue, SW4 8JR
020 8677 8231
6 mois-5 ans. Accueil très chaleureux. 8h-18h. Prix intéressants.

Eveline Day Nursery
30 Ritherdon Rd, Tooting, SW17 8QD
020 8672 7549
3 mois-5 ans. Belle maison, jardin bien adapté aux enfants. Propre, repas équilibrés (cuisinière à plein-temps). Personnel motivé et impliqué. Cours de danse, chansons et cours de français. 7h30-18h30, £250/sem.

Second-Steps Nursery
60 Ravenslea Rd, SW12 8RU
020 8673 6817
1-5 ans. Locaux impeccables, jardin très agréable avec des jeux extérieurs. Nombreux Français. Horaires aménageables. 8h-18h. Tarifs en fonction de l'âge.

NANNIES

Consulter aussi les annonces de *nannies* et au-pair sur le site: *www.familiesonline.co.uk*

MOTHER & TODDLER GROUPS

One o'clock

Tous les après-midi, 13h-15h30. Attention aux jours de fermeture. Infos dans le guide des loisirs (cf. bibliothèque) ou au **020 8871 8821**. Pour tous les connaître allez sur *www.wandsworth.gov.uk*, rubriques *Leisure and Tourism, Play and Community Services, Play Services*.

Autres Mother & Toddler Groups

Abbeville Rd Contact Centre
60 Hambalt Rd, SW4
9h30-11h30. Mine de renseignements sur les activités du quartier.

Baby Bright
St-Barnabas Church, Clapham Common North Side, 12 Lavender Gardens, SW11
020 7978 4109

Broomwood Methodist Church
Kyrle Rd, SW11
Très bon *playgroup*, clair. Jouets de qualité. Mercredi et vendredi, 9h30-11h30.

020 8673 1943

Nightingale Playgroup Montessori Nursery
St Luke's Community Hall, SW12
020 7924 6100
Mardi et jeudi, 10h-11h30.

Rainbow
48 Endelsham Rd, SW12 - 020 8673 8914
10h-11h30 (fermé le vendredi).
Playgroup catholique. Ambiance chaleureuse. Les petits adorent et les mamans y font des rencontres tout en améliorant leur anglais devant une tasse de thé. Pas d'obligation d'inscription. Jouets de qualité. Participation £2.

PLAYGROUPS

Bolingbroke Playgroup
One O'Clock Centre, Chivalry Rd, SW11
020 7294 7260
2 ans1/2-5 ans. 9h30-12h. Locaux neufs, baies vitrées sur Wandsworth Common. Espace extérieur bien aménagé et sécurisé. Liste d'attente très longue. Prix modiques.

Equipe très sympathique de grand-mères qui adorent les enfants.

Lochinvar Playgroup
Alderbrook School
Oldridge Rd, SW12
020 8675 5624

2 ans-5 ans. Personnel (4 mamans) qualifié. Locaux petits mais très fonctionnels. Petite aire de jeux extérieure. Prix intéressants. Mi-temps et plein-temps.

Wakehurst Play Group
Northcote Baptist Church
53 Wakehurst rd, SW11 - 020 7787 6594
2-5 ans. 9h45-12h15. Bien et abordable. Dès 2 ans1/2, votre présence n'est plus exigée mais sollicitée de temps à autre pour aider.

Ecoles

ECOLES FRANÇAISES

Maternelle & Primaire

L'Ecole des Benjamins
Oldridge Rd, Clapham South, SW12 8PP
020 8673 8525
www.ecoledesbenjamins.com
59 Balham Grove
Ecole maternelle bilingue pour les 2-6 ans. A partir de £500/mois. Piscine.

L'Ecole du Parc
12 Rodenhurst Rd, SW4 8AR
020 8671 5287
www.ecoleduparc.co.uk

Crèche 1-3 ans. Maternelle, petite, moyenne et grande-section (30 enfants). 10/15 enfants par classe. Familial, très professionnel. Vacances scolaires françaises. ➤ **Carte p195**

L'Ecole des Petits Battersea
Trott St, SW11 3DS - 020 7294 3186
www.lecoledespetits.co.uk
3-11 ans. Nouvelle école bilingue ouverte en 2006. Homologuée. £6660-£6975/an. Environ 155 élèves. Grande cour, gymnase moderne. Salle d'informagtique. Activités: foot, art, escrime. Les enfants doivent terminer leur scolarité primaire sur place avant de pouvoir être admis au Lycée.

Lycée Charles de Gaulle - Ecole de Wix
Wix's Lane, SW4 0AJ
020 7738 0287
230 élèves, Moyenne Section au CM2. Ambiance de village. Nombreuses familles mixtes et enfants bilingues. Projet d'ouverture d'une petite section. Orientation des élèves sur le collège de South Ken. ➤ **Carte p195**

ECOLES ANGLAISES

Nursery schools

Les visiter avant de s'inscrire. Locaux souvent vétustes. A Wandsworth, il faut avoir 3 ans avant le 1er septembre pour rentrer en *nursery*. Plein-temps pour les plus de 4 ans ou lorsque les parents travaillent (ou sont étudiants).

Publiques (gratuites)

Balham Nursery
72 Endlesham Rd, SW12
020 8673 4055

Excellente maternelle avec 2 classes de 25 élèves. Personnel qualifié, très proche des enfants. Grand jardin. Sélection sur critère de proximité géographique. La meilleure *nursery* du coin.

Honeywell Nursery
Honeywell Rd, SW11 - 020 7228 6811
Personnel charmant et motivé. Espace extérieur très vaste. Beaucoup d'activités manuelles. Très à l'anglaise.

St Mary's RC Nursery School
Crescent Lane, Clapham, SW4 9JQ
020 7622 5479
Très bien. Mixte, catholique.

Wix's Nursery
Wix's Lane
Clapham Common, SW4 0AJ
020 7228 3055

State nursery (gratuite) située dans les mêmes locaux que l'Ecole de Wix. Intéressant: accueil (sur critère de proximité, d'où mixité sociale) des enfants de 3 ans (pas de PS à Wix côté français). L'année suivante, ils peuvent, soit passer en MS à Wix, soit poursuivre dans la nouvelle MS bilingue, créée en partenariat avec le Lycée. La section bilingue est sélective (dossier, profil, entretien) et accueille en théorie moitié Anglais, moitié Français. Des passerelles permettent de réintégrer l'un ou l'autre système en cas de besoin. Wix devrait se doter progressivement d'une structure complète maternelle-primaire bilingue. Dates de vacances anglaises.

Privées (payantes)

Alphabet Nursery School
Chatham Hall, 152 Northcote Rd, SW11
020 7294 2678
2 ans 1/2-5 ans. Agréable, spacieux et chaleureux. Matin ou après-midi. Grande aire de jeux à l'extérieur.

Barnaby Bright Nursery School
St-Barnabas Church
Clapham Common North Side,
12 Lavender Gardens, SW11
020 7978 4109
2 ans 1/2-5 ans. Le matin 9h30-12h30. Au dernier étage de l'église, assez sombre. Equipe qualifiée, ambiance chaleureuse, cours de danse et de français chaque semaine. Idéal pour l'intégration des tout-petits. L'une des nurseries privées les moins chères du quartier (£1000/trim). Point négatif: espace de jeu extérieur restreint.

Kindergartens Nursery Group

2 ans 1/2-5 ans. Méthode Montessori. Enseignants très impliqués. Nombreuses activités: sorties, cours de musique, spectacles… Haut de gamme. Assez cher. Plusieurs centres:

- The Park Kindergarten
St Saviour's Church
351 Battersea Park Rd, SW11
020 7627 5125
2-4 ans. Très grand et très clair. Personnel qualifié. £1425/trim.
- Crescent I
Flat 1, 10 Trinity Crescent, SW17
020 8767 5882.
Dans le sous-sol d'une maison. Très clair, jardin agréable.
- Crescent II, Holy Trinity Church Hall, 74 Trinity Rd, SW17 - 020 8682 3020
Dans la nef de l'église, spacieux mais vétuste.

Nightingale Montessori Nursery School
St Lukes Com. Hall 194 Ramsden Rd, SW12
020 8675 8070
www.nightingalemontessori.co.uk
2-5 ans. Cours de français, danse et musique. Locaux clairs et jardin clos. Rentrées en septembre, janvier et avril. Horaires aménageables. £600-£1200/trim.

Red Balloon Nursery
St Mary Magdalene Church
Trinity Rd, SW17
020 8672 4711
2 ans 1/2-4 ans 1/2. Très bien. Accueil enjoué, activités variées. Un vrai travail est effectué avec les enfants, toujours de façon très ludique.

Thomas's Kindergarten
St Mary's Church
Battersea Church Rd, SW11 3NA
020 7738 0400
www.thomas-s.co.uk

4-7 ans. Bonne réputation, liste d'attente. Possibilité de continuer ensuite dans les autres établissements du groupe à Battersea et Clapham (voir ci-contre). £3000-3700/trim.

The Wainwright Montessori School
102 Chestnut Grove, SW12
020 8673 8037
2 ans 1/2-5 ans. 8h30-16h30 tous les jours, 2j minimum. Petite école charmante refaite à neuf (dans une maison particulière). Beau jardin. Assez cher, beaucoup de vacances.

Primary schools

Belleville School
Webb's Rd, SW11 6PR
020 7228 6727

State school qui "monte". Grande implication des parents (club de français, danse,...). Direction dynamique. Equipe spécialisée pour des problèmes tels que dyslexie, enfants surdoués,... Salle informatique, salle vidéo/multimédia. Cours du CNED au sein de l'école par des professeurs extérieurs. Gratuite. ➤Carte p195

Holy Ghost Primary School
Nightingale Square, SW12 8QJ
020 8673 3080
Très bonne école catholique, meilleure de la commune et 3ème de Londres. Sélection sur la présence à l'église tous les dimanches par tous les membres de la famille et la proximité de l'école. Beaucoup de Français. CNED organisé par des mamans françaises à domicile. Gratuite. ➤Carte p195

Honeywell School
Honeywell Rd, SW11 6EF
020 7228 6811

La meilleure *state school* du quartier. Nécessité d'habiter très près de l'école pour avoir une place. CNED par professeur extérieur. ➤Carte p195

Hornsby House School
Hearnville Rd, SW12 8RS
020 8673 7573
3-11 ans. *Independent school*. Professeurs très qualifiés. Correspond totalement à nos critères français. Locaux magnifiques, bel uniforme. Cher.

Parkgate Montessori School
80 Clapham Common Northside, SW4 9SD
020 7350 2452
2 ans 1/2-11 ans. *Independent school* typique. Très beau bâtiment devant le Common. Les enfants y sont très heureux. Uniforme à croquer. Liste d'attente longue, surtout dans les petites classes. Très cher. Le grand luxe.

St Mary's RC Primary School
Crescent Lane, Clapham, SW4 9JQ
020 7622 5479
3-11 ans. Catholique. Excellents résultats aux derniers rapports d'inspection OFSTED. Accent donné à l'enseignement de la musique. Gratuite.

Thomas's Preparatory Schools
Deux sites:
Battersea: 28-40 Battersea High St, SW11
020 7978 0900
Clapham: Broomwood Rd, SW11 6JZ
020 7326 9300
www.thomas-s.co.uk
4-13 ans. *Independent school*. Mixtes. 500 élèves. Personnel qualifié et attentif. Beaucoup de théâtre. Très difficile d'accès, longues listes d'attente, non sélective. £2650-3900/trim.

The White House Preparatory School & Woodentops Kindergarten
24 Thornton Rd, SW12 0LF
020 8674 9514

2 ans 1/2-11 ans. *Independent school*. Mixte. Cadre très agréable. Personnel motivé et qualifié. Point fort: la technologie. Activités nombreuses après l'école. Grand jardin. Uniforme et scolarité très chers.

Secondary schools

Graveney School
Welham Rd, Tooting SW17
020 8682 7000/7075
www.graveney.wandsworth.sch.uk
11-19 ans. *State school*. 1 845 élèves. Gratuit.

Emanuel School
Battersea Rise, SW11 1HS
020 8870 4171
www.emanuel.org.uk
10-18 ans. *Independent school* mixte.Très bonne réputation. 720 élèves. £4000/trim.

Nursery, primary & secondary school

Streatham & Clapham High School
Abbotswood Rd, SW16
020 8677 8400
www.gdst.net/streathamhigh
3-18 ans. *Independent school* de filles.
830 élèves. £2700/trim.

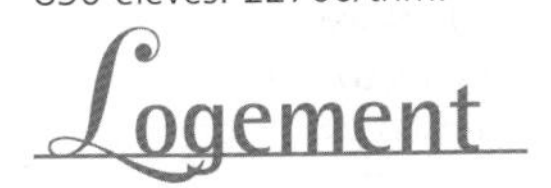

BATTERSEA

Prix moyen des **ventes** : entre £350 000 et £650 000 pour les appartements du studio au 3 chambres, entre £500 000 et £3M pour les maisons de 2 à 8 chambres.
Prix moyen des **locations**/semaine: entre £200 et £600 pour les appartements (du studio au 4 chambres) et entre £300 et £1200 pour les maisons (2 à 6/7 chambres).

Battersea Park, central Battersea and the River
Les +: parc magnifique, proximité de King's Rd, 12 mn en vélo ou bus de South Kensington.
Les -: pas de métro, peu de commerces, peu de rues résidentielles.

Clapham Common North Side Clapham Junction
Les +: très central, on peut tout faire à pied, proximité des transports en commun, magasins et Ecole de Wix.
Les -: maisons et jardins plus petits.
Quartier bruyant (circulation routière, avions).
Ecoles publiques anglaises de niveau moyen.

Between the Commons
Les +: quartier très recherché car proche de Northcote Rd (adorable rue commerçante, ambiance de village), du marché et d'écoles publiques et privées anglaises très cotées. Comme son nom l'indique, ce quartier est entouré de deux *commons* très agréables

Battersea

(grands *playgrounds*, clubs pour enfants, tennis). Les -: prix très élevés, bruyant (avions).

BALHAM et **TOOTING**

Prix moyen des **ventes**: entre £100 000 et £360 000 pour les appartements du studio au 4 chambres, entre £160 000 et £1M pour les maisons de 2 à 8 chambres.
Prix moyen des **locations**/semaine: entre £125 et £400 pour les appartements (du studio au 4 chambres) et entre £200 et £650 pour les maisons (2 à 6/7 chambres).

Balham
Les +: quartier mixte avec de grandes maisons, prix plus raisonnables.
En vogue, c'est le quartier qui monte.

Enclaves très cotées:
Nightingale Triangle: proche d'écoles privées et publiques très demandées. Maisons immenses avec grand jardin. Adresse très chic!
Balham High Rd et **St James:** en bordure de Wandsworth Common et à proximité de Bellevue Rd, rue animée et très résidentielle.
Heaver: grandes maisons *double fronted*, jusqu'à 8 chambres et trois salons, grands jardins. Proximité de Balham High Rd, rue commerçante en plein développement. Quartier très recherché.
Les -: écoles publiques moyennes.

Tooting
Les +: quartier animé, grandes maisons à prix raisonnable. Beaucoup de produits indiens. Quartier en amélioration constante.
Les -: bruyant, faire attention au choix de la rue avant de louer ou d'acheter.

CLAPHAM

Prix moyen des **ventes**: entre £250 000 et £500 000 pour les appartements du studio

au 4 chambres et entre £350 000 et £2.25M pour les maisons de 2 à 8 chambres.
Prix moyen des **locations**/semaine:
entre £210 et £500 pour les appartements (du studio au 3 chambres) et entre £300 et £800 pour les maisons (2 à 5 chambres).

Abbeville Village
Les +: très grandes maisons familiales, rue commerçante, ambiance de village, proximité de Clapham Common.
Les -: proximité de Brixton, quartier très populaire.

Old Town
Les +: quartier branché qui bouge.
Les -: bruyant, principalement des maisons transformées en appartement.

Clapham North
Les +: quartier très central, nombreuses maisons et appartements à louer, cinéma.
Les -: bruyant et alentours du métro difficiles. Ecoles publiques anglaises de niveau moyen.

Transports

Quartier très bien connecté aux divers moyens de transport.
L'aéroport de Heathrow se trouve à 45mn en voiture et celui de Gatwick à 30mn par le train. La M25 et la M3 peuvent être atteintes en 30mn et la M4 en 25 mn.
Waterloo International (connexion avec Eurostar) est à seulement 15mn de Clapham South (Northern *line*) et à 10mn de Clapham Junction (⇌ British Rail).
Toutes les connections et *Travel Planner* sur ***www.wandsworth.co.uk*** puis *Environment and Transport*, puis *Travel and transport*.

LE METRO

Stations: **Clapham South, Clapham Common, Balham, Tooting**. La *Northern line* a un accès direct vers Waterloo et la City. En changeant à London Bridge, vous arrivez directement dans le monde financier de Canary Wharf.

LE BUS

A Clapham Junction, le **319** (depuis Tooting) va directement sur King's Rd/Sloane Square.
Les bus **345** et **49** vont vers South Ken.
Le **77** à Waterloo.
Le **77A** à Trafalgar Square.

LE TRAIN

La grande gare de **Clapham Junction** dessert Victoria (5mn), Waterloo (10mn) et Gatwick (30mn).
Les principales lignes de train:
www.southcentraltrains.co.uk
www.southwesttrains.co.uk
www.silverlink-trains.com

Administrations

MAIRIES

Wandsworth Borough Council
The Town Hall
Wandsworth High St, SW18 2PU
020 8871 6000/fax 020 8871 7560
www.wandsworth.gov.uk

Borough of Lambeth
Lambeth Town Hall,
Brixton Hill, SW2 1RW
020 7926 1000
www.lambeth.gov.uk

BIBLIOTHÈQUES

www.wandsworth.gov.uk/libraries

Balham Library (fermé le mercredi)
16 Ramsden Rd, SW12
20 8871 7195

Battersea Park Library (fermé le mercredi).
309 Battersea Park Rd, SW11
020 8871 7468

Clapham Library (Lambeth)
1 Northside Clapham Common, SW4
020 7926 0717 → carte p195

Northcote Library (fermé le mardi)
155e Northcote Rd, SW11
020 8871 7469

Tooting Library (fermé le mercredi)
75 Mitcham Rd, SW17
020 8871 7175
Prêt jusqu'à 15 articles/personne pour 3 semaines. Accès Internet, fax et photocopieur, espace enfants avec lecture

d'histoires, location à prix intéressants de DVD et vidéos. Bibliothèque musicale à Balham et Battersea. Point infos.

COMMISSARIATS

- 176 Lavender Hill, SW11
020 7228 1212
- 112-118 Battersea Bridge Rd, SW11
020 7350 1122
- 47 Cavendish Rd, SW12
020 7326 1212
- 522 Garratt Lane, SW17
020 8946 2212
- 146 Wandsworth High St, SW18
020 8870 9011

COMMUNITY CENTRE

Wandsworth Volunteer Bureau
170 Garratt Lane, SW18 - 020 8870 4319
www.wvb.co.uk
Pour ceux ou celles intéressé(e)s par le bénévolat, prendre RV, mardi 10h-13h, jeudi 14h-17h. Préciser le secteur d'intervention qui vous intéresse (enfants, visite dans les prisons, hôpitaux, ...).

Cours de langues

(A *Adulte*, E *Enfant*)

Echanges de conversation avec des mamans anglaises dans le quartier au cours de fréquents *morning coffees*.

ELT (English Language Training) A
18 Old Town, Clapham, SW4
020 7622 7254
www.elt-online.co.uk

Excellente école, tous niveaux. Maximum 15 élèves/classe. Entre 4 h et 20h de cours/semaine. £200-£700/trim.

South Thames College A
www.south-thames.ac.uk
020 8918 7777
Tous niveaux, journée et cours du soir. *First Certificate, Cambridge Advanced, English for international students (EIS), English for speakers of other languages (ESOL), Proficiency...*

Polyglot A
214 Trinity Rd, SW17 - 020 8767 9113
www.polyglot.co.uk
Cours particuliers ou groupés. Petits groupes

(A *Adulte*, E *Enfant*)

ATHLETISME

Millenium Area, Battersea Park AE
020 8871 7537
Pistes de course ouvertes à tous.
Entrée £2.50/A, £1.60/E. Cours pour enfants le mercredi.

CLUBS

Balham Leisure Centre AE
Elmfield Rd, SW17 - 020 8772 9577
Centre familial. Piscine petite mais très agréable car peu fréquentée (surtout juste après l'école), et propre (locaux refaits à neuf). Crèche 6 mois-5 ans.

Holmes Place Clapham AE
4-20 North St, SW4 - 020 7819 2555
www.holmesplace.co.uk
Très propre, bien équipé, c'est le haut de gamme. Superbe piscine. Garderie pour les petits. £65/mois pour toutes les activités. Faire du sport tout en restant chic.

Latchmere Leisure Centre AE
Burns Rd, Battersea, SW11- 020 7207 8004
Le plus grand centre sportif. Crèche 3 mois-4 ans, personnel très qualifié. Piscine impressionnante: bassin progressif pour les enfants en bas-âge, vagues et gigantesque toboggan en forme d'éléphant. Propreté moyenne, eau souvent trop chaude.

Wandle Recreation Centre AE
Mapleton Rd, Wandsworth, SW18
020 8871 1149

Tooting Leisure Centre AE
Greaves Place, Tooting, SW17
020 8333 7555
Crèche 3 mois-5 ans (£2) excellente.
Très bon centre, beaucoup d'activités.

Tooting Bec Lido AE

Tooting Bec Common,
Tooting Bec Rd, SW16
020 8871 7198
Piscine en plein air durant l'été, très agréable.

Pour tous ces *Leisure Centre*,
tarifs sur *www.kinetika.org*
£45/mois pour toutes les activités, 20/piscine.
Crèche: £2-£3.5. Carte famille: £90/mois.

ESCRIME

Tooting Leisure Centre AE
Greaves Place, Tooting, SW17
020 8640 4702
Enfants le sam 10h30-12h,
adultes 12h-13h30.

FOOTBALL

Broomwood Football Club E
Sur le Wandsworth Common, différents entrainements selon âge et niveau, samedi matin 10h. Infos sur place.

Eaton School's after school Soccer Club
A Battersea Park. Accepte les plus de 6 ans, en période scolaire anglaise, le mercredi de 17 à 18h, sur les terrains en astroturf à côté du playground, et le samedi de 10h à midi sur le Millenium Stadium. £20 pour 10 séances. Renseignements sur place le mercredi.

GOLF

The Central London Golf Centre AE
Burntwood Lane, SW17
020 8871 2468
www.clgc.co.uk
Très beau 9 trous en plein centre de Wandworth Common. Cours particuliers ou collectifs. Tous niveaux. Les mamans peuvent prendre des cours en même temps que leurs enfants. Parking gratuit. Prix correct.

GYM/YOGA

Gym in the Park AE
Au Fitness Centre du Millenium Arena à Battersea Park. Abonnement mensuel (£32) ou *pay as you go* (£4,50). Infos sur place.

Mayfield Gymnastics Club E
Springfield Hospital, 61 Glenburnie Rd,
Tooting SW17 - 020 87672094
Club très sérieux de la fédération anglaise de gymnastique. Cours 18-mois-5 ans le mercredi 13-15h (£5/session). Filles 5-11 ans+ le mardi 16-19h. Entraînement compétition/équipes les mercredi, vendredi après-midi et samedi matin. Garçons 5-9 ans le jeudi.

Pilates A
The Battersea Practice ➤ Santé.
Séances dans la journée ou le soir.

Surya Yoga A
154 Clapham Park Rd, SW4
020 7622 42 57
www.suryayoga.co.uk
Astanga et Hatha yoga ainsi que stages (workshops), retraites. £10/cours. Ambiance très sérieuse presque studieuse. *Loft* gigantesque, bien chauffé, jeux de lumière.

Tumble Tots E
020 8464 4433 (Julia)
Cours de gymnastique pour les enfants de moins de 2 ans, 2-3 ans et +3 ans. Chansons rythmiques, poutre.

PATINOIRE

Streatham Ice Rink AE
386 Streatham High Rd, SW16
020 8769 7771
www.streathamicearena.co.uk

Fantastique. Cours pour toute la famille.

PISCINE

Clapham Manor St AE
Moins chère, plus petite et plus vieillotte que la piscine de Latchmere, mais larges lignes pour nager, bonne température. En face du Sainsbury's. Forfait journée.

South West Swimming School
Broadway Studios
28 Tooting High St, SW17
020 8767 2723

4 piscines, large éventail d'horaires. Apprentissage excellent, beaucoup d'attention apportée à l'enfant. Personnel qualifié et sympathique. Pour 13 sessions, £115/groupe de 4, £135/groupe de 3. Groupes Mamans-Bébés (5-18mois).

RUGBY

Battersea Ironsides Minis RFC E
Mini, Midi and Junior Rugby
Off Burntwood Lane,
Wandsworth, SW17
020 8874 9913
www.birfcminirugby.org

5-18 ans. Club mixte sympathique, les entraîneurs sont souvent des papas bénévoles. Approche très professionnelle, organisation régulière de matchs interclubs. Cours dimanche matin, 10h-12h30. Beaucoup d'enfants et deux entraîneurs sont français.

TENNIS

Courts de Clapham Common AE
Sessions de *drop-in, dès* 5 ans (£5/h). Cours particulier, *women social* (bon moyen de rencontrer des Anglaises). Infos affichées au Bowling Green Café, à côté des tennis. Inscription sur place.

Courts du Millenium Arena AE
Battersea Park - 020 8871 7542
19 courts de tennis municipaux. £5 ou £6.90. Réservation par téléphone possible avec l'*Annual Registration card* (£22)
Cours particuliers et collectifs pour adultes, pour enfants et stages pendant les vacances scolaires anglaises.

Grafton Tennis and Squash AE
70A Thornton Rd, Tooting SW12
020 8673 2891
www.graftontennisandsquash.co.uk
4 courts de tennis dont 3 illuminés. 3 courts de squash. clubhouse. Adulte environ £220/an (enfant £15/an).

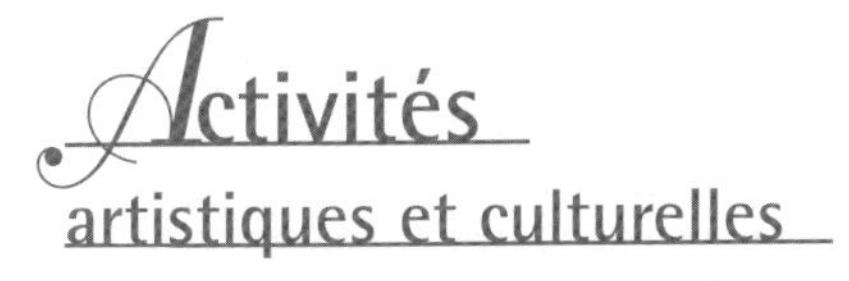

ACTIVITÉS MANUELLES

Arty Party E
(Clapham, Balham, Wandsworth)
020 8675 7055

Club de bricolage pendant les vacances et après les cours pour les 5-9 ans, 9h-17h30, £110/semaine. Prévoir une *lunch-box*. Personnel très compétent et ambiance fantastique. Inscrivez-vous dès que possible, les enfants adorent... et les parents aussi.

Brush & Bisque it AE
85 Nightingale Lane, Clapham SW12
020 8772 8702
Peinture sur céramique. Un peu cher. Activité extra avec les enfants.

DANSE

Fancy Footwork E
Lucy Clay
079 5716 7729

2-8 ans, danse moderne et Jazz. 3 groupes d'âge: 2-3 ans (la maman doit rester) éveil musical 3-8 ans, ballet 5-8 ans. Petits effectifs.

Royal Academy of Dance School E
36 Battersea Square, SW11
020 7326 8000
www.rad.org.uk

Cours de danse classique, contemporaine, «West End Jazz», claquettes, tous niveaux et tous âges (5-16 ans), en semaine après l'école ou le samedi matin. Egalement cours de yoga.

The Spring School of Ballet E
012 7670 9393
Danse classique et moderne à partir de 2 ans 1/2. Même programme et mêmes examens que la *Royal Academy of Dance*. Semaine: **The Contact Centre, Hambalt Rd, SW4**, WE: **Clapham Manor School, Belmont Rd, SW4**

MUSIQUE

Bea's Baby Music School E
020 8670 9378 (Bea Cough)
www.babymusic.co.uk
Dans l'enceinte de St Luke's Church, Balham, £64/11 semaines.

Festival Chorus A
Broomwood Church Hall, Kyrle Rd, SW11
www.festivalchorus.co.uk
Chorale amateur d'environ 100 personnes, ouverte à tous. Répétitions le lundi soir 20h-21h30 à l'église, concerts à Pâques, juillet, Noël.

Monkey Music E
www.monkeymusic.co.uk
→ Chapitre Activités

Tin Pan Annie Music E
020 8670 0644
www.tinpanannie.co.uk
9 mois-2 ans (avec les mamans) et 2-4 ans. La musique dans le rire et la joie.
£66/11 sessions. Longue liste d'attente.

THÉÂTRE

Battersea Arts Centre (BAC) AE
Lavender Hill,
Battersea, SW11 5TN
020 7223 2223
www.bac.org.uk
Ateliers 3-12 ans. Stages vacances.
→ p214

Jigsaw Performing Arts School E
www.jigsaw-arts.co.uk
Balham. 3-16 ans. Chant, danse et comédie.

Perform E
020 7209 3805

Stagecoach Theatre Arts School E
www.stagecoach.co.uk
020 8946 2986

ADULT EDUCATION

South Thames College A
www.south-thames.ac.uk
020 8918 7777
Plusieurs centres d'études, à Wandsworth, Putney, Tooting et Roehampton. Très grand choix de cours, différent selon les centres.

AUTRES

Scouts
www.scouts.org.uk
Infos: St-Luke's Church ou Broomwood Church.

Guides pour les 10-14 ans
020 8675 7572
www.girlguiding.org.uk

PARKING SHOPS

Ouvertes de 8h à 18h30 du lundi au samedi.

Battersea Parking Shop
53 Webbs Rd, Battersea, SW11
020 7738 0927 → Carte p195

Tooting Parking Shop
984 Garratt Lane, Tooting, SW17
020 8682 3271

GARAGES

Bramfield garage
32-34 the Swan Centre, St Martins Way, SW17 - 020 8879 7025
www.carrepairservicing.co.uk
Prix très compétitifs.

HI-Q Tyreservices
76-80 Chatham Rd, SW11 - 020 7223 1248
Compétent.

Streatham Car Care
63 Sternhold Av, SW2 - 020 8674 7418
Sympas, efficaces, le patron est marié à une Française.

Cedars Auto's
6 Cedars Mews, SW4 - 020 7622 1997
Très compétents, gentils et efficaces, et tarifs très raisonnables. MOT.

K&G Garages
33 Sunnyhill Rd, SW16- 020 8769 5255
Le garage ne paye pas de mine, mais ce sont des passionnés qui y travaillent. Travail très soigné et prix très intéressants.

Firela Motors f
354-356 Clapham Rd, SW9- 020 7622 7844
Un des mécanicien est français.

NETTOYAGE

Parking du Safeway de Balham, près de la bibliothèque. Lavage à la main. Efficaces et sympas. Vous faites vos courses en attendant. £6 extérieur et £9 avec l'intérieur.

Parking du Sainsbury's sur Garrat Lane, près du Wansworth Council, lavage à la main.

Wash and Shine
128 Wandsworth High St, East Hill, SW18
020 8877 9201
Des professionnels à prix très compétitifs.

STATIONS SERVICE

BP 24/24h, 7/7j
105 Clapham Common North Side, SW11
020 7228 1916

Shell Battersea 24/24h
326 Queenstown Rd, SW8-020 7498 4910

Total / Sommerfield
Nightingale Lane, SW12 - 020 8673 7372
Supérette.

Installation et entretien

TV

Nombreuses maisons déjà câblées.
→ Chapitre Médias

Wayne
079 5825 1392
Gère le satellite, le câble et la téléphonie.

Thames Aerial Services
13 Webb's Rd, SW11-020 7738 2053
Spécialistes depuis 25 ans.

ORDURES MÉNAGÈRES

Elles doivent êtres mises dans un grand sac noir fermé devant chez vous et visibles. Pour le recyclage, papier, carton, bouteilles en plastique et en verre, cannettes et conserves se mettent dans un sac orange fourni gratuitement par le *Council*, collecté le même jour que les ordures.
Infos: 020 8871 8558
Sacs orange: 020 8871 7497

Décharges/recyclage:

Smugglers Way
(juste derrière B&Q)
Wandsworth, SW18
020 8871 2788

Lundi-samedi 7h30-18h et dimanche 8h-18h. Immense décharge pour tout le centre et sud ouest de Londres. Recyclage des meubles, électroménager, ordinateurs, huile moteur, piles... et déversement du reste dans des barges qui partent directement sur la Tamise. Facile d'accès et bien organisée.

Cringle Street
Off Nine Elms Lane, Battersea, SW8
020 7622 1046
7j/7 - 24h/24

SERVICES DOMESTIQUES

South of the River
020 7228 5086
Moyennant une adhésion, cette agence peut vous trouver une nanny, fille au pair, femme de ménage ou encore un plombier, électricien, jardinier....Ils sont très actifs dans le quartier et ont de bonnes références.

Cordonniers

Andrew Shoe Repairs
55 Northcote Rd, SW11 - 020 7223 7090

Mathews Shoe Repairer
35 Balham Hill, SW12
Excellent, travail de qualité mais cher.

Shoe Repair
Balham Station, Balham High Rd, SW12
020 8772 1853

Electriciens

Chris Apostolides
020 8767 4388/077 1420 2410

Newland electrical installation
Steve Orgary
020 8488 5343/079 5746 1248
Très bien.

PJ Allen electrics
135 Abbeville Rd, SW4
020 8678 1954

Steve
078 3166 4264
Disponible et très compétent.

Handyman

Expert Repairs Remounts
M Martin Gibbs
44 Devonshire Rd, SW19 2EF
020 8543 5995/07712 953556

Laveurs de carreaux

Manny
079 7674 5252

Steve
079 5651 5593

Steve et Lesley
020 8670 3418
Lesley fait l'intérieur pendant que Steve fait l'extérieur. Très efficaces, mais assez chers, £50-£100. Nettoient aussi les moquettes. Battersea et Clapham.

The Valley - Diego Velasco
020 8392 8660/079 3167 4741

Plombier

Tony
020 8648 5320/078 3164 6316
A l'habitude de travailler avec des Français.

Serruriers

SDS Security
173 Northcote Rd, SW11
020 7326 8788/020 7326 8789
Alarme, serrurier,… choix immense de poignées de porte.

Sure Lock Homes
197 Wandsworth High St, SW18
020 8871 4567
Prix très corrects.

The Lock Centre
285 Lavender Hill
Clapham Junction, SW11
020 7223 5533
Abordables et très efficaces.

Teinturiers

Shimmers
61 Abbeville Rd, SW4 - 020 8673 3686

Sketchley Retail
192 Balham High Rd, SW12
020 8673 7204
Très compétents. Ils font des plis permanents pour les pantalons de costumes, ça marche!

Unicorn
12 Northcote Rd, SW11 - 020 7228 9031
Très gentils, très compétitifs.

Jeeves of Belgravia
020 8809 3232
Pressing de luxe (à domicile).
Les vêtements sont pris et livrés à domicile.

AUTRE

South Western Services - Repair Centre
131 Northcote Rd, SW11 - 020 7223 6529
www.mkrepaircentre.co.uk
Réparations en tout genre, appareils électriques et électroniques (four, lave-linge,…). Pratique: ils ont tous les sacs aspirateurs.

Santé

NHS

GPs

Primary Care Agency (PCA)
020 8335 1330
Envoie la liste des *GP* et dentistes de votre quartier.

Balham High Rd Surgery
236 Balham High Rd, SW17-020 8772 8772
Locaux neufs, *Baby clinic*, très compétents.

Bridge Lane Group Practice
20 Bridge Lane, SW11 - 020 7978 6767
RV immédiat pour les enfants si urgence.

Lavender Hill Group Practice
19 Pountney Rd, SW11 - 020 7738 9346
Baby clinic, prise de rendez-vous en urgence.

The Falcon Rd Medecine Centre
47 Falcon Rd, Battersea, SW11
020 7228 3399
Bonne *surgery*.

Thurleigh Rd Surgery
88a Thurleigh Rd, SW12
020 8675 3521
Urgence: 0845 601 8803

Locaux neufs, équipe accueillante, prise de RV le jour même pour une urgence. *Baby Clinic*. Spécialiste des allergies. RV en consultation privée (environ £60). Liste d'attente ouverte tous les trimestres. Un soin à la française.

NHS Walk-in Centre - Tooting 7/7j
Clare House, St George's Hospital
Blackshaw Rd, SW17- 020 8700 0505
7h -22h, WE 10h-20h. Pas de RV nécessaire, consultations par infirmières expérimentées, attente variable.

Hôpitaux

Chelsea and Westminster Hospital
369 Fulham Rd, SW10➤Chelsea
020 8746 8000

Kingston Hospital
Galsworthy Rd, Kingston Upon Thames
020 8546 7711
www.kingstonhospital.nhs.uk
Bonne réputation pour les accouchements en NHS en chambre particulière!

St George's Hospital
Blackshaw Rd, Greater London, SW17
020 8672 1255
www.st-georges.org.uk
Bonne maternité mais confort "spartiate". Service néo-natal excellent. Très bon suivi des grossesses. Pour les urgences, une moyenne de 3-4h d'attente. Service à part pour les enfants (délai variable 2-3h). Urgences maternité excellentes.

St Thomas's Hospital
Lambeth Palace Rd, SE1 - 020 7928 9292
Excellente gestion des urgences pédiatriques, et des accouchements. Très propre et très bonne réputation aussi bien dans le NHS que dans le privé.

Moorfield Eye Hospital
St George's NHS Trust. Blackshaw Rd, Tooting, SW17 - 020 8725 5877
Spécialiste des yeux.

Dentistes et orthodontistes

The Dental Clinic
254 Morden Rd, SW19 - 020 8540 1379
Urgences dentaires, WE 9h-12h.

Battersea Orthodontic Practice
104 Battersea Rise, SW11- 020 7924 4224

Dental Surgery
Norma Mcarthur-1 Ashness Rd, SW11
020 7223 2029

Gentle Dental Care
19 Chestnut Grove, SW12
020 8675 7210

Trinity Field Dental Practice
194 Trinity Rd, SW17
020 8672 7766

Gynécologue

Family Planning Services
Wandsworth Health Trust
63 Bevill Clo, SW17- 020 8700 0423

MÉDECINE PRIVÉE

Médecin Généraliste ⓕ
Dr Laurence Jouinot
077 1362 6663
Visites à domicile.

Médecin Généraliste ⓕ
Dr Anne de Laromiguère
079 3211 5002
Visites à domicile 7j/7. DU diététique et nutrition.

Acuponcture

Anna Williams
8 Nightingale Square, SW12
020 8673 4385

Muirhead Roberts - Partners in Health
Richard Jackson
246 Balham High Rd, SW17
020 8772 0222
Approche de l'acuponcture incluant les facteurs émotionnels et psychologiques.

Kinésiologie-Reflexologie

Body Logic - Françoise Jordan
190 Battersea Park Rd, SW11
020 7738 8712 - 07941 044110

Kinésithérapeutes

The Battersea Osteopathic Practice
2B Ashness Rd, Webbs Rd entrance, SW11
020 7738 9199
www.thebatterseaosteopathicpractice.co.uk
Problème de dos, migraines, blessures liées au sport, clinique pour les bébés et enfants…

Martine Hale
56 Sistova Rd, SW12
020 8673 5116

Marcia M. Harewood
255A Lavender Hill, SW11 1JD
020 7978 5538
Ostéopathe, naturopathe and iridologiste.

Physio For All
The Battersea Practice
40 Webbs Rd, SW11
020 7228 2141
Cours anté-nataux, rééducation post-natale, kiné pédiatrique.

Sophrologue

Brigitte Rinner
21 Warriner Gardens, SW11
020 7498 6981
Diplômée en sophrologie caycédienne.

PHARMACIES

Northcote Pharmacy
130 Northcote Rd, SW11- 020 7924 5600
Bons conseils, bon stock de médicaments.

Orbis Pharmacy 7/7j
148 Clapham High St, SW4- 020 7622 9020
9h-22h, dimanche 10h-18h

Prentis Pharmacy
240 Streatham High Rd, SW16
020 8677 3145
Conseils sur les correspondances entre médicaments français et anglais.

Westbury Chemist 7/7j 24/24h
86-92 Streatham High Rd, SW16
020 8769 1919

Achats

ALIMENTATION

→ Carte p195

Supermarchés

Asda
204 Lavender Hill, SW11

Marks&Spencer
172 Balham High Rd

Sainsbury's
45 Garratt Lane, SW18
The Junction Shopping Centre, SW11
149 Balham High Rd, SW17.

Somerfield
15-17 Northcote Rd, SW11

Tesco
219 Balham High Rd, SW17

Marchés

Marché de Brixton
Electric Av, Pope's Rd, SW9
8h-18h lundi, mardi, jeudi et samedi, et 8h-15h le mercredi. Assez vivant le samedi matin, très local. Outre les fruits et légumes traditionnels, produits exotiques frais, tissus africains, disques de reggae,...

Marché de Hildreth St à Balham (SW12)
7h-18h lundi-samedi. Fruits, légumes et fleurs à prix sympas. Petit mais pratique.

Marché de Northcote Rd (SW11)
9h-17h mardi-samedi. Très bons fruits et légumes, des fleurs, superbe rayon boulangerie, viennoiseries et divers stands.

Marché de Tooting (SW17)
9h-17 h lundi-mardi, jeudi-samedi et 9h-13h vendredi. Marché très local couvert. Beaucoup d'épices. Pas cher.

Autres commerces

Fresh and Wild
305 Lavender Hill, SW11
Supermarché bio. On y trouve même du pain Poilâne.

Hamish Johnston
48 Northcote Rd, SW11
020 7738 0741
Paradis du fromage.

Le Tour De France
135 Sunnyhill Rd, SW16
020 8769 3554

Boudin, mousse de foie de canard, fromage, pain, excellentes viennoiseries. Accessible. Patron très sympa.

Light House Bakery
64 Northcote Rd, SW11
020 7228 4537
Boulangerie traditionnelle. Pains de mie variés, pains au chocolat, aux noix, baguette *English Sourdough* (proche du pain Poîlane). Fermé dimanche et lundi.

Lorna Dunhill (Above the Salt)
020 7801 0694/078 3123 2888
Traiteur anglais pour dîners et cocktails. Cuisine très raffinée.

Macaron
22 The Pavement, SW4
Nouvelle boulangerie française délicieuse.

Moen & Sons
24 The Pavement, SW4
020 7622 1624

Une boucherie comme en France. Top qualité et grande variété.

Poissonnerie
Tous les mardis matins, camionnette de poisson frais garée sur Lavender Hill, devant le magasin de tissus Fabric Galore.
Exquis et pas cher.

Salumeria Napoli
69 Northcote Rd, SW11- 020 7228 2445
Traiteur italien extra, saucisses excellentes, jambon magnifique,…

GRANDS MAGASINS

Centre Court Shopping Centre

Queens Rd, Wimbledon, SW19
Incontournable, parking souterrain pas cher, toutes les grandes chaînes comme Debenhams, GAP, H&M, Next, Accessorize, Monsoon, Mothercare, Faith, Kew, … concentrées dans le même centre.Le petit High St Kensington du Sud de la Tamise.

Debenhams
315 Lavender Hill, SW11
020 7801 2100
Grand magasin typiquement anglais.

The Wandsworth Shopping Centre
181 Wandsworth High St, SW18
020 8870 2141
Parking gratuit pendant 2h au Sainsbury's en face. Waitrose, H&M, Poundland Shop, Primark, Argos, Iceland, Boots, et divers magasins de quincaillerie bon marché.

AMEUBLEMENT-DECO

Atmosphere
42 Abbeville Rd, SW4
020 8673 2440
www.houseofatmosphere.com
Tissus haut de gamme sublimes. Grandes largeurs disponibles et accueil chaleureux.

L'Atelier
26-28 Webbs Rd, SW11
020 7978 7733
Objets de déco et jolis meubles. Boutique superbe, mais chère.

Cameron Broom (The Curtain Clinic)
15 Bellevue Rd, SW17
020 8767 2254
Grand showroom avec toutes les grandes marques de tissus.

Dwell
264 Balham High Rd, SW17
0870 600 182
www.dwell.co.uk
Chaîne type Habitat, en moins cher.

Fabrics Galore
52-54 Lavender Hill, SW11
020 7738 9589

Superbes tissus. Prix imbattables.

Frame from Home
Encadrement à domicile
Joe Mellem
020 7274 8010

30 ans de métier, un catalogue très riche et varié, professionnel et bon marché. Il encadre absolument tout ce que vous voulez.

General Auctions
63/65 Garratt lane, SW18 - 020 8870 3909
www.generalauctions.co.uk
Salle de vente aux enchères.

Northcote Rd Antique Market
155a Northcote Rd, SW11
020 7228 6850
Véritable caverne d'Ali Baba pour tous les petits cadeaux *very british*. Tableaux, gravures, verreries, mobilier, argenterie, bijoux, nappes anciennes… ainsi que de belles commodes patinées. Prix souvent négociables.

Partridges
297 Lavender Hill, SW11
020 7228 8204/020 7228 7271
Tout pour la papeterie, papiers divers, crayons, peinture, collage, équerres, …

Wimbledon Sewing Machine
293-312 Balham High Rd, SW17
020 8767 4724
Adresse incontournable. Un vrai petit "Marché Saint-Pierre". Matériel *art and craft*.

BRICOLAGE

B&Q
Smugglers Way, Wandsworth, SW18
020 8875 8000

Homebase
Swandon Way, London SW18
0845 640 7667
Pratique, les deux se font face. ➤ Carte 195

FLEURS

Marché de Northcote Rd (SW11)
Fleurs de saison, bouquets ou à planter.

Flowers on the Rise
Vendredi, samedi et dimanche matin, devant le marchand de vin de Battersea Rise, SW11. Très bons prix.

SPORTS

Psubliminal
17 Balham High Rd, SW6 - 020 8772 0707
Reprend vélo d'occasion pour un neuf acheté, petites réparations.

MUSIQUE

Northcote Music Shop
155C Northcote Rd, SW11- 020 7228 0074
Vente et réparations d'instruments.

JOUETS-COTILLONS

Toystop
80-82 St John's Rd, SW11-020 7228 9079
Grand choix à tous les prix.

Q T Toys & Games
90 Northcote Rd, SW11
020 7223 8637

Party Superstore
268 Lavender Hill, SW11
20 7924 3210
www.partysuperstores.co.uk

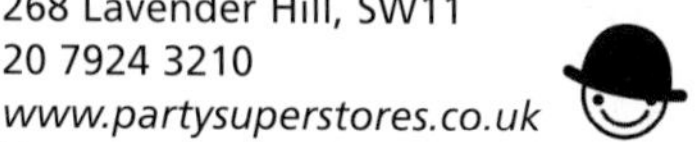

Tout pour les farces et attrapes, déguisements, *party bags*… Annexe pour les tenues de danse de filles.

VÊTEMENTS-CHAUSSURES

3 rues commerçantes dans le quartier.

Bellevue Rd (SW17), magasins très chic de vêtements et de chaussures plutôt à la française, assez chers mais soldes incroyables. Salon de thé français l'Amandine.

Abbeville Rd (SW4), ressemble plus à un petit village avec tout sur place (fromager, coiffeur, magasins chics de décoration, …) et beaucoup de restaurants qui acceptent pour les enfants.

Northcote Rd (SW11), jusqu'à la station de train Clapham Junction, avec son marché, ses magasins de divers styles (chic, sport, déco, antiquités, gadgets, ….).

C'est l'équivalent de notre Tati national ma[…] avec la mode et le rangement en plus.

Primark
11-19 Tooting High St, SW17
020 8672 1792
et Centre Commercial South Side

Prix imbattables pour hommes, femmes et enfants, lingerie, linge de maison.

Raspberry Beret
151 Northcote Rd, SW11- 020 7738 0977
Vêtements dégriffés et d'occasion. On y trouve des merveilles.

TK Maxx
1 Drury Crescent, Purley Way, Croydon
020 8774 9392
Juste après IKEA, grand magasin de dégriffés, vêtements, jouets, linge de maison et décoration.

Impossible de repartir sans rien mais impossible de savoir à l'avance ce que l'on va y trouver.

LIBRAIRIES-DISQUES

Beckett's Bookshop
6 Bellevue Rd, SW17 - 020 8672 4413
Très bon choix.

Bolingbroke Bookshop
147 Northcote Rd, SW11
020 7223 9344
Une petite librairie de quartier où tout se commande et où l'on trouve toujours de bons conseils.

Librairie Latulu
78 Taybridge Rd, SW11- 020 7223 5484
A deux pas de l'école française de Wix, une petite librairie française où l'on trouve l'essentiel: livres, papeterie, bonbons.

Ottakar's Bookshop
70 St Johns Rd, Clapham Junction, SW11
020 7978 5844
Très grande librairie.

Vous trouverez également un très grand choix de CD et de DVD dans tous les Woolworths, WHSmith ainsi que Asda.

COIFFURE-BEAUTÉ

Anthony Laban
67-69 Lavender Hill, SW11 - 020 7924 3353
Service impeccable. RV le samedi matin tôt, petit déjeuner sublime. Mais le luxe a un prix!

Jerry Ramdass (coiffeur à domicile)
077 9933 4777
Prix raisonnables. Etre patient, il est très demandé.

Bare
17 Webbs Rd, SW11 - 020 7924 2461

Ocean
289 Lavender Hill, SW11 - 020 7350 1408
Pas cher, très bien mais ne pas être en retard au RV, ils vous refuseront.

The Studio
35 Webbs Rd, SW11 - 020 7350 2636
£40 pour les femmes, £15 pour les enfants mais une vraie coupe!

AUTRES

La Cuisinière
91 Northcote Rd, SW11 - 020 7723 4409
Ustensiles de cuisine et petit électroménager.

Marché de Abbey Mills
Station Collier Wood
Marché d'artisans très sympa.

Prices Patent Candle
110 York Rd, SW11 020 7924 6336
L'usine de bougies de tout Londres. Pas cher.

Snappy Snaps
13 St Johns Hill, Clapham Junction, SW11
020 7738 1523
Excellente qualité du développement photo.

The Lucky Parrot
2 Bellevue Parade, Bellevue Rd, SW17
020 8672 7168
Cadeaux originaux et amusants.
Vaut le détour.

Claire Lafaurie

079 3136 9896
Cartes et faire-part sur mesure.

Hive Honey Shop
93 Northcote Rd, SW11 - 020 7924 6233
www.thehivehoneyshop.co.uk
Magasin de miel de toutes sortes.
Vous le goûtez avant de l'acheter.
La ruche amuse beaucoup les enfants.

Lilliput Nursery Equipment & Toys
255-259 Queenstown Rd, SW8
020 7720 5554 - *www.lilliput.com*
Tout pour la puériculture en gros.
Prix imbattables et vous y trouverez toutes les marques. Mobilier, décoration, vêtements et petite puériculture. Ils ont un accord unique avec Maxi-Cosi, d'où des prix très bas avec des coloris uniques.

Orange & Lemons
61 Webbs Rd, SW11- 020 7924 2040
La meilleure boutique de hi-fi de Londres selon certains.

SW Services
53 Webbs Rd, SW11- 020 7228 0160
Tout pour l'aspirateur: vente, réparations, sacs. Toutes marques.

PARCS ET AIRES DE JEUX

Clapham Common
Grand *playground* et bassin rempli d'eau l'été (Clapham Common). Le Bowling Green Cafe (Clapham Common West Side, près des tennis) est le RV incontournable des mamans françaises et anglaises après l'école dès qu'il fait beau. Nombreux cirques.

Lady Allen Adventure Playground
Pour les enfants pleins d'énergie.
Ouvert au public les mardis, mercredis et jeudis (réservé aux enfants handicapés les autres jours), gratuit.

Wandsworth Common
Deux aires de jeux sécurisées. Etangs et canards. Très appréciable pour se promener en vélo et pour pique-niquer.

ANIMATIONS

Affordable Art Fair
www.affordableartfair.co.uk
Dans le parc de Battersea, foire d'art contemporain en mars et octobre.

Artists Open House Week-end

www.wandsworth.gov.uk
Rencontre des artistes chez eux, dans plus de 50 lieux autour de Wandsworth. Très instructif, permet de rentrer dans leur monde.

Ateliers Portes Ouvertes

Riverside Rd, SW17
www.wimbledonartstudios.co.uk
Deux fois par an les ateliers de Wimbledon Art Studios ouvrent leurs portes au public. Possibilité de rencontrer les artistes, voir des oeuvres variées et acheter en direct.

Street Party
C'est une tradition assez répandue dans le quartier, la fameuse *Sreet Party*. Chacun cuisine un plat, et tout le monde mange ensemble dans la rue (fermée à la circulation pour l'occasion). A ne pas manquer pour rencontrer ses voisins.

Christmas Fair dans les écoles, Belleville, Holyghost…Tres intéressantes. *Christmas Fair* également dans la charmante Abbeville Rd.

Easter Sunday Parade
Défilé carnavalesque impressionnant dans le parc de Battersea en avril.

GALERIES D'ART

Plusieurs galeries d'arts sur **Bellevue Rd**, SW17 et **Northcote Rd**, SW11.

THÉÂTRE

Battersea Arts Centre (BAC)
Lavender Hill, SW11 - 020 7223 2223
www.bac.org.uk
Formidable centre culturel. Spectacles de grande qualité.

RESTAURANTS

Banana Leaf Canteen
75 Battersea Rise, SW11
020 7228 2828
Cuisine asiatique simple et bonne.

Café Méliès
104 Bedford Hill, SW12 - 020 8673 9656
Café-crêperie. Ambiance sympathique et décontractée, cuisine francaise traditionnelle, repas légers et snacks. Est également un lieu d'exposition pour artistes francais.

Chez-Bruce
2 Bellevue Rd, SW17 - 020 8672 0114
Cuisine française de qualité, carte agréable et service compétent. Le meilleur, le plus chic et le plus cher du quartier.

Cinnamon Cay
87 Lavender Hill, SW11
020 7801 0932
Cuisine classique, influence orientale.
£15 les 2 plats. Service parfait et ambiance chaleureuse.

Crumpet
66 Northcote Rd, SW11 - 020 7924 1117
Elu «best for kids». Une fois leur déjeuner fini, les enfants peuvent aller jouer dans une cabane remplie de jouets pendant que les adultes déjeunent en paix.

Gastro ⓕ
67 Venn St, SW4 - 020 7627 0222
Carte surprenante, cuisine française, ambiance jeune. Tout le personnel est français.

Giraffe
27 Battersea Rise, SW11 1HG
020 7223 0933
Parfait avec les enfants.

Marzano

49 Northcote Rd, SW11
020 7228 3812
Restaurant italien familial à midi, branché le soir. Réserver le week-end. Fait *take away* mais ne livre pas.

Mini Mundus

218 Trinity Road, SW17
020 8767 5810
Bonne cuisine française pour un prix abordable. A deux pas de Wandsworth Common et Bellevue Road.

Thaï On the River
2 Lombard Rd, SW4 - 020 7294 6090
Demander une table sur la Tamise, bien sûr! C'est délicieux, le service est impeccable, en famille ou en amoureux.

Tokiya Sushi Bar
74 Battersea Rise- 020 7223 5989
Délicieux sushis. Le soir seulement.

PUBS

The Duke of Devonshire
39 Balham High Rd, SW12
020 8673 1363
Idéal avec les enfants car grand jardin avec terrain de jeux. *Sunday lunch*.

The Nightingale
97 Nightingale Lane, SW12
020 8673 3495
Typique pub de quartier, avec petit jardin derrière. Enfants acceptés.

The Ship Inn
41 Jews Row Wandsworth, SW18
020 8870 9667
Grand pub très sympa avec en été terrasse sur la Tamise et vue sur un vieux voilier. Restaurant à l'intérieur, très bonne ambiance. Possibilité d'emmener les enfants dehors, l'été.

Clapham Common

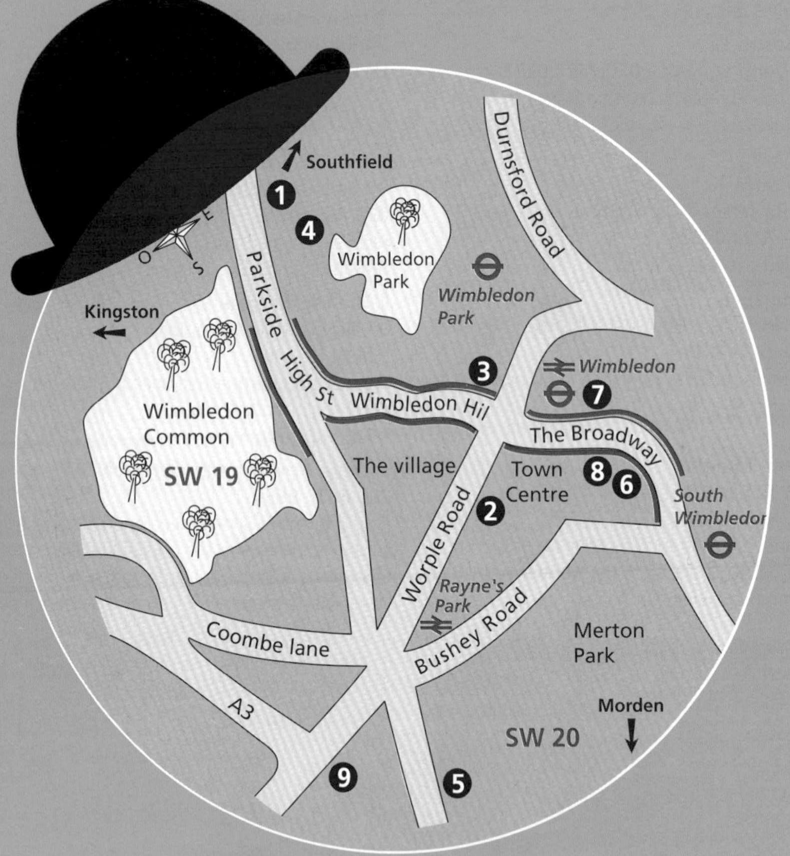

Zone commerçante

Wimbledon

Vous avez envie d'une maison avec jardin, d'espace, de tranquillité mais aussi d'un accès direct et rapide tant sur le coeur de Londres que sur la campagne, alors vous pouvez commencer vos recherches à Wimbledon, située au sud-ouest de Londres (SW19, SW20), *borough* de Merton. Wimbledon est un nom connu de tous pour son célèbre tournoi de tennis. Avec ses 190 000 habitants, c'est aussi une ville à part entière où la qualité de vie est essentielle. Vous serez encore à Londres mais profiterez pleinement de la nature et du calme sans le stress de la grande ville. Excellentes écoles anglaises publiques et privées, et possibilité de rejoindre South Kensington en 30 mn de métro.

Petite enfance

Pour une liste à jour, visitez le site du *borough* *www.merton.gov.uk* ou téléphonez au 020 8545 3800.

DAY-NURSERIES

Dees Day Nursery
2 Mansel Rd, SW19
020 8944 0284
3 mois-8 ans. Lundi-vendredi, 8h-18h. £250/sem. Jardin.

Little Learners in the Park
Durnsford recreation ground
Wellington Rd, Wimbledon Park SW19
07749 899 976
2ans1/2-5 ans. Les locaux sont petits mais neufs. £26/jour, £4.50/h.

Saint Barnabas
Lavenham Rd, SW18
020 8874 4698
Dès 3 ans. Tous les jours, 9h30-12h00 et 12h30-15h. Personnel efficace. Les locaux servent de *play-group* le mercredi et jeudi. Prix raisonnable.

Grove Nursery
Wilton Grove Tennis Club
28 Wilton Grove, SW19
020 8540 2388
2 ans-5 ans. Lundi-vendredi 9h30-12h30 (4-5 ans) et 13h00-15h30 (2-3 ans). Horaires flexibles. Environ £1000/trim.

NANNIES & BABY SITTERS

Wimbledon Nannies
www.wimbledonnannies.co.uk
020 8947 4666

Ecoles

ECOLE FRANÇAISE

Il n'y a pas d'école française à Wimbledon. La plus proche est l'annexe primaire du **Lycée Français** à Clapham dans la Wix Lane. Beaucoup de familles françaises y emmènent leurs enfants, 30mn en voiture. Certains parents prennent le bus N156 jusqu'à Clapham Junction. Pour le Secondaire, il faut aller au Lycée Français à South Kensington (20mn en métro, direct du centre de Wimbledon jusqu'à South Kensington).

ECOLES ANGLAISES

Consultez le site *www.merton.gov.uk* pour toutes les écoles sur le *borough* de Merton.

Nursery & primary schools

Bishop Gilpin
Lake Rd, Wimbledon SW19 7FP
020 8946 6666
www.bishopgilpin.ik.org
4-11ans. *Church of England.* Au bord du *Common*. Mixte. Gratuite. Uniforme.

Donhead (Wimbledon College Prep)
Edge Hill, Wimbledon SW19 4 NP
020 8946 7000
www.donhead.org.uk
Independent school. Jésuite. Pour garçons de 7 à11 ans. Environ £2200/trim. Ouverture progressive d'une *pre-prep* (4-7 ans).

Dundonald Primary School
Dundonald Rd, Wimbledon, SW19 3HQ
020 8715 1188
www.dundonald.merton.sch.uk
4-11 ans. Bonne *State School* mixte.

Holy Trinity CoE Primary School
Russell, Wimbledon, SW19 1QL
020 8542 4580
www.holytrinity.merton.sch.uk
4-11 ans. *Church of England.*

St Mary's RC Primary School
Russell, Wimbledon, SW19 1QL
020 8542 4580
www.st-marys-merton.sch.uk
4-11 ans. Catholique.

Wimbledon Chase Primary School
Merton Hall Rd, Wimbledon, SW19 3QB
020 8542 1413
www.wimbledonchase.merton.sch.uk
3-11 ans. *State school* mixte. Importance accordée au français par la directrice.
500 élèves.

Wimbledon High School Junior School
Mansel Rd, Wimbledon, SW19 4A
020 9071 0902
www.gdst.net/wimbledon
4-10 ans. Filles. Prep-school de Wimbledon High School. £2400/trim.

Wimbledon Park Primary School
Havana Rd, Wimbledon, SW19 8EJ
020 8946 4925
www.wimbledonpark.merton.sch.uk
6-11 ans. Plusieurs familles françaises ont inscrit leurs enfants dans cette petite *state school*, très dynamique et chaleureuse, qui accueille des enfants étrangers et leur apporte un soutien personnalisé. L'uniforme est abordable et facile à porter. Nombreuses activités extrascolaires.

Secondary schools

Kings College
South Side,
Wimbledon Common, SW19 4TT
020 8255 5300
Etablissement privé payant pour garçons de 7 à 19 ans (*Pre-prep, junior & senior*). Très sélectif. Excellents résultats académiques. Prépare au Baccalauréat International. Longue liste d'attente.

Ricards Lodge
Lake Rd, Wimbledon SW19 7HB
020 8946 2208
Collège public de filles d'environ 1 000 élèves. A partir de 11 ans. Bons résultats. Gratuit.

Ursuline High School
Crescent Rd, Wimbledon SW20 8HA
020 8255 2688
www.ursulinehigh.merton.sch.uk
Collège catholique, *comprehensive & voluntary-aided*, de filles, 11-18 ans. Bons résultats académiques. 1 275 élèves. *6th form* partagé avec Wimbledon College.

Wimbledon College
Edge Hill, WimbledonSW19 4NS
020 8946 2533
www.wimbledoncollege.org.uk
Collège catholique de garçons, 11-18 ans.

Wimbledon High School for girls
Mansel Rd, Wimbledon, SW19 4A
020 9071 0900
www.gdst.net/wimbledon
11-18 ans. *Independent School* de filles. 567 élèves. Bons résultats, école internationale et ouverte. Admission sur examen à 11 ans, puis en fonction des places disponibles.

Logement

La moyenne des transactions se répartit comme suit:

- maison avec jardin, 4/5 chambres, £1.3 M à l'achat et £5000/mois à la location.
- maison jumelée avec un petit jardin et 3/4 chambres: £650 000 à l'achat et £3000/mois à la location
- appartement 2/3 chambres: £300 000 à l'achat et £1 200/mois à la location.

On peut décomposer Wimbledon en trois zones.

Wimbledon Village à l'ouest et **Wimbledon Park** au nord sont deux quartiers calmes et résidentiels. On y trouve essentiellement des maisons particulières ou jumelées. Le centre de Wimbledon Village est traversé par une rue commerçante bordée de boutiques haut de gamme (Max Mara, Joseph...). Le métro est à 10 mn à pied. Les bus 200, 93 et 493 font la liaison entre le Village et le métro. Les *Commons* (grands espaces verts) bordent ce quartier. Wimbledon Park a sa station de métro du même nom, entourée de commerces et un grand parc avec diverses activités sportives.

Le centre ville est très animé. Le centre commercial Centre Court comprend 60 boutiques et 2 supermarchés.

South Wimbledon et **Raynes Park** sont deux quartiers excentrés par rapport au métro mais plus abordables tant à la location qu'à l'achat

Transports

LE METRO

Wimbledon est desservi par la District *line* aux stations **Wimbledon** et **Wimbledon Park**.

Le Lycée Français, à South Kensington, est ainsi à 10 stations en direct de Wimbledon, 20mn. Le sud de Wimbledon est desservi par la Northern *line* à la station de **South Wimbledon**.

LE BUS

Le **93** avec un changement à Putney Bridge permet de rejoindre le centre de Londres. Le **22** et le **14** mènent ensuite dans Chelsea, South Kensington ou Kings Road.

Un **tramway** relie Wimbledon centre à Croydon (arrêt devant le magasin Ikea).

LE TRAIN

Waterloo Station est à 15 mn de la gare de **Wimbledon** (également station de métro) et 20mn de la gare de **Raynes Park**.

Administrations

MAIRIE

Merton Civic Centre
London Rd, Morden, SM4 - 020 8545 3332
www.merton.gov.uk

BIBLIOTHÈQUE

Wimbledon Library
35 Wimbledon Hill Rd, SW19
020 8946 7432
Lundi, mardi, jeudi, vendredi 9h30-19h; mercredi 9h30-13h; samedi 9h30-17h.
En plus des prêts de livres, location de vidéos et DVD, ordinateurs avec accès gratuit à Internet, centre d'informations touristiques...

COMMUNITY CENTRE

Community Centre
72 Haydons Rd
South Wimbledon, SW19 - 020 8540 4539
Aérobic, danse de salon, théâtre pour enfants.

COMMISSARIAT

Police Station 24/24h
15 Queens Rd, SW19 - 020 8947 1212

Cours de langues

Merton Adult Education
Whatley Av, SW20 - 020 8543 9292
Dépend de la mairie. Cours d'anglais avec préparation à tous les examens de Cambridge, jusqu'au *Proficiency*. Sessions de 10 à 16 semaines, £65-£240 la session (selon niveau et nombre d'heures par semaine).

Elite College
37-39 Wimbledon Hill Rd, SW19
020 8946 7888
Ecole privée. Prépare aux examens de Cambridge, du KET (*Key English Test*) au *Proficiency*. Des sessions commencent en janvier, avril, juillet ou septembre. Pour 11 semaines avec 15h/semaine ou 24 semaines avec 6h/semaine, le coût est de £900.

Wimbledon School of English
41 Worple Rd, SW19
020 8947 1921
Ecole privée. Prépare à tous les examens de Cambridge, cours de conversation. 2 semaines de cours, 20h/semaine: £360 (tarif dégressif à chaque semaine supplémentaire).

Ces deux dernières écoles reçoivent des étudiants plutôt jeunes et beaucoup d'Asiatiques.

Sports

(A *Adulte*, E *Enfant*)

De par sa situation entourée de verdure, Wimbledon offre de nombreuses possibilités pour pratiquer des activités sportives. Nous ne mentionnons ici que quelques unes parmi les plus «anglaises». Pour toute information supplémentaire, consulter le site du Borough de Merton qui dispose d'un annuaire en ligne de tous les sports.

CLUBS DE SPORT

Pour bien profiter de la qualité de vie qu'offre Wimbledon, le mieux est d'adhérer à un *Club* offrant un choix d'activités sportives correspondant à vos goûts, et qui vous permettra de rencontrer des «*like-minded people*» au cours des nombreuses manifestations sociales qui y sont organisées. Le vendredi soir est généralement réservé à la soirée «club». Sans oublier les enfants, qui pourront participer à de nombreuses activités après l'école et se faire de nouveaux amis anglais...Prévoir un droit d'entrée non remboursable (*entry fee)* et une cotisation mensuelle (*membership fee)*, à laquelle s'ajoutent les cours de sport particuliers ou collectifs. Les tarifs varient en fonction des prestations, n'hésitez pas à négocier.

David Lloyd Club
The Bushey Rd, Rayne's Park SW20 
020 8544 9965
12 courts de tennis couverts, 9 extérieurs. Piscine intérieure et extérieure. Plus de 50 cours différents par semaine.

Esporta A
21-23 Worple Rd, SW19 - 020 8545 1717
Réservé aux adultes.

Leisure Centre AE
Latimer Rd, SW19 - 020 8542 1330
Municipal. Piscine, sauna, cours de fitness, bar, crèche...Pour enfants: gym, basket, foot, cours de natation, danse classique... Prix très raisonnables.

Wimbledon Park AE
Home Park Rd, SW 19 - 020 8947 4894
Voile, planche à voile, cours de tennis, football, athlétisme, yoga...Possibilité de pratiquer les sports librement ou de prendre des cours. Prix raisonnables.

Wimbledon Raquettes & Fitness AE
Cranbrook Rd, SW19 - 020 8947 5806
Cours de fitness, salle de musculation, sauna, bar, réservation de terrains pour le squash et le badmington. Forfait mensuel de £25/mois avec accès illimité. Club moins luxueux mais tout aussi convivial.

GOLF

Wimbledon ne compte pas moins de 4 terrains de golf (Royal Wimbledon, Coombe Hill, Wimbledon Park et Wimbledon Common)! Il est conseillé de devenir membre d'un de ces club pour pouvoir jouer le week-end et rencontrer d'autres joueurs.

EQUITATION

Wimbledon Village Stables AE
24 High St, SW19 - 020 8946 8579
www.wvstables.com
Il est conseillé de devenir membre pour monter le week-end (très peu de places pour les non-membres). Coût: £135 et £135/mois pour une heure le week-end. Pour les non-membres, £45/h du lundi au vendredi. Cours particuliers. Cours de dressage et sauts possibles avec compétition pour les membres.

Ridgway Stables AE
93 Ridgway, SW19 - 020 8946 7400
www.ridgwaystables.co.uk
Adultes: £32/h le week-end.
Enfants: £28/h le week-end.

TENNIS

Westside Lawn Tennis Club
20 Woodhayes Rd, SW19 - 020 8947 4987
www.westsideltc.org.uk
12 courts (dont 7 en goudron, 3 en quick et 2 en herbe artificielle). *Membership* ou £5/jour.

Wilton Tennis Club
28 Wilton Grove, SW19 - 020 8296 9668
www.wiltontennisclub.co.uk
Petit club familial situé au sud de Wimbledon. 4 courts extérieurs. Equipes hommes et femmes, cours pour enfants, *social tennis*. £185/an/adulte + *membership* £40.

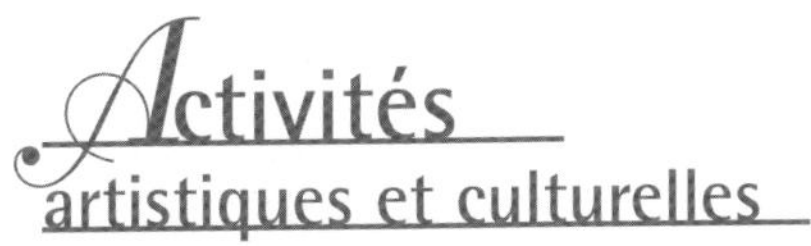

Activités artistiques et culturelles

Merton Adult Education
Whatley Centre,Whatley Av, SW20
020 8543 9292
Cours de peinture, atelier floral, mosaïque, poterie, fitness, danse, golf...Prix très abordables. Dépend de la mairie. Vous trouverez une brochure complète à la *Wimbledon Library*.

Polka Theatre
240 The Broadway, SW19
20 8543 4888
www.polkatheatre.com
Organise des ateliers pendant les vacances scolaires anglaises. Par groupe d'âge entre les 3-9 ans.

Pour des cours particuliers de musique, voir au magasin Abc Music, → p223

Voiture

PARKING SHOP

Merton Civic Centre
London Rd, Morden, SM4 - 020 8545 4661
La première voiture: £55/an. La seconde: £90/an. Possibilité d'acheter des tickets pour les visiteurs: £2 la journée et £1 la demi-journée.

GARAGES

Abbey Mills Garage
Unit 1, Station Rd, Merton Abbey, SW19
020 8542 8533
Toutes marques, spécialiste des voitures françaises et diesel. Révisions, réparations. Service de collecte et retour de votre voiture à domicile.

Alpine Auto Works
94 Pirbright Rd, Southfields, SW18
078 6086 0756
Mécanicien honnête et efficace.

Renault
Wimbledon South, Unit 9,
Nelson trading Estate, Morden Rd, SW19
020 8540 7366
Petit garage avec RV rapide et proche du métro.

NETTOYAGE

SUPERARC
Mercantun Way, High Path, SW19
Centre de lavage. Rouleaux avec préparation manuelle. Bon rapport qualité/prix.

STATIONS SERVICE

Shell
185 Worple Rd, SW 20

Esso
212 Merton Rd, SW19 (South Wimbledon)

Installation et entretien

TV

Installateur: Vision Engineering
42 Strathearn Rd, SW19 - 020 8947 6066

TV Cable-Telewest
Service clients: 084 5142 0000

ORDURES MÉNAGÈRES

Décharge
Garth Rd, Lower Morden - 084 5010 9000
7/7j, 8h-16h.

Tri sélectif
Chaque maison est équipée d'une boîte verte (journaux, verre) et mauve (plastique, métal). Le ramassage s'effectue en même temps que les ordures ménagères, une fois par semaine. C'est très peu et fait la joie des écureuils et des nombreux renards si vous laissez vos sacs poubelles à l'extérieur.
Il existe aussi des containers pour le verre, plastique, papier ou vêtements sur plusieurs parkings. Par exemple à **B&Q** (magasin de bricolage) sur **Alexandra Rd**, SW19, sur le **parking du Théâtre, The Broadway**, SW19 ou sur le **parking de Wimbledon Park, Revelstoke Rd**, SW19.

SERVICES DOMESTIQUES.

Chauffagistes-plombiers

MD Plumbing
020 8330 5755

Steve Hill
020 8241 1465

Cordonniers

- au rez-de-chaussée du magasin Elys
- à la station de métro Wimbledon

Laveurs de carreaux

Sur une bonne partie de Wimbledon, les laveurs ont des rues attitrées. Voyez avec vos voisins.

Peintre

Yordan Vassilev
18 Grove Rd, SW19
020 8543 6909 / 077 6972 1883

Tous travaux de peinture ainsi que du trompe-l'oeil. Travail très soigné. Prend soin de bien tout calfeutrer avant de commencer les travaux, c'est rare. Parle un peu français. Tarifs très raisonnables.

Serrurier

Oakley Locksmith
81 Replingham Rd, SW18 - 020 8871 1238

Teinturiers

Nigel Hardy
020 8286 3036
www.manmaid.me.uk

Récupère et livre à domicile sous 24 ou 48h. Très bon rapport qualité-prix. Service rapide et cordial.

Swan Cleaners
152 Arthur Rd, SW19 - 020 8947 3807
235 Wimbledon Park Rd, SW18
020 8874 7039

Kingsmere Cleaners
36 Wimbledon Hill Rd, SW19
020 8946 3536

Santé

NHS

GPs

Dr Jones et Provost
67 Vineyard Hill Rd, SW19 - 020 8947 2579

The Group Practice (f)
7 Revelstoke Rd, SW18
020 8947 0061
6 médecins dont l'un parle un peu le français.

Wimbledon Village Surgery
35a High St, SW19 - 020 8946 4820
www.wimbledonvillagesurgery.co.uk
6 médecins. Consultations: lundi-vendredi 9h-10h30 et 16h30-18h30. Samedi matin 9h-10h, urgences uniquement.

Hôpitaux

St Georges Hospital
Blackshaw Rd, Tooting, SW17
020 8672 1255
Aux urgences, l'attente est longue.

Kingston Hospital
Galsworthy Rd, Kingston upon Thames
020 8546 7711

Dentistes et orthodontistes

Lu W.H.M
67 Revelstoke Rd, SW18
020 8946 6677

Stephen J Powell (orthodontiste)
2a Barham Rd, SW20
020 8946 3064

MÉDECINE PRIVÉE

Parkside Hospital
53 Parkside, SW19
020 8971 8000
100 médecins spécialistes y compris en chirurgie plastique. RV rapides pour des rayons X, mammographies,... → Carte p216

Achats

ALIMENTATION

Supermarchés → Carte p216

ASDA
Sur Roehampton Vale (A3) - 020 8780 2780
Immense magasin.

Sainsbury's et Lidl
Sur Worple Rd, Wimbledon Park

Tesco et Safeway
Sur The Broadway, Wimbledon Park

Grand Magasin

Marks&Spencer
Centre Commercial Centre Court

Marchés

Wimbledon Park
Havana Rd, SW19
Dans la cour de l'école Primaire, petit marché de produits fermiers et biologiques.
Samedi matin 8h-13h environ.

Marché français (f)
The Broadway, SW19
Deux fois/an, au printemps et à l'automne, sur la place devant le cinéma

Autres commerces

Bayleys & Sage
60 High St, SW19
020 8946 9904

Epicerie fine; produits anglais (délicieux scones...), italiens (huile d'olive, anti-pasti...) et français (pain Poîlane, fromages...).

DÉCORATION

Dulux Decorator Centre
278 Western Rd, SW19
020 8640 2569
Tapisserie, rideaux, encadrement.

BRICOLAGE

Fielders
Fine Art & Craft Materials
54 Wimbledon Hill Rd, SW19
020 8946 5044

B&Q
Alexandra Rd, SW19 - 020 8879 3322

SPORTS

Sports World
Tandem Way,
au rond-point de Merantun Way
0870 333 9589
A 10mn du centre de Wimbledon, et à 2mn de la station Colliers Wood, espace commercial avec plusieurs enseignes de magasins de sport, vêtements et matériels. Bon rapport qualité/prix.

MUSIQUE

Abc Music
20 Ridgway, SW19 - 020 8739 0202
Location et vente d'instruments.

JOUETS-COTILLONS

The Entertainer
29 The Broadway - 0870 9055 133
Wimbledon *toy shop,* à coté du cinéma l'Odéon.

The village

VÊTEMENTS

Dans le village, sur **High St** et **Church Rd**, de nombreuses marques (L.K. Benneth, Descamps, G. Darel, Joseph, Max Mara, Jigsaw...).

Dans **Wimbledon centre**, de nombreuses chaînes (Next, H&M, Gap, la Senza, Monsoon...).

A Wimbledon Park

Vivendi
Arthur Rd
Vêtements originaux à des prix proches des enseignes habituelles.

East
55 Kimber Rd, SW18
020 8877 5900

Ce n'est pas un magasin mais une fabrique de vêtements. Ils font 2 ou 3 fois par an une vente promotionnelle dans un hangar proche de la fabrique. Il suffit de téléphoner pour connaître les dates. Leurs ventes sont vraiment très intéressantes.

CHAUSSURES POUR ENFANTS

Footsies
15 High St, Wimbledon Village
020 8947 3677
Chaussures de qualité. Prix élevés.

LIBRAIRIES-DISQUES

Wimbledon Books
56 Wimbledon Hill Rd, SW 19
020 8879 3101

Si le service est votre critère de choix principal, alors n'hésitez pas à vous rendre dans cette librairie où les vendeurs se feront un plaisir de dénicher pour vous le livre sur le sujet qui vous tient tant à coeur. Et s'ils ne disposent pas de l'ouvrage, la commande sera effectuée dans des délais biens meilleurs que dans la plupart des chaînes.

Cd Warehouse
46 The Broadway (à côté de Pizza Hut)
020 8543 2355
Achète, vend et échange CD neufs ou d'occasion. Une caverne d'Ali Baba. Rayon DVD en expansion. Premiers prix: CD £3, DVD £5.

COIFFURE-BEAUTÉ

Headmasters
32-34 Ridgway, SW19 - 020 8947 5034
Une grande chaîne anglaise avec un rapport qualité-prix correct.

ANTIQUAIRES

Trader Antiques
17A High St, W. Village - 020 8947 0121
Jeudi, vendredi et samedi,11h-17h.

Corfield Potashnick
39 Church Rd, W. Village - 020 8944 9022

Sortir

PARCS ET AIRES DE JEUX

Wimbledon Park
2 entrées piétons: Home Park Rd et Wimbledon Park Rd.
1 entrée voiture: Revelstoke Rd
2 aires d'activités pour enfants jusqu'à 12 ans, interdites aux chiens, plusieurs tennis découverts, un grand espace pour les joueurs de foot ou rugby, une piste d'athlétisme, un plan d'eau pour pratiquer la voile au sein du club et même un snack pour prendre un en-cas. Endroit très agréable.

Les enfants du collège du Lycée Français font du sport à Raynes Park. Chaque semaine, les parents peuvent les récupérer sur place et leur éviter ainsi 1h30 de trajet retour

Près de Wimbledon vous découvrirez Richmond Park, avec ses cerfs, lieu magique pour la découverte de la nature, à vélo ou à pied.

Tigers Eye
42 Station Rd, Wimbledon, SW19
020 8288 8178
Fantastique pour les enfants. Grand hangar avec une aire de jeux à boules et une mini-discothèque. Emplacement réservé et fermé pour les moins de 4 ans.

Pour connaître les **pistes cyclables** couvrant cette zone, se procurer la carte no 14 "London Cycle Guide" dans les stations de métro ou auprès de la bibliothèque de quartier. Une très belle balade en vélo: aller de Wimbledon à Richmond en passant par les Commons et Richmond Park.

FÊTES

Course de lévriers
Stadium, Plough Lane, SW19
www.wimbledonstadium.co.uk
Mardi, vendredi et samedi à partir de 19h30. £6 l'entrée. Possibilité de parier, comme au tiercé.

En juin, le tournoi international de tennis transforme Wimbledon pendant 2 semaines et lui donne une atmosphère de fête.

Fête foraine dans les Commons
3ème semaine de juin
Auto-tamponneuses, manèges, barbes à papa…avec de nombreuses animations le samedi (promenades en poneys, concours de chiens, démonstrations équestres, divers spectacles des associations locales…).

Marché de Noël dans le Village
Le premier week-end de décembre, tout le Village est rendu piétonnier pour une immense *Christmas Fair*.

Festival de théâtre de plein air à Cannizaro House
West Side, Wimbledon Common
020 8879 1464
Au milieu de l'été, dans le cadre enchanteur de cette demeure historique transformée en hotel de luxe et située au bord du *Common*.

MUSÉES

Southside House
3-4 Woodhayes Rd, SW19
020 8946 7643

Maison du XVIIe toujours habitée par les descendants de Robert Pennington. De nombreux liens avec Anne Boleyn, Marie-Antoinette, l'Amiral Nelson, Lady Hamilton...Une atmosphère toute particulière. Visites les mercredi, samedi et dimanche à 14h,15h et 16h de Pâques à octobre.

Wimbledon Lawn Tennis Museum
Church Rd, SW19
020 8946 6131
Pour les passionnés de tennis. Des premières raquettes aux tenues de Mc Enroe ou B. Borg.

GALERIES D'ART

Sur Church Rd, dans Wimbledon Village:
Churzee Gallery, David Curzon, Wimbledon Fine Art.

Sur Leopold Road:

Hicks Gallery
2/4 Leopold Rd, SW19 - 020 8944 7171
www.hicksgallery.co.uk

THÉÂTRES

Polka Theatre
240 The Broadway, SW19
020 8543 4888

Compagnie de théâtre jeune public qui propose des représentations de bonne qualité tout au long de l'année. Le Lycée Français y organise régulièrement des sorties.

The New Wimbledon Theatre
The Broadway - 0870 060 6646
www.newwimbledontheatre.co.uk
Des pièces et comédies musicales de qualité, souvent en direct du West End.

RESTAURANTS

Café Du Parc
122 Arthur Rd - 020 8946 9014
A côté de la station Wimbledon Park, petit mais sympa pour un en-cas.

Le Piaf
40 Wimbledon Hill Rd - 020 8946 3823
Cuisine française: de la moule marinière au confit de canard en passant par le coq au vin. Atmosphère bistrot, amicale et accueillante.

The Common Room
18 High St - 020 8944 1909
Pub sympa avec les enfants. Ecran géant pour les matches. *Beer garden* à l'arrière.

Wimbledon Tandoori
26 Ridgway - 020 8946 1797
Bonne cuisine indienne, accueil chaleureux.

PUBS

Crooked Billet
14 Crooked Billet - 020 8946 4972
Un des plus anciens *pub* de Wimbledon (XVIe), sur les *Commons*. Une atmosphère accueillante et confortable, décor anglais traditionnel. *Beer garden*.

Pitcher&Piano
4 High St - 020 8879 7020
Cadre élégant et confortable.

The Woodman
222 Durnsford Rd - 8946 0274
A 2mn de la station Wimbledon Park, lieu accueillant, vous pouvez y manger. Animations certains soirs: concerts de Rock et Karaoke.

COFFEE SHOPS

Tout autour de Wimbledon Common, on trouve quantité de bars et de *coffee shops* sympas avec terrasse.
Un must les beaux jours!

Hammersmith Shepherd's Bush Barnes

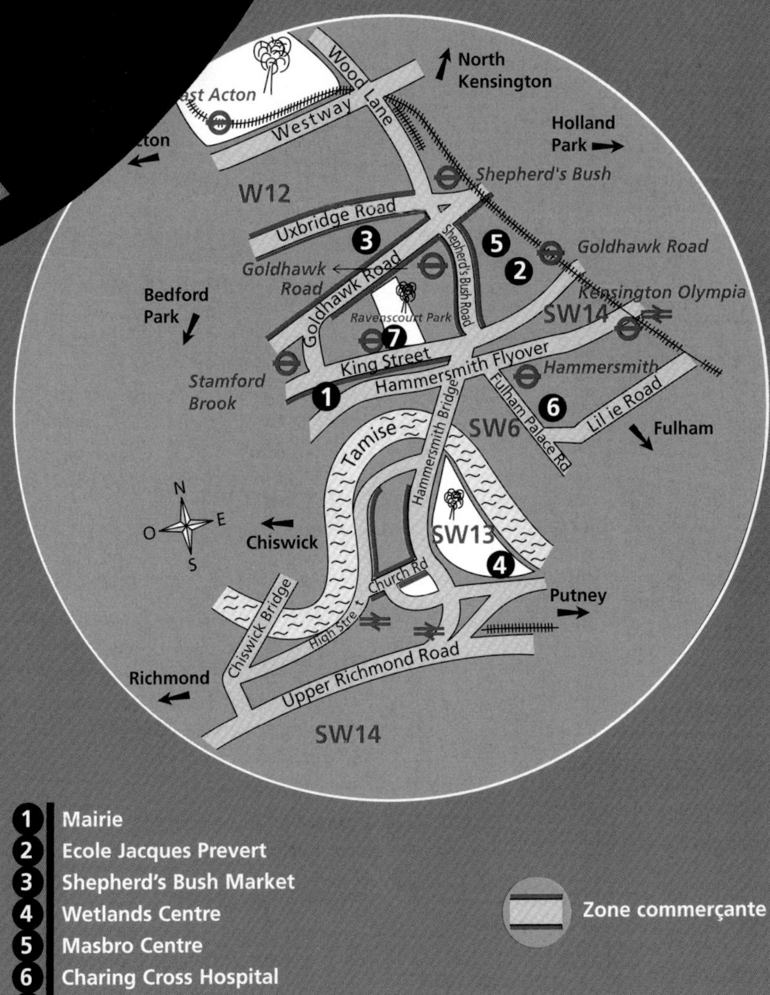

1 Mairie
2 Ecole Jacques Prevert
3 Shepherd's Bush Market
4 Wetlands Centre
5 Masbro Centre
6 Charing Cross Hospital
7 Argos, Marks & Spencer, Curry, Habitat, Ryness, JJB Sport, Virgin, WHSmith

Zone commerçante

Hammersmith Shepherd's Bush Barnes

Situés sur la rive de la Tamise, juste à l'ouest de Kensington, **Hammersmith, Shepherd's Bush** et **Barnes** (W6, W12 et W14) sont à la fois résidentiels et proches du centre ville. Les deux premiers ont beaucoup changé depuis les années 1970, mais continuent d'attirer les artistes aussi bien que les jeunes familles. On y rencontre de nombreuses nationalités différentes, et une assez importante communauté française regroupée sur Brook Green autour de l'école Jacques Prévert. Doté de bonnes institutions culturelles, de restaurants et de zones commerçantes animées, ce sont des quartiers faciles à vivre, bien reliés au centre tout en restant relativement abordables.
De l'autre côté du beau pont de Hammersmith, sur la rive sud de la Tamise, Barnes (*borough* de Richmond, SW13) a su conserver l'ambiance d'un village avec ses espaces verts et son étang. Les familles s'installent ici pour profiter de la tranquillité et de la présence d'excellentes écoles.
On y trouve toutes les commodités et il est facile de traverser le pont. Les berges de la Tamise débordent d'activités: promenades à pied ou en vélo, clubs d'aviron, sans oublier de nombreux *pubs* typiques accueillants en toute saison…

Petite enfance

Pour une liste à jour des structures d'accueil et des places disponibles, consultez le site *www.childcarelink.co.uk* ou téléphonez, pour Hammersmith et Shepherd's Bush, au:

- **Hammersmith Children's Information Service (CIS)**
020 8735 5868

et pour Barnes au:

- **West London Childcare Information Service - 020 8831 6298**

DAY-NURSERIES

Grâce à la communauté française de Hammersmith, votre enfant retrouvera probablement d'autres petits Français dans la plupart des structures ci-dessous, ce qui peut faciliter son adaptation.

The Ark Nursery School
Kitson Hall, Kitson Rd, Barnes, SW13
020 8741 4751
2-5 ans. £1000/trim. Méthode Montessori.

Little People of Sheperd's Bush
61 Hadyn Park Rd,
Shepherd's Bush, W12
020 8749 5080
4 mois-2 ans.

Mace Montessori
30-40 Dalling Rd, W6
020 8741 5382
Entre Hammersmith et Ravenscourt Park. Environ £1000/trim à plein temps, possibilité de temps partiel matin, après midi ou 3 j/sem.

Barnes Montessori Nursery
Lonsdale Rd, Barnes, SW13
020 8748 2081

St. Michaels Pre-School Nursery
Elm Bank Gardens, Barnes, SW13
020 8992 0091
2-5 ans. Méthode Montessori. £1150/trim.

NANNIES & BABY SITTERS

Kiwi Oz Nannies
1 Richmond Way, Shepherd's Bush, W12
020 8740 6695
www.kiwioznannies.com
Recrutement en Australie et Nouvelle-Zélande.

MOTHER & TODDLER GROUPS

St. Mary's Church
2 Edith Rd, Hammersmith, W14
020 7602 1996
Tous les jeudi matins. £1 café et goûter compris. Les messes du dimanche 11h offrent un *playgroup* pour les plus petits.

Brook Green Catholic Church (Holy Trinity)
41 Brook Green, Hammersmith, W6
020 7603 3832/ 020 7603 3266
Lundi et mardi 10h-12h, centre de la Paroisse. Située en face de l'Ecole Jacques Prévert, cette église catholique a une communauté plutôt irlandaise, mais aussi française.

PLAYGROUPS

Sure Start Parent and Toddler Groups
Broadway Children's Centre
020 7605 0890
www.broadway.surestart.org
Plusieurs centres dans le quartier, voir sur le site. Playgroups 3 mois-5ans.

Brook Green Bunnies
Brook Green Catholic Church
Adresse ci-dessus.

One O'clock Club
Ravenscourt Park Playhut
13h-15h, gratuit.

Masbro Under 5s
87 Masbro Rd, W14
020 7605 0800
www.masbro.org.uk
Beaucoup d'activités pour enfants de tous âges. Les horaires pour les petits changeant assez souvent, il vaut mieux téléphoner. Crèche gratuite pour les Mamans qui prennent des cours au centre. £2/session.

Ecoles

ECOLES FRANÇAISES

Maternelle & Primaire

Ecole française Jacques Prévert
59 Brook Green, W6 7BE
020 7602 6871
www.ecoleprevert.org.uk

4-11 ans. Située dans un endroit calme et résidentiel à Brookgreen, la présence de cette école conventionnée gérée par un comité parental attire les familles françaises.

Le panneau d'affichage de l'école Jacques Prévert: très bonne source d'info sur les babysitters, jeunes filles au pair, activités, cours de langue et même l'immobilier.

Longue liste d'attente pour la maternelle mais variable pour les autres classes. 250 enfants, 11 classes. Frais de scolarité £1100/trim. Fournitures, sports, demi-pension £280.

L'école Jacques Prévert

Le Hérisson
Methodist Church, Rivercourt Rd, W6 9JT
020 8563 7664
www.leherissonschool.co.uk
2-6 ans. 64 élèves. Etablissement homologué. Programmes français mais place importante accordée à l'anglais. £1800/trim.

ECOLES ANGLAISES

Nurseries schools

Busybee Nursery School
Addison Youth Club, 45 Redan St
Hammersmith, W14 OAB
020 7602 8905

2-5 ans. Très bonne école si vous voulez que votre enfant apprenne l'anglais. Animatrices adorables et attentives. 9h15-12h30.
Par trim: £1150/cinq jours par semaine.
Liste d'attente.

Howard House Montessori Nursery School

58 Ravenscourt Rd, Hammersmith, W6
020 8741 5147
Contact: Joan Howard
2ans-5 ans. 9h-12h. Mme Howard, fondatrice, parle français et accueille les enfants avec beaucoup de chaleur dans sa maison située près de Ravenscourt Park (sorties quotidiennes au parc). Cours de français une demi-journée par semaine.

Le Hammersmith Early Years Grant *rembourse un partie des frais de scolarit*

Barnes Montessori
Lonsdale Rd, Barnes, SW13
020 8876 9628
2-4 ans. 9h20-12h20. Pour les 3 ans, uniquement 12h30-13h20.

Nursery & Primary schools

Addison Primary School
Addison Gardens W14 ODT-020 7603 5333
3-11ans. *State school* de quartier d'un bon niveau. Gratuite.

Avonmore Primary School
Avonmore Rd, W14 8SH - 020 7603 9750
3-11ans. *State school* mixte et gratuite. Bon niveau.

John Betts School
Paddenswick Rd,
Hammersmith, W6 OUA

020 8748 2465
4-11 ans. *State school*. Bons résultats, recherchée, liste d'attente.

Larmenier Infant School
Great Church Lane, Hammersmith, W6
020 8748 9444
Contact: Sister Hannah Dwyer
3-11 ans. Mixte. Catholique *voluntary-aided.* N'accepte que les enfants qui habitent dans un rayon de 2km. Gratuite.

St Osmunds RC Primary School
Church Rd, Barnes, SW13
020 8846 9589
www.st-osmunds.sch.uk
4-11 ans. Très bonne école catholique *voluntary-aided.*

Bute House Preparatory School for Girls
Luxemburg Gardens,
Hammersmith, W6 7EA
020 7603 7381
4-11 ans. *Independent school* de filles située à Brook Green, pratiquement face à Jacques Prévert. Prépare aux examens d'entrée

à St Paul's Girls School qui se trouve à côté. Liste d'attente. £3000/trim.

Ravenscourt Park Preparatory School
16 Ravenscourt Av, Hammersmith, W6 OSL
020 8846 9153
www.rrps.co.uk
4-11 ans. Mixte. £3550/trim

Primary school

The Latymer Preparatory School
36 Upper Mall, Hammersmith W6 9TA
020 8748 0303
Independent selective school. Mixte. 160 élèves, 7-11 ans, admis sur examen. Uniforme complet (blazer). L'une des meilleures *Preparatory schools* du quartier. Orientation sur Latymer *Upper School* pour le secondaire. £3650/trim.

Primary & Secondary schools

Colet Court
Lonsdale Rd, Barnes, SW13 9JT
020 8748 3461
www.coletcourt.org.uk
Garçons 7-13 ans. Prépare à St Paul's Boys School. Admission sur examen. £3650/trim.

The Harrodian School
Lonsdale Rd, Barnes, SW13
020 8748 6117
4-18 ans. Bon curriculum qui attire notamment des anciens du lycée CDG. Très bel environnement. Liste d'attente à prévoir. £3000-£3800/trim en fonction de l'âge.

Secondary schools

Godolphin & Latymer Girls School
Iffley Rd, Hammersmith, W6 OPG
020 8741 1936
www.godolphinandlatymer.com
11-18 ans. L'une des meilleures *Independent schools* de filles d'Angleterre. Située dans un beau bâtiment victorien.Très bon département d'art et de théâtre. Examen d'entrée. £4000/trim.

Latymer Upper School
237 King St, Hammersmith W6 9LR
020 8741 1851
www.latymer-upper.org
11-18 ans. Ex-*Independent school* de garçons, mixte depuis 2004. 1050 élèves (principalement garçons). Sélective, mais accessible aux bons élèves d'écoles publiques et aux étrangers (quelques Français). Excellent niveau. £3650-4000/trim. Bourses possibles.

Sacred Heart High School
212 Hammersmith Rd, W6 7DG
020 7748 7600
11-16 ans. Collège catholique *voluntary-aided* pour filles. Gratuit. Entrée sur admission en Year 7, selon places disponibles les suivantes. Très bon niveau.

Saint James Independent School for Girls
Earsby St, London, W14 8SH
020 7348 1777
10-18 ans. *Independent school* de filles située à côté de l'Olympia. Trés bon niveau. Approche originale de l'éducation des filles (cours obligatoires de sanscrit, philosophie, cuisine). Très nombreuses activités artistiques et sportives. Excellents résultats malgré un programme très dense. Pour élèves travailleuses. Admission sur entretien et dossier. £3000-4000/trim.

Ce quartier compte aussi deux *Independent schools* très réputées, classées parmi les meilleures d'Angleterre: les deux **Saint Paul**, à **Barnes** (garçons) et **Brook Green** (filles). L'admission est sur examen, très sélectif et très difficile pour les étrangers.

Logement

A la **location**, compter environ £2500/mois pour une maison à Shepherd's Bush, et £4-5000/mois à Barnes et Hammersmith. Pour un appartement, de £1800 à £3000/mois.

A **l'achat**, minimum £200 000 pour un petit appartement à Shepherd's Bush, et jusqu'à plus de £1M pour une grande maison à Hammersmith.

Barons Court/West Kensington: Appartements dans de grandes maisons datant de la fin du XIXe, dans les environs

Brook green

particulièrement prisés de Barons Court Rd, près du célèbre Queens Garden Tennis & Sports Club. Grande facilité de transport.

Brackenbury Village: les agences immobilières ont rajouté le mot "village" pour vendre le côté *cosy* de l'endroit. Très familial. Maisons en terrasse avec un petit jardin. Divers magasins, cafés, resto, *pubs*, et le boucher Stentons, très renommé en GB pour la qualité de sa viande bio et la clarté de son étiquetage.

Brook Green: ici tout se passe autour d'un charmant petit parc, le *green,* avec une aire de jeux, des courts de tennis et un terrain réservé aux chiens. Très convoité par les familles françaises: proximité de l'école Jacques Prévert et du métro Hammersmith, direct pour le Lycée Français à South Ken. Grandes maisons sur le *green* et dans les rues alentours. Un peu derrière, Blythe Rd, avec ses magasins et restos, et son charme villageois.

Ravenscourt Park: à proximité d'un grand parc, près de Chiswick, belles maisons de 4/5 chambres et *cottages* victoriens. Très demandé. Prix élevés.

Riverside: l'endroit le plus cher de Hammersmith de par sa situation sur la Tamise. Superbes maisons géorgiennes, mais l'autoroute M4 passe juste derrière. Nombreux *pubs* charmants, quelques petits commerces blottis entre les maisons.

Shepherd's Bush: nouveau Notting Hill pour les agences immobilières, ce quartier en plein essor a toujours un coté un peu inquiétant, même si des investissements importants ont été faits ces dernières années. Son ambiance internationale avec son marché afro-cubain et ses restos cosmopolites attirent les jeunes. Très connu également pour ses salles de concert hip-hop et ses soirées trépidantes.

Transports

Hammersmith est situé en zone 2 et très bien desservi. Le plus grand avantage est la proximité de Heathrow, 20 mn en voiture par la M4, et de la pleine campagne à 45 mn. Gatwick est à 1h, Luton à 45 mn et Stansted à environ 1 heure et demi.

LE METRO

Hammersmith a 2 stations du même nom situées au Hammersmith Broadway Shopping Centre. L'une est desservie par la Hammersmith City *line*, l'autre par les Picadilly et District *lines*, 4 stations (10 mn) pour le Lycée Français de South Ken.

Shepherd's Bush a deux stations différentes du même nom à 300m l'une de l'autre. L'une est sur la Hammersmith City *line*, l'autre sur la Central *line*.

LE BUS

A **Hammersmith**, nombreuses lignes en direction du centre ville. Le **9** et le **10** suivent Kensington High St, le **211** va sur Chelsea et le 237 sur Chiswick.

A **Shepherd's Bush**, les **72** et **220** vont à Hammersmith, le **148** à Westminster en passant par Hyde Park, le **207** à Ealing centre, le **237** à Chiswick, le **283** à Barnes (Wetland Centre).

Barnes n'est pas desservi par le métro mais les **33, 72, 209, 283** permettent d'accéder en 10 mn à Hammersmith station, les **337** vont vers Wandsworth et **493** vers Roehampton ou East Sheen.

LE TRAIN

A **Barnes**, 2 gares situées à **Barnes Bridge** et **Barnes Common**, les 2 lignes en direction de Clapham Junction, puis Waterloo.

MAIRIES

Hammersmith and Fulham Borough Council
Town Hall, King St, Hammersmith W6 9JU
020 8748 3020
www.lbhf.gov.uk
Hormis son architecture des années 70, bonne source d'information pour les habitants de Hammersmith et Shepherd's Bush.

London Borough of Richmond Upon Thames
Civic Centre, 44 York St,
Twickenham, TW1 3BZ
020 8891 1411
www.richmond.gov.uk
Mairie pour Barnes.

BIBLIOTHÈQUES

Barons Court Library
North End Crescent, Hammersmith, W14
020 8753 3888

Hammersmith Library
Shepherd's Bush Rd,
Hammersmith, W6
020 8753 3817

Beau bâtiment. Personnel sympa et compétent. Location de CD, cassettes vidéo avec un grand choix de films (moins cher que les vidéo-clubs). Important rayon jeunesse, ordinateurs équipés de logiciels pour enfants. Heure du conte. 9h30-17h, sauf dimanche 13h-17h.

Shepherd's Bush Library
7 Uxbridge Rd, Shepherd's Bush, W12
020 8753 3853

Castelnau Library
75 Castelnau, Barnes, SW13
020 8748 3837

COMMUNITY CENTRE

Masbro Centre AE

Fréquenté par les gens du quartier.
Large choix de cours d'art et de sport.
Grande salle de gym utilisée par les enfants de Jacques Prévert.

COMMISSARIATS

Barnes Police Station
371 Lonsdale Rd, Barnes
020 8392 1212

Hammersmith Police Station
226 Shepherd's Bush Rd, Hammersmith
020 8563 1212

Shepherd's Bush Police Station
252-258 Uxbridge Rd, Shepherd's Bush
020 7371 1212

Cours de langues

(**A** *Adulte*, **E** *Enfant*)

Barnes Community English School A
56 Castelnau, Barnes, SW13
020 8748 4410

London School of English A
65 West Croft Sq Hammersmith, W6
020 8563 2345
www.londonschool.com
Cours intensifs, plein temps ou mi-temps. 10 à 12 personnes max/groupe. Rencontres organisées en soirée pour pratiquer.
Les grandes entreprises françaises comme l'Oréal et Novotel, toutes proches, y envoient leur personnel. Assez cher.

Kumon E
Brookgreen Church, Parish Centre,
Hammersmith, W6 - 020 7093 4307
www.kumon.co.uk - Tina
Lundi-mercredi.15h-18h. £45/mois.
Système de soutien scolaire japonais connu mondialement et pratiqué par plus de 3 millions d'enfants, offre un programme d'anglais et de mathématiques. Un système bien fait, unanimement acclamé par enfants et parents.

Sports

(A *Adulte*, E *Enfant*)

CLUBS DE SPORT

Broadway Squash and Fitness Centre A
Chalk Hill Rd, Hammersmith, W6
020 8741 4640

Holmes Place
181 Hammersmith Rd, W6
020 8741 0487

Rocks Lane Tennis and Football Centre
Rocks Lane, Barnes, SW9
020 8876 8330

De grands terrains de sports pour les communautés de Barnes et Hammersmith. Rugby, football, cricket et tennis. Il y a même un camping utilisé par les scouts de la région.

Les jardins aménagés sur ce terrain par Capability Brown *au XVIIe, ont disparu, mais subsiste un énorme arbre connu comme* One of the great trees of London. *Il faut six personnes pour en faire le tour!*

AVIRON

Sons of the Thames Rowing Club AE
Lindon House, Upper Mall, Hammersmith
020 8748 1841
Dès 10 ans.

Voir aussi sur Putney.

ESCRIME

London Thames Fencing Club
St. Paul's School Fencing Salle,
Lonsdale Rd, SW13
0845 094 4057
www.londonthamesfencingclub.com
Pour sportifs confirmés, mais cours bimestriels débutants, £165. Membership jeune £360/an, 16 ans minimum. Ou £15/séance. Lundi, mercredi et jeudi 19h-22h. Cours pour enfants Lu et Ve (17h45) à Ravenscourt Theatre School.

JUDO

Judokan London AE
Latymer Court,
Hammersmith Rd, W6 - 020 8748 1282
Très bon centre d'arts martiaux: judo, karaté, et jujitsu.

NATATION

Wandsworth Swimming Club AE
St Paul's Pool
www.wandsworthsc.com
Clubs de natation pour enfants en soirée et le week-end.

TENNIS

Vanderbilt Racquet Club AE
31 Sterne St, Hammersmith, W12
020 8743 9822
8 courts en terre battue et gazon.
Petit studio: cours de danse et de gym.

VOILE

Corinthian Sailing Club AE
Lindon House, Lower Mall,
Hammersmith - 020 8748 3280
www.lcsc.org.uk
Cours tous niveaux. Infos au bar le mardi soir après 20h. Fondé en 1894 par des passionnés de voile, ce club de *dinghy sailing*

fut réquisitionné pendant la deuxième guerre mondiale: ils durent prêter leur bateaux et enseigner à des pilotes de la RAF comment les utiliser. Un des premiers clubs à accepter les femmes.

Activités artistiques et culturelles

(**A** *Adulte*, **E** *Enfant*)

ARTS DU CIRQUE

Albert and Friends Circus E
Riverside Studios, Crisp Rd, W6
020 8237 1170
La plus grande troupe de cirque de GB. Dès 3 ans, cours d'échasses, monocycle, jonglage. Egalement cours de funambulisme et de trapèze. Le lundi 16h30-17h30 pour les 3-7 ans, de 17h à 19h pour les 8-14 ans. Cours spécial pour les +15 ans. £65/trim pour les techniques générales et £85/trim pour les spécialités. Stages pendant les vacances scolaires anglaises

A Barnes, de nombreuses activités ont lieu à Barnes Church Hall sur Kitson Rd.

DANSE

La Sylvaine E
Cours de danse dans l'école Jacques Prévert le mercredi après-midi.

Southwest School of Ballet
36 Harford Av, SW14
020 8392 9565 pour Barnes et Putney.
020 8664 6750 pour Hammersmith et Kensington.

MUSIQUE

Blueberry Playsongs E
Hammersmith & Barnes - 020 8677 6871
www.blueberry.clara.co.uk

The Music House E
Bush Hall, 310 Uxbridge Rd, W12
020 8932 2652
Cours de musique, théâtre et danse le samedi matin. Prix raisonnable.

THÉÂTRE

Perform
Barnes Methodist Church Hall, Station Rd, Barnes, SW13 - 020 7209 3805.

AUTRES

Scouts Club
Brookgreen Catholic Church
41 Brook Green, W6
020 8845 2256 - Jan Sheppard

Irish Centre AE
Blacks Rd, Hammersmith, W6
020 8563 8232

Pour les fans de culture irlandaise. Cours sur la culture, l'histoire et la musique irlandaises pour adultes et enfants le samedi. Soirées dansantes pour apprendre la *Riverdance*. Le *pub* à l'intérieur est ouvert le vendredi et samedi avec l'inévitable Guiness à la pression!

Voiture

PARKING SHOP

Parking Control Office
Hammersmith Town Hall, King St, W6
020 7371 5678
www.lbhf.gov.uk
£55/6 mois et £95/an. Deuxième véhicule au même nom: £220/6 mois et £420/an.

GARAGES

Collins Motors
232 Trussley Rd,
Hammersmith, W6 - 020 8741 9766

Kwik-Fit
332-336 Goldhawk Rd, Shepherd's Bush
020 8748 4955

DTR
29 Sheen Lane, Barnes, SW14
020 8878 8700

NETTOYAGE

Atlantic Car Wash
109 Yeldham Rd - Hammersmith, W6

Magic and Co.
22 Ariel Way, Shepherd's Bush, W12

Richmond Car Wash
424 Upper Richmond Rd West, SW14

STATIONS SERVICE

BP Connect 24/24h
Great West Rd, Hammersmith, W6

Shell 24/24h
222-224 Fulham Palace Rd, Hammersmith

BP Connect 24/24h
Shepherd's Bush Green, W12

Star Service Station
567 Upper Richmond Road West, SW14

Installation et entretien

ORDURES MÉNAGÈRES

Hammersmith and Fulham Council
020 8753 1100
(Hammersmith et Shepherd's Bush)

London Borough of Richmond upon Thames Environmental and Operational Services
020 8891 7372 (Barnes)

Recycle for London
020 8753 1100
www.recycleforlondon.com
Infos sur votre quartier.

SERVICES DOMESTIQUES

Cordonniers

Sids Shoe Repairs
70 Fulham Palace Rd, Hammersmith, W6

Timpsons Shoe Repairs
Hammersmith Centre West, W6

Shoe Craft
35a Barnes High St, Barnes, SW13

Teinturiers

Brackenbury Village Cleaners
1 Aldensley Rd, Hammersmith, W6
020 8748 8787

New Look
88 Shepherd's Bush Rd, W12
020 7602 2240

Classy Cleaners
59 Barnes High St, Barnes, SW13
020 8876 4057

NHS

GPs

The General Practice
15 Brookgreen, Hammersmith, W6
020 7603 7563
Face à l'école Jacques Prévert, clinique avec 3 médecins et 2 infirmières.

Sterndale Surgery
74a Sterndale Rd, Hammersmith, W14
020 7602 3797
Situé près de l'école Jacques Prévert, 2 médecins.

Barnes Drs
1 Glebe Rd, Barnes, SW13
020 8748 1065

Essex House Surgery
Station Rd, Barnes, SW13 - 020 8876 1033

Walk in Clinic
Charing Cross Hospital
Lundi-vendredi 8h-22h, samedi et dimanche 9h-22h.

Hôpitaux

www.hhnt.org explique tout sur les hôpitaux de la région de Hammersmith.

Charing Cross Hospital
Fulham Palace Rd, Hammersmith, W6
020 8846 1234 → Carte p227
Connu pour son service de traumatologie avec opérations complexes et /ou reconstruction plastique. Excellent service de rhumatologie. Service d'urgences très efficace situé sur St Dunstans Rd, transfert éventuel sur Chelsea & Westminster Hospital.

Hammersmith Hospital
Du Cane Rd, Shepherd's Bush, W12
020 8383 1000

Centre de recherche cliniques sur le cœur, les reins et le cancer, cet hôpital abrite également une aile pour les leucémiques.

Queen Charlotte's and Chelsea Hospital
Du Cane Rd, Shepherd's Bush, W12
020 8383 1111
Maternité la plus ancienne de GB (1739), mais locaux neufs adjacents au Hammersmith Hospital. Centre de naissance dirigé par des sages-femmes, accouchement naturel favorisé.

Cet hôpital fut l'un des premiers, après la seconde guerre mondiale, à ouvrir un service FIV (In Vitro Fertilisation). Toujours expert et pionnier dans ce domaine.

Dentistes et orthodontistes

Kensington Orthodontic Clinic
8 Netherwood Rd, Hammersmith, W14
020 7602 2200

Baise and Wahlgren Dental Practice
92 King St, Hammersmith, W6
020 8748 1381

Shiona Scott Dental Practice
377 North End Rd, Hammersmith, SW6
020 7385 6532

Barnes Dental Practice
4 Elm Grove Rd, Barnes, SW13
020 8878 8986

MÉDECINE PRIVÉE

Dr Jean-François Charles
079 521 88522
Visites à domicile. Adultes et enfants.

Le Dispensaire Français
184 Hammersmith Rd, W6
020 8222 8822
www.dispensairefrancais.org.uk

Association caritative. Consultations par des médecins généralistes et spécialistes français bénévoles. Adhésion £10 et consultation £10. Pour personnes de passage ou en difficulté.

Achats

ALIMENTATION

Supermarchés

Sainsbury's
2-3 King's Mall, King's St, W6
et 49-63 King's St

Tesco
Broadway Shopping Centre
Hammersmith

Marchés

Hammersmith Organic Farmers Market
Hammersmith Town Hall, W6
Le jeudi 11h-16h, petit marché de produits régionaux.

Shepherd's Bush Market
Entre Goldhawk Rd et Uxbridge Rd. Marché très international, produits des Caraïbes et d'Afrique, il y a un peu de tout avec une concentration de magasins vendant valises et sacs, articles pour la maison, et aliments variés. Des stands de fruits et légumes offrent un choix de produits locaux et africains. Deux bons poissonniers. La plupart des stands sont ouverts du lundi au samedi.

Barnes Organic Farmers Market
Essex House Grounds
Barnes, SW13
Jeudi 11h-16h. Produits bio anglais.

Autres commerces

Hammersmith:

Buchanans Organic Deli
22 Aldensley Rd, Hammersmith, W6
020 8741 2138
Dans Brackenbury village.
Très bon pain, sandwichs et pâtisserie.
Ambiance familiale.

Bushwacker
132 King St, Hammersmith, W6
020 8748 2061
Health food store.
Bon choix d'aliments et de vitamines.

Stentons Family Butcher
55 Aldensley Rd
Hammersmith, W6
020 8748 6121

Boucher très connu des gastronomes professionnels et amateurs. Bio, gibier frais en saison.

Village Bakery
65 Blythe Rd, Hammersmith, W14
020 7603 9695
Bonnes baguettes fraîches.

H G Walter
51 Pallister Rd, Hammersmith, W14
020 7385 6466
Très bon boucher avec service très agréable.

Shepherd's Bush:

Damas Gate
81 Uxbridge Rd, Shepherd's Bush, W12
020 8743 5166
Supermarché moyen-oriental. Grand choix de produits méditerranéens (olives, pain, viandes et délicieux falafels faits maison).

Barnes:

Alexander and Knight Fishmongers
18 Barnes High St, Barnes
020 8876 1297
Bon poissonnier.

The Cheese Shop
62 Barnes High St, Barnes - 020 8878 6676
Connu pour ses bons fromages.

Petit Delice
61 Church Rd, Barnes - 020 8741 3860
Café, vend pâtisserie et baguettes fraîches.

GRANDS MAGASINS

Argos ➤Carte p227

Marks and Spencer ➤Carte p227

Currys ➤Carte p227

Primark
1 Kings Mall, King St, Hammersmith, W6
020 8748 7119
Version anglaise de Tati.

TK Maxx
57 King St, Hammersmith, W6
020 8563 9200

Chaîne US de dégriffés. Plutôt vêtements et chaussures, mais aussi un rayon maison et jouets. Un rêve pour le *bargain shopper.*

AMEUBLEMENT-DECO

Hammersmith/Sheperd's Bush:

Habitat
➤Carte p227

Allied Carpet Store
258-264 Goldhawk Rd, Hammersmith W6
020 8735 0504
Enorme choix de tapis.

Classic Textiles
44 Goldhawk Rd
Shepherd's Bush, W12
020 8743 3516

Ce magasin est l'une des nombreuses surprises de ce coin de Goldhawk Rd. On y trouve beaucoup de tissus africains et indiens, comme le batik.

The Carpet Store
167 King St , Hammersmith, W6
020 8563 2221
Bon choix de tapis avec service familial.

Framing Matters
301 King St, Hammersmith, W6
020 8748 6631
Très beaux encadrements professionnels.

Barnes:

Blue Door Yard
74 Church Rd, Barnes
020 8748 9785
Déco d'inspiration suédoise; beaux meubles peints, accessoires de déco, tissus.

The Farm Yard
63 Barnes High St, Barnes
020 8873 7338
Jouets et meubles pour enfants.

Raff
145 Church Rd, Barnes, SW13
020 8748 5484
Bon choix d'électroménager.

Tobias & The Angel
68 White Art Lane, Barnes - 020 8878 8902
Beaux meubles anglais en bois clair et peints. Tissus imprimés, objets de décoration...

BRICOLAGE

Ryness Electrical Supplies
➤Carte p227

Sisi Hardware
39 Brackenbury Rd, Hammersmith, W6
020 8741 5463
Petit magasin de quartier pour le bricolage maison.

Tool Chest
68 Iffley Rd, Hammersmith, W6
020 8748 7912
Location d'échelles, machines à nettoyer les tapis, etc...

FLEURS

Ginkgo Garden Centre
Ravenscourt Av Hammersmith, W6

020 8563 7112
Proche de Ravenscourt Park, ambiance très sympa, bonne sélection de plantes et articles de jardin.

SPORTS

JJB Sports ➤Carte p227

Action Bikes
101 Uxbridge Rd, Shepherd's Bush, W12
020 8743 5265

MUSIQUE

BEM
311 King St, Hammersmith, W6
020 8563 2222
Instruments de musique et équipements pour les D.J.

JOUETS-COTILLONS

Carnival Store
95 Hammersmith Rd, W14
020 7603 7824
Tout pour les fêtes: perruques, maquillages, farces et attrapes, location de costumes...

Early Learning Centre
Kings Mall,
Hammersmith, W6

020 8741 2469
Bonne sélection de jouets , du bébé à l'enfant de 8 ans.

Games Workshop
161 King St, Hammersmith, W6
020 8846 9744
Connu pour les batailles de figurines peintes à la main organisées sur place par les membres de ce magasin.

LIBRAIRIES-DISQUES

Virgin Retail ➤Carte p227

WH Smith➤Carte p227

Brook Green Bookshop
72 Blythe Rd,
Hammersmith, W14

020 7603 5999
Très bonne sélection de livres pour enfants.

COIFFURE-BEAUTÉ

Büty
85 Hammersmith Grove,
Hammersmith, W6
020 8748 1247

L'Oreal UK International Academy
255 Hammersmith Rd, W6
020 8762 4000
Inscription le vendredi 14h-16h pour obtenir un RV pour coupe, couleur, etc... le tout entièrement réalisé par des étudiants. Première visite gratuite avec une analyse de peau en prime. Petits prix, par exemple £10 pour une coupe.

Radina
212 Blythe Rd, W14

020 7602 9892
Bon rapport qualité-prix. Excellentes coupes. Beaucoup de Françaises y vont.

Secrets
64 Church Rd, Barnes, SW13
020 8741 7176
Coiffure, salon de beauté.

VÊTEMENTS-CHAUSSURES

Boomerang
69 Blythe Rd, Hammersmith, W14
020 7610 5232
Vêtement et chaussures d'occasion pour enfants, bonne qualité. Importante clientèle française.

In Step
80 Church Rd, Barnes, SW13
020 8741 4114

Très bonne sélection de chaussures pour enfant.

PARCS ET AIRES DE JEUX

Brook Green Park
Brook Green, Hammersmith, W6
Aire de jeux fréquentée par les élèves de Jacques Prévert. Courts de tennis publics, possibilité de prendre des cours.

Ravenscourt Park
Paddenswick Rd, Hammersmith, W6
Le plus grand parc du quartier. Aires de jeux pour enfants, terrains de basket-ball et de tennis, *bowling* sur herbe, rampes de skateboard et petit café.

Situé sur le site d'une bataille célèbre contre les Vikings au VIIIe. Le nom vient du vieux norvégien Padaswiwick qui signifie site de campement ou de marché.

Thames Path National Trail
www.thames-path.co.uk
Balade à pied: départ du pont de Hammersmith, direction ouest sur la rive nord de la Tamise, longer les *cottages* du XVIIIe, puis le Lower Mall et continuer vers le Upper Mall où se trouvent de belles maisons de la même époque. Aller ensuite sur Hammersmith Terrace (1750) pour finir à Chiswick.

Balade à vélo: traverser le pont pour aller sur la rive sud, puis direction ouest en passant par un joli chemin dans la verdure. Plusieurs options possibles: s'arrêter au *pub* qui se trouve sur la rive, aller aux jardins de Kew, ou encore continuer jusqu'à Richmond.

FÊTES

Olympia Exhibition Centre
Hammersmith Rd, Hammersmith, W14
020 7385 1200
www.eco.uk
Grand hall d'exposition. Salons professionnels parfois ouverts au public (*Christmas Fair* par ex). Architecture typiquement victorienne.

Head of the River Race

➤ Chapitre Jours Fériés

Manifestations de Noël
www.lbhf.gov.uk

THÉÂTRES

Lyric Theatre

King St, Hammersmith, W6
020 8741 2311 - *www.lyric.co.uk*
Nombreuses productions théâtrales de qualité. Le week-end, spectacles pour les enfants de tous âges.

Riverside Studios
Voir Galerie d'art
Ici ils font un véritable effort pour montrer non seulement des films internationaux, mais aussi des classiques.

Bush Theatre
Shepherd's Bush Green, W12
020 7610 4224
www.bushtheatre.co.uk
L'un de ces *pubs*/théâtres typiques de Londres où se mélangent les ambiances.

The Curtains Up/Barons Court Theatre
28a Comeragh Rd, W14 - 020 8932 4747
Un autre *pub*/théâtre bien *cosy*.

CONCERTS

The Blue Jay Jazz Club
184 Uxbridge Rd, Shepherd's Bush, W12
020 8811 2807 - *www.bluejayjazz.co.uk*
Pour écouter jazz, blues, samba, et R&B classique. De plus, vous pouvez déguster

un bon repas ou prendre un cocktail. Soirées dansantes les week-ends.

Hammersmith Palais
230 Shepherd's Bush Rd,
Hammersmith, W6 - 020 8600 2300
Plutôt connu dans les années 70 comme scène de rock réservé aux superstars; Elton John y a célébré son anniversaire il y a quelques années... Maintenant utilisé comme disco, souvent pour les plus jeunes avec des soirées à thèmes.

London Carling Apollo
Queen Caroline St, Hammersmith, W6
0870 606 3400
Grande salle de concert, accueillant souvent des groupes de rock connus, mais aussi des spectacles comme le fameux Riverdance.

Depuis les années 70 cette salle de spectacles a vu défiler sur ses planches: les Rolling Stones, The Who, Bob Dylan pour n'en nommer que quelques uns. Toujours des groupes et chanteurs à voir, récemment Patricia Kaas y est passée.

Shepherd's Bush Empire
Shepherd's Bush Green, W12
020 8354 3300
Salle de musique plutôt rock.

CURIOSITÉS

BBC Television Centre
Wood Lane, Shepherd's Bush, W12 TRJ
08706 030304
www.bbc.co.uk
Visite des studios à partir de 10 ans.

The Wetland Centre → p112

RESTAURANTS

Adams Café
77 Askew Rd,
Shepherd's Bush, W12 - 020 8743 0572
Marocain de quartier. Couscous et tagines de rêve à prix plancher.

Anglesea Arms
35 Wingate Rd, Hammersmith, W6
020 8749 1291
Un gastro-*pub* très connu pour sa bonne cuisine anglaise moderne. Attente due à sa popularité. Heureusement, les stars de cinéma sont souvent là pour vous distraire.

The Brackenbury
129-131 Brackenbury Rd,
Hammersmith, W6 - 020 8748 0107
Une institution dans le quartier. Cuisine anglaise moderne dans une ambiance sympa.

Bush Bar and Grill
45a Goldhawk Rd, Shepherd's Bush, W12
020 8746 2111
Connu pour sa cuisine européenne moderne. Supers cocktails, ambiance très aérée, un endroit très *in*!

The Grove
83 Hammersmith Grove
Hammersmith, W6
020 8748 2966
Super ambiance d'ancien *pub* avec ses hauts plafonds, bonne cuisine méditerranéenne moderne.

The Havelock Tavern
57 Masbro Rd, Hammersmith, W14
020 7603 5374
Très bon gastro-*pub* fréquenté par le chef Jamie Oliver.

Polanka
258 King St, Hammersmith, W6
020 8741 8268
Situé derrière le *delicatessen*, bonne cuisine polonaise, grandes portions et prix très raisonnables.

Riva
169 Church Rd, Barnes, SW13
020 8748 0434
Cuisine italienne du Nord. Connu dans tout Londres pour ses plats raffinés et délicieux.

River Café
Thames Wharf, Rainville Rd
Hammersmith, W6 - 020 7386 4200
Restaurant très connu pour son excellente cuisine italienne toujours préparée à partir de produits très frais. Les deux chefs, Ruth Rogers et Rose Gray, sont des stars, réservation à l'avance recommandée. Cher.

Snows on the Green
166 Shepherd's Bush Rd
Hammersmith, W6 - 020 7603 2142
Cuisine moderne européenne. Très bon rapport qualité/prix, nombreux Français de Brook Green.

PUBS

The Blue Anchor
13 Lower Mall, Hammersmith, W6
020 8748 5774
Sur les bords de la Tamise juste à côté du beau pont de Hammersmith, *pub* décoré dans la pure tradition, très *cosy* en hiver. Quand les températures sont plus clémentes on prend sa pinte de bière dehors pour observer à loisir l'activité sur le fleuve.

Coaches and Horses
Barnes High St, Barnes, SW13
020 8876 2695
Jardin avec barbecue.

The Dove
19 Upper Mall, Hammersmith, W6
020 8748 5405
Mentionné dans le *Guiness World Book of Records* comme le plus petit *pub* d'Angleterre, cet espace charmant du XVIIe, a vu défiler des personnages importants, comme Ernest Hemingway ou l'artiste William Morris.

The Sun Inn
7 Church Rd, Barnes, SW13
020 8876 5256
Quand le beau temps revient tout le monde prend sa pinte de bière et va la boire au bord de l'étang en face.

The Thatched House
115 Dalling Rd, Hammersmith W6
020 8748 6174
Intérieur chaleureux, bonne cuisine.

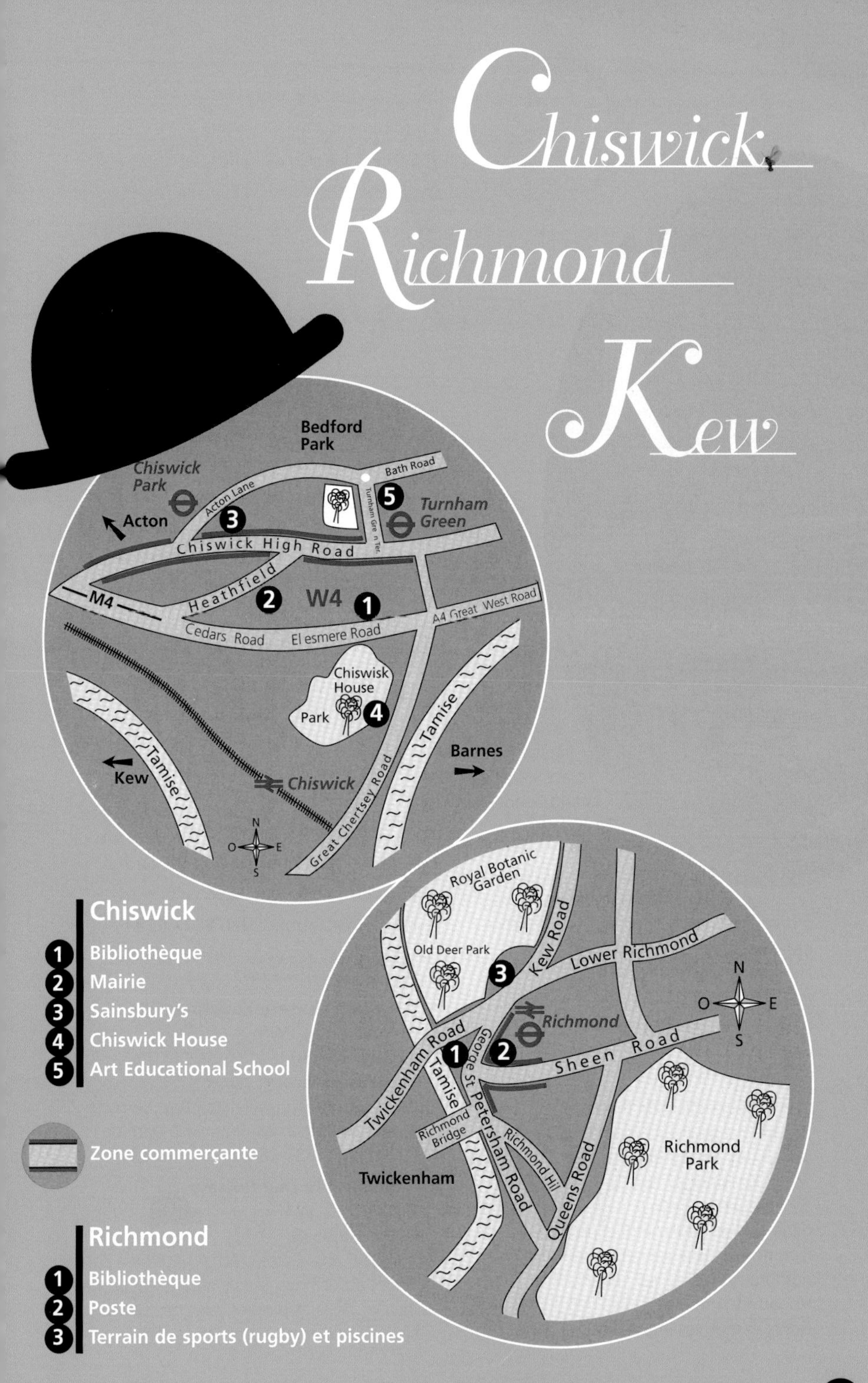
Chiswick
Richmond
Kew
Bedford Park
Chiswick Park
Acton
Acton Lane
Bath Road
Turnham Green
Chiswick High Road
Heathfield
W4
M4
A4 Great West Road
Cedars Road
Ellesmere Road
Chiswisk House
Park
Tamise
Barnes
Kew
Chiswick
Great Chertsey Road
N
O
E
S
Chiswick
Bibliothèque
Mairie
Sainsbury's
Chiswick House
Art Educational School
Zone commerçante
Royal Botanic Garden
Old Deer Park
Kew Road
Lower Richmond
Richmond
Twickenham Road
George St
Sheen Road
Tamise
Richmond Bridge
Petersham Road
Richmond Hill
Queens Road
Richmond Park
Twickenham
Richmond
Bibliothèque
Poste
Terrain de sports (rugby) et piscines

Chiswick Richmond Kew

Que votre choix se porte sur **Chiswick** (le w ne se prononce pas), **Kew** ou **Richmond**, vous êtes idéalement placé dans le Grand Londres. Ces quartiers résidentiels sont à proximité du M14 *Corridor*, où siègent de nombreuses entreprises internationales, à mi-distance entre le centre de Londres (juste après Hammersmith) et l'aéroport d'Heathrow.

Chiswick, W4, dépend administrativement du *borough* de Hounslow tandis que de l'autre coté de la Tamise, rive sud, **Kew** et **Richmond** (TW9) de celui de Richmond.

Chiswick bénéficie de modes de communications faciles et directs avec le centre de Londres et le quartier français de South Kensington, tout en offrant un mode de vie quasi provincial. Le charme des bords de la Tamise à Kew et Richmond, la lande de Richmond ont attiré depuis le XVIIIe de nombreux artistes: les peintres Reynolds et Hogarth y ont vécu tandis que Turner, Constable ou les Impressionnistes français en ont reproduit les couleurs. Vous vous sentez vraiment à la campagne, tout en profitant des avantages de la ville. Ces quartiers sont moins internationaux et vous aurez plus facilement l'occasion de rencontrer et de vous lier avec des Anglais.

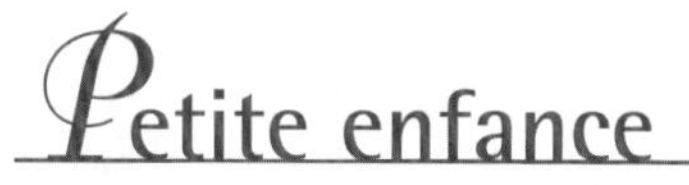

Pour toute information sur les structures d'accueil de la petite enfance, les places disponibles, nourrices, etc... , contactez le West London Childcare Information Service, *www.childcarelink.gov.uk* ou par tél:

Chiswick: 0800 783 1696

Kew et Richmond: 020 8831 6298

DAY-NURSERY

Asquith Nursery-Kew Riverside
Mortlake Rd, TW9
020 8878 9430
www.asquithcourt.co.uk
3 mois-5 ans. Nouvelle structure de cette chaîne de ***nurseries.*** Près de la gare de Richmond. 7h30-18h.

Devonshire Day Nursery

Bennett St, W4
020 8995 9538
2 mois-5 ans. Cette crèche a été bien conçue pour l'accueil des jeunes enfants: superbes locaux, clairs et propres avec des salles spéciales pour les siestes et un jardin.

Personnel compétent. Déjeuner, goûter et couches fournis. Prix: £55-59/jour. 8h00-18h.

Elmwood and Meadows Montessori Schools
St Michael's Church Hall
Elmwood Rd, W4
020 8995 2621

2-5 ans. La meilleure Montessori de Chiswick, locaux clairs et aérés, activités intérieures et extérieures. Personnel très compétent. Petits effectifs. £21.50/session.

Kew Montessori
St Lukes House, 270
Sandycombe, Richmond TW9
020 8940 0064
www.studiomontessori.co.uk
Bien notée par l'OFSTED. La directrice a reçu le prix «*Montessorian of the year 2006-07*». Lu-Ve 9h-12h15. Possibilité d'extension l'après-midi jusqu'à 15h.

CHILDMINDERS-NANNIES

Ideal Nannies
4 Stile Parade, W4
020 8994 5888
Personnel avec références, bon rapport qualité/prix.

Swansons Nanny Agency
4 Brackley Rd, W4
020 8994 5275

Personnel compétent. Formules souples, ex: possibilité de partager la *nanny*...

MOTHER & TODDLER GROUPS

Childplay Café
Hogarth Youth and
Community Centre, Duke Rd, W4
020 8994 7736

Pendant que les mères prennent un café, les enfants jouent et font des activités: bicyclette, escalade. Les grands frères et sœurs sont les bienvenus. Prix £2 + café adultes.

Crêchendo
Divers lieux dans Chiswick (**Christian Centre, Fraser Street,**...)
020 8772 8100

Ne manquez pas les nombreux drop-in: sessions encadrées de 1 à 3h pour les moins de 5 ans dans les aires de jeux des parcs. Gratuit.

PLAYGROUPS

Grove Park Playground
St Paul's Church, Grove Park Rd, W4
020 8742 8293
2.5 ans-4 ans. Le matin 9h15-11h45. £12/session.

Imaginations
Chiswick Methodist Church
Sutton Court Rd, W4
020 8742 1658

2-5 ans. 9-12h. Privilégie l'éveil des plus jeunes, très bonne ambiance pour les petits. Prix très abordable: £15 la session de 3 heures, £75/sem. 50 enfants. L'un des meilleurs du quartier.

Busy Bees Drop In
St John The Divine Church Hall, Richmond
Proche de la gare et du centre. Me 10-12h. £4.

Les Petits Poissons
Saint Luke's Church, The Avenue, Richmond
Playgroup en français. Mer entre 9h30 et 16h10. £6. Café-rencontre pour les parents.

ECOLE FRANÇAISE

Il n'y en a pas dans le quartier.

ECOLE INTERNATIONALE

Marymount International School
George Rd, Kingston-upon-Thames KT2
(au sud de Richmond Park)
020 8949 0571
Ecole américaine internationale pour filles, catholique mais accepte d'autres confessions. 11-18 ans. Très ouverte. Prépare au bac international (excellents résultats). £3500/trim.

ECOLES ANGLAISES

Nursery & primary schools

Belmont School
Belmont Rd, W4 5UL
020 8994 7677

State school mixte. Uniforme partiel. 470 élèves, 3-11 ans. Gratuit.

Très bon accueil des enfants étrangers (4/5 familles françaises) pour lesquels sont organisés des cours de soutien en anglais pendant le temps scolaire. Bon niveau. Admission sur critéres de proximité.

Broomfield House School
Broomfield Rd
Kew Gardens TW9 3HS - 020 8940 3884
Independent school mixte. Uniforme partiel. 150 enfants, 3-11 ans. £2500/trim.

St Elizabeth catholic Primary School
Queen's Rd, Richmond, TW10 6HN
020 8940 3015
3-11 ans. Mixte. *State School* catholique, gratuite, excellent niveau. très demandée, donc pour catholiques pratiquants uniquement.

St Mary's RC School
Duke Rd, W4 - 020 8994 5606
Ecole catholique mixte *voluntary aided*. Accepte uniquement les élèves catholiques pratiquants. Uniforme complet. 270 élèves, 3-11 ans. Bon niveau. Gratuit.

Harrodian School
→ Hammersmith

Kew College
24-26 Cumberland Rd, Kew TW9 3HQ
020 8940 2039
Independent school mixte, 3-11 ans. Très bonne école, esprit ouvert, soutien scolaire si nécessaire. £1150-2150/trim.

King's House School
68 King's rd, Richmond TW10 6ES
020 8940 1878
Independent school de garçons, 4-13 ans. Bon niveau académique et beaucoup de sport. £2200-2970/trim.

The Queen's Church of England Primary School
Cumberland Rd, Kew, TW9 3HJ
020 8940 3580
4-11 ans. Catholique. Très demandée car gratuite mais avec un niveau d'éducation permettant d'intégrer les bonnes *Independent schools* secondaires. Références paroissiales demandées à l'admission.

The Russell Primary School
Petersham Rd, Petersham, TW10 7AH
020 8940 1446
3-11 ans. Très bonne *State school* de quartier. Admission locale. Liste d'attente.

Nursery, primary & secondary schools

Hampton Court House
→ Chapitre Education

Ibstock Place School
Clarence Lane
Roehampton, SW15 5PY
020 8876 9991
3-18 ans. *Independent School.* Mixte. 650 élèves, programme artistique très intéressant, équipements extra-scolaires exceptionnels. Entrée non sélective à 3 ans, puis sur sélection à 11 ans. Programme de français poussé. £3000-40 000/trim.

St Catherine's School
Cross Deep, Twickenham TW1 4QJ
020 8891 2898
Independent school pour filles. 300 élèves, 3-18 ans. Uniforme complet. Excellents résultats académiques. Nombreuses activités extra-scolaires au sein de l'école. £2200-3000/trim.

Secondary schools

The Arts Educational School
14 Bath Rd, W4 1LY
020 8987 6600
Independent school, mixte, 11-16 ans. 140 élèves (environ 1/3 de garçons). Spécialisée dans les arts, la danse, la musique, le théâtre. £3000-3700/trim. → carte p243

Chiswick Community School
Burlington Lane, W4
020 8747 0031
Comprehensive state school, mixte, 11-18 ans. Uniforme partiel. 1 250 élèves, Ecole entourée de verdure avec de nombreux équipements sportifs. Bonnes relations profs/élèves, ambiance sympa, niveau académique moyen. Gratuit.

Richmond College
Egerton Rd, Twickenham TXW2 7SJ
020 8607 8305
www.rutc.ac.uk
+16 ans. *College* (lycée anglais) pour les 16-19 ans à temps plein. Préparation au Bac

International et *A Levels* dans de nombreuses matières. Admission sur entretien et dossier. Bons résultats. Bon accueil des étudiants étrangers. Frais de scolarité peu élevés: £1200/an. Offre également des cours pour adultes et des apprentissages/formations professionnelles courtes.

Logement

Chiswick est divisé en deux par la route A4:

Au sud et jusqu'à la Tamise, agréables maisons souvent edwardiennes, *semi-detached* avec de grands jardins, à proximité de la gare, accessible par bus (E3, 272) mais éloignées du métro.

Au nord, les maisons, plutôt victoriennes, se répartissent de part et d'autre de la High Road, à proximité du métro Turnham Green et des commerces. Autour de Bedford Park, nombreuses maisons classées, construites en briques rouges avec menuiseries blanches (balcons, portillons...). Beaucoup de charme. Compter pour une maison de 4 chambres entre £600 000 à plus de £1M à la **vente** et entre £600 à plus de £1000/semaine à la **location**.

Richmond & Kew
Villes à part entière avec de jolis magasins en centre ville, d'accès facile pour le centre (train, métro) ou l'extérieur de Londres (M25), **Richmond** est un endroit très privilégié, entouré de grands parcs (Richmond Park, Kew Gardens) et cerné par la Tamise avec de grandes maisons et jardins (certaines en hauteur ont une superbe vue, dans le quartier de Richmond Hill). Compter pour une maison de 4 chambres entre £600 000 à plus de £1.6M à la **vente** et entre £450 à plus de £1000/semaine à la **location**.

Transports

LE METRO

Chiswick et Richmond sont en zones 2, 3, 4. Les Central *line* et District *line* desservent Chiswick aux stations **Stamford Brook**, **Turnham Green**, **Chiswick Park**, **Gunnersbury** et Richmond aux stations **Kew Gardens** et **Richmond**.
La Piccadilly *line*: métro rapide pour aller directement à Heathrow Airport, à Ealing ou dans le centre de Londres et au Lycée Français (arrêt à Chiswick – station Turnham Green- entre 22h et 6h30 du matin uniquement). En journée on peut la prendre soit à Hammersmith soit à Acton Town.

LE BUS

Pour le centre de Londres:
27 Turnham Green/Chalk Farm (passe par Kensington High Street)
94 Acton Green/Piccadilly Circus (fonctionne de nuit et le dimanche)
70 Acton/South Kensington, bus direct pour le Lycée Français à Souh Kensington, très long, plus d'1h.

LE TRAIN

Passe par Richmond et Chiswick (**Grove Park Station**), direct pour Waterloo Station (45 mn). 2 trains/heure.

MAIRIES

Civic Centre de Hounslow
Lampton Rd, Hounslow,
Middlesex, TW 34DN - 020 8583 4853
Très éloigné, il est plus souvent contacté par téléphone. Point infos au bureau, annexe malgré son nom, le Chiswick Town Hall, Heathfield Terrace, W4, 020 8583 2000.

Richmond Civic Centre
44 York St, Twickenham - 020 8891 1411

BIBLIOTHÈQUES

Chiswick Library
Dukes Av, W4 - 020 8994 1008

Richmond Library
Old Town Hall, The Green, Richmond
020 8940 5529
Une mine de renseignements pour trouver des cours, des activités, des spectacles ...

COMMUNITY CENTRES

Chiswick Community School
Burlington Lane, W4
020 8995 4067
020 8995 5934

Richmond Adult Community College
Clifden Rd, Twickenham
020 8891 6285

COMMISSARIATS

Chiswick Police Station
209 Chiswick High Rd, W4
020 8994 1212

Richmond Police Station
020 8247 7225

Twickenham Police Station
020 8607 9199

Cours de langues

Ealing, Hammersmith & West London College
080 0980 2175
www.hwlc.ac.uk
Cours dans différents lieux du quartier.

Chiswick Community School et Richmond Adult Community College
Ces deux collèges dispensent des cours d'anglais en journée et le soir et préparent aux différents examens de Cambridge que l'on peut présenter en décembre et en juin. Profs efficaces et bonne ambiance. Excellent rapport qualité/prix.

Sports

(A *Adulte*, E *Enfant*)

CLUBS DE SPORT

Chiswick Sports Hall at Chiswick Community School AE
Burlington Lane, W4
020 8995 4067
E3
Badminton, foot, basket, judo, volley, multigym, trampoline...Horaires: après l'école. Prix raisonnables.

Esporta A
Chiswick Park - 020 8987 5800
Superbe club privé, *membership*. Belle piscine couverte, gym... tennis. Restaurant.

Riverside AE
Duke's Meadows, Chiswick
020 8987 1800
Club privé avec *membership*, cotisation élevée. Tennis: 12 courts couverts, 12 non couverts, piscine... Emplacement privilégié en bordure de Tamise au milieu d'espaces verts, très beaux équipements. A brûlé en 2005, réouverture complète prévue fin 2007.

Richmond Community College AE
Clifden Rd, Twickenham
020 8891 6285
Nombreuses activités sportives: gym, badminton...

CRICKET

Kew Cricket Club
Kew Pavilion, Kew Green, Kew
020 7807 0488 - *www.kewcc.co.uk*
A partir de 7 ans.

DANSE

Arts Educational Saturday School AE
14 Bath Rd, Chiswick
020 8987 6666
Danse classique, moderne, jazz, claquettes... A partir de 3 ans dans une véritable école artistique. Présentation aux examens de danse.

Chiswick Town Hall E
Heathfield Terrace, Chiswick
Danse classique (avec tutu) et moderne, hors temps scolaire. Infos sur place.

Rambert Dance Company AE
94 Chiswick High Rd, Chiswick
020 8994 2366
Cours de bon niveau. Compagnie de danse renommée.

The Kew Academy of Performing Arts E
01932 423456
A partir de 2ans 1/2, danse classique. A Kew.

FOOTBALL

Kew Park Rangers
North Sheen recreation ground and Christ School, Richmond - 020 8940 9882
4-17 ans. Garcons et filles.

GOLF

Chiswick Bridge Golf Range AE
Duke's Meadows, Chiswick
020 8995 0537
Leçons pour les 4-14 ans. Clubs et balles fournis.

Palewell Golf & Tennis Centre AE
Hertford Av, East Sheen, Richmond
020 8876 3357
On joue sans réservation, location d'équipement sur place.

Roehampton Golf AE
Priory Lane, Richmond
020 8876 1795
020 8876 3205

PISCINE

New Chiswick Pool AE
Edensor Rd, Chiswick
Piscine de 25m, récente. Abonnement possible et très bon marché.

Richmond Pools on the Park AE

The Old Deer Park, Richmond
020 8940 0561
Centre de natation avec de belles piscines intérieures et extérieures. → Carte p243

ROWING

Chiswick Boathouse AE
Au bord de la Tamise, au niveau de Chiswick Bridge, pour glisser sans bruit sur l'eau. Infos sur place, samedi et dimanche matin.

RUGBY

London Scottish FC AE
Richmond Athletic Ground, Richmond

020 8940 7156
www.londonscottish.com
A partir de 5 ans. Pour les enfants, un club sympa et détendu animé par des parents. Une bonne occasion de se faire des copains anglais et de participer à des matchs de championnat anglais. Très bon accueil réservé aux Français.

London Welsh Rugby Football Club AE
The Old Deer Park, Kew Rd, Richmond
020 8940 2368
www.london-welsh.co.uk

Richmond Rugby Club AE
The Athletic Ground, sur A316 près des Pools on the Park, Richmond
020 8332 7112
www.richmondfc.co.uk
6-12 ans. Dimanche matin 9h30-11h30.

La plupart de ces centres organisent des stages pendant les vacances scolaires anglaises.

TENNIS

Hartswood Lawn Tennis Club AE
31 Hartswood Rd, W12 - 020 8747 4750
Club familial et convivial. 6 courts non couverts. Dès 4 ans.

Richmond Sports Development Team
020 8831 6132 - *www.richmondgov.uk*
Cours de tennis à différents endroits du *borough*.

Will to Win Tennis Centre AE

Chiswick House,Chiswick
020 8994 1466
4-11 ans. Courts non couverts dans le superbe parc de Chiswick House. Club sympa et très abordable. *Social tennis, Adult & Children leagues*.

Activités artistiques et culturelles

Les deux *Colleges* ci-dessous offrent des cours d'informatique, déco florale, théâtre, poterie, musique, chant…

Chiswick Community School AE
www.chiswick.hounslow.sch.uk

Richmond Community College A
www.racc.ac.uk

Amanda's Action Kids
www.amandasactionskids.co.uk
020 8578 0234/079 4670 7695
4 mois-5 ans. Favorise le développement physique harmonieux des enfants grâce à des activités récréatives: interaction entre les mouvements et la musique. Amanda donne aussi des cours à Acton, Kew, Richmond et Wandsworth. Organisation de goûters d'anniversaire.

Art 4 Fun AE
444 Chiswick High Rd, W4
020 8994 4100
www.art4fun.co.uk
Pour s'initier à la peinture sur céramique, verre, bois. Réalisations en une ou plusieurs sessions. Organisation de goûters d'anniversaires.

Blueberry playsongs
→ Chapitre Activités

Chiswick Saturday Music Centre
Chiswick Community School E
020 8400 9708
www.csmcentre.co.uk
Leçons individuelles ou collectives de musique le samedi matin. £140/trim.

Chorale Chiswick Choir
www.chiswickchoir.org.uk
Pour chanteurs confirmés. Répétitions le mardi à St Michael's, Elmwood Rd, W4. 3 concerts par an.

ESTA E
020 8741 2843
Cours de théâtre le samedi matin.

Monkey Music
A Chiswick et Richmond (020 8847 4031)

Richmond Theatretrain
01234 31767
Cours de théâtre 6-18 ans le samedi matin.

Stagecoach → Chapitre Activités
A Chiswick (020 8398 4709), Kew (020 8699 2273), Richmond (020 8948 9288)

Stitch
07717 235841
www.stitchclub.co.uk
8 ans+. Cours de couture et d'art. A Chiswick et Richmond. £60 pour 6 semaines.

AUTRES

Scoutisme
Antenne locale 020 8560 5759

PARKING SHOP

The Parking Office-Chiswick
Cf Mairie.
020 8583 6666
Le *resident permit* couvre une zone très limitée, indiquée par une lettre sur les panneaux. £60/an.

Richmond Parking Shop
66 Sheen Rd, Richmond
020 8332 0925
Resident Permit £45 à £100/an selon les zones.

GARAGES

Hogarth Garage
120A Cranbrook Rd, W4
020 8994 1356

Texaco
Hogarth Roundabout, W4
Service efficace et prix raisonnables, MOT.

STATIONS SERVICE

Murco 24/24h.
angle Acton Lane et South Parade, W4

Total
Angle Brackley Rd et Chiswick High Rd, W4
Ouvert jusqu'à 11h du soir.

Installation et entretien

TV

Le quartier est cablé.➤ Chapitre Médias

ORDURES MÉNAGÈRES

Décharge Publique / Waste & recycling
Stirling Rd (indiquée par panneaux Waste & Recycling), W4
Tout peut y être déposé, y compris les piles. Renseignements sur place.

Tri sélectif
Papiers/cartons/journaux, verres et plastiques. Les contenants varient selon les rues, pour certaines ce sont des caisses bleues (à conserver), pour d'autres des sacs oranges (à usage unique) fournis par le *borough* et ramassés une fois par semaine, comme les poubelles mais pas le même jour!

SERVICES DOMESTIQUES

Chauffagiste/plombier

Alan Harris - 020 8748 5055
Egalement plombier pour les dépannages.

Cordonniers

CR Service Bars
45 The Quadrant, Richmond
020 8940 8330

Elias Shoe Repairs
2 Chiswick Common, W4 - 020 8995 2755
Travail de qualité, spécialiste des chaussures haut de gamme.

Electricien

Marcus - 079 6829 0972
Il installe aussi les salles de bains.

Handymen

Alan Mac Gee - 07771 85333
Maçon, carreleur et menuisier.

Pascal - 078 9979 8770
Maçon.

> *Le handyman a souvent un travail à plein temps et n'est disponible que le soir ou le WE.*

Laveurs de carreaux

La meilleure adresse est celle recommandée par le voisinage. Il n'est pas nécessaire d'être présent pour un nettoyage extérieur. Se mettre d'accord sur la fréquence et le mode de paiement une fois pour toutes. Pour une maison avec 3 niveaux, compter £25/30.

Plombiers

Dyno-Rod - 080 0316 4532
Cher mais très fiable. Dépannage 24/24h.

Aston Cord - 020 8571 6575
Cher mais efficace.

Serrurier

Chiswick Security 24/24h
5 Chiswick Terrace, Acton Lane, W4
020 8994 1474
Clés-minute chez les cordonniers

Teinturiers

Dry Cleaners
161 Chiswick High Rd, W4
Service de livraison à domicile.

Top Hat
424 Chiswick High Rd, W4 - 020 8995 2916
Service soigné. Vêtements pré-payés disponibles à tout moment, avec une carte, à un guichet extérieur.

NHS

GPs

Chiswick Health Centre
Fishers Lane, W4
020 8321 3502/020 8994 4482
Centre pour se faire enregistrer au NHS et avoir la liste des médecins et dispensaires de proximité. Consultations médicales sur place.

Hôpitaux

Charing Cross Hospital
St Dunstan's Rd, off Fulham Palace Rd, W6
020 8846 7490

Lundi-vendredi, 8h-22h. Samedi, dimanche et fêtes 9h-22h. → Hammersmith

Pédiatrie et gynécologie
Aller au Chelsea & Westminster Hospital. → Chelsea

Queen Charlotte's and Chelsea Hospital-Maternité
150 Du Cane Rd, W12 - 020 8383 1111
Hôpital rénové dernièrement. Maternité de 44 lits, 8 chambres individuelles, 9 salles d'accouchement. Certaines sages-femmes sont formées pour pratiquer l'accouchement dans l'eau.

MÉDECINE PRIVÉE

Optometrist (f)
267 Chiswick High Rd, W4
020 8994 5381

Opticiens anglais ou français (particulièrement utile pour les enfants) à demander en prenant RV.

PHARMACIES

Pharmacies de nuit

Sainsbury's Instore Pharmacy
Sainsbury's Superstore
31 Essex Place, W4
Lundi-samedi jusqu'à 21h, dimanche jusqu'à 16h.

Pharmacies homéopathiques

Apotheke
296 Chiswick High Rd, W4 - 020 8995 2293

Roxannes
446 Chiswick High Rd, W4 - 020 8994 6655
Egalement pour les médicaments classiques.

Achats

ALIMENTATION

Supermarchés → Carte p223

Sainsbury's
31 Essex Place, Chiswick (sur High Rd)
3 Lower Richmond Rd (très grand+essence)

Tesco
185 Ashburmham Rd, Richmond (centre ville)
29, George St, Richmond (centre ville)

Waitrose
4 Sheen Rd, Richmond (centre ville).

Marchés

A Chiswick:

Farmers' market - Edensor Gardens
Vente directe de produits bio: fruits et légumes, confitures, jus de fruits, pain… le dimanche matin.

Devant l'église St Michael & All Angels,
Produits bio et divers, une fois par mois le samedi matin (annoncé par banderolles).

Trois étals de fruits et légumes à des prix intéressants (et les fruits sont mûrs!), sur la *High Road:*
- face à l'Eglise catholique
- devant Sainsbury's
- à côté de Waterstone's.

A Richmond:

Richmond Sunday Farmers' market
Emplacement variable, annoncé par banderolles.

Twickenham Farmer's Market
Holly Road car park.

Autres commerces

As Nature Intended
201 High Rd, Chiswick - 020 8742 8838
Grand magasin de produits bio.

Covent Garden Fishmongers
37 Turnham Green Terrace, Chiswick
020 8995 9273
Poissonnier. Voir aussi l'étal de poisson du restaurant FishWorks, au no 6.

Holland & Barrett
50 George St, Richmond
Magasin diététique de qualité.

Mortimer & Bennett
33 Turnham Green Terrace, Chiswick
020 8995 4145

Excellente charcuterie italienne, fromages français, confitures, spécialités anglaises…

Macken Brothers
Turnham Green Terrace, Chiswick
020 8994 2426

Qualité et choix chez un vrai boucher. Peut découper la viande et la préparer sous forme de rôti comme en France.

Maison Blanc
26 Turnham Green Terrace, Chiswick
020 8995 7220
27b The Quadrant, Richmond
020 8332 7041

Theobroma Cacao
43 Turnham Green Terrace, W4
Un des meilleurs chocolatiers de Londres.

Source
27D, The Quadrant, Richmond
Epicerie fine et traiteur.

William Curley
10 Paved Court, Richmond
Délicieux pâtissier-chocolatier.

AMEUBLEMENT-DECO

Chiswick:

Aram Picture Framing
8 Turnham Green Terrace, W4
020 8994 8844
Toutes fournitures pour l'encadrement, baguettes de couleurs.

Chiswick Curtain Company
58 Chiswick High Rd, W4
020 8995 9862

Confection de rideaux ou stores sur mesure, tissus modernes ou traditionnels, vente de coussins.

Daniel Beds
396 Chiswick High Rd, Chiswick
020 8747 8886
Spécialiste en literie.

Interiors of Chiswick
454 Chiswick High Rd, Chiswick
020 8994 0073

Véritable caverne d'Ali Baba pour les tissus de toutes les marques (Colefax & Fowler, Designers Guild, Nobilis, Ralph Lauren...). Excellente confection de rideaux, fourniture de stores en bois, moquettes, tapis en sisal... Conseil en *interior design*.

New Heights
136-138 Chiswick High Rd, Chiswick
Meubles de qualité en bois massif. Assez cher.

The Old Cinema
160 Chiswick High Rd, Chiswick
020 8995 4166

Vaste choix de meubles anciens, souvent XIXe et XXe anglais, exposés sur 2 niveaux. Il faut fouiner pour trouver le meuble, bibelot ou gravure à rapporter de son séjour londonien.

Oriental Furniture & Arts
11A Devonshire Rd, Chiswick
020 8987 8571
Spécialisé dans l'art asiatique.

The Sofa Workshop
147 Chiswick High Rd, Chiswick
020 8742 0159
Lorsque l'on cherche le canapé de ses rêves!

Dans **Devonshire Rd** il y a plusieurs magasins pour la salle de bains et une boutique de carreaux très variés (jolie palette de couleurs).

Richmond:

Habitat
18-20 Georges St - 020 8332 9226

The Farm Yard
54 Friars Stile Rd, Richmond
020 8332 0038
Jouets et meubles pour enfants.

River Traders
1-13 Market Rd, Richmond
020 8878 3399
No 8 Station Approach, Kew
020 8940 6617
Mix de meubles contemporains anglais et asiatiques.

The Frame Workshop
7 Paradise Rd, Richmond - 020 8332 6090
Bien achalandé.

BRICOLAGE

B&Q
2 Larch Drive, Gunnesbury Ave, Chiswick

DIY
50 Chiswick High Rd, W4 - 020 8747 9600
Produits ménagers et bricolage, du sol au plafond!

Robert Dyas
326 Chiswick High Rd, W4
020 8995 7616
1-3 Lower George St, Richmond
020 8332 0440
Le magasin où l'on trouve tout!

FLEURS

Pot Pourri
255 Chiswick High Rd, W4
020 8994 5045
Ravissantes compositions de bouquets originaux et de bon goût, idéal pour un cadeau. Vente de vases. Réseau Interflora.

Garden Centre, Syon Park 
L'un des meilleurs endroits de Londres pour acheter des plantes de bonne qualité. Personnel compétent.
→ Ci-dessous "Parcs"

Wheelers
Turnham Green Terrace
(à côté du métro), W4
020 8747 9505
Garden Centre et *Garden Design*.
Choix de plantes en pots, topiaires.
Eléments de jardin en terracotta. Livraison locale gratuite.

Petersham Nurseries
Church Lane
Off Petersham Rd, Richmond
020 8940 5230
Très grand *Garden Centre* atypique et branché, avec café et animations diverses.

SPORTS

JJB Sports
1B, Bessant Drive, Richmond
020 8948 0105
Bon choix.

Millets
167 Chiswick High Rd, W4
020 8994 5807
Matériel et vêtements pour randonnées, scoutisme,...

Parksy's Sports
4 Turnham Green Terrace, W4
020 8995 6482
Nombreuses marques.

Action Bikes
176 Chiswick High Rd, W4
020 8994 1485
Grand choix de vélos et d'accessoires.
Promotions à surveiller! Réparations.

Bicycles
120a Sheen Rd, Richmond
020 8940 2274
Vélos adultes et enfants, accessoires. Atelier.

MUSIQUE

Chandler Guitars
300-302 Sandycombe Rd, Kew
020 8940 5874
Tout pour la guitare. Ventes et réparations.
Sympas, compétents et pas chers.

Richmond Music Shop
16 Red Lion St, Richmond
020 8332 6220
www.richmondmusic.co.uk
Excellent magasin pour louer ou acheter des instruments et des partitions.

JOUETS-COTILLONS

Snapdragon
56 Turnham Green Terrace, W4
020 8995 6618
Le magasin de jouets de Chiswick pour trouver des cadeaux d'anniversaires, jeux de plein air, de saison, *Halloween*, Noël, masques, déguisements, papeteries...
Grandes marques (Lego, Fisher-Price, Galt...) en stock ou sur commande.

The Bay Tree
10 Devonshire Rd, W4 
020 8994 1914
Ravissant petit magasin pour les cadeaux de naissance ou autres. Cadeaux personnalisés avec nom brodé ou appliqué sur serviettes, sacs de gym, horloge, chaises..
Tissus et papiers aux dessins et couleurs originaux, jouets.

Party Plus
4 Acton Lane, W4 - 020 8987 8404
N'hésitez pas à entrer dans ce petit magasin car on trouve tout pour faire la fête: déguisements, farces et attrapes, feux d'artifices...

Tridias
6 Lichfield Terrace, Richmond
0870 420 8632
Très bien achalandé.

VÊTEMENTS-CHAUSSURES

La plupart des boutiques de **Chiswick** se concentrent sur Chiswick High Rd, entre Sainsbury's et Chiswick Lane. Devonshire Rd et Turnham Green Terrace, qui se font face de part et d'autres de la High Rd, proposent aussi nombre de belles boutiques.

Chiswick Shoes
1 Devonshire Rd, W4
020 8987 0525

Bon magasin de chaussures pour enfants: Start-Rite..., bottes Aigle ou chaussures de danse. Surveiller les soldes après Noël!

Molly M
51 Turnham Green Terrace, W4
Un magasin de chaussures pour adultes, originales et très tendance: typiquement anglais!

Nimmo
24 Devonshire Rd, W4
020 8987 8738
Amusant magasin de chaussures et de sacs en cuir, toile...

Petit Bateau
188 Chiswick High Rd, W4 - 0208 987 0288
56-58 Hill St, Richmond - 020 8332 6956

A **Richmond**, concentration de boutiques chic et designers sur Hill St (Caroline Charles, Joseph, Kate Kuba, Matches, Max Mara, Whistles...)

Bowleys
72-73 George St, Richmond
020 8940 1564
Magasin traditionnel de chaussures adultes/enfants.

LIBRAIRIES-DISQUES

Waterstone's
220-226 Chiswick High Rd, Chiswick
020 8995 3559
et 2-6 Hill St, Richmond
020 8332 1600

Fopp
346-48 Chiswick High Rd, Chiswick
020 8987 0128
Très grand choix de disques, cassettes, DVD, jeux vidéos...

COIFFURE-BEAUTÉ

Chris Hairdressers
191 Chiswick High Rd, Chiswick
020 8747 9322
Coiffeur masculin, bon rapport qualité/prix.

Jurlique Day Spa & Sanctuary
300-302 High Rd, Chiswick
020 8995 2293
www.apotheke20-20.co.uk
Institut de beauté, produits naturels et bio.

Little Trading Company
7 Bedford Corner
The Avenue, Chiswick
020 8742 3152

Coiffeur spécialisé pour les enfants, sur rendez-vous, mercredis et vendredi 14-17h et samedi 9h30-12h.

Re-aqua at Chrysalis
Turnham Green Terrace, Chiswick
020 8995 7360
Nouveau centre de soins, moderne et impeccable. Gamme importante de produits.

AUTRES

Creations
29 Turnham Green Terrace, Chiswick
020 8747 9697

Rare à Londres, une vraie mercerie, laines et fils variés, nécessaires à broderie.

Vie sociale

Cercle Français de Chiswick
Raphael Room, St Michael & All the Angels, Bath Rd, Chiswick
020 7603 6403
Organise des conférences.

PARCS ET AIRES DE JEUX

Chiswick House Grounds
Burlington Lane, Chiswick
020 8995 0508

Havre de calme dans les différents jardins italiens, anglais..., cours d'eau avec canards et cascade, grandes pelouses pour pique-niquer et jouer, allées pour faire du vélo, terrains de cricket et tennis... Excellente cafétéria. Chiens autorisés. Sans conteste l'un des plus beaux exemples d'architecture du XVIIIe, la villa palladienne fut construite pour Lord Burlington après son voyage en Italie. L'architecture, le dessin des jardins ainsi que les œuvres d'art qu'on peut y admirer sont un petit coin d'Italie à Londres. Ne ratez pas les concerts en plein air dans les merveilleux jardins de Chiswick House ou le superbe spectacle son et lumière sur la façade de la Villa. Juillet/août.

Comme les Anglais, venez avec votre panier repas pour pique-niquer assis sur un plaid, avant d'assister à un spectacle en plein air.

Royal Botanic Gardens, Kew
www.rbgkew.org.uk
Classé par l'Unesco au Patrimoine de l'Humanité

Somptueux et immense parc recèlant des espèces rares et souvent uniques de plantes, d'arbres et de fleurs (étiquettes explicatives). Un souci de préservation, d'innovation et de recherche dans les plantations fait sans cesse évoluer l'esthétique des jardins. Magnifiques serres victoriennes (plantes tropicales). Aquarium. Reconstitution des origines de la flore et de la faune terrestre dans *The Evolution Gallery*. Expositions temporaires de plantes, photos,... Décoration saisonnières: citrouilles pour Halloween, sapin à Noël. Des oies, faisans, écureuils... viennent paisiblement à la rencontre des promeneurs. Restaurants et boutiques. Prix d'entrée assez élevé mais possibilité de réduction si l'on devient un *Friend*...

Kew Gardens

Ham House N.T.
Petersham, Richmond
020 8940 1950
Superbe jardin XVIIe, avec notamment une très belle allée de charmilles entourant un parterre de lavandes célébré dans toute l'Angleterre. Maison anglaise meublée du XVIIe, jardins et grand parc arboré où l'on peut pique-niquer. Cafétéria.

Richmond Park → p128

Bedford Park
Acheter à la librairie de Chiswick le dépliant sur ce quartier classé et suivre les itinéraires proposés pour une promenade découverte architecturale de cet étonnant endroit mi-artiste mi-campagne où chaque maison est différente tout en s'intégrant à l'ensemble.

Syon Park
Brentford - 020 8560 0881
www.syonpark.co.uk
Très beau château anglais servant de décor pour des films, entouré d'un grand parc avec une Maison des Papillons, extraordinaire collection. *Garden Centre* (vente de plantes et *Pet Shop*). Restaurant, cafétéria. Et pour les enfants, le Centre de jeux et d'aventure **Snakes & Ladders**, 020 8847 0946: parcours avec échelles, motos, tapis de jeux, mini-golf... en extérieur ou intérieur. Cafétéria, anniversaires. Ouvert tous les jours, 10h-18h.

Pour une inoubliable excursion de la journée, descendre ou remonter la Tamise en bateau de Chiswick jusqu'à Kew, Richmond, Hampton Court ou Windsor. 020 7222 123

Heritage Walks
Une fois par mois, promenade, avec un guide sur le thème de Old Chiswick Village. RV sans réservation sur les marches de St Nicholas Church (084 5456 2929). £2.

Promenades en vélo
N'oubliez pas les fabuleuses pistes cyclables qui permettent de traverser Chiswick le long des bords de la Tamise de Hammersmith Bridge à Richmond, itinéraires et détails sur les nombreuses pistes cyclables signalisées par des panneaux bleus, ***office@lcc.org.uk.***

FÊTES

Programmes et dates:

Office du Tourisme de Chiswick
084 5456 2929

Assister en mars, à proximité du Chiswick Pier, à la course d'aviron, l'Oxford & Cambridge Boat Race!

Office du Tourisme de Richmond
Old Town Hall
Whittaker Av - 020 8940 9125

Noël

Chiswick French Christmas Market
Chiswick Town Hall
1 Heathfield Terrace, W4
Vêtements, décorations, produits alimentaires.

L'été

Bedford Park Festival, en juin, anime tout le quartier pendant plusieurs jours. Concerts à l'église St Mikael's & All the Angels, fête foraine sur le *Green*, cirque…

MUSÉES

Hogarth House
Hogarth Lane, Chiswick
020 8994 6757
Charmante maison du célèbre peintre William Hogarth où sont exposés quelques uns de ses tableaux.

Kew Bridge Museum
Green Dragon Lane, Brentford
Gunnersbury ou Kew Gardens
Etonnant musée consacré aux machines à vapeur (fonctionnent seulement le WE), exposition interactive. 11h-17h.
Pour passionnés de tous âges!

Osterley Park N.T.
Jersey Rd, Isleworth, Hounslow
020 8232 5050
Superbe demeure néo-classique du XVIIIe, illustrant le talent de l'architecte Robert Adam. Les écuries du XVIe sont encore utilisées aujourd'hui. Vente directe de légumes et œufs produits par la ferme toujours en activité.

Fuller's Brewery
Chiswick Lane South, Chisw

020 8996 2063
La plus ancienne brasserie de bière de Londres, installée au même endroit depuis Cromwell. On y apprend tous les secrets de fabrication de la bière, et un petit musée montre le passage des techniques traditionnelles aux techniques d'aujourd'hui. £5/adulte, comprend une dégustation de bière.

Fuller's Brewery

GALERIES D'ART

Attendi
88 Turnham Green Terrace, Chiswick
020 8995 7557
Petite galerie d'art. Beaucoup de lithos faciles à suspendre chez soi.

Café Gallery
15 Devonshire Rd, Chiswick
Galerie dans laquelle on peut prendre un verre ou un repas léger en admirant l'exposition de photos encadrées ou de cartes postales, toutes en noir et blanc.

THÉÂTRE/CONCERTS

Richmond Theatre
The Green, Richmond
020 8940 0088
www.richmondtheatre.net
Salle d'architecture classique qui présente des spectacles de danse, théâtre, comédies musicales, ou spectacles pour enfants. Excellents spectacles de pantomimes à Noël.

Twickenham Stadium
020 8892 6763
Concerts classiques (ex. Pavarotti) et modernes dans cet énorme stade de 80 000 places.

RESTAURANTS

Canyon's
Riverside near Richmond Bridge
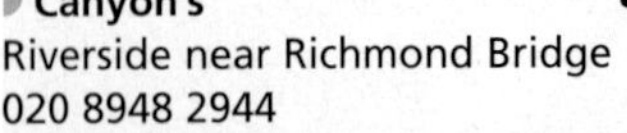
020 8948 2944
Au bord de la Tamise sur le chemin qui longe le fleuve, vue superbe! Il est vivement conseillé de réserver.

Chez Lindsay
11 Hill Rise, Richmond
020 8948 7473
Restaurant français, spécialités du sud-ouest.

Don Fernando's
27F, The Quadrant, Richmond
020 8948 6447
Restaurant espagnol, bon et familial.

A Richmond, flânez du côté de Richmond Hill ou Friars Lane. Sur la trace des peintres, comme en témoignent de nombreuses galeries (Palmer Galleries, Richmond Barbers, Burnett Gallery,...) admirez la superbe vue sur la vallée de la Tamise.

FishWorks
6 Turnham Green Terrace, Chiswick
020 8994 0086
Spécialité de poissons.

Est Est Est
29 Chiswick High Rd, Chiswick
020 8747 8777
Restaurant italien au décor moderne. Avant 18h, on fournit aux enfants tous les éléments pour confectionner leur propre pizza!

Gravy
142 Chiswick High Rd, Chiswick
020 8994 6816
Excellent restaurant de cuisine anglaise. Menu enfant avec boissons gratuites.

La Trompette
5 Devonshire Rd, Chiswick

020 8747 1836
Excellente cuisine gastronomique française, 2 fourchettes dans le guide Michelin.

Le Vacherin
76-77 South Parade, Chiswick
020 8742 2121
Brasserie française.

L'Orangerie
Royal Botanical Gardens, Kew Garden
020 8332 5000
Restaurant totalement rénové dernièrement avec un concept de cuisine moderne dans le décor de charme de l'Orangerie, au milieu des splendides jardins de Kew.

Oriental Brasserie
18 Devonshire Rd, Chiswick
020 8747 8899
Cuisine asiatique (malaisienne, thaï...). Pour se sentir comme là-bas, réservez le coin où l'on est assis sur des coussins au ras du sol et la nourriture est disposée sur une table basse.

Petersham Nurseries Café
Church Lane, off Petersham Rd, Richmond
020 8605 3627
Comme son nom ne l'indique pas, excellent restaurant haut de gamme, élu meilleure terrasse de l'année par Time Out en 2005.

PUBS

A Chiswick, agréables pubs en bord de tamise:

Bell & Gown
11-13 Thames Rd, Chiswick - 020 8994 4164

City Barge
020 8994 2148

Sur la *High Road*:

Old Pack Horse
434 Chiswick High rd - 020 87994 2872
Décor chaleureux.

Mawson Arms
110 Chiswick Lane South - 020 8994 2936

A Kew:

Coach & Horses et Rose & Crown
Kew Green, Kew
020 8940 1208
020 8940 2078
Pour faire une halte avant ou après la visite des jardins botaniques.

Ne pas manquer les *coffee shops* et *pubs* en bord de Tamise, à **Richmond**, une spécialité locale, qui débordent dehors les beaux jours. Par exemple:

White Cross
Water Lane, Richmond - 020 8940 6844

London Apprentice
62 Church St, Isleworth TW7t
020 85601915
De l'autre côté de la Tamise, un peu moins bondé mais tout aussi belle vue.

Deux bons pubs sur le Green dans le vieux Richmond:

The Cricketers
The Green, Richmond
020 8940 4372

The Prince's Head
28, The Green, Richmond
020 8940 1572

Et sur la colline:

The Roebuck
130 Richmond Hill, Richmond
020 8948 2329

Pub de 1738, au bord de la Tamise avec une jolie vue, où l'on peut déguster des *maids of honour*, patisserie favorite de Henry VIII!

Allez prendre un verre ou dîner, dès les beaux jours, dans ces gastro-pubs, Strand-on-the Green, W4, aux bords de la Tamise, entre Chiswick et Richmond, en regardant passer les péniches ou admirer de magnifiques couchers de soleil. Les enfants ne sont plus admis après 19h.

Ealing Acton

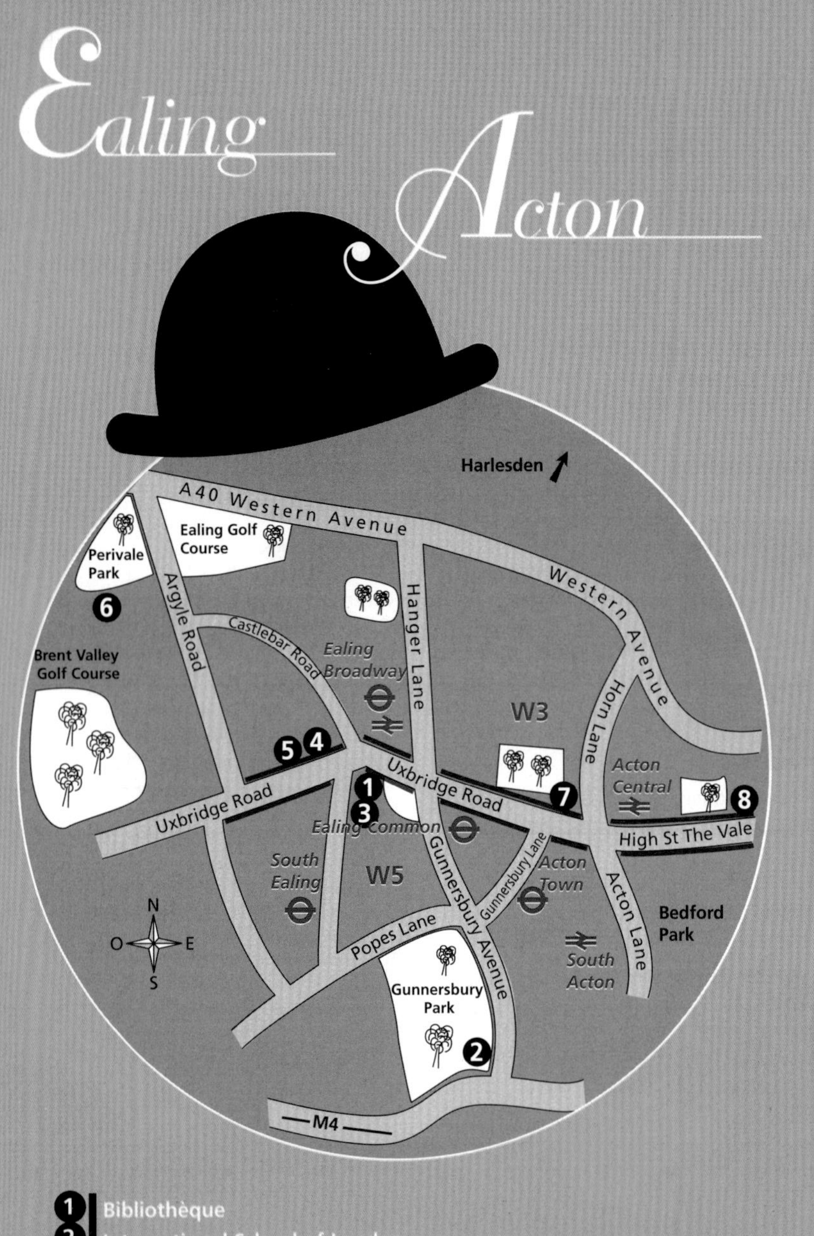

1. Bibliothèque
2. International School of London
3. Centre commercial Ealing Broadway
4. Centre commercial Arcadia
5. Mairie
6. Ecole André Malraux
7. The Park Club
8. Virgin Active

Zone commerçante

Acton (W3) et **Ealing** (W5, W7, W13) permettent d'accéder facilement au coeur de Londres (bonnes connexions métro) et d'en sortir rapidement, du fait de la proximité de la M25 par la A40. Ces quartiers voisins, reliés par la *High Street*, sont imbriqués l'un dans l'autre et nous avons choisi de les traiter ensemble. Administrativement, ils dépendent tous deux du *borough* de Ealing.

Si **Ealing** bénéficie d'un excellent réseau d'écoles françaises et anglaises et d'une communauté française chaleureuse et très soudée qui intègre facilement les nouveaux arrivants, **Acton** est plutôt recherché pour ses parcs et ses centres multisports.
Le développement ces dernières années de magasins et boutiques de proximité n'oblige plus à faire ses courses dans le Centre.

Ces quartiers se caractérisent donc par une grande qualité de vie avec leurs maisons en brique rouge qui évoquent les *cottages*. Pour des prix équivalents à ceux de Fulham, les maisons ont de grands jardins joliment arborés, dans lesquels on pourra donner aux beaux jours des *Garden Parties* très appréciées!

Habiter ces quartiers, c'est embrasser pleinement le mode de vie anglais selon lequel "*WEST IS THE BEST*".

Petite enfance

Pour toute information sur les modes de gardes et les places disponibles, consultez le site du *borough* de Ealing:

- *www.ealing.gov.uk*

ou le site

- *www.childlink.gov.uk*

Vous pouvez aussi appeler le **West London Childcare Information Service (020 8825 5588).**

DAY-NURSERIES

- **Bizzy Lizzy Day Nursery**
Priory Community Centre, W3
020 8993 1664
2-5 ans. 8h-18h. Très bon accueil des tout-petits.

- **Arche de Noé**
Meadway Drive,
Perivale, UB68LN - 077 5253 1915
Garderie bilingue franco-anglaise créée par une mère de l'Ecole A.Malraux, pour les frères et sœurs des élèves du Lycée. 2-5/6ans. Située à quelques mn de Malraux, elle permet l'apprentissage en douceur de l'anglais, par le biais du jeu et des comptines. Ouvert à la journée 9h15-15h15. £25/jour.

MOTHER & TODDLER GROUPS

- **Lammas Park Playcentre**
Elers Rd, W13 - 020 8810 0240
Lundi-vendredi, 12h-16h.

- **Pitshanger Community Play Centre**
Pitshanger Park W5 - 020 8998 1918
Bonne ambiance. Le matin d'octobre à juin. Matin et après-midi en été.
Chant lundi et vendredi.

PLAYGROUP

Grange Pre-School
Grange School, Church Gardens, W5
020 8825 8982
Inscription trimestrielle. Lundi-vendredi, 9h15-11h15. Petits effectifs: 24 enfants.

Ecoles

ECOLES FRANÇAISES

Maternelle & Primaire

Ecole André Malraux
44 Laurie Rd, Hanwell, W7 1BL
020 8578 3011
www.ecoleamalraux.org.uk
Pas de métro. E1 et E3
250 élèves répartis sur 10 classes (petite section de maternelle-CM2). Demi-pension obligatoire. C'est l'une des deux annexes primaires du Lycée Français Charles de Gaulle où ils pourront poursuivre leur scolarité de la 6e à la Terminale. L'école primaire française la plus agréable de Londres, avec ses vastes classes ouvertes sur des espaces verts. L'Amicale des parents d'élèves anime la communauté française et organise des activités extra-scolaires en français. £1000/trim.

La Petite Ecole Française d'Ealing
Harvington School
020 8995 9938
www.geocities.com/petiteecoleealing
3-16 ans. Cours de français le samedi matin pour les enfants qui suivent une scolarité anglaise. 200 élèves (15/classe). 10h-13h. Dix samedis/trim. £90/enfant, £135/2 enfants, £180/3 enfants+. Pédagogie basée sur le soutien linguistique, par niveaux. Liste d'attente.

ECOLE INTERNATIONALE

International School of London
139 Gunnersbury Av, W3 8LG
020 8992 5823
3-18 ans, mixte. Pas d'uniforme. Cours en anglais avec soutien personnalisé. Bac international ou GCSE. Pour les élèves francophones, le français est enseigné chaque semaine comme dans une école française, 4h en primaire et 2h dans le secondaire. Permet de conserver un bon niveau et facilite la réinsertion en école française. Moyenne de 15 élèves par classe (très peu d'élèves anglais). Ecole donnant sur le Parc de Gunnersbury. £3400-4600/trim. Ramassage à domicile par le bus de l'Ecole.

ECOLES ANGLAISES

Local Education Authorities (LEA)
London Borough of Ealing
Education Department
Perceval House, 14-16 Uxbridge Rd, W5
020 8825 5000
www.ealing.gov.uk
Informations sur les écoles du *borough*.

Nurseries

Ealing Montessori School

St Martin's Church Hall,
Hale Gardens, Acton W3 - 020 8630 9450
2-6 ans, les enfants savent réellement lire et écrire en anglais lorsqu'ils quittent l'école à 6 ans.

The Village Montessori School
All Saints Church Centre
Bollo Bridge Rd, W3
020 8993 3540

2-5 ans. Encourage autonomie et créativité. Cours de danse et de français.

St Matthews Montessori Nursery
St Matthews Church Hall
North Common Rd, W5 - 020 8579 2304
2-5 ans. Bonne application des méthodes Montessori.

Nursery & primary schools

Little Ealing Primary School
Weymouth Av, W5 - 020 8567 2135
State School. Mixte. 560 élèves, 4-11 ans. Uniforme partiel. Gratuite.

The Falcons School for Girls
15 Gunnersbury Av, W5
020 8992 5189
Independent school de filles. 3-11 ans. Catholique. Uniforme complet (avec blazer).

Elèves étrangers bien accueillis. Prix de la scolarité élevé.

Montpelier Primary School
Helena Rd, W5 - 020 8997 5855
State School. Mixte. 600 élèves, 4-11ans. Uniforme partiel. Gratuite.

Mount Carmel RC Primary School
Little Ealing Lane, W5 - 020 8567 4646
Ecole catholique *voluntary aided*. Mixte. 460 élèves, 4-11 ans. Uniforme partiel. Intégration facile. Gratuite.

North Ealing Primary School
Pitshanger Lane, W5 - 020 8997 2653
Voluntary aided school. Mixte. 450 élèves, 3-11 ans. Uniforme partiel. Gratuite.

St Gregory's RC Primary School
Woodfield Rd, W5 - 020 8997 7550
Voluntary aided school catholique de filles. Uniforme partiel. 460 élèves, 3-11 ans. Gratuite.

Primary & secondary schools

Notting Hill & Ealing School
Junior School:
26 St Stephen Rd, W13 - 020 8799 8484
High School: 2 Cleveland Rd, W13
020 8799 8400
⊖ Perivale, Ealing Broadway
Independent school de filles, 5-11 ans. Non confessionnelle. 830 élèves. Recommandée à des élèves très académiques. Uniforme partiel. £2400-3100/trim.

St Augustine's Priory
Hillcrest Rd, W5 - 020 8997 2022
⊖ Ealing Broadway, North Ealing
Independent school catholique, filles seulement. 500 élèves. Dès 4 ans. Uniforme complet (avec blazer). Grand parc. Excellent niveau académique. Plus de 30% des élèves jouent un instrument de musique. £3000/trim.

St Benedict's School
Junior School: 5 Montpelier Av, W5
020 8862 2050
Senior school: 54 Eaton Rise, Ealing, W5
020 8862 2000
www.stbenedictsealing.org.uk
Selective Independent School, mixte pour les 3/4 ans et 16-18 ans, 4-16 ans garçons seulement. Catholique mais ouverte aux élèves chrétiens. Uniforme complet, avec blazer. Equivalent de St Augustine's (pour les filles). Parents très actifs au sein de l'école. 300 élèves. Très bons résultats. £3000/trim.

Twyford Church of England
Twyford Crescent, W3 - 020 8752 0141
Voluntary aided, mixte anglicane, 11-18 ans. Uniforme partiel. La meilleure école gratuite d'Ealing en termes de résultats aux examens *(GCSE, A Level)*. 1157 élèves.

Logement

Il existe principalement deux quartiers à **Ealing** où les Français aiment vivre.

Ealing Broadway au cœur de la ville dispose de grandes maisons avec de vrais jardins et est à proximité de l'Ecole française primaire, André Malraux. Accès au terminus des District et Central *lines*.

A **Ealing Common** les maisons sont souvent moins grandes ou espacées mais on a accès à la ligne de métro rapide Piccadilly *line* pour se rendre directement au Lycée Charles de Gaulle et dans le centre de Londres. La communauté française d'Ealing est dynamique et accueillante.

Acton, moins résidentiel, bénéficie néanmoins de bons équipements sportifs répartis dans des parcs et d'un centre ville très commerçant.

Le prix d'une maison de 4 chambres est de £500000-1 M à la **vente** et £550-1000/sem à la **location**.

Transports

LE METRO

Ealing et Acton sont en zones 2 et 3. Desservis par les Central *line*, District *line* et la Piccadilly *line*. Cette ligne rapide permet d'aller à Heathrow Airport, dans le centre de Londres et au Lycée français. On peut la prendre aux stations **Acton Town**, **Ealing Common**.

LE BUS

La ligne **94** dessert Acton Green / Piccadilly Circus.
Les lignes **207** et **607** Uxbridge/Shepherd's Bush, permettent de rejoindre le centre de Londres.

Administrations

MAIRIE

Perceval House
14-16 Uxbridge Rd, Ealing - 020 8825 5000
www.ealing.gov.uk

BIBLIOTHÈQUES

Acton Library
High St, W3 - 020 8752 0999

Ealing Central Library
103 Ealing Broadway Centre, W5
020 8567 3670

West Ealing Library
Melbourne Av, W13 - 020 8567 2812

COMMISSARIAT

Acton Police Station
250 High St, W3 - 020 8810 1212

Cours de langues

(A *Adulte*, E *Enfant*)

Ces collèges dispensent des cours d'anglais en journée et le soir et préparent aux différents examens de Cambridge que l'on peut présenter 2 fois/an, décembre et juin. Profs efficaces et bonne ambiance. Excellent rapport qualité/prix.

Acton & West London College A
Mill Hill Rd, W3 - 020 8231 6303

Ealing, Hammersmith & West London College A
080 0980 2175
www.hwlc.ac.uk
Différents lieux de cours dans le quartier. Une mine de renseignements pour trouver des cours, des activités, des spectacles ...

Sports

(A *Adulte*, E *Enfant*)

CLUBS DE SPORT

The Park Club AE
East Acton Lane, W3 - 020 8743 4321
Club privé, *membership*. Grand parc aménagé pour les enfants. Piscine intérieure et extérieure chauffée, tennis, gym, mur d'escalade, foot... Crèche. Restaurant, bar. Prix légèrement supérieurs au Virgin Club.

Virgin Active AE
36 Bromyard Av, W3 - 0845 130 9111
www.virginactive.co.uk
Club privé, *membership*. Tennis non couverts, 3 piscines: 25m, enfants, avec remous. Studios de gym, musculation sur machines, Kidsville pour les petits: arts & crafts, playstation... crèche. Restaurant, bar. Possibilité de geler son abonnement en cas d'absence.

Holmes Place A
Ealing Broadway Centre, W5
020 8579 9433
Gym, piscine, sauna, bains de vapeur... Très central, facile d'accès.

YMCA AE
25 St Mary's, W5, 020 8799 4800 et
14 Bond St, W5, 020 8579 01600
www.westlondonymca.org
Large choix d'activités pour les enfants: gym, foot, stretch, judo, danse, danses irlandaises... £60/trim/activité.

CRICKET

Ealing Cricket Club E
Corfton Rd, W5 - 020 8997 1858
Pour pratiquer un sport très anglais dès 8 ans. Grand feu d'artifice pour *Guy Fawkes Day*.

DANSE

Ealing Dance Studio E
96-98 Pitshanger lane, W5 - 020 8998 2283
Tous types de danses, *Street Dance*, danses irlandaises ...

EQUITATION

Ealing Riding School AE
17-19 Gunnersbury Av, W5
020 8992 3808
www.ealingridingschool.biz
Reprise enfants: £21/h, adultes: £22/h.

FOOT

Pitshanger Park, W5 E
Club de bénévoles. Les enfants se retrouvent pour jouer, tous les samedis à 10h. Gratuit. Infos sur place.

GOLF

Ealing Golf Club AE
Perivale lane, UB6 8SS - 020 8997 0937

Perivale Park Golf Course AE
Stockdove Way, W13 - 020 8422 0791

PISCINE

Acton Swimming Baths AE
Salisbury St, W3 - 020 8992 8877
2 piscines. Sessions mère/enfant.

Gurnell Leisure Centre AE
Ruislip Rd East, W13 - 020 8998 3241
2 piscines dont 1 pour enfants et autres activités.

RUGBY

Ealing Rugby Club (Trailfinders) E
Trailfinders Sports Club, Wallis Way, W13
www.ealingrugby.co.uk
Mixte, 6-16 ans.

TENNIS

Ealing Tennis Club AE
Daniel Rd, W5 - 020 8992 0370
Tennis couverts.

What A Racket Tennis Centre AE
Noel Rd, W5 - 020 8993 6832
L'un des endroits les plus appréciés par les jeunes. Courts non couverts. Stages pendant les vacances.

(A *Adulte*, E *Enfant*)

THÉATRE

The Priory Community Centre
Acton Lane, W3
020 8578 0234/079 4670 7695
Musique et danse, très ludique. Développe la coordination des mouvements chez les enfants, leur apprend à canaliser leur énergie. £5/h. Goûters d'anniversaire.

Questors Theatre E
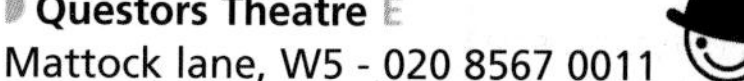
Mattock lane, W5 - 020 8567 0011
Ateliers 6-10 ans. Spectacles. Centre très dynamique, développe la créativité et l'imagination des enfants.

MUSIQUE

Amanda's Action Kids
St Andrew's Church Centre
Mount Park Rd, W5 et
Ealing Town Hall - Uxbridge Rd, W5
020 8578 0234/079 4670 7695
www.amandasactionskids.co.uk
4 mois-5 ans. Activités récréatives: interaction entre les mouvements et la musique. Organisation de goûters d'anniversaire.

Ealing Junior Music School E
Cardinal Wiseman School, Greenford
020 8997 3578
Large choix d'instruments.

The Questors Young Musicians' Club E
Grange Middle School, Church Place, W5
www.qymc.org
3-18 ans. Possibilité de jouer en groupe.

AUTRE

Scoutisme
Antenne locale: 020 8560 5759

Voiture

PARKING SHOP

Ealing Resident Permit et Visitors vouchers
www.ealing.gov.uk
020 8825 6677

GARAGES

Automania
55-57 Drayton Green Rd, W13
020 8997 2428
Très sérieux, MOT.

Auto Workshop
145 Northfield Av
(entrance via Elers Rd), W13
020 8567 1907

NETTOYAGE

Homebase
252 Western Av, W3

STATIONS SERVICE

BP 24/24h
Gunnersbury Av (face au Park), W5

Gunnersbury Lane Service Station
43 Gunnersbury Lane, W3

Shell
Greenford Av, W7
(près de l'Ecole André Malraux)

Total 24/24h
30 The Vale, W3

Installation et entretien

ORDURES MÉNAGÈRES

→ Chiswick

SERVICES DOMESTIQUES

Cordonniers

Timpson
34 Ealing Broadway Centre, W5
020 8567 1662

Shoe Care
5 Central P de Gunnersbury Lane, W3
020 8993 2459

Sole & Heel
The Oaks Shopping Centre, Acton
High St - 020 8992 9007

Handymen

Alex
079 5769 9056/020 8997 0452
Fait aussi des travaux de menuiserie, lavage de carreaux.

Richard Tolmach f

020 8741 1412
Entrepreneur tous corps d'état d'électriciens, plombiers, maçons…Bon rapport qualité/prix.

Teinturiers

American Dry Cleaning Co
8 Queens Pde Hanger Lane, W5
020 8810 8588

Excelsior Dry Cleaning
1 Bordars Rd, Hanwell, W7
020 8575 6123
Bon rapport qualité/prix.

Reeves
74 Pitshanger Lane, W5
020 8997 5646
Dans une rue sans parcmètre.

Vogue Dry Cleaning
29 Churchfield Rd, W3
020 8992 6338

Santé

NHS

GPs

Ealing Primary Care Trust
1 Armstrong Way, Southall,
Middlesex UB2 4SA - 020 8893 0303
Pour connaître la liste des GP dont
on dépend.

Hôpitaux

Ealing Hospital
Uxbridge Rd, Southall
020 8967 5000/020 8574 2444
Hôpital avec maternité, sages-femmes
formées pour les accouchements dans l'eau.

Hammersmith Hospital
Du Cane Rd, W12
020 8383 0000
Très bon hôpital, particulièrement
recommandé en cas d'urgence.

Dentistes et orthodontistes

Barnham House Dental Departement for Health and Care
Fairview Av, Wembley, Middlesex
020 8451 8320

MÉDECINE PRIVÉE

Clementine Churchill Hospital
Sudbury Hill, Harrow, Middlesex
020 8872 3872
Excellent hôpital privé, locaux propres.
Attente raisonnable. Particulièrement
recommandé.

PHARMACIES

Goodall
42-43 Haven Green, W5
020 8997 4362
Lundi-vendredi jusqu'à 20h, samedi
jusqu'à 19h, dimanche jusqu'à 17h.

Stockwell Pharmacy 7/7j
75 New Broadway, W5
020 8567 0678

Achats

ALIMENTATION

Supermarchés

Morrison
King St, Acton W3

Sainsbury's
The Broadway, Ealing W5
2-14 Melbourne Av, West Ealing W13

Waitrose
2 Alexandria Rd, West Ealing W13

Marchés

Farmers'market
Leeland Rd, W13
Chaque samedi matin.
Viande vendue sous vide.

Etal de fruits et légumes
High St Corner New Broadway St, W5
Bons produits de saison, prix intéressants. 10h-16h.

Autres Commerces

Dans **Pitshanger Lane, Ealing,** nombreux
magasins d'alimentation: poissonnier, bonne
boulangerie, traiteur italien qui vend
des pâtisseries Maison Blanc...

As Nature Intended
17-21 High St, Ealing W5
020 8840 1404
Excellent magasin diététique, produits bios.

Parade Delicatessen
8, Central Building, The Broadway, Ealing
020 8567 9066

Richardson
88 Northfield Av, West Ealing W13
020 8567 1064
Boucherie de qualité, veau.

AMEUBLEMENT-DECO

Les magasins d'ameublement et de
décoration sont concentrés dans les centres
commerciaux **Ealing Broadway** et **Arcadia** à
Ealing: Argos, Habitat, Sofa Workshop,
Marks&Spencer...

Daniel Department Store
96-122 Uxbridge Rd, W13
020 8567 6789
Ne pas hésiter à pousser la porte de ce magasin. Bon choix de mobilier, d'équipement, coin mercerie (rare!). Parking derrière le magasin, ticket remboursé par Daniel en cas d'achat.

Les deux adresses ci-dessous sont des petites **salles de ventes aux enchères.**
On peut y faire des affaires: mobilier ancien anglais en acajou, argenterie, tableaux animaliers, cheminées, mais aussi télévisions... Exposition la semaine, vente le mardi.

Academy Auctioneers & Valuers
Northcote House, Northcote Av, W5
020 8579 7466

Chiswick & West Middlesex Auction Rooms
1-5 Colville Rd, W3
020 8992 4442

The Vintage Home Store
105 Churchfield Rd, Acton W3
020 8993 4162
Meubles et articles de déco originaux.

BRICOLAGE

Robert Dyas
Ealing Broadway, Ealing W5
113-115 Pitshanger Lane, Ealing W5
82a High St, Acton W3

FLEURS

Blakes
4 The Avenue, W13
Très jolies compositions de fleurs et de feuillages.

Heart and Soul
473 Churchfield Rd, Acton W3
Grand choix de fleurs, vases et poteries.

SPORTS

(A *Adulte*, E *Enfant*)

First Sports AE
8 Arcadia Centre, W5
Large gamme d'articles de sport et de randonnée

Ealing Centre

JJB Sports
Ealing Broadway Centre, W5
Large sélection de vêtements et chaussures, notamment pour le foot et les sports de ballon.

Halfords Superstore
Quill St, Hanger Lane, W5 - 020 8991 9277
Cycles et accessoires.

MUSIQUE

Ealing Strings
4 Station Parade, Uxbridge Rd, W5
020 8992 5322
Spécialisé pour le violon, l'alto et le violoncelle. Remises sur les réparations d'instruments d'enfants.

JOUETS-COTILLONS

Present Company
119 Pitshanger Lane, W5
020 8997 3777
Boutique de jeux et cadeaux (puzzles, cadeaux pour party-bag...), mais aussi papeterie, mobiles, et divers (*mugs*...).

VÊTEMENTS-CHAUSSURES

Beales
38 Ealing Broadway Centre, W5
020 8567 3040
Equivalent d'un petit Printemps en France. Vêtements adultes/enfants, cosmétiques, bijouterie fantaisie.

Russell & Bromley
Ealing Broadway Centre
Valeur sûre pour les chaussures adultes/enfants.

Stepping Out
106 Pitshanger Lane, W5
020 8810 6141
Magasin très bien achalandé en chaussures. Bonnes marques adultes/enfants. Rayon jouets au fond de la boutique.

LIBRAIRIES-DISQUES

Waterstone's
Ealing Broadway Centre

HMV
2 Arcadia Centre, W5
020 8566 2590
Le plus complet en matière de disques, vidéos, jeux ordinateur...

COIFFURE-BEAUTÉ

Therapy
1 Ealing Broadway Station, W5
020 8567 1858

ACTIVITÉS MANUELLES

Ealing Arts & Crafts
26c Broadway (en face de Deans Park), W13
020 8567 6152

Hobbycraft
Westway Cross Shopping Park, Greenford
0845 0516624
Tout le matériel nécessaire , peinture, encadrement...

Southall est le quartier indien d'Ealing où l'on peut acheter des tas d'objets (bibelots, bijoux, argenterie..) à prix très intéressants.

PARCS ET AIRES DE JEUX

Royal Leisure Park
Kendal Av, W3
087 0240 6020
Centre de loisirs regroupant cinémas, bowling, magasins...

Hanger Hill Park

Gunnersbury Park
Grand parc, terrains de foot, rugby et mini-golf pour enfants. Excellents équipements de jeux.

Pitshanger Park
Parc autour du Manoir avec terrains de tennis et de foot. Le parc le plus fréquenté par les Français.

Lammas Park et **Walpole Park**
Parcs plus petits mais agréables.
Jolies promenades à vélo dans les parcs: Gunnersbury, Lammas, Pitshanger, Walpole... Pour les itinéraires et détail des nombreuses pistes cyclables signalisées par des panneaux bleus: *office@lcc.org.uk*

FÊTES

Nombreux *Christmas Carols* dans les églises et les écoles, ex: St Greggory's. Infos par affichage.

A **Pitshanger Lane**: fête de quartier au moment des illuminations de Noël. Animations de rue, organisées par l'association des commerçants, danses, spectacles, barbecue... Infos chez les commerçants.

Festival de jazz
Walpole Park, Mattock Lane, W5
020 8825 6640

Chaque année, ce festival très attendu rassemble au début du mois d'août de nombreux passionnés de jazz autour d'artistes connus, de haut niveau. A ne pas manquer ne serait-ce que pour l'ambiance!

Animations et spectacles de danses dans **le parc de Pitshanger Lane**, en juillet.

Fêtes foraines deux fois par an sur Ealing Common.

Nombreux *car boot sales* dans les écoles.

MUSÉES

Gunnersbury Park Museum
Popes Lane, W3
020 8992 1612
Petit musée dans l'ancienne propriété de la famille Rothschild.

Pitshanger Manor
Walpole Park, Matock Lane, W5
020 8825 6573
Reconstruit sous forme de villa de style Régence par l'architecte Sir John Soane. Collection de poteries.

Ealing Studios
Ealing Green, W5
020 8567 6655

Une curiosité! Pour cinéphiles passionnés, visite des plus vieux studios de cinéma du monde, créés en 1902. Bel exemple architectural. Téléphoner avant.

GALERIES D'ART

For Arts Sake
45 Bond St, W5
020 8579 6365

Expos de photos et tableaux, et matériel pour l'encadrement. Bonne qualité.

PM Gallery & House
Mattock Lane, W5 - 020 8567 1227
L'une des plus importantes galeries d'Art Moderne à l'ouest de Londres.

Trackside Gallery&Workshop
1a East Churchfield Rd, W3
www.tracksidegallery.co.uk
Objets d'art et de création: peinture, sculpture, bijoux, sacs... Attention aux horaires: jeudi-samedi 11-18h.

THÉÂTRE

The Questors Theatre
12 Mattock Lane, W5
020 8567 0011
Nombreux spectacles pour tous publics.

RESTAURANTS

Café Grove
65 The Grove, W5
020 8810 0364

Rasputin
265 High St, Acton W3
020 8993 5802
L'un des rares restaurants russes de l'ouest londonien.

Sushi-Hiro
1 Station Parade, Uxbridge Rd, W5
020 8996 3175

L'un des meilleurs restaurants japonais de Londres, selon les connaisseurs.

PUBS

Duffy's
124 Pitshanger Lane, W5

Petit *pub* familial et sympathique, bonne ambiance, idéal pour déjeuner avec les enfants le dimanche.

Ealing Park Tavern
222 South Ealing Rd, W5
020 8758 1879
Grand pub avec jardin.

Red Lion
13 St Mary's Rd, W5

Tout à fait le *pub* "vieille Angleterre" tel qu'on l'imagine en France. Situé en face des studios d'Ealing ou furent tournés les célèbres *Ealing comedies* des années 1940-1960. Décoration discrète de quelques photos des films.

The Rocket Pub
11-13 Chuchfield Rd, W3
020 8993 6123
Gastro-*pub* traditionnel.

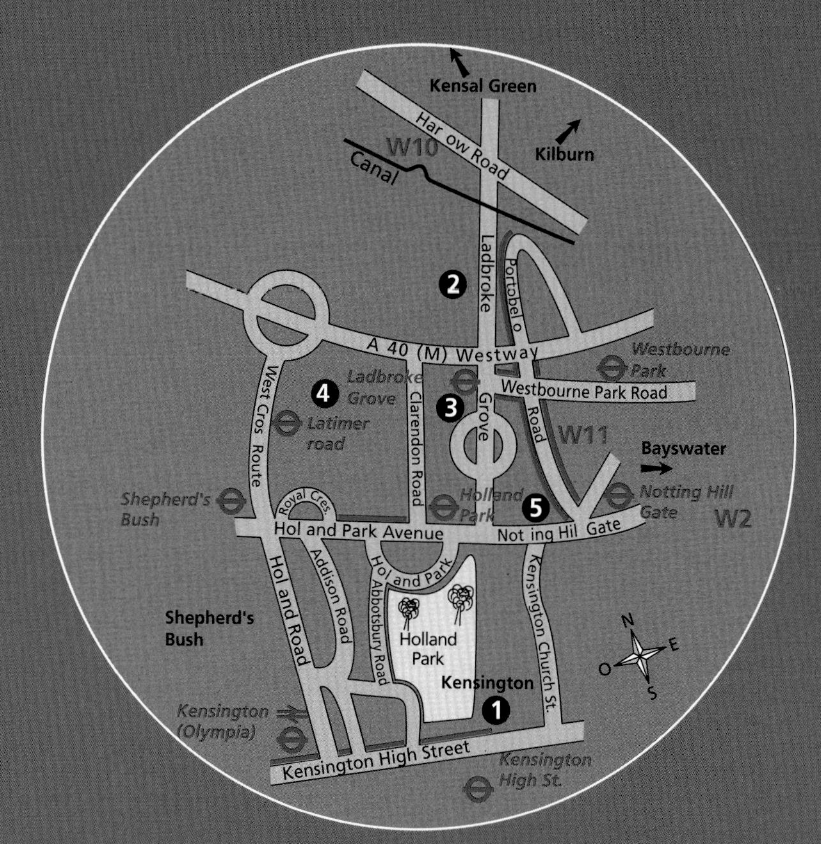

1. Mairie
2. La Petite Ecole Française
3. Safeway
4. Kensington Leisure Centre
5. Marks & Spencer

Zone commerçante

Notting-Hill

S'il est un quartier dont la transformation a été pour le moins spectaculaire, c'est bien celui de **Notting Hill** dans le *borough* de Kensington & Chelsea (W11/W10). Populaire, coloré et jamaïcain dans les années 70 (le seul souvenir en reste la célébration du Carnaval annuel, le dernier week-end d'août), aujourd'hui plutôt bourgeois, jeune et branché, ce petit îlot qui s'élève au nord-ouest de Kensington Gardens ne se prive pas de jouer à la star depuis qu'il a abrité les amours de Hugh Grant et Julia Roberts dans *Coup de foudre à Notting Hill*. Partie intégrante et active du Londres cosmopolite, cultivant un côté à la fois audacieux et artiste-bohême, Notting Hill n'en reste pas moins une terre de contrastes. Les maisons pimpantes aux jardinets propres des *top models*, des acteurs ou des *designers* se mêlent sans détour aux HLM (*council houses*); les boutiques ultra-chics de Ledbury Rd se disputent la clientèle des stands bariolés du marché aux puces de Portobello Rd; et les épiceries arabes, portugaises ou chinoises mélangent leurs effluves à celles des gourmets italiens ou français.

Bordant Notting Hill sur son flanc ouest, superbement situé entre Portobello au nord et Kensington au sud, le quartier de **Holland Park** (W14) joue dans un tout autre registre. Tout n'est pas luxe et volupté, mais presque... Ici, quand on est riche, on l'est vraiment. On y trouve la concentration de grandes maisons victoriennes la plus forte du *Royal Borough of Kensington & Chelsea*, à des prix pouvant atteindre £70 M... Les *Mews* fleuris complètent l'image d'une élégance très britannique tandis que les beaux immeubles entourés d'espaces verts font une concession à la modernité. Au final, Holland Park ressemble à un joli petit village qui n'est pas sans rappeler Neuilly, d'autant plus agréable à vivre que très vert et très commerçant, avec une rue principale bordée de petits commerces, de cafés et de restaurants.

Petite enfance

Pour toute information sur les structures d'accueil, les places disponibles, nourrices, etc..., contactez le *borough* de Kensington & Chelsea: ***www.rbkc.gov.uk***, ou ***www.childcarelink.gov.uk***, ou tel au **020 7361 3302.**

DAY-NURSERIES

Colville Nursery Centre
4/5 Colville Square, W11 2BQ
020 7229 1001
3 mois-5 ans, 34 places. Admission sur critères de proximité. Inscription possible dès la naissance. 8h-18h. £175/sem.

Holland Park Day Nursery
9 Holland Rd, W14 8HJ
020 7602 9066
www.hpps.co.uk
3 mois-3 ans, 20 places (3 pour les 3-12 mois). 7h30-18h30. £288/sem.

Kids Unlimited Day Nursery
34 Ladbroke Grove, W11 3BQ
0845 850 0222
www.kidsunlimited.co.uk
3 mois-5 ans, 91 places, 7h30-18h00. £300-350/sem (plein temps).

Maria Montessori Children's House
All Saints Church, 28 Powis Gdns, W11 1JG
020 7221 4141
www.mariamontessori.org
2-5 ans, 30 places dont 16 plein temps, 8h45-15h30. £2200/trim (plein temps)

Miss Delaney's Too Nursery
St Clement's Church, 95 Sirdar Rd,W11
020 7727 0010
2-5 ans, 20 places, 9h-12h/13h-16h. £1300/trim pour 3 après-midi/sem.

St Peter's Nursery School
59A Portobello Rd, W11 3DB
020 7243 2617
2-5 ans, 52 places, demi-journée (8 places pour temps complet). Prix variable selon revenus.

NANNIES

Aucune agence répertoriée dans le quartier, mais une pléthore d'agences dans le quartier voisin South Kensington. Alternativement, consultez les petites annonces dans les magasins de jouets, les centres de loisirs ou les écoles.

MOTHER & TODDLER GROUPS

→ Section Bibliothèques

One o'clock Toddlers
Kensington Memorial Park, St Marks Road
Très joli parc. Aires de jeux.

Rugby Portobello Trust
221 Walmer Rd, W11 4EY
020 7727 0854
Ma et Je 9h30-15h. Présence parentale obligatoire. dans un grand hall avec jeux. Gratuit.

St Peter Church Under 3s
Kensington Park Rd, W112 2EU
020 7792 8227
Jusqu'à 3 ans. Ma, Me, Je 9h45-11h45, gratuit. Présence parentale obligatoire.

PLAYGROUPS

Denbigh under 5s Group
Etheline Holder Hall, 5b Denbigh Rd, W11
020 7721 5318
2.5-5 ans, 9h30-12h30, £53/sem.

Holland Park Pre-School Group
Abbotsbury Rd Stable Yard, W8 6LU
020 7603 2838
9h30-12h. Membre du PSLA.

Ecoles

ECOLE FRANÇAISE

La Petite Ecole Française
90 Oxford Gardens, W10 5UW
020 8960 1278 → Carte p271

3-6 ans. Liste d'attente. 64 enfants, 12-18/classe. Grande maison victorienne transformée en école maternelle homologuée, atmosphère très familiale. Les bi-nationaux et les non-francais représentent la moitié des effectifs. 9h-15h15, £1 650/trim. Activités: gymnastique, danse, théâtre, piscine, pratique de l'anglais sous forme ludique. Cours d'anglais une fois/sem après l'école (£10). Petit plus: un jardin d'enfants à partir de 2 ans sur St Mark's Rd, 9h-12h, £1200/trim.

ECOLE INTERNATIONALE

Southbank International School
36-38 Kensington Park Rd, W11
020 7243 3803
Ecole mixte 3-11 ans, £4200/trim
→ Chapitre Education

ECOLES ANGLAISES

Nurseries

Acorn Nursery School
2 Lansdowne Crescent, W11 2NH
020 7727 2122
2-5 ans, 56 places. Demi-journée ou journée, £1700/trim.

Ladbroke Square Montessori School
43 Ladbroke Square, W11 3ND
020 7229 0125
2-5 ans, 65 places, 9h-15h15 ou journée.

Strawberry Fields Nursery School
5 Pembridge Villas, W11 3EN
020 7727 8363
2-5 ans, 40 places, 9h-15h45 ou journée, £1750/trim. Liste d'attente.

Nursery & primary schools

Bassett House School
60 Bassett Rd, W10 6JP
020 8969 0313
www.bassett.org.uk
Independent school. Filles 3-11 ans, garçons 3-8 ans. *Prep School* dotée d'une bonne ambiance, familles de milieux divers. Admission sur entretien à 3 et 4 ans, sur examen selon places disponibles ensuite. Liste d'attente. £1650-3400/trim.

Bevington Primary School
Bevington Rd, W10 5TW
020 8969 0629
State school. 3-11 ans, 295 élèves, bonne réputation.

Colville Primary School
Lonsdale Rd, W11 2DF
020 7229 6540

State school. 3-12 ans, 331 élèves. Très pratique si l'on travaille: les enfants inscrits peuvent bénéficier de la *day-nursery* sur Colville Square de 15h30 à 18h en période scolaire et de 8h30 à 17h30 pendant les vacances.

Fox Primary School
Kensington Place,
Off Kensigton Church St, W8 7 PP
020 772 7637
www.fox.rbkc.sch.uk
State school mixte. 4-11 ans. 300 élèves. Bons résultats.

Oxford Gardens Primary School
Oxford Gardens, W10 6NF
020 8969 1997
State school. 3-11 ans. 392 élèves. Très bien notée par l'*Ofsted*.

St Clement & St James CE Primary School
Penzance Place, W11 4PG
020 7603 9225
3-11 ans. 230 élèves. *Church of England*. Gratuite. Très bonne réputation.

St Mary Abbots Primary School
2 Kensington Church St, W8 4SP
020 7937 0740
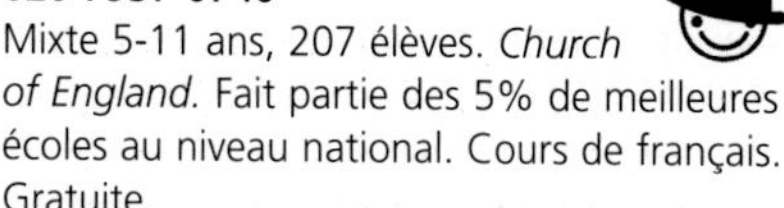
Mixte 5-11 ans, 207 élèves. *Church of England.* Fait partie des 5% de meilleures écoles au niveau national. Cours de français. Gratuite.

Thomas Jones Primary School

St Mark's Rd, W11 1RQ
020 7727 1423

State school 3-11 ans, 219 élèves. Très bien notée par l'*Ofsted*.

Norland Place School
162-166 Holland Park Av, W11 4UH
020 7603 9103
www.norlandplace.com
Independent school, mixte, 150 filles 4-11 ans, 90 garçons 4-8 ans. £2800-3500/trim, bonne réputation.

Notting Hill Preparatory School
95 Lancaster Rd, W11 1QQ
020 7221 0727
www.nottinghillprep.com
Independent school. 5-13 ans. Locaux neufs, salles aérées et très agréables. Bonne ambiance, pas trop académique. £3500/trim.

Pembridge Hall School
18 Pembridge Square, W2 4EH
020 7229 0121
Independent school de filles 4 -11 ans, cours de français quotidiens, £3000/trim.

Wetherby School
11 Pembridge Square, W2 4ED
020 7227 9581
Independent school de garçons, 4-13 ans. Le pendant de Pembridge Hall. £3200/trim. Très traditionnelle, prépare aux meilleures écoles de Londres. On s'y inscrit à la naissance mais de temps en temps des places deviennent disponibles. Quelques Français.

Secondary schools

Cardinal Vaughan Memorial RC School
89 Addison Rd, W14 8BZ
www.cvms.co.uk
Independent school de garçons 11-18 ans (filles 16-18 ans). Catholique. Très bons résultats.

Holland Park School
Airlie Gardens, Campden Hill, W8 7AF
020 7727 5631
11-18 ans. *State school* gratuite. Un cadre idyllique au milieu de Holland Park, mais des résultats moyens. Admission en fonction des places disponibles, sur dossier et entretien. Pas de place en Year 7 (6e).

Sion Manning RC
St Charles Square, W10 6 EL
020 8969 7111
11-16 ans. Collège catholique de filles. 600 élèves. Bons résultats.

Logement

Notting Hill offre des possibilités de logements pour tous les goûts et toutes les bourses, à condition qu'elles soient tout de même bien garnies au départ!
Au sommet de la colline (partie la plus riche), jolies maisons victoriennes de 3 ou 4 étages, converties ou non en appartements.
En descendant vers North Kensington (moins cher et plus négligé), rues bordées de petites maisons en brique ou stucco, le plus souvent converties en appartements, avec ici ou là, des *council estates* ou des *mews*.
Location: appartement £350-1 000/sem, maison £600-2 500/sem.
Achat: appartement £500-1M (3 ch), £650-1.5M (4 ch) ; maison £800-3M (3-4 ch).

Autour de **Holland Park,** les vastes villas d'une blancheur immaculée et les imposantes demeures victoriennes en brique rouge se mêlent aux maisons et immeubles modernes. Les rues sont vertes et bien entretenues, la proximité du parc attire les familles.

A la **location**, compter £850-2000/sem (3 ch). Contrairement à Notting Hill, vous pouvez trouver des appartements de 4, voire 5 chambres, pour £900-3 000/sem. Et si vous optez pour la maison,la fourchette de prix est £1500-4 000/sem.

Pembridge Rd/Westbourne Grove (W2), délimité à l'Ouest par Kensington Park Rd et à l'Est par Chepstow Place et Ossington Street. Larges rues bordées d'arbres, proximité de Kensington Park Gardens et de toutes les facilités offertes d'un côté par Notting Hill Gate (2 cinémas, restaurants, cafés et pubs), de l'autre par Bayswater (Queensway et le centre commercial Whiteley's), avec en prime Portobello Rd au milieu! Mais c'est aussi un quartier touristique à la mode où les prix sont élevés et les restaurants bondés.

The Crescents/Ladbroke Rd est la partie la plus élégante et la plus prospère, avec ses jardins publics réservés aux habitants (*communal gardens*) à faire pâlir d'envie! Attention à la circulation sur Ladbroke Grove.

Notting Dale/Avondale
Très pratique pour la vie de tous les jours, mélange d'habitations, écoles, et établissements administratifs, avec à proximité le centre de sports et de loisirs.

Transports

Quartier très bien desservi par les transports en commun

LE METRO

Notting Hill Gate, Ladbroke Grove, Holland Park. Zone 2. Accès direct City et West End par la Central *line*. La Circle *line* dessert le Lycée Français (South Kensington), la District *line* l'école primaire Jacques Prévert (Brook Green), ainsi que l'école primaire André Malraux d'Ealing.

LE BUS

De Ladbroke Grove, le **7** et le **70** desservent South Kensington, le **7** progressant jusqu'à Oxford Circus, Marble Arch, Tottenham Court Rd (Covent Garden). Le **23** dessert Paddington (très pratique pour attraper le Heathrow Express), Piccadilly Circus et Trafalguar Square, de même que la City et Liverpool St. Le **52** va vers la gare de Victoria.

MAIRIE

Royal Borough of Kensington & Chelsea
Town Hall, Hornton St, W8 7NX
020 7937 5464
High St Kensington ➤carte p271

BIBLIOTHÈQUES

North Kensington Library
108 Ladbroke Grove, Notting Hill, W11
020 7727 6583
Ladbroke Grove
Lun, mar, jeu: 10h-20h; mer 10h-13h; ven-sam: 10h-17h, fermé le dimanche.
Services: photocopies, cours de navigation sur le web, CD audio à louer, *story time* pour les enfants.

Notting Hill Gate Library
1 Pembridge Square, W2 - 020 7229 8574
Lun 13h-20h, mar 13h-19h, jeu 10h-13h, ven et sam 10h-17h, fermé mercredi et dimanche.

COMMISSARIAT

Métroplitan Police Service 24/24h
101 Ladbroke Grove, W11
020 7221 1212 .

COMMUNITY CENTRE

The Tabernacle Community Centre
Powis Square, W11
020 7565 7890
Cours de danse, gymnastique, théâtre.

Cours de langues

(**A** *Adulte*, **E** *Enfant*)

Le **Kensington and Chelsea College** dispense des cours pour les adultes sur plus d'une centaine de sujets. Programme sur le *site www.kcc.ac.uk*. Les sessions semestrielles, débutent en septembre et mars. Centre spécialisé dans l'enseignement de l'anglais.

(**A** *Adulte*, **E** *Enfant*)

CLUBS DE SPORT

Westway Sports Centre AE
1 Crowthorne Rd, W10
020 8969 0992
Latimer Rd

Varappe (le plus grand mur intérieur du pays), basket-ball, football, handball, équitation, tennis, gymnastique.

Kensington Leisure Centre E
Walmer Rd, W11
020 7727 9747➤carte p271
Natation (2 piscines, cours à partir de 3 ans), gym et aerobic, football, danse, arts martiaux, mini-tennis, basket-ball, trampoline, ping-pong. Crèche 6 semaines-5 ans, lundi-samedi, aire de jeux. Organisation d'anniversaires. Classes de gym pour les 6 mois- 5 ans. (**Tiny Tots Gym 020 7727 9747**)

Holmes Place A
119-131 Lancaster Rd, W11
020 7243 4141

Lambton Place Health Club A
Westbourne Grove, W11
020 7229 2291
Club de gym avec piscine, salon de beauté, clinique spécialisée en réflexologie et aromathérapie.

Portobello Green Fitness Centre A
3-5 Thorpe Close, W10
020 8960 2221
Gym, squash, sauna, salon de beauté.

DANSE

Portobello School of Ballet
59A Portobello Rd, W11
020 8969 4125

TENNIS

Tennis Holland Park
020 7602 2226
Inscription à l'année. Permet de jouer sur différents courts du RBK&C. Prix modiques.

YOGA

The Life Centre
15 Edge St, W8
020 7221 4602
Centre de thérapie alternative, dont yoga et ostéopathie.

The Ladbroke Rooms
8 Telford Rd, W10
020 8960 0846
Différents types de yoga, thérapies alternatives.

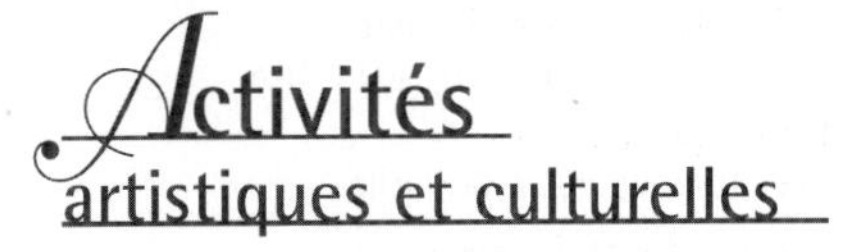

Activités artistiques et culturelles

(**A** *Adulte*, **E** *Enfant*)

ACTIVITÉS MANUELLES

Art 4 Fun E
196 Kensington Park Rd, W11
020 7792 4657

CINÉMA

The Electric AE
191 Portobello Rd, W11
020 7908 9696
Séance le lundi réservée aux parents accompagnés d'enfants de moins de 12 mois. *Kids Club Workshop*, samedi 11h-13h, réalisation de court-métrages, théâtre de mime.

Le cinéma comme à la maison! Sièges en cuir, canapés, repose-pieds et guéridons... Bar ouvert 1/2 h avant chaque séance.

The Gate AE
87 Notting Hill Gate, W11
020 7727 4043
Art et Essai. Films étrangers.

MUSIQUE

Blueberry Playsongs → Chapitre Activités

Monkey Music → Chapitre Activités

Voiture

PARKING

→ South Kensington

GARAGES

Car Care of Kensington
Unit 4,5,7 & 8 St Marks Rd, W11
020 7229 9292

Bayswater Garage
2 Westbourne Grove Mews, W11
020 7727 7381

STATIONS SERVICE

Andrews Garage
6h-22h
22 St Marks Rd, W11

Shell 24h/24 7j/7
223 Harrow Rd et Bayswayter Rd, W2

White City Service Station
24h/24 7j/7
62 Wood Lane, W12

Installation et entretien

ORDURES MÉNAGÈRES

→ South Kensington

SERVICES DOMESTIQUES

Cordonnier

Mario Shoe Care
26a Colville Square, W11

Plombier-chauffagiste

Action Services
24 Campden Hill et 62, Holland Park, W11
020 7589 8765
Enregistré auprès du *CORGI* (*Council for Registered Gas Installers*).

Teinturiers

Spick & Span
103 Golborne Rd, W10
020 8969 3924

Perkins Dry Cleaner
92a Holland Park Av, W11
020 7221 6927

Kensington Valeting
156 Notting Hill Gate, W11
020 7227 3470
Service à domicile.

Santé

SYSTÈME PUBLIC: NHS

North West London Health Authority
50 Eastbourne Terrace, W2 6LX
020 7725 3322/3300
Infos générales sur le NHS.

GPs

Holland Park Surgery
73 Holland Park, W11 3SL
020 7221 4334
Holland Park

St Quintin Health Centre
St Quintin Av, W10 6NX - 020 8960 5677
Ladbroke Grove

The Pembridge Villas Surgery
45a Pembride Villas, W11 3EP
020 7727 2222
Notting Hill Gate

The Portland Rd Practice
16 Portland Rd, W11 4LA
020 7727 7711
Holland Park

The Surgery
17 Pembridge Rd, W11 3HG
020 7221 0174
Notting Hill Gate

Hôpitaux

St Charles Hospital
Exmoor St, W10 6DZ
020 8962 2488
Ladbroke Grove
7/7j, 9h-21h. Pas de service d'urgence, mais une clinique ouverte sans RV pour le traitement des blessures mineures.

St Mary's Hospital
Praed St, W2 1NY
020 7725 6666
Service d'urgences, 24/24h. Service pédiatrique.

Dentistes et orthodontistes

About Teeth Dental Practice
51 Kensington Park Rd, W11 1PA
020 7221 9966
Possibilité de visites à domicile.

Murphy Dental Surgery
30 St Marks Rd, W10 6JZ
020 8969 2326
Professionnel de bonne réputation.

St Charles Hospital Orthodontic
St Charles Hospital, Exmoor St, W10 6DZ
020 8962 4470

Uniquement les enfants (0-18 ans) inscrits sur son registre.

Smile Dental Practice
156 Westbourne Grove, W11 2RN
020 7229 0752

MÉDECINE PRIVÉE

Filali Richard
Pembridge Rd, W11
07775 51 14 44
Médecin Généraliste. Sur RV uniquement, du lundi-vendredi, le samedi en cas d'urgence. Visites à domicile.

Vie sociale

Moroccan Information and Advice Centre Association
61 Golborne Rd, W10 5NR
020 8960 6654

Achats

ALIMENTATION

Supermarchés

Sainsbury's
2 Canal Way, Ladbroke Grove, W10
Tout nouveau, et le plus grand du quartier.

Marks & Spencer Food Hall Notting Hill
→ carte p271

Tesco
224-26 Portobello Rd

Marchés

Sur Portobello Rd
Fruits et légumes, poissonniers, fromagers, fleuristes... Un marché à la française! 8h-18h30, sauf dim. Antiquaires le samedi (en haut de la rue, vers Notting Hill) et stands de bijoux, vêtements ou de bric à brac (sur la partie basse, à Ladbroke Grove) le vendredi.

Sur Golborne Rd
Fruits et légumes, poissonnier, épiceries (portugaise et marocaine)...

Le marché de Portobello Rd

Prix moins élevés que sur Portobello Rd et atmosphère plus authentique (ou moins touristique). Mérite vraiment le détour. Curiosité: la fameuse Trellick Tower (tour d'habitation) au bout de Golborne Rd, oeuvre controversée (car vraiment laide!) de l'architecte hongrois Erno Goldger, construite en 1968... et classée en 1997.

Marchés

Chalmers & Gray
67 Notting Hill Gate, W11
"Le" poissonnier de Notting Hill.
Très cher mais qualité assurée.

Clarkes
Kensington Church St, W8
Excellentes pâtisseries, confitures maison délicieuses. Décor anglais très *posh*.

Fresh & Wild
210 Westbourne Grove, W11
Des prix élevés mais une sélection imbattable de produits (fruits et légumes bio, surgelés, rayon froid, rayon traiteur) et une qualité irréprochable pour ce *health food store*.

Golborne Fisheries
75-77 Golborne, W10
Excellent poissonnier.

Jeroboams
96 Holland Park et 13 Elgin Crescent W11
Delicatessen italien avec une excellente

sélection de fromages (plus de 150). Pain Poilâne, soupes, toute l'épicerie fine, et vin. Prix en conformité avec le quartier.

Kingsland, the Edwardian Butchers
140 Portobello Rd, W11
Excellent boucher. Viande bio ou garantie sans hormones. Livre gratuitement dans tout Londres.

Le Maroc
94 Golborne Rd, W10
Tout pour faire le couscous.

Lidagte
110 Holland Park Avenue, W11
Un des meilleurs bouchers de Londres. Viande garantie sans hormones ou bio. Très bon comptoir traiteur (excellents *meat-pies*).

Michanicou Bros
2 Clarendon Cross, W11
Le meilleur maraîcher du quartier. Fruits et légumes de saison à prix "normaux"! Grand choix de fruits exotiques, mais prix plus élevés. Qualité garantie, livraison à domicile.

Maison Blanc
102 Holland Park Av, W11

Ottolenghi
63 Ledbury Rd, W11
Décor minimaliste pour ce pâtissier-traiteur de bonne qualité, prix raisonnables. Table commune dans le fond de la salle. 8h-20h lun-ven, 19h le sam et 9h30-18h le dimanche.

Paul
82A Holland Park Av, W11

R Garcia & Sons
248 Portobello Rd, W11

Alimentation espagnole. Large sélection, produits de bonne qualité et service accueillant.

Speck
2 Holland Park Terrace, W11
Traiteur italien. Pâtes fraîches, olives délicieuses et du vrai jambon blanc pour les enfants! Original, le service *Pasta for Kids*: l'équipe de Speck vient chez vous avec la machine à fabriquer les pâtes, les sauces, et apprend aux enfants l'art de préparer eux-mêmes leur repas préféré...
8h-20h30 lun-ven, 19h le samedi.

The Fish Shop at Kensington Place
201 Kensington Church St
Poissonnier du restaurant Kensington Place. Produits toujours très frais et bien emballés. Assez cher.

The Spice Shop
11 Blenheim Crescent, W11
www.thespiceshop.com
Boutique étonnante, unique à Londres: toutes les épices du monde, pour tous les besoins culinaires. Aussi des feuilles et plantes bizarres, mais Birgit Erath, la propriétaire, se fera un plaisir de vous en expliquer l'utilité et la préparation! Possibilité de commander par Internet.

The Tea and Coffee Plant
170 Portobello Rd, W11
Excellente sélection de thés et cafés. Uniquement bio ou fair trade (commerce éthique). Commande sur *ww.coffee.uk.com*.

AMEUBLEMENT-DECO

Carden Cunietti
1a Adpar St, W2
Accessoires très contemporains d'Europe et d'Asie, et quelques pièces antiques comme des lampes en verre de Murano.

Chloe Alberry
84 Portobello Rd, W11
Curiosités du sud-est asiatique: accessoires, cadeaux ethniques et meubles exotiques.

Gong
142 Portobello Rd, W10
Ameublement, décoration d'inspiration asiatique. Service de design intérieur.

Les Couilles du Chien
65 Golborne Rd, W10
Traduction littérale de l'anglais *the dog's bullocks* (meilleure partie de l'animal...), boutique d'antiquité excentrique avec des objets du XIXe aux années 70.

Tribal Gathering London
1 Wesbourne Grove Mews, W11
Chaises du Congo, statues de Tanzanie, masques de Zambie, meubles d'Ouganda... un vrai bonheur pour les amoureux de l'artisanat africain.

Warris Vianni & Co
85 Golborne Rd, W10

Une collection superbe de tissus d'Inde ou d'Italie. Prix très raisonnables.

The Cloth Shop
290 Portobello Rd, W10
Bonne sélection de linge ancien et de tissu au mètre.

David Black Oriental Carpet
27 Chesptow Corner, W2
Une sélection riche de kilims, tapis en soie ou en fibres végétales. Attention, les prix vont de £100 à... £50 000!

BRICOLAGE

Nu-Line
315 Westbourne Park Rd, W11
020 7727 7748
Le paradis des bricoleurs, amateurs ou professionnels. Plusieurs magasins (luminaires, accessoires pour la cuisine...), dont un consacré uniquement à la salle de bains. Un incontournable.

Edwin's Plumbing & Heating Supplies
17, 19 & 26 All Saints Rd, W11
020 7221 3550
Bonne sélection de robinetterie et de meubles pour salle de bains de toutes les grandes marques. Le n°26 est consacré entièrement aux produits Villeroy & Boch.

Tylers Homecare & DIY
104-106 Notting Hill Gate, W11
On y trouve tout, ou presque.

FLEURS

Art of Flower
121 Clarendon Rd, W11
Petit magasin avec un bon choix. Propriétaire très serviable.

Wild at Heart
49A Ledbury Rd, W11
Un fleuriste très chic et en même temps traditionnel (pas de fleurs exotiques). Cours d'arrangement floral, très chers.

Stand
Coin de Westbourne Grove et Colville Rd, en face de Joseph. 8h-19h lun-ven, 8h-18h sam.

Harper & Tom's
Au coin de Elgin Crescent et Kensington Park Rd, étal offrant des fleurs superbes et des plantes en pots, très fréquenté par les habitants du quartier. Staff très serviable.

SPORTS

Low Pressure
23 Kensington Park Rd, W11
Le tout premier magasin dédié au surf de Londres. Tout le surfwear et le swimwear dernier cri. Collection de jeunes créateurs.

Route One
Playstation Skate Park, Acklam Rd, W10
⊖ Westbourne Park ou Ladbroke Grove
Le royaume du skateboard.

Urban Rock
Westway Sports Centre, 1 Crowthorne Rd, W10 6RP
Tout l'équipement pour la varappe. Bon choix de vêtements pour femmes.

The Bike Workshop
27 All Saints Rd, W11
020 7229 4850
Réparations et vente de pièces détachées tous modèles. Le samedi, journée porte ouverte pour les petis bobos réparés sur place. Mardi-samedi 10h-18h.

MUSIQUE

Portobello Music
13 All Saints Rd, W11
Bon choix d'instruments à cordes.

JOUETS-COTILLONS

Cheeky Monkeys
202 Kensington Park Rd, W11
Jouets qui sortent de l'ordinaire. Déguisements originaux. Belle présentation et staff très serviable.

VÊTEMENTS-CHAUSSURES

Adultes

Nombreuses boutiques chic et branchées faisant une large place aux marques de créateurs. Sur **Westbourne Grove**, Ballantyne, Heidi Klein, Feathers, Agnes B, ou encore Dinny Hall (créatrice de bijoux en argent très modernes à des prix encore raisonnables). Côté chaussures, Emma Hope. Sur **Ledbury Rd**, Diane von Fustenberg (y compris collection femmes enceintes) et Ghost, avec des robes ultra-féminines. Sur **Kensington Park Rd**, la boutique phare de Paul Smith (l'univers du créateur décliné sur les trois étages d'une maison victorienne), ainsi que Coco Ribbon (style branché-bohême, collection de lingerie). Autour de **Clarendon Cross**, une jolie place au coeur de Notting Hill, The Cross (141 Portland Rd), le temple du style *girlie* avec des accessoires ultra-féminins, ou encore Virginia (98 Portland Rd), specialiste du vêtement rétro et *vintage*. Ne pas oublier évidement **Portobello Rd**, avec ses stands de vêtements *vintage* (ne pas manquer les stands au coin de **Tavistock Rd**), ou ses boutiques comme Olivia Morris (au n°355), qui vend des chaussures de créateurs.

Enfants

Clementine
73 Ledbury Rd, W11
Toute la gamme Petit Bateau et Grazella. Au sous-sol: une collection impressionnante de poussette, landeaux, sièges auto, berceaux, chaises hautes.

One Small Step One Giant Leap
3 Blenheim Crescent
Magasin spacieux (adapté aux poussettes) et les enfants peuvent se relaxer sur les canapés et chaises spécialement conçus pour eux.

Petit Bateau
73 Ledbury Rd, W11
020 7243 6331

Jigsaw Junior
190 Westbourne Grove
Collection pour filles uniquement. Vêtements modernes et de qualité. Intéressant au moment des soldes.

LIBRAIRIES-DISQUES

Simon Finch Rare Books
61A Ledbury Rd
Livres pour collectionneurs (premières éditions, etc...) dont une bonne gamme en français. Bonne sélection de livres dédiés à la photographie.

C'est surtout sur **Blenheim Crescent** que se concentrent les librairies du quartier.

Blenheim Books
11 Blenheim Crescent
Spécialisé dans les livres de déco intérieure et d'architecture. Bon choix également de livres pour enfants. Au fond, une salle entière consacrée aux livres de jardinage.

The Travel Bookshop

13 Blenheim Crescent
Un trésor de cartes, guides, et livres dédiés aux voyages et la découverte du monde. Lieu de tournage du film *Coup de foudre à Notting Hill* (Hugh Grant en était le propriétaire).

Books for Cooks

4 Blenheim Crescent
Unique en son genre à Londres, un vrai paradis pour les amoureux de l'art culinaire. Tous les jours, plats et gâteaux mitonnés par les chefs maison (recettes tirées des livres en vente) sont servis sur des tables au fond de la boutique. Cours de cuisine toute l'année, au 1er étage (£25/session).

Honest Jon's
278 Portobello Rd, W10
Disquaire spécialisé dans le jazz et la world music, avec une bonne sélection pour les collectionneurs de vinyles. Un étage entier est consacré au reggae avec aussi un bon choix de soul, hip hop, ou funk.

Intoxica, 231 Portoello Rd, W11
et
Stand Out, 2 Blenheim Crescent
Boutiques de disques de collection.

COIFFURE-BEAUTÉ

Le Leon and The Crew
2 Ladbroke Grove, W11 - 020 7792 9122
Petit salon avec une équipe très cosmopolite, dont certains Francophones.

Basecuts
252 Portobello Rd, W11 - 020 7727 7068
Salon de quartier très fréquenté par les habitants, surtout le samedi. Coupe enfants à partir de £15 (-5 ans).

LOCATION DE FILMS

Video City
117 Notting Hill Gate

Une figure incontournable du quartier. Sélection large et variée de titres étrangers (sous-titrés), dont beaucoup en français. Service excellent, flexibilité. Le *membership* de £20 inclut la location gratuite de 5 films.

Sortir

PARCS ET AIRES DE JEUX

Holland Park
Mini-zoo, terrain de foot, tennis-club, playground avec immenses araignées. Aire sécurisée pour les petits. Jardin japonais. Paons et lapins en liberté. Théâtre d'été. Caféteria ouverte aux beaux jours.
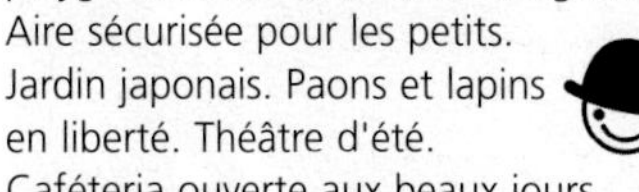

Kensington Memorial Park
Sur St Mark's Rd
Terrain de foot et de cricket, courts de tennis, aire de jeux, piscine d'été (paddling pool).

Playstation Skate Park
Acklam Rd, Ladbroke Grove
Lun-ven 12h-16h et 17h-21h, mer jusqu'à 22h, sam-dim 10h-21 h. Les seules pistes *indoor* de skateboard à Londres. Rampes de glisse, pistes de saut... Cours le samedi matin.

Bramley's Big Adventure
136 Bramley's Rd, W10 6TJ
Espace de jeux couvert pour enfants de 0-11 ans, avec toboggans géants, piscines à boules, etc... Cafétéria. Organisation d'anniversaires. Ateliers pendant les vacances.

FÊTES

Notting Hill Carnaval
Dernier week-end du mois d'août. Le plus grand carnaval d' Europe. Pendant deux jours, Notting Hill renoue avec son passé jamaïcain. Parades et musique dans une débauche d'odeurs culinaires!

RESTAURANTS

192
192 Kensington Park Rd
020 7229 0482

Un incontournable du quartier. Très branché. On y voit souvent des personnalités du show-biz.

The Cow Dining Room
89 Westbourne Grove - 020 7727 8867
Restaurant ouvert par le fils de Terence Conran. Bonne qualité. Spécialités de fruits de mer. Ambiance sympathique. *Pub* au RDC.

The Electric Brasserie
191 Portobello Rd - 020 7908 9696
A côté du cinéma. Bonne cuisine mais bruyant.

E&O
14 Blenheim Crescent, W11
020 7229 5454
Atmosphère branchée, cuisine asiatique.

Julie's
135 Portland Rd, W11
020 7229 8331
Atmosphère romantique. Terrasse aux beaux jours. *Brunch* le dimanche où les enfants sont bienvenus et le personnel aux petits soins.

The Ledbury
127 Ledbury Rd, W11
020 7792 9090
L'un des meilleurs restaurants du quartier, une étoile Michelin.

Lisboa
54 Golborne Rd, W10
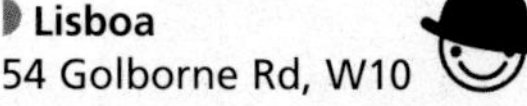
Une excellente pâtisserie-café qui vous transporte immédiatement au Portugal:

comptoir en inox, petites tables où se serre une clientèle très cosmopolite aux accents méditerranéens. Stella MacCartney y vient régulièrement. En face, *deli* avec une bonne sélection de fromages, charcuterie, anchois ou poissons marinés.

Osteria Basilico
29 Kensington Park Rd, W11
020 7229 7980
Plats méditerranéens dans une ambiance "rustique" et chaleureuse. Petite salle en haut, grande salle en bas, mais sans fenêtres... claustrophobes s'abstenir!

The Pelican
45 All Saints Rd, W11
020 7792 3073
Plats anglais typiques... et bio. Décor de *pub*, terrasse sur le trottoir aux beaux jours.

Tom's Deli
226 Westbourne Grove, W11
Le *deli* du fils de Terence Conran. En haut, café-restaurant (souvent plein aux heures critiques). En bas, épicerie, fruits et légumes, sélection de fromages, pain. Personnel chaleureux et service rapide.

PUBS

The Walmer Castle
58 Ledbury Rd, W11
020 7229 4620
Décor chaleureux et confortable. En haut, un restaurant qui sert de la nourriture thaïlandaise. Prix corrects.

The Westbourne
101 Westbourne Park Villas, W11
020 7221 1332
Un *pub* dans la plus pure tradition britannique. Très agréable pour déjeuner dehors aux beaux jours.

The Windsor Castle
114 Campden Hill Rd
020 7243 9551
Pub traditionnel. Très grand jardin clos à l'arrière, idéal pour les beaux jours.

Visible
299 Portobello Rd, W10
020 8969 0333
Coktail-lounge bar. Endroit très sympathique avec jazz le jeudi soir.

Bayswater Marylebone

1. St Mary's Hospital
2. Police Marylebone
3. Police Bayswater
4. Bibliothèque Marylebone
5. Bibliothèque Bayswater
6. One Stop Shop
7. Club Hippique
8. Cabinets Médicaux
9. Centre Commercial Whiteley's (H&M, M&S...)

Zone commerçante

Marylebone Bayswater

En retrait des circuits touristiques et des quartiers ultra-chics se cachent deux petits havres de paix: Marylebone (W1) et Bayswater (W2).
Situé à quelques pas de Regent's Park et d'Oxford Street, la rue de Rivoli londonienne, **Marylebone** est empreint de l'esprit de village dont sont si fiers les Anglais, en particulier autour de Marylebone High Street qui a su garder le charme des rues commerçantes d'antan.
Ici, les rues sont propres et les *Mews* bien entretenues, un charme discret et très britannique règne sur le quartier et de nombreux squares offrent autant de verdure que d'espace aux grandes bâtisses victoriennes.
Enfin, Marylebone est aussi connu pour Harley Street, la rue des médecins qui ont traditionnellement établi le long de cette grande artère leurs cabinets de consultation.
A l'ouest, de l'autre coté de Edgware Road commence **Bayswater**, quartier peu connu des Anglais. On parle parfois de Marble Arch, l'angle nord-est de Hyde Park, de Paddington, la fameuse gare d'où vient l'ours du même nom, ou de Queensway, grande rue commerçante qui annonce le début de Notting Hill, mais tout le monde oublie le quartier tranquille contenu entre ces points. On ne passe pas à Bayswater au détour d'un chemin, et c'est pour cela sans doute que ce quartier mérite une visite. Collé à la face nord de Hyde Park et à quelques enjambées du West End, à quelques pas de Little Venice, c'est un peu le calme avant la tempête, où la banalité des constructions cache souvent la qualité de vie de ses habitants.
Ces deux quartiers appartiennent au *borough* de Westminster.

Petite enfance

Pour obtenir la liste complète et mise à jour des structures d'accueil et des nourrices assermentées, se référer au site *www.childcarelink.gov.uk* ou tel au **020 7641 7929**

DAY-NURSERIES

Daisies Day Nurseries
St James Church, Sussex Gardens, W2 3UD
020 7706 8242
0-5 ans. Lundi-vendredi 8h-18h.

Paint Pots Montessori School
Bayswater URC, Newton Rd, W2 5LS
020 7792 0433
2.5-5 ans. 9h15-12h30 et13h15-15h45.
De £450 à £1400/trim.

Ravenstone House Preparatory and Nursery School
Saint George's Fields, Albion St, W2 2AX
020 7262 1190
2 mois-7 ans. Plus de 100 places.
Lundi-vendredi 8h-18h.

CHILDMINDERS-NANNIES

CEI-Centre Charles Péguy
→ Chapitre Emploi
020 7437 8339
www.cei-frenchcentre.com
Bonne source de petites annonces pour trouver une *baby-sitter* francophone.

MOTHER & TODDLER GROUPS

Marylebone Library
One o'clock à la bibliothèque.

Toddlers & Mums Montessori
Saint Stephens Church
Westbourne Park Rd, W2 5QT
020 7243 4227
4 mois-5 ans, accompagnés d'un de leurs parents. Lundi-vendredi,10h-12h.

Gymboree Play & Music
Whiteley's Shopping Centre
133 Queensway, W2 4YN
020 7229 9294
4 mois-4 ans, accompagnés d'un parent (ou d'une nourrice). 9h30-17h45. Deux activités de 45mn: jeux et éveil musical, 4 groupes d'âges. Possibilité d'essayer gratuitement une des deux activités.

PLAYGROUPS

Jumbo Montessori Nursery School
Saint James Church Hall
22 George St, W1U 3QY
020 7935 2441

2-5 ans, environ 35 places, £910/trim pour 5 demi-journées, lundi-vendredi 9h-12h30. Une petite cour est utilisée dès que le temps le permet.

Ravenstone House Preparatory and Nursery School
→ Day-nurseries ci-dessus

Saint James' Pre-School Play-Group
Holly Trinity Hall
170 Gloucester Terrace, W2 6HS
020 7724 8640

2-5 ans. 20 places, £14/semaine pour 5 demi-journées. Obligation de s'inscrire pour un trimestre minimum. Un des parents doit participer aux activités 1 jour/mois. Sessions 9h30-12h30, 12h45-15h15 du lundi au vendredi. Possibilité d'apporter un déjeuner pour l'enfant. Activités manuelles, chant, préparation à l'entrée en primaire. Si l'endroit semble un peu lugubre (grand sous-sol), l'équipe n'en est pas moins sympathique et s'occupe des enfants avec entrain. Parfait pour quelques demi-journées de liberté sans se ruiner.

Saint John Hyde Park
Saint John's Church Hall
Hyde Park Crescent, W2 2QD
020 7402 2529
2-5 ans, environ 15 places, £850/trim pour 5 demi-journées, £1000 pour 5 journées complètes (nécessité d'apporter un déjeuner pour l'enfant). 8h30-17h30, lundi-vendredi. Méthode Montessori. Grande cour (ce qui est rare) utilisée le plus souvent possible.

Ecoles

ECOLE FRANÇAISE

L'Ecole bilingue
7St David Welsh Church,
St Mary's Terrace
Paddington W2 1SJ
020 7835 1144
www.lecolebilingue.com

7-11 ans. Annexe élémentaire de l'école de South Kensington. Programme bilingue permettant de s'orienter au choix dans le secondaire français ou anglais. Donne sur le *green* de Paddington. Pas de possibilité d'admission au lycée en cours de scolarité. £2200/trim.

ECOLE INTERNATIONALE

Southbank International School
17 Conway St, W1 6EE
020 7436 9699
www.southbank.org
11-18 ans. Partie secondaire de cette école internationale qui compte 3 emplacements dans Londres. Prépare au Bac International. Environ £5000/trim.

Nurseries & primary schools

Connaught House School
47 Connaught Square, W2 2HL
020 7262 8830
www.connaughthouseschool.co.uk
Marble Arch
4-11 ans (8 ans pour les garçons). *Independent school* mixte. Petite école, bonne ambiance. Pas de cour, le sport se fait au parc. Quelques places pour des filles de 8 ans. £2400-3500/trim.

Hallfield Community School
7-11 Hallfield Estate, W2 6JJ
020 7641 6230
Bayswater
3-11 ans. 350 élèves. Gratuite.

The Hampshire School
9 Queensborough Terrace, W2 3TB
020 7229 7065
www.ths.westminster.sch.uk
3-13 ans. *Independent School* mixte. Pas de cour, le sport se fait au parc. Bon niveau. £2100-3350/trim.

Humpden Gurney Church of England Primary School
Nutford Place, W1H 5HA
020 7641 4195
Marble Arch, Edgware Rd

3-11 ans. 210 élèves. Frais de scolarité restreints: £20/an. Ecole *Church of England*. Il faut fournir un certificat de baptême chrétien lors de l'inscription (qui reste sujette à des critères d'admissions). Néanmoins, si vous habitez dans les environs et avez décidé de tenter l'expérience de l'éducation anglaise, cette école bénéficie d'un environnement hors du commun (construction ultramoderne) et d'une équipe pédagogique dévouée.

Paddington Green Community School
3-11 Park Place Villas, W2 1SP
020 7641 4122
Edgware Rd
4-11 ans. 200 élèves. Gratuite.

St Vincent's Roman Catholic Primary School
St Vincent St, W1U 4DF - 020 7641 6110
Baker St
3-11 ans. Ecole primaire mixte catholique. 240 élèves.

Secondary schools

St Marylebone Church of England Secondary School
64 Marylebone High St, W1U 5BA
020 7935 4704
Baker St
Ecole secondaire de filles, 11-18 ans. Gratuite. Une des meilleures écoles secondaires "publiques" de Westminster.

Queen's College London
43-49 Harley St, W1G 8BT
020 7291 7000
www.qcl.co.uk
Baker St
Independent school de filles. 11-18 ans. Environ 120 élèves. £3800/trim. Orientation langues et arts.

Portland Place School
56-58 Portland Place, W1B 1NJ
020 7307 8700
www.portland-place.co.uk
Marble Arch
Independent school mixte, 11-18 ans. Environ 150 élèves. £3 650/trim. L'une des rares écoles privées de Londres ne pratiquant pas d'admission sélective, mais qui obtient malgré cela de bons résultats.

Logement

Bayswater reste encore de nos jours un quartier boudé par la majorité des familles françaises. Principalement résidentiel, si l'on exclut les artères principales qui le délimitent, il regorge pourtant de nombreuses maisons et grands appartements.

Il se divise clairement en trois grandes zones.

Entre Marble Arch et Lancaster Gate, au sud de Sussex Gardens, la zone la plus chère du quartier, car bordant Hyde Park. On y trouve de grandes maisons, quelques *mews*

Bryanston Square

et de grands appartements. Du fait qu'une partie de cette zone a été détruite durant la Seconde Guerre Mondiale, les immeubles et maisons particulières datant de la fin des années 60 proposent le plus souvent des garages et de grandes baies vitrées.

Au nord de Sussex Gardens, le quartier Paddington: petits appartements dans les rues très proches de la gare. Cette zone est indéniablement, sur quelques centaines de mètres, un "quartier de gare". Par contre, entre St Mary's Hospital et Edgware Rd, un complexe immobilier ultra moderne et luxueux vient d'être achevé et amorce déjà un renouveau du quartier.

Enfin, **entre Lancaster Gate et Queensway**, d'anciennes bâtisses victoriennes ont été transformées pour abriter de nombreuses familles au calme. Loin d'être modestes, les habitations de cette zone ont un prix raisonnable.

Comme dans tout le centre de Londres les prix à la **location** comme à l'achat varient d'une rue à l'autre. La location d'un appartement de 3/4 chambres de £525 à £1350/sem. Aussi, les maisons, qui, à nombre de chambres égal, sont sur le marché entre £650 et £1800/sem, sont très prisées. A la **vente**, compter entre £550 000 et £1.2M pour un appartement de 3 chambres et entre £800 000 et £1.6M pour une maison de 3/4 chambres.

Juste à coté, encore plus près du centre, le quartier de **Marylebone** est assez homogène: grandes bâtisses autour de squares privés, petites maisons, *mews* rénovées et quelques grands immeubles victoriens en briques rouges. De-ci de-là quelques immeubles modernes offrent les rares parkings souterrains disponibles dans le quartier.

Marylebone bénéficie d'un marché immobilier stable, et malgré sa position géographique, reste plus abordable que son voisin Mayfair. Un appartement comportant 3/4 chambres à la **location** varie de £550 à £2200/semaine. Les maisons disponibles seront dans la même tranche de prix, mais plutôt supérieure. A l'**achat**, compter entre £550 000 et £2M pour un appartement de 3 chambres et entre £900 000 et £3M pour une maison de 3/4 chambres.

Ces deux quartiers ont des impôts locaux (*council tax*) parmi les plus bas du centre.

Hyde Park Estate, Marylebone Rd

Transports

Outre leur situation géographique particulièrement centrale, Bayswater comme Marylebone disposent d'un accès facile aux principales lignes de bus et de métro qui traversent Londres.

LE METRO

Queensway, Bayswater, Lancaster Gate, Marble Arch, Bond St, Oxford Circus, Edgware Rd, Paddington sont sur les lignes Bakerloo, Hammersmith & City, Circle, Central et District. Sans compter le **Heathrow Express** qui relie cette gare à l'aéroport en 20 mn. La station **Baker St** est elle aussi très pratique: en plus de la Hammersmith & City, Bakerloo et Circle Line, elle dessert les lignes Metropolitan et Jubilee.

LE BUS

La très utile ligne **23** relie la City à Notting Hill en longeant Marylebone par Oxford St pour ensuite traverser Bayswater. La ligne **414** passe par Edgware Rd pour partir sur Fulham et s'arrête à deux pas du Lycée Français. Les lignes **16**, **36** et **436** vont vers Victoria et le sud de Londres, les lignes **12** et **94** longent Hyde Park et partent vers Holland Park (**12**) et Hammersmith (**94**).

Administrations

(A *Adulte*, E *Enfant*)

MAIRIE

Westminster City Council
PO Box 240, Westminster City Hall
64 Victoria St, SW1E 6QP
020 7641 6000
www.westminster.gov.uk
Victoria, Saint James Park

Church Street One Stop
91-93 Church St, NW8 8EV
020 7641 5471
Edgware Rd
Lundi-vendredi 8h-17h et samedi 9h-15h.

Très utile pour toutes les questions pratiques et régler une multitude de formalités (parking, ramassage d'ordures ménagères, etc...).

Si vous résidez à Westminster, allez au "One Stop" *demander votre* Resident Card. *Elle vous donne droit à de nombreuses réductions dans les musées, centres sportifs, théâtres, et restaurants. Une preuve de résidence (facture d'électricité par exemple) suffit pour l'obtenir.*

BIBLIOTHEQUES

Marylebone Library AE
109-117 Marylebone Rd, NW1 5PS
020 7641 1037
www.marylebonelibrary@westminster.gov.uk
Marylebone, Baker St
Un club de découverte des livres réunit les petits (2-5 ans) et leurs mamans deux fois par semaine, en général en fin de matinée ou en tout début d'après-midi. Ouvert à tous. Carte p285

Paddington Library et Paddington Children's Library AE
Porchester Rd, W2 5DU
020 7641 4475
Royal Oak, Bayswater Carte p285

COMMISSARIATS

Paddington Green Police Station 24/24h
2-4 Harrow Rd, W2 - 020 7402 1212
Edgware Rd carte p285

Marylebone Police Station 24/24h
1-9 Seymour St, W1- 020 7486 1212
Marble Arch carte p285

Cours de langues

(A *Adulte*, E *Enfant*)

WAES, Frith Street Centre A

19-20 Frith St, W1D 5TS
020 7297 7297
www.waes.ac.uk
Cours d'anglais, tous niveaux, gratuits pour tous les ressortissants de la CEE avec différents niveaux.

Sports

(A Adulte, E Enfant)

CLUBS DE SPORT

Seymour Leisure Centre AE
Seymour Place, W1H 5TJ
020 7723 8019
Centre sportif avec piscine. Nombreuses activités, y compris des classes de plongée et de *kick-boxing* (un cousin de la boxe Thaï), dont le samedi et le dimanche pour les enfants, £5/h.

Porchester Centre AE
Queensway, London, W2 5HS
020 7792 2919
Centre sportif avec piscine. Nombreuses activités, yoga, pilates, aérobic, et du karaté pour les enfants. A côté, le Spa propose une expérience de hammam: succession de pièces chaudes et de piscines froides, dans un décor original art-déco.

ATHLÉTISME

Paddington Recreation Ground Track
Randolph Av, W9 1PD
020 7641 3642
Maida Vale
Piste de course. 7h-21h en semaine, 7h-tombée de la nuit le WE.
Droit d'entrée £1.50.

BASKET-BALL

MacPro
Central YMCA
112 Great Russell St, WC1B 3NQ
020 7343 1700
www.centralymca.org.uk
Entraînement le jeudi soir. Attention, les débutants n'ont pas leur place ici!

CRICKET

MCC Indoor School AE
Lord's Cricket Ground, NW8 8QN
020 7432 1014
www.lords.org
Un sport culte en Angleterre. £45/3h.

EQUITATION

Ross Nye Stables AE
8 Bathurst Mews, W2 2SB
020 7262 3791
Ecole d'équitation qui accepte les enfants à partir de 5 ans. Les sorties se font dans Hyde Park. £450 pour 10 séances de 60 mn.

Equitation dans Hyde Park

ESCRIME

The Polytechnic Fencing Club
St Marylebone School,
64 Marylebone High St, W1
www.polyfencingclub.co.uk
Cours pour débutants et combats pour initiés. £100/trim pour les adultes, £60 pour les moins de 18 ans.

FOOTBALL

AE Le samedi matin 9h30-11h30, dans **Hyde Park**, entraînement et matchs de football pour les enfants sur le grand terrain situé à proximité des tennis. Pas d'inscription à l'avance. £7/participant. De nombreux matchs informels ont lieu dans Hyde Park et Regent's Park le WE.

London County Football Association
020 8690 9626
www.londonfa.org.
Pour participer à des tournois ou devenir membre d'un groupe de joueurs amateurs.

GOLF

Regent's Park Golf Course
Outer Circle, Regent's Park, NW1 4RL
020 7724 0643
www.royalparks.co.uk
Practice ouvert tous les jours 8h-21h.
Cours: £30/30 mn.

PATINOIRE

Leisurebox AE
17 Queensway, W2 4QP - 020 7229 0172
⊖ Queensway ou Bayswater
Parfait pour une sortie en famille.
Cours collectifs pour enfants d'une demi-heure par niveau le samedi matin, sessions de 6 semaines. Les cours commencent en septembre et suivent le calendrier scolaire anglais. Le prix comprend l'entrée et les enfants peuvent patiner après. Cours très populaires, il faut s'inscrire à l'avance.
Ce complexe abrite aussi un *bowling*.

TENNIS

Regent's Park
York Bridge Rd, Regent's Park, NW1
020 7486 4216
www.royalparks.gov.uk
12 courts de tennis ouverts 7/7j, 7h-21h £9/h + frais d'adhésion £60/an. Cours £35/h.

Regent's Park Golf and Tennis School AE
Outer Circle, regent Park, NW1
020 7486 0643
www.royalparks.gov.uk
8h-16h lundi-vendredi. £14/h + frais d'adhésion £275/an. Cours: £35/h.

The Hyde Park Tennis Centre
South Carriage Drive, W2
South Kensington

VARAPPE

Westway Climbing Centre AE

Westway Sport Centre
1 Crowthorne Rd, W10-020 8969 0992
www.westway.org
Un centre très bien fait et bien entretenu. 7/7j, 8h-20h. Droit d'entrée enfant £2.50, puis £5.50 par escalade. Cours. Organisation d'anniversaires.

Activités artistiques et culturelles

(A *Adulte*, E *Enfant*)

DANSE

Danceworks A
16 Balderton St, W1K 6TN
020 7629 6183
www.danceworks.co.uk
Très grand choix de cours, ballet, danse moderne, yoga, arts martiaux. Plusieurs niveaux. Studios en parfait état. 8h30-22h en semaine, 9h-18h le WE. £2- £5/jour + frais d'adhésion £120/an.

THÉÂTRE

Stagecoach ➤ Chapitre Activités

Theatre Museum E
1e Tavistock St, WC2
020 7943 4806
www.theatremuseum.org.uk
Ateliers de théâtre 11-14ans et 15-18ans le lundi soir. £50/trim. Ouvert à tous.

ADULT EDUCATION

Westminster Adult Education Service, Frith Street Centre

19-20 Frith St, W1D 5TS
020 7297 7297
www.waes.ac.uk
Nombreuses activités (photo, couture, informatique, musique...) réparties sur plusieurs centres à Westminster. Certains proposent une crèche pour garder vos enfants pendant les cours.

Voiture

PARKING

Westminster est divisé en 8 zones de stationnement (A-H). Chacune est relativement étendue, ce qui donne l'avantage de pouvoir parfois se garer gratuitement loin de chez soi...

Abonnement annuel: £110/an. L'obtention du permis se fait soit en personne au *One Stop Shop*, soit par correspondance, le formulaire est disponible sur le site ***www.westminster.gov.uk/roadsandstreets/permits/respermit.cfm.***

Le groupe de parking souterrain Metropark (filiale de Masterpark) propose aussi un tarif préférentiel aux résidents de Westminster préférant se garer dans un parking gardé. L'abonnement varie selon l'emplacement du parking. A titre indicatif, £5/jour à Marble Arch. Infos au **0800 243 348** ***www.westminster.gov.uk/roadsandstreets/masterpark.***

Westminster se trouve en partie en zone de *Congestion Charge* (£8/j). Toutefois, les résidents ont droit à une réduction de 90%, soit environ £200/an. Certains résidents habitant hors de la zone ont aussi droit à la réduction. Pour toute info, tel au 0845 900 1234 ou ***www.cclondon.com***

GARAGES

Handman & Collis
1-15 Portsea Mews, Portsea Place, W2
020 7723 4207
Petit garage de quartier pratique en cas d'urgence.

Kensington Autocare
10a Malton Rd, W10
020 8960 2288

Un service impeccable, pour un MOT fait sous vos yeux et sans surprise. Propose aussi de faire vos révisions et réparations (légères).

Harry Motors
17 Leybourne Rd, NW1 - 020 7485 5832
www.carservice4u.com
Spécialisé dans les marques françaises et allemandes. Fait le MOT, réparations (après devis), dépannage sur place et même un nettoyage en profondeur de votre voiture.

NETTOYAGE

Texaco Cf ci-dessous

George Street Hand Wash
Sur George St, en venant d'Edgware Rd, juste après l'angle de l'hôtel Marriot, dans le parking en sous-sol. Une petite équipe vous propose de laver votre voiture à la main. Du travail sérieux pour £18.

STATIONS SERVICE

BP Express Shopping 24/24h
Fountain Garage 83, Park Lane, W1
020 7499 6496

Shell 24/24h
104-105 Bayswater Rd, W2
020 7479 9850

Texaco 24/24h
383-393 Edgware Rd, W2 - 020 7569 7130

FOURRIERE

Si vous ne trouvez pas votre voiture, **fourrière: 020 7747 4747 (24/24h)**
Si votre voiture se trouve immobilisée par un **sabot, 020 7823 4567**.

Installation et entretien

TV

Tout le *borough* de Westminster reçoit la TV par câble via Westminster Cable. Celle-ci est parfois la seule solution lorsque votre propriétaire refuse l'installation d'une parabole sur le toit de la maison ou de l'immeuble.

Westminster Cable/BT Cable Services
87-89 Baker St, W1
0207 935 6699

ORDURES MÉNAGÈRES

020 7641 2000. Le ramassage des ordures se fait deux fois par semaine dans tous les quartiers de Westminster. Pour connaître les jours de votre quartier, appeler ou plus simplement, chercher dans votre rue les petits panneaux fixés aux réverbères, à environ 2.5 m du sol, (il faut lever la tête!). Ils vous indiquent ces jours ainsi que celui pour le ramassage des paniers de recyclage (pour papier, cartons, verres et bouteilles en plastique uniquement). Si vous ne disposez pas de tels paniers, il suffit de les demander par téléphone.

Si vous souhaitez vous débarrasser d'objets encombrants (vieux canapé, réfrigérateur, etc.), la ville de Westminster collecte gratuitement deux pièces par an et par adresse, sur RV (même numéro de téléphone). Si enfin vous décidez qu'une visite à la décharge s'impose, la décharge sélective la plus proche se situe à Battersea.

→ Wandsworth

SERVICES DOMESTIQUES

Teinturier

The American Dry Cleaning Co.
134 Edgware Rd, W2
020 7723 1929

Equipe souriante, travail soigné. Leur carte de fidélité (£15/an) donne droit à une remise de 10% sur tous leurs services. Ramassage et livraison à domicile.

Santé

SYSTÈME PUBLIC: NHS

GPs

Pour trouver le GP le plus proche de chez vous, utilisez le service de recherche du site *www.nhs.uk* ou tel au NHS Direct: 0845 4647.

Si votre GP ne peut pas vous recevoir et que vous voulez être ausculté le jour même (pour rhumes, petites brûlures, gros hématomes, etc....), la NHS propose un service de *walk-in centre*, équivalent de nos dispensaires. Un seul site dessert tout Westminster:

Soho NHS Walk-in Centre
Soho Centre for Health and Care
1 Frith St, W1 D3HZ - 020 7534 6500
⊖ Leicester Sq
Lundi-vendredi 7h30-21h, samedi et dimanche 10h-20h.

Si c'est un peu plus grave, et implique la pose de quelques points de sutures par exemple, il faut se rendre dans l'un des deux *minor injuries unit*:

Saint Charles Centre for Health&Care
Exmoor St, W10 6DZ
020 8962 4262
⊖ Ladbroke Grove
7/7j 9h-21h.

South Westminster Centre for Health & Care
82 Vincent Sq, SW1P 2PF
020 8746 5716
⊖ Victoria
Lundi, mardi, jeudi et vendredi 8h30-17h, le mercredi 8h30-12h, et le samedi 8h-12h.

Hôpitaux

Westminster est divisé en quatre zones en ce qui concerne l'organisation de ses hôpitaux. Suivant l'adresse de votre GP (qui dépend elle-même de votre propre adresse), vous serez dirigé, en cas de besoin, vers l'hôpital couvrant votre zone géographique.

A noter, seuls deux hôpitaux disposent d'un service d'urgences à Westminster: Chelsea & Westminster et St Mary's Hospital (inclut un service d'urgences pédiatriques, et, hors site, un service d'urgence ophtalmologique).

Chelsea & Westminster Hospital
369 Fulham Rd, SW10 9NH
020 8746 8000
⊖ West Brompton → Chelsea

St Mary's Hospital
Praed St, W2 1NY
020 7886 6666
www.st-marys.nhs.uk
⊖ Paddington → Carte p285

Western Eye Hospital
(Urgences ophtalmologiques de St Mary's)
Marylebone Rd, NW1
020 7886 6666
⊖ Marylebone, Baker St, Edgware Rd
Un service d'urgences NHS de qualité ouvert à tous. Compter 2h d'attente pour un problème mineur. Il est aussi possible de voir un spécialiste en consultation privée après vérification de votre couverture médicale.

Dentistes et orthodontistes

Urgences dentaires → Hammersmith
24/24h au Charing Cross Hospital.

Gynécologues (centres de planning familial)

La plupart des GP offrent ce service. Sinon, il est possible de prendre rendez-vous dans un **centre de planning familial**. Chaque centre a ses propres horaires, certains proposent des permanences sans RV.

Hallfield Centre
Pickering House, Hallfield Estate, W2
020 7723 5071
Paddington, Bayswater

Upper Montagu Street Clinic
64 Upper Montagu St, W1H
020 7935 0706
Edgware Rd, Marylebone

MÉDECINE PRIVÉE

Cardiologie

The Heart Hospital
16-18 Westmoreland St, W1G
020 7573 8888 ext 4911
Regent's Park, Oxford Circus
Un spécialiste français fait partie de ce groupe. Un traitement NHS est aussi disponible, mais il va sans dire que l'attente est plus longue.

Dentistes

The Archangel Dental Surgery
8 Westbourne Grove, W2 - 020 7229 6622
Bayswater

The Baker St Dental Clinic
102 Baker St, W1- 020 7486 1047
Baker St
Les lundi, mardi, mercredi et jeudi 9h-17h30.

European Dental Centre
2 Harley St, W1G - 020 7436 6196
Oxford Circus
Plusieurs dentistes français et un orthodontiste proposent leurs services à cette adresse.

Médecin Généraliste

Dr Jean-Marie Sandor
97 Harley St, W1G
020 7486 3903
Regent's Park

C'est bien connu, il coûte très cher de se faire soigner à Londres. Aussi, si votre budget ne vous permet pas d'aller voir un spécialiste de Harley St, pensez au Dispensaire français, où une équipe compétente s'occupera de vous à moindre frais.

Clinique

The London Clinic
20 Devonshire Place, W1
020 7935 4444
www.lonclin.co.uk
Regent's Park
Regroupe de nombreuses spécialités.

Gynécologie-Obstétrique

The Portland Hospital for Women and Children
205-209 Great Portland St, W1W
020 7580 4400
www.theportlandhospital.com
Portland St
La maternité des stars. L'environnement est évidement beaucoup plus agréable que celui proposé dans les hôpitaux NHS. Parfait pour les grossesses sans risque couvertes par une bonne mutuelle.

Kinésithérapie

The Clinic
71 Park St, W1Y
020 7629 3763/fax 020 7495 4159
Marble Arch
Une bonne équipe de kinésithérapeutes. Chaque consultation dure 45 mn pendant lesquelles le ou la spécialiste ne s'occupe que de vous. £55/visite.

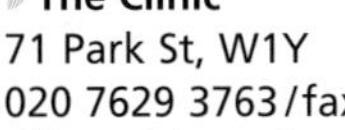

Ophtalmologie

Western Eye Hospital
Marylebone Rd, NW1
020 7886 6666
Marylebone, Baker St, Edgware Rd
Voir ci-dessus. De nombreux ophtalmologistes de renom ont un cabinet privé au sein de cet hôpital, ce qui donne accès à tout un équipement qu'ils n'ont pas forcément à une adresse sur Harley St...

Pédiatrie

The Portland Hospital for Women and Children
205-209 Great Portland St, W1W
020 7580 4400
www.theportlandhospital.com
Portland St
Toutes les spécialités de pédiatrie. RV très rapidement obtenus. £150/consultation simple (hors radios, prises de sang...).

PHARMACIES

Bliss Chemist
5-6 Marble Arch, W1H - 020 7723 6116
365j/an, 9h-minuit

Zafash South Kensington

Achats

Les habitants de Bayswater ont le choix entre le centre commercial **Whiteleys** sur Queensway, le plus grand du centre Londres, et les commerces de **Portobello Rd / Westbourne Grove** (cf quartier Notting Hill). Ceux de **Marylebone** ont tout sous la main sur la **High St**. Enfin, la proximité d'**Oxford St** donne accès à une multitude de grands magasins: Marks & Spencer, Selfridge, House of Fraser, ou encore le très fameux John Lewis. **Carte p285**
Voir sur le site *www.streetsensation.co.uk* tous les commerces par rue commerçante.

ALIMENTATION

Supermarchés

Sainsbury's
2 Canal Way, Ladbroke Grove, W1

Waitrose
98-101 Marylebone High St, W1

Marchés

Church Street Market
Church St, NW8
Ce petit marché d'alimentation en plein air quotidien grandit le vendredi et se développe en grand marché général le samedi.

Alfie's Antique Market, Church Street

Marylebone Farmer's Market
Cramer St Car park, W1
Juste derrière Marylebone High St
www.lfm.org.uk/mary.asp
Ce marché de produits fermiers vendus en direct est le plus grand du centre de Londres. Mais il n'ouvre que les dimanches 10h-14h.

Autres commerces

Les commerces alimentaires haut de gamme se concentrent autour de Marylebone High St.

FishWorks
89 Marylebone High St, W1
020 7935 9796
Poissonnier et café, leçons de cuisine.

La Fromagerie
2-4 Moxon St, W1 - 020 7935 0341
Très bons fromages français. Epicerie fine et restaurant sur place.

Ginger Pig
8-10 Moxon St, W1 - 020 7935 7788
Boucher haut de gamme. Viandes rares.

Paul
115 Marylebone High St, W1
020 7224 5615

Rococo
45 Marylebone Hight St, W1
020 7935 7788
Chocolatier.

AMEUBLEMENT-DECO

Boutiques de meubles et de décoration, plutôt antiquités, sur Church St. Au bout, ne pas manquer:

Alfie's Antique Market
13-25 Church St, NW8
www. alfiesantiques.com
Stands couverts vendant diverses antiquités/brocante et quelques vendeurs de meubles italiens neufs.

Au nord de **Marylebone High St** sont regroupées quelques bonnes adresses dont

Grange
74-75 Marylebone High St, W1
020 7935 7000

The Conran Shop
55 Marylebone High St, W1 - 020 7723 2223
www.conranshop.co.uk/shop

Skandium
86 Marylebone High St, W1 - 020 7935 2077
www.skandium.com

Alexander Furnishings
51-61 Wigmore St, W1
020 7935 7806

Magasin de tissus, abord vieillot mais regorge de trésors souvent abordables. Rideaux faits sur mesure.

BRICOLAGE

Marble Arch Paint
23 Seymour Place, W1
020 7723 1553

Ne vous laissez pas piéger par son nom, cette minuscule boutique est une véritable caverne d'Ali Baba pour le bricoleur averti. On y trouve de tout, et plus encore.

Embassy Plumbing Supplies
101-105 Frampton St, NW8
020 7723 5200
Si vous cherchez du sel pour votre adoucisseur d'eau, ou que vous vous sentez l'âme d'un plombier, ce magasin, ouvert au public, est la référence pour le centre ville.

FLEURS

Jane Packer
32 New Cavendish St, W1 - 020 7935 2673
www.jane-packer.co.uk
La "Christian Tortu" anglaise. Magnifiques compositions, toujours fraîches et inattendues.

Pour des bouquets plus modestes, le **Mark & Spencer** d'Oxford St a de très grands arrivages de fleurs coupées le vendredi, à des prix très raisonnables.

Columbia Road Flower Market
Colombia Rd, E2
www.eastlondonmarkets.com
Liverpool St + 10 mn de marche
Le dimanche matin, 8h-14h. Fleurs à prix de gros et multitude de plantes et arbustes.

SPORTS

Ici encore, la proximité d'Oxford St laisse l'embarras du choix.

Lillywhites
Picadilly Circus, SW1
0870 3339600
Le Tati du sport. Un incontournable à Londres

Wigmore Sports
81-83 Wigmore St, W1
020 7486 7761
www.wigmoresports.co.uk
Magasin spécialisé dans le tennis et ses accessoires. Tenu par des vendeurs qui s'y connaissent vraiment. Ils refont aussi les cordages de raquette.

MUSIQUE

Jacques Samuel Pianos
142 Edgware Rd, W2
020 7723 8818
www.jspianos.com
Edgware Rd, Marble Arch
Un grand choix de pianos à la vente et en location. Une équipe sérieuse et des prix raisonnables.

JOUETS-COTILLONS

Hamleys
188-196 Regent St, W1 - 0870 333 2455
www.hamleys.com
L'incontournable grand magasin de jouets qui vous propose tous les grands classiques des enfants mais reste aussi à la pointe de la mode des cours de récréation. Une bonne sélection de déguisements adultes et enfants.

Hamleys à Regent Street

VÊTEMENTS-CHAUSSURES

Pour Bayswater, toute la mode est à **Notting Hill** et au centre commercial **Whiteleys**: Zara, Gap, H&M, Karen Miller, Kew...

Whiteleys
151 Queensway, W2
020 7229 8844

Nombreuses boutiques de mode sur et autour de **Marylebone High St**: Agnes B, Sixty 6, The White Company, Ronit Zilkha, Monsoon, Fen Wright Manson...

LIBRAIRIES-DISQUES

Daunt Books
83-84 Marylebone High St, W1
020 7224 2295
Jolie librairie spécialisée dans le voyage.

Grant & Cutler
55 Marlborough St, W1
La plus grande librairie d'Angleterre. Livres en langues étrangères.

French European Bookshop
5 Warwick St, W1 - 020 7734 5259
Grand choix de livres en français.

Waterstone's Booksellers
203-206 Piccadilly, W1 - 020 7851 2400
www.waterstones.co.uk
La plus grande librairie d'Europe. Commandes dans de très bons délais.

COIFFURE-BEAUTÉ

Sur **Marylebone High St**, instituts de beauté/cosmétiques **AVEDA** (no 28-29), **Calmia** (no 52-54) et **Fresh** (no92).

Daniel Galvin
58-60 George St, W1 - 020 7486 8601
www.daniel-galvin.co.uk
Chez le coloriste phare de ces dernières années, on coupe aussi les cheveux.

PARAPLUIES

James Smith & Sons
53 New Oxford St, WC1 - 020 7836 4731
Au pays des averses, il faut bien un magasin spécialisé dans les parapluies... En voici un charmant, un peu vieillot, plein de surprises, à quelques pas du British Museum.

Gravures anciennes près du British Museum

Péniche à Little Venice

Vie sociale

Société Française de Bienfaisance
6 Osnaburgh St, NW1
020 7387 5132/020 7388 3215

Franco-British Society
Room 623, Linen Hall,
162-168 Regent St, W1 - 020 7734 0815
www.francobritishsociety.org.uk
Adhésion £18/an/individuel, £25/couple. Regroupe des amoureux de la France autour de conférences, visites et repas. Majorité des discussions en anglais.

International Wine & Food Society
9 Fitzmaurice Place, W1
020 7495 4191
www.iwfslondon.co.uk
Club international réservé aux amateurs de gastronomie, nombreuses réunions et dégustations. Adhésion: £40/an individuel, £52/couple.

Sortir

PARCS ET AIRES DE JEUX

Hyde Park et **Regent's Park** disposent de nombreuses aires de jeux.
Sur Paddington St (W1) charmant petit square proposant des toboggans et autres jeux pour les enfants du quartier qui s'y retrouvent aux beaux jours à la sortie de l'école.

Balade en péniche sur Regent's Canal
Jason's Restaurant & Canal Boat Trip
60 Blomfield Rd, W9
020 7286 6752
A ne manquer sous aucun prétexte dès les beaux jours: une promenade en péniche sur le Regent's Canal. Prendre la péniche *Jason's Restaurant & Canal Boat Trip* à **Little Venice** (5 mn à pied de la gare de Paddington), sur le bord du canal. Fait aussi restaurant. Oubliez le restaurant, vous êtes venus pour la promenade. Vous êtes transporté au fil de l'eau dans ces vieilles péniches autrefois tirées par des chevaux.
Au bout de la balade se trouve le **Camden Lock Market**, un marché très hétéroclite et très sympathique. Il est possible de revenir par le même chemin ou en bus (27).

Pour les adeptes des promenades en vélo, Hyde Park reste à quelques coups de pédales de Bayswater et Marylebone. Sinon, une piste traverse Bayswater d'ouest en est pour continuer en longeant au nord de Marylebone, avec une desserte de Regent's Park et de Saint James Park (via Mayfair).

MUSÉES

The Wallace Collection
Manchester Square, W1 - 020 7563 9500
www.wallace-collection.org.uk
Ce musée propose de nombreuses activités graphiques en lien avec sa collection aux jeunes enfants tous les WE et pendant les vacances scolaires. £5/atelier.

FÊTES

Connaught Village Christmas Market
Connaught St et rues environnantes, W2
Une fois par an, en général durant la première semaine de décembre, les habitants et les commerçants organisent une petite fête pour célébrer l'esprit "village" du quartier.

Tous les ans, le matin du 3ème dimanche de septembre, se déroule une cérémonie unique en son genre: le prêtre de l'église Saint John Hyde Park bénit tous les chevaux qui lui sont présentés, et l'on assiste ainsi à un défilé très coloré d'attelages et de montures.

Un bon moyen de rencontrer de nouveaux arrivants ou d'écouter les Anciens parler de Londres d'avant la guerre...

CONCERTS

Wigmore Hall
36 Wigmore St, W1
020 7935 2141
Petite salle de concerts, d'une remarquable acoustique. Nombreux récitals dont certains spécialement destinés aux enfants.

RESTAURANTS

Golden Hind
73 Marylebone Lane, W1
020 7486 3644
Pour un vrai *fish & chips,* un pionnier du genre. BYO (*bring your own bottle*).

Royal China
13 Queensway, W2
020 7221 2535
Le temple du *Dim Sum* (midi uniquement), ces petites bouchées à la vapeur aux parfums délicats. Très bon rapport qualité/prix. Beaucoup de monde. Pas de réservations.

Spice of India
12A Bathurst St, W2 - 020 7262 5603
Petit restaurant indien sans prétention, mais cuisine impeccable, propre et délicieuse. Très bon rapport qualité/prix.

Maroush
21 Edgware Rd, W2 - 020 7723 0773
www.maroush.com
L'adresse incontournable pour manger libanais à Londres. Plats toujours frais et délicats, service impeccable.

Noor Jahan2
26 Sussex Place, W2 - 020 7402 2332
Excellent Indien, cuisine et cadre raffinés. Autre établissement à South Kensington.

PUBS

The Chapel
48 Chapel St, NW1 - 020 7402 9220
Pub charmant, lumineux et propre. Menu au dessus de la moyenne. Ici, pas de *Fish & Chips*, mais des plats savoureux et une terrasse ombragée parfaite en été pour savourer une *pint* ou deux.

The Prince Bonaparte
80 Chepstow Rd, W2 - 020 7313 9491
Gastropub sympa, un peu bondé le WE.

Pimlico

Belgravia

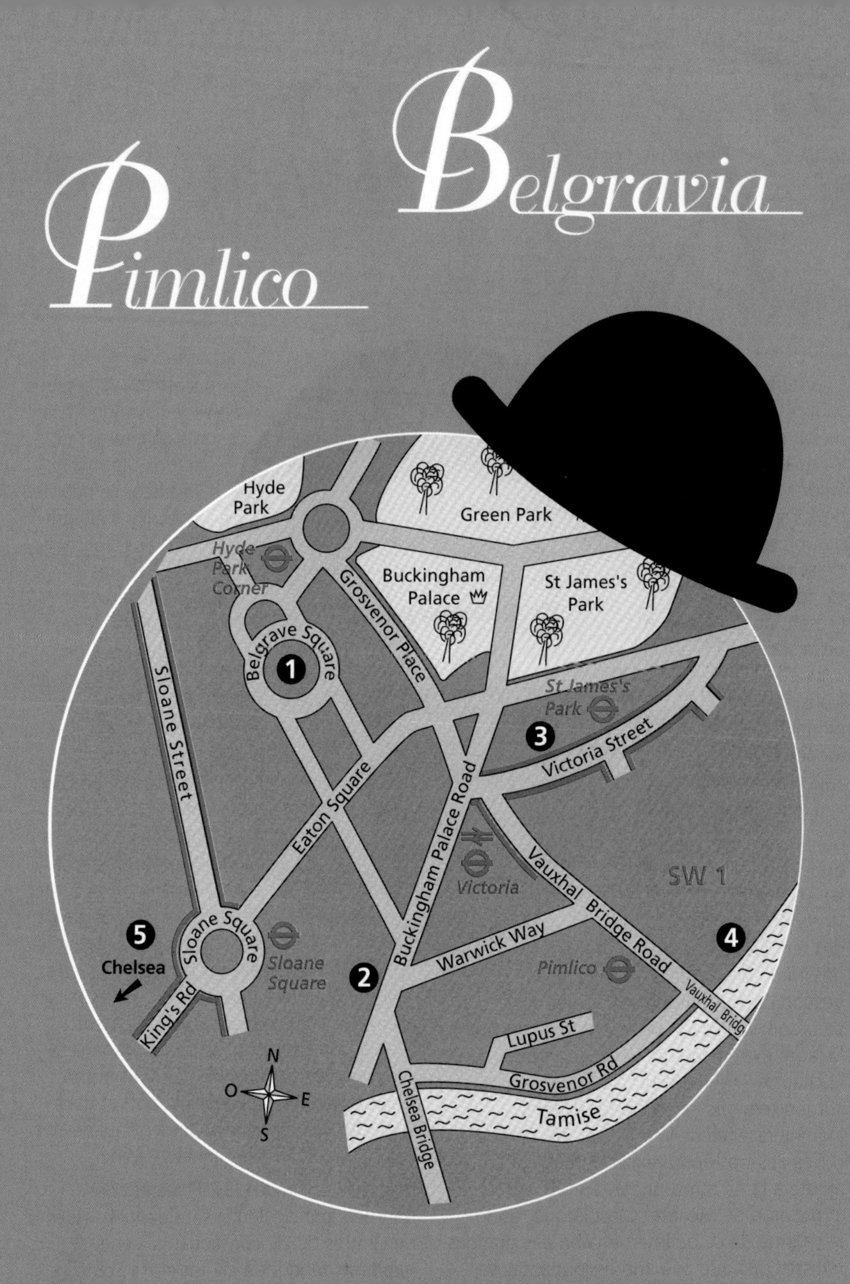

1. Belgravia Square
2. Police
3. Bibliothèque, One Stop Shop, Mairie
4. Tate Britain
5. Peter Jones

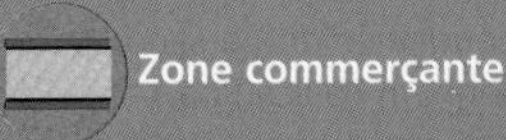

Si Londres nous semble souvent charmant par ses mélanges de genres, les quartiers de Belgravia et Pimlico nous rappellent qu'un certain cloisonnement est toujours présent au cœur de la société britannique. Nous voici donc plongés dans le monde d'*Alice au Pays des Merveilles*.

D'un coté, **Belgravia**, où la Dame de Coeur a dû fortement influencer les ancêtres du Duc de Westminster (propriétaires des terres et d'une grande partie des immeubles depuis 1677) dans la gestion de leur patrimoine. Ici, les espaces verts sont taillés au centimètre près, les façades extrêmement bien entretenues, la chaussée toujours immaculée et les comportements exhubérants absents. L'omniprésence de la police et des gardes privés des très nombreuses ambassades ajoute à cette atmosphère feutrée une impression de sécurité. C'est là que réside le charme de ce quartier: à l'abri des grandes bâtisses quelque peu impressionnantes se trouvent des petites rues parsemées de maisonnettes charmantes dont le calme en fait rêver plus d'un après une longue journée...

Puis soudainement, au sud-est de Buckingham Palace Road, tout change. Les rues s'animent, les façades se colorent, et l'on s'attendrait presque à voir le lièvre de Mars sortir en courant de Victoria Station.

Pimlico, ce quartier qui, il y a encore 20 ans, souffrait d'une très mauvaise réputation, a été peu à peu reconquis par les jeunes en début de carrière à la recherche d'un appartement dans le centre. Coincé entre Chelsea (à l'ouest), Belgravia (au nord) et Westminster (au nord-est), bordé par la Tamise, Pimlico est un quartier résidentiel sans prétention. Certes, une trentaine de députés y ont élu domicile pour être à quelques pas du Parlement. Mais la force de ce quartier réside dans sa proximité des centres de vie (Kensington, Chelsea, ou même Oxford Street) et dans son potentiel de développement qui devrait se prolonger dans les années à venir.

Belgravia et Pimlico (SW1) restent des quartiers principalement résidentiels, vides de centres de vie conséquents. Leurs habitants tendent à choisir entre South Kensington, Chelsea ou même parfois le triangle Bond Street-Regent Street-Oxford Street pour animer leur quotidien. De plus, appartenant au *borough* de Westminster, les formalités administratives sont les mêmes que celles décrites dans le chapitre consacré à Bayswater et Marylebone.

Petite enfance

DAY-NURSERIES

Bessborough Street Day Nursery
1 Bessborough St, SW1V 2DJ
020 7641 6387
1-5 ans. 50 enfants. £4.40/h, £220/sem, entre £680 et £820/mois selon l'âge. 55 enfants. 8h-18h.

Daisies Day Nursery and School
St James the Less School,
2-4 Moreton St, SW1V 2PT
020 7931 7978
3 mois-5 ans. £1 150/mois pour les plus petits et £950 pour les 3-5 ans. 8h-18h.

CHILDMINDERS

Liste complète et mise à jour des personnes assermentées sur *www.childcarelink.gov.uk*. Le quartier de Pimlico peut vous aider dans votre recherche avec une permanence (dont l'horaire change chaque trimestre) au Pimlico Village.

Pimlico Village
Community Centre
(Situé sous Morgan House),
Lillington Gardens Estate, SW1

MOTHER & TODDLER GROUPS

Pimlico Toy Library
133a Lupus St, SW1
020 7834 3356
One o'clock autour de nombreux jouets. Lundi, mardi et mercredi, différents horaires suivant l'âge.

PLAYGROUP

Lesser Gang
St James the Less Church cf ci-dessus
020 7630 6282
Moins de 3 ans.
Tous les lundis 10h-11h30.

Ecoles

ECOLE FRANÇAISE

The French Nursery School (f)
St Paul's Church Hall
77-79 Kinnerton St, SW1X 8ED
020 7373 7020
1-5 ans. Crèche privée. Enseignement à la carte par demi-journée (9h-12h ou 13h30-16h30) soit en anglais (sur le site de Belgravia), soit en français (sur celui de South Kensington), soit mixte.

ECOLES ANGLAISES

Nurseries

Thomas's Kindergarten Pimlico
14 Ranelagh Grove, SW1W 8PD
020 7730 3596
www.thomas-s.co.uk
2 ans 1/2-5 ans. Fait partie du groupe d'écoles Thomas's, avec des antennes dans plusieurs quartiers de Londres (South Kensington, Clapham Fulham). Mixte, uniforme, bonne attention accordée aux enfants. £1400-1700/trim.

Nursery & Primary Schools

Eaton House Belgravia
3-5 Eaton Gate, SW1W 9BA
020 7730 9343
www.eatonhouseschools.com
Independent school de garçons, 4-8 ans. Non sélective (admission sur liste d'attente). Pas de cour mais sport tous les après-midis au parc.

Garden House School
Turks Row, SW3 4TW - 020 7730 1652
www.gardenhouseschool.co.uk
Independent school de garçons, 3-11 ans. 8-10 élèves/classe. Bon esprit. Liste d'attente. Nombreux Français. £1875-4100/trim.

Millbank Primary School
Erasmus St, SW1P 4HR - 020 7641 5945
State school mixte, 230 enfants. 3-11 ans. Bons résultats. Gratuite.

St Vincent de Paul Roman Catholic School
Morpeth Terrace, SW1P 1EP
020 7641 5990
Ecole mixte, catholique. Dès 3 ans.
270 élèves. Résultats honorables. Gratuite.

Primary schools

St Peter's Eaton Square Church of England Primary School
Lower Belgrave St, SW1W 0NL
020 7641 4230
7-11 ans. Ecole primaire mixte, anglicane,
280 élèves. Très bons résultats. Gratuite.

Nursery, Primary & Secondary schools

Francis Holland School
39 Graham Terrace, SW1W 8JF
020 7730 2971
www.fhs-sw1.org.uk
4-18 ans. *Independent school* de filles.
500 élèves. £3150-3700/trim. Académique, mais pas trop. Assez internationale. Uniforme.

Secondary schools

The Grey Coat Hospital
Greycoat Place, SW1P 2PY
020 7969 1998
Victoria
11-18 ans. *Secondary state school* pour filles. *Church Of England.* Plus de 1 000 élèves. Très bons résultats. Gratuite.

Logement

Belgravia reste un quartier chic et cher.

Au nord de Buckingham Palace Rd, mais au sud de Eaton Square, charmantes maisons, petites aux yeux de leurs voisines de Belgrave Square et d'Eaton Square, mais de taille très respectable.

Sur Eaton Square, cœur du quartier, les énormes bâtisses ont été divisées en une multitude d'appartements luxueux avec gardien.

Plus au nord, Belgrave Square a été envahi par les ambassades. Seule la pointe nord-est

Belgravia Square

de Belgravia offre des maisons et des *mews* de taille humaine, où un esprit de village a survécu à l'invasion du quartier par les riches investisseurs étrangers. Les contraintes sont importantes: les charges locatives élevées, devoir d'entretien et de conformité des façades contraignant... Mais la tranquillité n'a parfois pas de prix: les appartements et les maisons sont de très bon standing, le tout à quelques pas de South Kensington et Piccadilly.

Compter entre £3000 et £3500/semaine pour la **location** d'un appartement ou une maison de 3-4 chambres (mais peu de maisons de cette taille à louer). A l'**achat**, les prix se sont envolés avec l'arrivée de plus en plus de *freeholds.* Un appartement de 3-4 chambres se vend aujourd'hui entre £800 000 et £1.5M, et une maison de taille comparable à plus de £1.8M.

Pimlico se montre moins constant.

Autour de Cambridge St, juste au sud-ouest de Buckingham Palace Rd, on peut presque s'imaginer à Chelsea. Rues propres et très *british*, mais le contraste entre les groupes de maisons bien entretenues et les *Council Estates* n'est pas toujours très engageant.

Les alentours de Victoria Station restent difficiles, mais les quais de la Tamise offrent

de nouveaux complexes immobiliers très attirants pour s'y loger quelques années. Rendons justice à ce quartier: un renouveau est bel est bien en marche, mais il faudra attendre encore quelques années pour y trouver une véritable cohérence.
Les **loyers** y sont beaucoup plus abordables: £475-£1500/sem pour un appartement de 3-4 chambres et £650-£1500 pour une maison. Plus on se rapproche de Westminster ou Belgravia, plus les prix montent. A l'**achat**, un appartement ou une maison d'une superficie comparable s'élèvera entre £650 000 et £2.5M, la tranche supérieure concerne les immeubles les plus récents qui bénéficient d'un confort plus moderne ou les maisons de caractères rénovées.

LE METRO

Belgravia est desservi par les stations **Sloane Square** et **Hyde Park Corner**. **Pimlico** n'est desservi que par une seule station (**Pimlico**, Victoria *line*).
La station **Victoria** se situe entre les deux quartiers et permet un accès facile vers la City et Kensington (et le Lycée Français) par la Circle *line* et la District *line*.

LE BUS

Les **36** et **436** remontent Vauxhall Bridge Rd pour rejoindre Marble Arch et de nombreuses lignes s'arrêtent à Hyde Park Corner pour aller soit à l'ouest vers Kensington, Chelsea, Fulham (lignes **74**, **414**), soit à l'est vers Oxford St, Piccadilly Circus et la City.

LE TRAIN

La gare de **Victoria** abrite le **Gatwick Express** qui rejoint l'aéroport en 20mn.

(A *Adulte*, E *Enfant*)

MAIRIES

Westminster City Council → Carte p301
64 Victoria St, SW1
020 7641 6000
www.westminster.gov.uk
⊖ Victoria, Saint James Park

Victoria Street One Stop → Carte p301
City Hall, 62 Victoria St, SW1
020 7641 3107
⊖ Victoria, Saint James Park
Lundi-vendredi, 8h30-19h et samedi 9h-13h.
Très utile pour toute question pratique et régler une multitude de formalités (parking, ramassage d'ordures ménagères, etc….).
Si vous résidez à Westminster, allez au One Stop demander votre Resident Card.
→ Bayswater/Marylebone

BIBLIOTHÈQUES

St. James's Library A
62 Victoria St, SW1E - 020 7641 2989
www.westminster.gov.uk/libraries/stjames
Lundi-jeudi 9h-19h, vendredi 9h30-19h et samedi 8h30-13h. → carte p301

Pimlico Library AE
Rampayne St, SW1V - 020 7641 2983
www.westminster.gov.uk/libraries/pimlico
Lundi-jeudi 9h30-19h, vendredi 8h-20h, samedi 9h30-17h et dimanche 13h30-17h.

Westminster Music Library
160 Buckingham Palace Rd, SW1
020 7641 4292
Très grand choix d'ouvrages sur la musique, CD, vidéos et partitions à emprunter.
Lundi-vendredi 11h-19h, samedi 10h-19h.

COMMISSARIAT

Belgravia Police Station
202-206 Buckingham Palace Rd, SW1
020 7730 1212
⊖ Victoria
7/7j, 6h-22h.

Sports

(**A** *Adulte*, **E** *Enfant*)

CLUB DE SPORT

Queen Mother Sports Centre AE
223 Vauxhall Bridge Rd, SW1
020 7630 5522
Grande variété d'activités: de l'aérobic au basket-ball, en passant par le badminton ou les arts martiaux. Trois piscines dont une réservée aux jeux d'eau. Garderie.

Activités artistiques et culturelles

(**A** *Adulte*, **E** *Enfant*)

Voir aussi sur Quartier Bayswater

Westminster Adult Education Service, Frith Street Centre
19-20 Frith St, W1D 5TS 
020 7297 7297
www.waes.ac.uk
Nombreuses activités (photo, couture, informatique, musique...) réparties sur plusieurs centres à Westminster. Certains proposent une crèche pour garder vos enfants pendant les cours.

Monkey Music E
St Michael Church, Chester Sq, SW1
020 8767 9827

Voiture

PARKING SHOP

Parking Shop
➔Bayswater/Marylebone
Le *resident permit* s'obtient au *One stop shop* (voir ci-dessus).

GARAGE

Eaton Square Garage Group
1 Eaton Mews West, SW1 - 020 7235 9900
www.eatonsq-garage.co.uk
MOT. Réparation et révisions de Mercedes, BMW, Audi, Volkswagen et Porsche.

STATIONS SERVICE

BP Express Shopping 24/24h
Vauxhall Bridge Rd, SW1
020 7233 7413

Shell 6h-22h
Semley Place, Ebury St, SW1
020 7824 1900

FOURRIÈRE

Si votre voiture n'est plus là où vous l'aviez garée, appeler le **020 7747 4747** (24/24h), avec une carte de crédit sous la main... et si votre voiture se trouve immobilisée par un sabot, appeler le **020 7823 4567**.

Installation et entretien

➔Bayswater/Marylebone

Santé

NHS

GPs

Soho NHS Walk-in Centre
Soho Centre for Health and Care
1 Frith St, W1D 3QS - 020 7534 6500
⊖Leicester Sq
Lundi-vendredi 7h30-21h et 10h-20h les samedis et dimanches. Seul *Walk in Centre* sur Westminster. Maux légers uniquement.

Si c'est plus grave et implique la pose de points de sutures par exemple, se rendre dans l'un des deux *Minor Injuries Units*:

Saint Charles Centre for Health & Care
7/7j, 9h-21h.
Exmoor St, W10 - 020 8962 4262
⊖Ladbroke Grove

South Westminster Centre for Health & Care
82 Vincent Sq, SW1 - 020 8746 5716
⊖Victoria

Lundi, mardi, jeudi et vendredi 8h30-17h, mercredi 8h30-12h, et samedi 8h-12h.

Hôpital

→ Bayswater/Marylebone

Dentistes et orthodontistes

Urgences dentaires:
24/24h au Charing Cross Hospital
→ Hammersmith p234

Francis Betsch (f)
30 Vauxhall Bridge Rd, SW1 - 020 7834 6161
Tous soins dentaires.

Isabelle Granget-Cohet (f)
90 Sloane St, SW1X 9PQ - 020 7259 56 49

Gynécologie

La plupart des GP offrent ce service (voir partie générale). Sinon, il est possible de prendre rendez-vous dans un centre de planning familial. Chaque centre a ses propres horaires, certains proposent des permanences sans rendez-vous.

Bessborough Street Clinic
1 Bessborough St, SW1 - 020 8746 5521

South Westminster Centre for Health& Care - Family Planning Clinic
82 Vincent Sq, SW1 - 020 8746 5757

MÉDECINE PRIVÉE

The Lister Hospital
Chelsea Bridge Rd, SW1 - 020 7730 3417
www.thelisterhospital.com
⊖ Sloane Sq
Clinique privée. Toutes spécialités.

Orthophoniste

Dr A. M. Carmichael (f)
11/24 Lowndes St, SW1 - 020 7235 8596

PHARMACIES

Bliss Chemist → Bayswater
5-6 Marble Arch, W1 - 020 7723 6116

Zafash → Chelsea

A Victoria, le centre commercial ***Cardinal Place*** permet dorénavant aux habitants de Pimlico d'éviter de se rendre sur Knightsbridge ou South Kensington pour leur shopping. A Belgravia, **Elizabeth St** regroupe commerces alimentaires haut de gamme et boutiques de luxe.

Cardinal Place
Victoria St, SW1
www.cardinalplace.co.uk

ALIMENTATION

Supermarchés

Sainsbury's
3 King's Gate Parade, Victoria St, SW1
99 Wilton Rd SW1

Tesco
18-24 Warwick Way, Victoria, SW1

Waitrose
27 Motcomb St, SW1

Marchés

Pimlico Road Farmers' Market
Orange Sq, au coin de Pimlico Rd et Ebury St, SW1
Les samedis 9h-13h.

Autres commerces

Poilâne
46 Elizabeth St, SW1

The Chocolate Society
36 Elizabeth St, SW1

BRICOLAGE

Blakes of Belgravia
3 Kinnerton St, SW1
020 7235 2166
www.blakesofbelgravia.co.uk
Très grande quincaillerie-droguerie, clés et photomatons.

VÊTEMENTS-CHAUSSURES

A **Cardinal Place,** Marks & Spencer, Zara, Monsoon, Topshop, Hawes & Curtis (chemises), Accessorize...

Sur **Elizabeth St,** Mootich (chaussures de créateur), Philip Treacy (chapeaux)...

MUSIQUE

Harrods
Brompton Rd, SW1 - 020 7730 1234
www.harrods.com
Une partie du troisième étage est consacrée aux instruments de musique.

LIBRAIRIES-DISQUES

Catholic Truth Society Bookshop (f)
25 Ashley Place, SW1P 1LT
020 7834 1363
Beaucoup d'ouvrages religieux, quelques uns en français. Le gérant parle français.

COIFFURE-BEAUTE

Les senteurs
71 Elizabeth St, SW1 - Parfums.

Molton Brown, L'Occitane, Boots à Cardinal Place.

PARCS ET AIRES DE JEUX

Si Belgravia et Pimlico ont peu d'espaces verts publics, **Hyde Park** au nord, **Saint James Park** au nord-est se trouvent à seulement quelques minutes de marche et de l'autre coté du Chelsea Bridge s'étend **Battersea Park.**

Une piste de vélo traverse Pimlico d'ouest en est par Lupus St et vers le Parlement. Une autre du nord au sud longe Buckingham Palace et arrive dans Green Park. Une troisième piste remonte vers le nord par Ebury Bridge Rd puis Chesam St et Lowndes St (pour longer Sloane St en l'évitant) avant d'arriver dans Hyde Park.

MUSÉES

Tate Britain
Millbank, SW1
020 7887 8000/activités 020 7887 3959
www.tate.org.uk - ⊖ Pimlico
Tous les jours,10h-17h50, sauf les 24, 25 et 26 Décembre. Activités familiales et enfants le WE et les vacances scolaires.

Royal Mews
Buckingham Palace Rd, SW1
020 7321 2233
⊖ Saint James Park, Victoria
Pour tous les amoureux des chevaux, de la cavalerie et des défilés.

RESTAURANTS

Hunan
51 Pimlico Rd, SW1 - 020 7730 5712.
Cuisine relevée de l'ouest de la Chine.

Il Convivio
143 Edbury St, SW1 - 020 7730 4099
Spécialités de Sardaigne.

Mango Tree
46 Grosvenor Place, SW1 - 020 7823 1888
Décor et cuisine proches des bons restaurants en Thaïlande.

La Poule Au Pot
231 Edbury St, SW1 - 020 7730 7763
Cuisine française traditionnelle dans un cadre intimiste.

Roussillon
16 Barnabas St, SW1 - 020 7730 5550
Spécialités du sud-ouest revisitées.

PUBS

Antelope
22-24 Eaton Terrace, SW1 - 020 7824 8512
Charmant *pub*. A éviter entre 17h et 18h en semaine, mais très sympathique le reste du temps.

Ebury
139 Ebury St, SW1 - 020 7730 6784
Plutôt *winebar.* Cuisine moderne servie sur une carte très fournie.

Hampstead

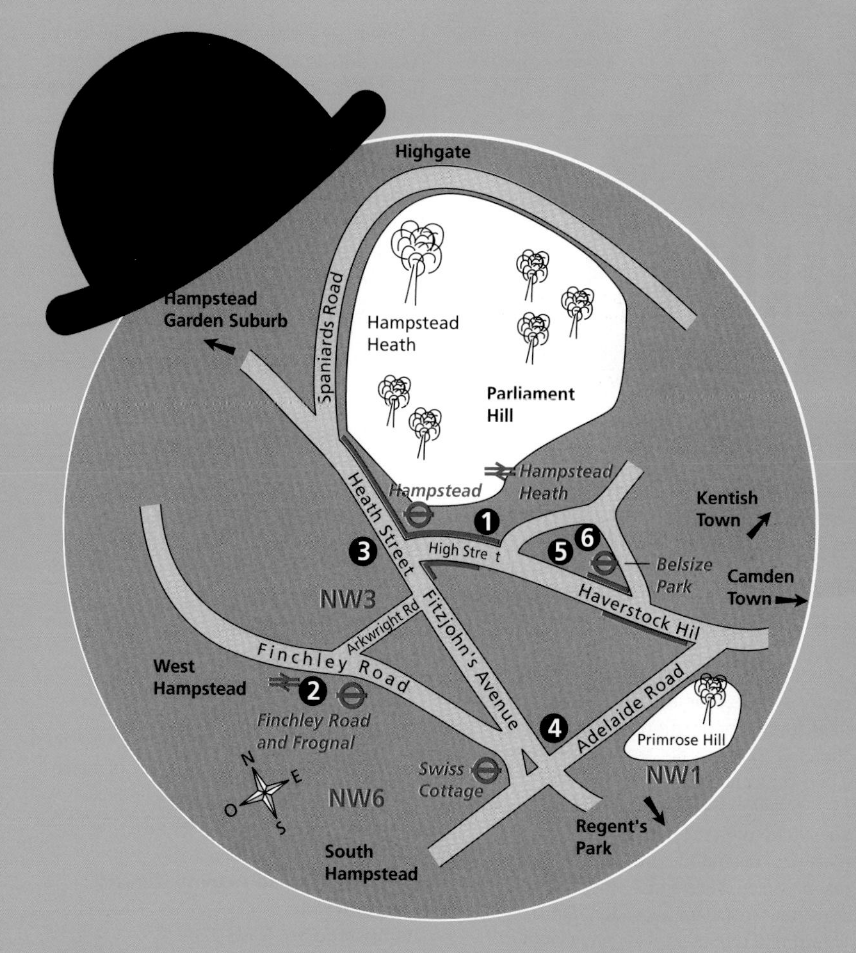

Police
Sainsbury's, Homebase, Waitrose, Habitat
Camden Local Environment (resident permit)
Bibliothèque
Bibliothèque
Hopital Royal Free

Zone commerçante

Hampstead

Situé sur une colline au nord-ouest de Londres, dans le *Council* de Camden (NW3), **Hampstead** a gardé une atmosphère de village avec sa multitude de petites églises, côtoyant de très belles maisons géorgiennes en briques brunes ou blondes. Au XVIIIe, les Londoniens fortunés ou les artistes, écrivains et peintres, y installaient leur résidence d'été. Depuis 3 siècles, Hampstead a toujours été un endroit à la mode. Le village est réputé pour ses cafés animés et ses boutiques chic mais surtout pour son parc naturel Hampstead Heath où, traditionnellement, a lieu la promenade dominicale.
La population d'Hampstead est aujourd'hui constituée d'un mélange d'intellectuels, d'artistes, de sportifs professionnels et de responsables d'entreprises internationales aisés qui s'installent avec leurs familles.
Il faut dire que malgré les prix élevés du marché immobilier, les familles sont attirées par la proximité de ce fantastique espace vert qu'est Hampstead Heath et le grand nombre d'écoles publiques et privées dans le seul village (32). La circulation y est d'ailleurs très difficile aux heures des écoles, vers 9h et 15h. Il est généralement possible d'obtenir un *resident permit* de 15 minutes pour déposer ou reprendre les enfants à l'école.

Le *Heath*, les commerces élégants, les bons restaurants et les activités possibles rendent Hampstead et les quartiers attenants tels que Belsize Park (NW3), Frognal (NW3), West-Hampstead (NW6), South-Hampstead (NW6), Primerose Hill (NW1) très agréables pour les familles qui souhaitent s'installer dans un endroit cosmopolite.

Petite enfance

Attention, si vous vous dirigez vers les écoles privées, les listes d'attente peuvent être longues et il vaut souvent mieux demander une inscription dans plusieurs écoles. Pour toute information sur les places disponibles dans les structures d'accueil, consultez les sites ***www.childcarelink.gov.uk, www.camden.gov.uk*** ou tel au **020 7974 1679.**

DAY-NURSERIES

Church Row Nursery
Hampstead Parish Church,
Church Row, NW3 6UP
020 7431 2603
2ans 1/2-5 ans. *Independent school* mixte accueillant les enfants tous les matins. Inscription possible quelques après-midis par semaine. £820/trim.

The Hampstead Activity Nursery
Christ Church,
Hampstead Sq, NW3 1JH
020 7435 0054
1-5 ans, 8h-18h. Grande souplesse dans le choix des jours et horaires. Située au cœur du village, dans le hall d'une église, elle ne ferme qu'une semaine par an.

Teddies Nurseries/West Hampstead
2 West End Lane, NW6 4NT
020 7372 3290
www.teddiesnurseries.co.uk

3 mois-5 ans. Trois groupes d'âges: 0-1 an, 13 mois-24 mois, 24 mois-5 ans.
Grande souplesse horaire, matins 8h-13h30 et/ou après-midi 13h30-18h. Ne ferme qu'une semaine par an. Petite cour équipée de jeux, locaux spacieux. Fournit petit déjeuner et déjeuner. Ambiance chaleureuse. Le personnel suit un programme précis d'activités thématiques telles la ferme, les saisons...Dépend du groupe BUPA.

NANNIES

Colourbox Childcare Specialists
020 8452 6824
Couvre le nord et nord-ouest de Londres.

North London Nannies
020 8444 4911
Des petites annonces de jeunes filles désirant travailler comme nanny ou femme de ménage sont affichées dans des petits commerces type marchands de journaux (*newsagents*), notamment à coté de la station de métro de Finchley Road, au n° 233 de l'avenue.

MOTHER & TODDLER GROUPS

Fortune Green Play Centre Drop-in for under five
Fortune Green Rd, NW6
020 7435 0804

Hampstead Community Centre Parent and Toddlers group
78 Hampstead High St, NW3
020 7794 8313

PLAYGROUPS

St Mary's Hall Playgroup

134 Abbey Rd, NW6
Lundi matin, 10h-12h.
Hall très bien équipé en jouets. Lieu adapté pour rencontrer d'autres mamans et discuter. Présence indispensable d'un adulte responsable de l'enfant. Il est possible de louer ce très beau hall pour les anniversaires d'enfants.

Swiss-Cottage Community playgroup
19 Winchester Rd, NW3
020 7916 7090

Ecoles

ECOLES FRANÇAISES

Maternelle

Pomme d'Api
86 Wildwood Rd, NW11 6UJ
020 8455 1417
www.pommedapi.co.uk
1-4 ans, 8h-18h. £1100/trim pour 5 matinées/sem.

Maternelle & primaire

L'île aux enfants
22 Vicars Rd, NW5 4NL
020 7267 7119
3-11 ans. Ecole française mixte conventionnée. Attention, liste d'attente, en particulier pour la moyenne ou grande section de maternelle.

Secondaire

Il n'y en a pas dans ce quartier mais un service privé de minibus dessert le Lycée Français de South-Kensington depuis Hampstead.

Ecole Express

019 2323 6509
Cette compagnie privée de transport scolaire dessert plusieurs quartiers dans Londres. Elle conduit les enfants d'Hampstead, West Hampstead et South-Hampstead au Lycée Français de South Kensington. Si le transport scolaire vers le Lycée Français de South Kensington intervient dans le choix de votre habitation, il est recommandé de les contacter afin de vérifier que l'endroit où vous souhaitez vous installer est bien desservi.

ECOLE BILINGUE

Chalcot Montessori School AMI
9 Chalcot Gardens, NW3 4YB
020 7722 1386
2 ans 1/2 à 6 ans. Petite école mixte de 24 enfants.

ECOLE INTERNATIONALE

South Bank International School
16 Netherhall Garden, NW3 5TH
020 7431 1200
3-6 ans.

ECOLES ANGLAISES

La population d'Hampstead étant très cosmopolite et constituée de nombreux expatriés de passage, bien que les listes d'attente soient souvent longues, des places se libèrent souvent en cours d'année ou entre avril et juin.
Fourchette de prix indicative:
£900-£2700/trim pour les nurseries (option 5 matinées) et £2000-£3500/trim pour les écoles primaires (toute la journée). A ce prix s'ajoute, si on le souhaite, celui de nombreuses activités proposées par ces écoles après les cours.

Nursery & primary schools

Ecoles gratuites:

New End Nursery and Primary School
Streatley Place, NW3 1HU - 020 7431 0961
State school mixte située au cœur du village.

Hampstead Parochial School
Holly Bush Vale, NW3 6TX - 020 7435 4135
www.hampsteadprim.camden.sch.uk
Ecole mixte *Church of England*. Uniforme.

Christ Church C.E.
Junior Mixed & Infants School
Christchurch Hill Hampstead, NW3 1JH
020 7435 1361
www.christchurchschool.co.uk
Ecole mixte *Church of England*. Uniforme.

Ecoles payantes:

Devonshire House Preparatory School
69 Fitzjohns Av, NW3 6PD - 020 7435 1916
2 ans 1/2-13 ans, mixte. Répartie sur 3 sites séparés dans des bâtiments victoriens au coeur d'Hamsptead. £1875/trim (nursery), £3320/trim (3-4 ans), £3640/trim(+5ans).

Heathside Preparatory School
16 New End, NW3 1JA - 020 7794 5857
2-11 ans. *Independent school* mixte primaire. Ecole chaleureuse et familiale d'environ 120 enfants. Petits effectifs, classes limitées à 12/14 enfants. Nombreuses activités dans le cadre de l'école: leçons de piano, échecs, ballet, théâtre... Pour la *nursery*, option 5 matinées ou temps plein, 9h-15h30. £5000-8000/an.

Hampstead Hill School
St Stephens Hall, Pond St, NW3 2PP
020 7435 6262
www.hampsteadhillschool.co.uk
2-8 ans. *Independent school* mixte. Prépare aux examens d'entrée dans les écoles privées (*Prep Schools*).

Maria Montessori School
26 Lyndhurst Gardens, NW3 5NW
020 7435 3646 / 020 7431 8096
2-12 ans. Située dans un hall d'église très spacieux. Antenne au **134 Abbey Rd, NW6 4SN - 020 7624 5917**

St. Anthony's School
90 Fitzjohn's Av, NW3 6NP - 020 7435 0316
5-13 ans. *Independent school* pour garçons. Catholique. Piscine et cour. £3600/trim.

St Mary's School Hampstead
47 Fitzjohns Av, NW3 6PG - 020 7435 1868
2-11 ans. *Independent school* catholique de filles. 270 élèves. Bons résultats. £4900-9000/an.

Nursery, primary & secondary schools

North Bridge House School
1 Gloucester Av, NW1 7AB - 020 7267 6266
2-16 ans. *Independent school* mixte et non confessionnelle de 900 élèves. Bonne réputation. Cette école est répartie sur 3 sites à Hampstead *(nursery, junior school, senior school)*. £3150/trim.

Royal School Hampstead
65 Rosslyn Hill Hampstead, NW3 5UD
020 7794 7707
www.royalschoolhampstead.net
3-18 ans. *Independent school* de filles dont des pensionnaires. Ecole très chaleureuse et familiale d'environ 250 enfants. Elle bénéficie d'une grande cour de récréation et d'un grand parking privé pour les parents qui accompagnent leurs enfants. Nombreuses activités: ballet, théâtre, leçons de piano et de

violon, *French club*. Une leçon de français est donnée dès la *Reception class* dans le cadre du programme. Cantine. Dès la *nursery*, les enfants doivent suivre l'école toute la journée.

South Hampstead High School For Girls
Junior school: Netherhall Gardens, NW3 5RN - 020 7794 7198
Senior School : 3 Maresfield Gardens NW 3 5SS - 020 7435 2899
www.gdst.net/shhs
4-18 ans. *Independent school* très réputée pour filles. £3100/trim.

Logement

Petit **village**, Hampstead est traversé par 2 rues principales: Hampstead High Street et Heath Street. L'idéal est de pouvoir habiter dans les petites ruelles bordant ces deux axes et sur la colline afin de de pouvoir bénéficier de l'atmosphère de village et de pouvoir conduire ses enfants à l'école à pied.
Mais les habitations sont souvent petites (de nombreuses maisons ont été transformées en appartements de 2 ou 3 chambres) et les prix de location ou d'achat élevés. Le coût d'**achat** d'un appartement s'élèvera entre £300 000 (une chambre) et £1M (3 chambres). Le prix d'une maison, parmi les plus petites, s'élève entre £1M et plus de £4M pour de grandes maisons (5 ou 6 chambres).

Les **quartiers qui bordent Hampstead**:

Belsize Park est bien desservi. Son *resident permit* permet de profiter facilement d'Hampstead village et de l'avenue très commerçante Finchley Road.

L'ouest du village est très résidentiel, mais un peu plus éloigné du métro.

West Hampstead est un quartier très vivant et à la mode pour ses restaurants et ses cafés. Bien desservi par le métro et le train.

South-Hampstead est un quartier agréable, limitrophe de **St John's Wood**, qui permet de se rapprocher du Lycée Français de South-Kensington en évitant la circulation du centre du village. C'est également très bien desservi.

West-Hampstead et **South-Hampstead** sont limitrophes de Kilburn High Street très intéressante pour ses commerces et ses marchés.

Le quartier de **Parliament Hill** est attenant au *Heath* et proche d'un grand terrain de jeux aménagé pour les petits et non loin à pied de l'école française l'*Ile aux enfants*. Bien desservi.

Dans ces micro-quartiers, on peut trouver de plus grandes maisons ou appartements à des prix plus bas. A la **vente**, compter en moyenne £500 000 à £3M pour un appartement ou une maison de 3 chambres en fonction des zones. A la **location**, compter entre £500 et plus de £850/sem pour un appartement de 3 chambres et entre £800 et plus de £1500/sem pour une maison de 3 chambres.

Transports

LE METRO

Le village d'Hampstead est desservi par la Northern *line* (stations: **Hampstead** et **Belsize Park**) pour se rendre à la City ou dans le West End.
Les autres quartiers sont proches de la Jubilee *line* dont les stations **Finchley Road** et **Swiss-Cottage** sont situées entre Belsize Park et South-Hampstead sur l'avenue Finchley Road, où l'on trouve les grandes surfaces Waitrose, Sainsbury's, Habitat et de nombreux petits commerces. Il y a également la station **West-Hampstead**. ➤ **carte p309**

LE BUS

Dans Hampstead village:
- le **46** relie Hampstead à Swiss-Cottage,
- le **268** relie Hampstead à Swiss-Cottage et Finchley Road en passant par Belsize,
- le **210** parcourt entre autres Highgate Village, Hampstead Heath, Brent Cross Shopping Centre,
- le **C11** dessert Parliament Hill Fields, Hampstead Heath, Belsize Park station, Swiss-Cottage, Finchley Road, West-Hampstead, South-Hampstead, Brent Cross Shopping Centre.

Les lignes **13, 24, 27, 31, 82, 113, 139, 168, 187,189** permettent de se rendre au centre de Londres à Oxford Circus, Trafalgar Square, Westminster, Victoria Station, Picadilly Circus, Kensington High Street

LE TRAIN

La **Silverlink** passe par West-Hampstead, Hampstead Heath, et Finchley Road & Frognal.

Administrations

MAIRIE

London Borough of Camden Town Hall
Judd St, WC1H 9JE - 020 7278 4444
www.camden.gov.uk

BIBLIOTHÈQUES

Camden Central Library
Swiss cottage library for under five and for Adult
88 Avenue Rd, NW3 - 020 7974 6522
Lundi-jeudi:10h-19h, les mardi, mercredi et vendredi:10h-18h et samedi: 10h-17h.

Belsize Library
Antrim Rd, NW3 - 020 7974 6518
Mardi 10h-19h, mercredi 10h-18h, samedi 10h-17h. Fermée les lundi, jeudi, vendredi et dimanche.

West Hampstead Library
Dennington Park Rd, NW6 - 020 7974 6610
Lundi et mardi 10h-19h, jeudi 10h-20h, vendredi 10h-18h, samedi 10h-17h et dimanche 11h-16h. Fermée le mercredi.

COMMISSARIAT

Hampstead Police Station
26 Rosslyn Hill, NW3 - 020 7431 1212

COMMUNITY CENTRES

Centres socio-culturels. Activités pour les enfants (*playgroup*, cours de danse...) et pour les adultes (cours d'anglais gratuits, danse, yoga, informatique...).

Hampstead Community Centre
78 Hampstead High St, NW3
020 7794 8313

Primrose Hill Community Centre
29 Hopkinson Place, off Fitzroy Rd, NW1
020 7586 8327
Belle salle à louer pour les anniversaires d'enfants.

Swiss Cottage Community Centre
19 Winchester Rd, NW3 - 020 7916 7090
Centre récemment rénové.
Deux piscines, mur d'escalade, salles de sport, terrains de basket, badminton... Garderie.

Cours de langues

(A *Adulte*, E *Enfant*)

Hampstead Garden Institute English Centre A
11 High Rd, N2 - 020 8829 4144
www.hgsi.ac.uk

Inscriptions et tests à faire à la *Tea House*, Northway NW11 les lundi, mardi, mercredi et vendredi 10h-14h. Cours trimestriels, y compris l'été. De 3 à 15h/semaine. Les examens du type *First Certificate of Cambridge* ont lieu en décembre et juin. Environnement de verdure magnifique, très résidentiel, dans une zone sans *resident permit*.

The Hampstead School of English A
553 Finchley Rd, NW3 - 020 7794 3533
Grande flexibilité de cours. Pratique pour une fille au pair si on habite West-Hampstead, South-Hampstead ou Swiss-Cottage.

Sports

(A *Adulte*, E *Enfant*)

CLUBS

Cumberland Lawn Tennis Club and Hampstead Cricket Club
25 Alvanley Gardens, NW6 - 020 7435 6022
www.cltc-hcc.com
Club typiquement anglais avec *entrance fee* (environ £400) et *membership* annuel (£650) donnant droit à de multiples activités: tennis, cricket, squash, hockey, etc... Cours et compétitions pou les enfants. Nombreuses activités sociales (tournoi, *club nights, social tennis*...). Une bonne façon de s'intégrer

Esporta Health & Fitness Club
O2 Centre, 255 Finchley Rd, NW3
020 7644 2400
Garderie. Organisation d'anniversaires d'enfants.

Jubilee Hall Clubs Hampstead
25 Pond St, NW3 - 020 7431 2263

Bowling à Hamstead

Marriott Leisure Club
Marriott Hotel, 128 King Henrys Rd, NW3
020 7449 4411

Springhealth Leisure Club
81 Belsize Park Gardens, NW3
020 7483 6800
Athlétisme, cricket, course à pied, vélo, pêche, football, *practice* de golf, hockey, cheval, pétanque, nage (dans les 3 étangs), tennis, volleyball.

ARTS MARTIAUX

The Pantha Karate Club E
www.panthakarateclub.co.uk
Hall School, 23 Crossfield Rd, NW3
5-14 ans. Cours le jeudi 17h45-18h30

DANSE

Chantraine School of Dance
020 7435 4247 ➤ Activités

Pre-school Creative Movements E
The Studio, 6-8 Kemplay Rd, NW3
020 7435 8217
Expression corporelle pour les garçons ou filles de 2-4 ans. Les plus petits doivent être accompagnés pendant la leçon.

Rona Hart School of Dance E
Rosslyn Hill, Willoughby Rd, NW3
020 7435 7073 ou 07885 421446
Ecole de jazz, ballet et claquettes.

Vacani School of Dancing E
47 Cumberland St, SW1 - 020 7592 9255
Leçons de ballet pour enfants le samedi matin au Swiss-Cottage *Community Centre*.

FOOTBALL

League One Football Academy AE
Hampstead Cricket Club, Lymington Rd, SW6
www.leagueone.co.uk
Mardi, mercredi et jeudi en fonction de l'âge des enfants à partir de 5 ans. 16h30-17h30. Possibilité d'organiser un match pour un anniversaire.

NATATION

Swiss Cottage Swimming Club
www.camdenswisscottage.co.uk
Club de natation du Swiss Cottage Community Centre (adresse ci-dessus).

TENNIS

Grâce à son immense *Heath,* Hampstead est un vrai paradis pour les joueurs de tennis.

Golders Hill Park Tennis Courts AE
1 Golders Hill, North End Way, NW3
Renseignements: Heath Information Centre 020 7433 1917. 10 terrains municipaux. Réservations par tel. Un groupe organise des rencontres de *social tennis* en double mixte pour adultes. Contact: Richard au 020 7794 9950.

Kenlin Lawn Tennis ClubAE
Croftdown Rd, NW3
Valérie Day: 020 7272 4579
www.kenlyn.org.uk
Club de voisinage avec 2 terre-battues. *Men's team.*

West Heath Lawn Tennis Club AE
Croftway, Ferncroft Av, NW3
www.westheathltc.co.uk
Club sympathique pour jouer sur gazon aux beaux jours.

Activités artistiques et culturelles

(A *Adulte,* E *Enfant*)

Perform E
020 7209 3805
Cours de théâtre, chant, danse. 4-7 ans. Divers lieux,à Hampstead, Highgate, et Primrose Hill.

Hampstead Garden Institute A
11 High Rd, N2
020 8829 4141
www.hgsi.ac.uk
Nombreux cours à temps partiel pour les plus de 16 ans: peinture, encadrement, photographie, jardinage, cuisine.

Monkey Music
020 8451 4626
www.monkeymusic.co.uk
Eveil musical pour les petits (6 mois-4 ans).

Voiture

PARKING

Les *Environment shops* sont des antennes locales, relayant certains services administratifs de la mairie tels que le paiement de la *council tax* ou du *resident permit.*
Lundi-vendredi 8h-18h, samedi 9h-17h.

Environment Shop
(Village d'Hampstead)- 45 Heath St, NW3

Environment Shop
(West-Hampstead et South-Hampstead)
199 Belsize Rd (Priory Road junction)**, NW6**

Infos concernant le *resident permit* sur ***www.camden.gov.uk/parking/permits***.

Hormis dans le centre du village d'Hampstead, Hampstead High Street et Heath Street, il est difficile de trouver des horodateurs pour se garer, car la majorité des places de parking sont réservées aux personnes qui disposent d'un *resident permit.* Mais les détenteurs de *resident permit* peuvent acheter dans les *environment shops* des *parking tickets* (valables 1 journée, 2h, 1h ou 1/2h) pour les invités ou éventuellement les entreprises qui viennent faire des travaux.

GARAGES

The Hyde, Edgware Rd, Colindale, NW9
Sur cette avenue à Colindale (15 mn en voiture d'Hampstead), on trouve les concessionnaires de toutes marques. On peut y faire faire les révisions.

Speedway Autocare
1 Northways Parade, Finchley Rd, NW3
020 7586 6660

NETTOYAGE

Parking de O2 Centre
241-279 Finchley Rd, NW3
Station de lavage automatique.

Centre commercial de Brent Cross
Pendant que l'on fait son shopping.

STATIONS SERVICE

BP Harmony Hampstead Service Centre
104a Finchley Rd, NW3 - 020 7722 1192
En face de la sortie du Sainsbury's. 24/24h.

Belsize Park Service Station
Belsize Park Station, Haverstock Hill, NW3
020 7431 4315

Installation et entretien

ORDURES MÉNAGÈRES

Les ordures ménagères sont ramassées 2 fois par semaine. Les jours de passage varient en fonction des rues.
Il est également possible de demander le ramassage des déchets végétaux ou extra-ménagers en appelant le **020 7974 6914/5**.
Des containers permettant d'effectuer un tri sélectif des ordures (verres, conserves, papier et sur quelques sites, tissus, livres, imprimantes et cartouches) sont installés dans les rues et à proximité des immeubles collectifs. Il est possible de trouver le centre le plus proche de son domicile sur *www.camden.gov.uk*

Décharge publique et centre de recyclage

Camden's Recycling Centre/Dump
Regis Rd, Kentish Town, NW5
020 7974 6914/5
7/7j, 8h-15h45, vérifier lors des jours fériés.

SERVICES DOMESTIQUES

Chauffagiste

McCauley Gas Repair Services
10 Brook Walk, East Finchley, N2
020 8444 4456
Demander Dave. Service professionnel et rapide.

Cordonnier

Perrins Shoe Clinic
14 Perrins Court, NW3 - 020 7794 2514
Cordonnier-serrurier de quartier, au coeur du village.

Laveur de carreaux

Elite Cleaning & Hygiene
020 7607 5244
Service de qualité.

Teinturiers

Perkins Dry Cleaners
40 Heath St, NW3 - 020 7435 2109
Situé dans le centre du village. Un service de bonne qualité à des prix corrects.

Sparkle Dry Cleaning
329 West End Lane, NW6 - 020 7435 9911
Prix très intéressants.

Squeaky Clean Professional Dry Cleaners
13 Fairhazel Gardens, NW6 - 020 7372 8998

NHS

Pour trouver un GP proche de chez vous, consultez le site *www.nhs.uk.*

Hôpital

Royal Free Hampstead Hospital
Pond St, NW3 2QG
020 7794 0500
Hôpital généraliste, service d'urgence, département psychiatrique. Spécialisé dans les maladies du foie et des reins et des cancers.

MÉDECINE PRIVÉE

Gynécologue, obstétricien (f)
CRM London
Park Lane, 111 Park Rd, NW8
020 7487 3456 /020 7487 5226
Le docteur Robert Forman parle le français et l'anglais. Il exerce au Portland Hospital. Spécialiste de la fertilité.

Weymouth St Paediatric Dental Practice
33 Weymouth St, W1N
020 7580 5370/020 7636 3094
www.paediatric-dentistry.co.uk
Dr. John F Roberts
Cabinet de dentistes pour enfants et adolescents, 8h30–17h, du lundi au vendredi. Service d'urgence pour les soirs et durant

les WE. Tout est prévu pour que les enfants, même les plus petits, se sentent à l'aise.

PHARMACIE

Pharmacentre Pharmacy & Clinic
149 Edgware Rd, W2 - 020 7723 2336
www.pharmacentre.com
7/7j jusqu'à minuit, 365j/an.

Achats

Au sud d'Hampstead, sur la grande avenue commerçante **Finchley Rd**, entre les stations de métro Finchley Rd et Swiss Cottage se trouvent les supermarchés, grands magasins et la galerie commerciale **O2 Centre,** tandis que le village compte de nombreuses petites boutiques de charme. → **carte p309**
Sans oublier la principale attraction touristique du quartier, Camden Market, un concentré bariolé de stands de vêtements et gadgets pour adolescents, brocante, disques, artisanat, et quelques marchamds de meubles. A éviter le dimanche si vous vivez dans le quartier!

Camden Market 7/7j, 9h-17H30
Camden High St, NW1 Camden Town
020 7284 2084
www.camdenlock.net
⊖ Camden Town or Chalk Farm

ALIMENTATION

Supermarchés

Sainsbury's
241-279 Finchley Rd, NW3

Marks & Spencer Simply Food
151 Finchley Rd, NW3

Waitrose
199 Finchley Rd, NW3
10 Pond St, NW3

Autres commerces

Fresh & Wild
49 Parkway Camden Town, NW1
020 7428 7575
Très grande variété de produits naturels ou biologiques, et produits sans blé ou sans gluten par exemple pour les personnes allergiques. Epicerie, vente de légumes frais et plats cuisinés.

Giacobazzi's Delicatessen
150 Fleet Rd, NW3 - 020 7267 7222
Très bon traiteur italien. Réputé pour les pâtes fraîches fourrées.

Hampstead Seafoods
78 Hampstead High St, NW3
020 7435 3966
Le poisson y est toujours très frais.

Hampstead Food Hall
23-27 Heath St, NW3 - 020 7431 0310
Superette très bien achalandée. Nombreux produits français aux rayons épicerie, charcuterie et fromage. 7/7j. Lundi-samedi, 7h-23h, dimanche 7h30-23h.

Maison Blanc
62 Hampstead High St, NW3
020 7431 8338

Paul
43 Hampstead High St, NW3
020 7794 8657

The Rosslyn Delicatessen
56 Rosslyn Hill, NW3 - 020 7794 9210
Produits français dont croissants, pains au chocolat et pain.

AMEUBLEMENT-DECO

Charles Page
61 Fairfax Rd, NW6 - 020 7328 9851

Habitat
191-217 Finchley Rd, NW3 - 020 7328 3444

Interni
51-53 Fairfax Rd, NW3 - 020 7624 4040

BRICOLAGE

Robert Dyas
183 Finchley Rd, NW3 - 020 7624 5217

FLEURS

Hampstead Community Florist
78 Hampstead High St, NW3
020 7435 7435

Flower Sanctuary
15 Goldhurst Terrace, NW6 - 0800 731 4160

Camden Lock

SPORTS

The Cycle Surgery
275 West End Lane, NW6 - 020 7431 4300

MUSIQUE

Hampstead Pianos
131-133 Abbey Rd, NW6 - 020 7624 8895
www.hampsteadpianos.co.uk
Vente et location de pianos neufs ou d'occasions. Réparation/rénovation.

JOUETS-COTILLONS

Happy Returns
36 Rosslyn Hill, NW3 - 020 7435 2431

Oscar's Den
127-129 Abbey Rd, NW6 - 020 7328 6683
www.oscarsden.co.uk
Déguisements, masques, ballons, feux d'artifices, location de *bouncy castles*.

Toys'R Us
Tilling Rd, NW2 - 020 8209 0019
En face du centre commercial de Brent Cross.

VÊTEMENTS-CHAUSSURES

On trouve les chaînes habituelles sur High Street et Rosslyn Hill (son prolongement), Heath Street.

Alia Angel
58 Rosslyn Hill, NW3 - 020 7431 3547
Vêtements pour femmes à partir de £20.

Formes
66 Rosslyn Hill Hampstead, NW3 1ND
020 7431 7770
Vêtements de maternité.

Gap Kids
35, High St, NW3 - 020 7794 9182

Jane & Dada
59 Hampstead High St, NW3
020 7431 0708
Vêtements pour femmes. Vaut une visite.

Jigsaw Junior
83 Heath St, NW3 - 020 7431 0619

Pear Drops
2 Flask Walk, NW3 - 020 7443 9123
Lingerie.

Petit Bateau
19 Hampstead High St, NW3 - 020 7794 3254

Tzar Retailing
22 Hampstead High St, NW3
020 7431 4332
Vêtements à partir de £30.

YDUK
82 Heath St, NW3 - 020 7431 9242

LIBRAIRIES-DISQUES

Books Etc...
02 Centre 255, NW3 - 020 7433 3299
Dans la galerie *02 Centre*.

Daunt Books
193 Haverstock Hill, NW3 - 020 7794 4006
51 South End Rd, NW3 - 020 7794 8206

HMV
57-61, Heath St Hampstead, NW3
020 7435 6575
Disques.

Karnac (Books)
118 Finchley Rd, NW3 - 020 7431 1075

Waterstone's Booksellers
68-69 Hampstead High St, NW3
020 7794 1098

COIFFURE-BEAUTÉ

Mad Lillies Hair
34 Heath St, NW3 - 020 7435 3869
www.madlillies.co.uk
Ouvert le dimanche.

DIVERS

Brent Cross
www.brentcross-london.com
Centre commercial situé à 15 mn d'Hampstead en voiture, non loin de la *North Circular Road*. Ouvert lundi-vendredi 10h-20h, samedi 9h-19h et dimanche 11h-17h. Nombreux magasins dont des grandes surfaces comme **Fenwick, John Lewis** et **Marks&Spencer**. En face de Brent Cross, **Tesco, Toys R Us, Currys, PC World**.

Costco Wholesale Watford
Hartspring Lane, Watfords, Herts
01923 699 805
Centrale d'achat, style Metro, à proximité.

Well Walk Pottery Shop
49 Willow Rd, NW3
020 7435 1046
Boutique connue de céramique. Organise des cours de poterie.

Sortir

PARCS ET AIRES DE JEUX

Hampstead Heath
Information centre
020 7433 1917/ 020 7482 7073
www.cityoflondon.gov.uk
Parliament Hill Lido, près de l'entrée Gospel Oak.
Lundi-vendredi 10h30-coucher du soleil, WE à partir de 10h. Cette lande est le lieu des promenades mais aussi celui de multiples animations. Deux belles aires de jeux à Golders Hill et Parliament Hill. A Parliament Hill, en bordure du Heath, nombreux jeux pour les enfants, grand bac à sable, bassin très peu profond ouvert l'été 11h30-18h. Animations pour enfants: marches, événements autour de la vie sauvage, spectacles (clowns, acrobates, ...) de juin à fin août. Marches organisées toute l'année dans le Heath d'avril à septembre. Certaines ont lieu à 18h30 ou 20h30, d'autres l'après-midi, pour les chiens par exemple.
Nombreux concerts gratuits l'été, notamment de jazz le dimanche 15h-17h. Voir également Kenwood House et *www.picnicconcerts.com*

Primrose Hill
Très belle vue de Londres depuis le haut de la colline. Très grande aire de jeux bien équipée pour les enfants.

Les rues étroites et sinueuses de Hampstead ne favorisent pas le vélo, tandis qu'il est interdit dans le *Heath* où les promeneurs et les enfants sont privilégiés.

MUSÉES

Keats House Museum
Wentworth Place, Keats Grove, NW3
020 7435 2062
Musée consacré à la vie et au travail du poète John Keats. De 1818 à 1820 il y écrivit ses principaux poèmes.

Kenwood House
The Iveagh Bequest,
Hampstead Lane, NW3 - 020 8348 1286
Dans une belle maison XVIIIe, collection intéressante de peintures dont un Rembrandt, un Vermeer,... et Gainsborough. Ne pas oublier la galerie de portraits et les collections pittoresques. Beau jardin, cadre idéal pour les concerts d'été de musique classique.

Kenwood Lakeside Concerts
Programme: 020 8233 7435,
Réservations: 020 7414 1443
Les samedis soirs à partir de 19h30.

Freud Museum
20 Maresfield Gardens, NW3
020 7435 2002
En 1938, Sigmund Freud arriva à Hampstead. Il y vécut peu de temps, mais son bureau et sa collections de statuettes sont là et non à Vienne.

GALERIES D'ART

The Catto Gallery
100 Heath St, NW3 - 020 7435 6660
www.catto.co.uk

Camden Arts Centre
Arkwright Rd, NW3 (à l'angle de Arkwright Rd et Finchley Road)
020 7472 5500/020 7472 5501
www.camdenartscentre.org
Entièrement rénovée en 2003, la galerie est gérée par le *borough* de Camden. Célèbre pour ses expositions d'avant-garde, ses événements et ses cours, adultes ou enfants.

THÉÂTRES

New End Theatre
27 New End, NW3 - 020 7794 0022

Pentameters Theatre
Above Three Horse Shoes
28 Heath St, NW3 - 020 7435 3648

Tricycle Theatre
269 Kilburn High Rd, NW6- 020 7372 6611
Spectacles pour enfants tout au long de l'année.

RESTAURANTS

Al Casbah
42 Hampstead High St, NW3
020 7431 6356
Bon restaurant pour le couscous et les tajines.

L'Aventure Restaurant
3 Blenheim Terrace, NW8 - 020 7624 6232
Très bon restaurant français. Pour le samedi soir, préférable de réserver dès le lundi ou mardi.

Brew House Café
Kenwood House (adresse ci-dessus)
020 8341 5384
Charmant café dans un cadre superbe.

Cafe Med
21 Loudoun Rd, NW8 - 020 7625 1222
Bien pour le déjeuner du dimanche avec les enfants.

Gaucho Grill
64 Heath St, NW3 - 020 7431 8222
Pour manger de la bonne viande d'Argentine.

Jin Kichi
73 Heath St, NW3 - 020 7794 6158
Restaurant japonais installé depuis longtemps.

Pescador Two
108 Heath St, NW3 - 020 7443 9500
Spécialités de poissons.

Room 68
68 Heath St, NW3 - 020 7435 6140
Restaurant italien au cadre raffiné.

Rosmarino
1 Blenheim Terrace, NW8 - 020 7328 5014
Très bon restaurant italien. Cadre agréable.

Safir
116 Heath St, NW3 - 020 7431 9888
Spécialités nord-africaines.

Zen W3
83 Hampstead High St, NW3
020 7794 7863
Restaurant chinois. Bon rapport qualité prix.

PUBS

Spaniards Inn
Spaniards Rd, NW3 - 020 8731 6571
Un des plus vieux *pubs* d'Hampstead, XVIIIe, où les poètes Keats, Shelley et le peintre Reynolds se rendaient.

The Flash
77 Highgate West Hill, N6 - 020 8348 7346
Pub très ancien (1637) et très populaire. Terrasse agréable. Réservez.

The Wells
30 Well Walk, NW3 - 020 7794 3785
Dans le vieux Hampstead. Cadre agréable et cuisine très correcte.

KENSINGTON PARK
ROAD. W11.
SELF
SERVICE
LAUNDRY
COMMERCIAL
COMMERCIAL
Marsh &
Parsons
Established 1856
LAUNDERETTE
TO LET
marshandparsons.co.uk
020 7348 5993
17

Index

D

E

F

G

H

Index des Annonceurs